ET Biblioteca

Dello stesso autore nel catalogo Einaudi

La malora
I ventitre giorni della città di Alba
Il partigiano Johnny
La paga del sabato
Un Fenoglio alla prima guerra mondiale
Racconti partigiani
Opere
L'affare dell'anima e altri racconti
Primavera di bellezza
Una questione privata
Un giorno di fuoco
Romanzi e racconti
L'imboscata
Appunti partigiani
Diciotto racconti
Quaderno di traduzioni
Lettere. 1940-1962
Una crociera agli antipodi e altri racconti fantastici
Epigrammi
Teatro
La favola delle due galline
Tutti i romanzi
Il libro di Johnny

Beppe Fenoglio
Tutti i racconti

A cura di Luca Bufano

Einaudi

www.einaudi.it

ISBN 978-88-06-23874-2

Le scelte di Fenoglio

Beppe Fenoglio morí all'ospedale delle Molinette di Torino nella notte tra il 17 e il 18 febbraio 1963. Due anni dopo il filosofo Pietro Chiodi, che di Fenoglio era stato insegnante e intimo amico, volle ricordare le ultime ore del suo ex allievo liceale nella convinzione che quella «breve storia» gettasse luce «non solo sull'uomo ma sullo scrittore». La malattia lo aveva colto nel pieno della maturità, proprio quando, dopo un lungo e difficile tirocinio, cominciava a ricevere i primi riconoscimenti, ad assaporare le prime soddisfazioni. Inizialmente gli era stata diagnosticata una forma d'asma e lui, come un personaggio della sua *Malora*, si era ritirato a Bossolasco, nelle alte Langhe, con la speranza che l'aria fine e salubre lo avrebbe curato. Quando apparve chiara la gravità del male, venne deciso il suo ricovero, prima in una clinica di Bra, poi, dopo una parentesi trascorsa a casa, a Torino, dove i medici poterono solo constatare lo stadio terminale della malattia. Il giorno seguente il ricovero alle Molinette gli venne praticata la tracheotomia. Persa la parola, ma rimasto cosciente e quasi impassibile di fronte al suo destino, Fenoglio chiese un taccuino in cui poter scrivere per comunicare. Scrisse cosí molti biglietti: alla moglie Luciana e alla figlia, al fratello, ai genitori, all'amico teologo Don Bussi, allo stesso Chiodi; e dette disposizioni per il funerale, che volle «di ultimo grado, senza soste, fiori e discorsi», fedele anche in questo a un credo letterario quasi ascetico, alieno da ogni forma di mondanità. Sono brevi e amorevoli frasi, citate spesso nei profili biografici dello scrittore, a testimonianza di quel suo singolare carattere in cui l'aspro rigore e il riserbo si sposavano alla tenerezza. Ma soltanto nel ricordo di Chiodi, tra molte acute osservazioni, si legge che, in uno di quegli ultimi biglietti, Fenoglio «stabilí l'ordine con cui desiderava che i suoi racconti venissero ripubblicati». Il dato è sorprendente. Fenoglio lasciava infatti numerosi manoscritti incompleti, per lo piú privi di titolo: due redazioni di quello che sarebbe divenuto *Il partigiano Johnny* e tre di *Una questione privata*, un nuovo progetto narrativo riguardante la penultima generazione dei Fenoglio sullo sfondo della prima guerra mondiale, *pièces* teatrali, favole, epigrammi, traduzioni... una grande varietà di lavori il cui ordinamento e la cui pubblicazione avrebbero suscitato annose polemiche. Eppure, in punto di morte, si preoccupa soltanto dei racconti: testi finiti, quasi tutti dotati di titolo e, gran parte di essi, già licenziati per la stampa.

Ci sono altri episodi oscuri nella biografia letteraria di Fenoglio: perché, per esempio, dopo aver profuso tanta energia in un'opera lunga e complessa quale la storia di Johnny, «il libro grosso sul quinquennio 1940-45», egli decise poi di "bruciarla" facendo morire il protagonista in uno dei primi episodi della Resistenza, cosí come avviene nel finale troppo artificioso di *Primavera di bellezza*? L'originaria devozione e una lunga fedeltà al genere breve possono spiegare quella sua ultima preoccupazione, nonché il suo problematico rapporto col romanzo, fatto di intense stesure, d'imprevedibili svolte, di ripetute rinunce.

In un saggio degli anni cinquanta del secolo scorso, che ripercorreva l'intero arco della narrativa italiana, da Boccaccio a Gadda, alla luce del binomio narrare lungo/narrare breve, Leone Piccioni parlava di Moravia come di un raro esempio di scrittore italiano che nasce con la vocazione del «narratore lungo», e indicava nella piú diffusa vocazione al «narrar breve» un ostacolo alla costante e inappagata aspirazione al romanzo della narrativa italiana. Lo stesso Moravia, del resto, era pienamente cosciente di quali fossero le sue qualità di narratore: «È terribilmente difficile scrivere delle buone novelle» confessò in una lettera a Nicola Chiaromonte. «E poi a me, ogni volta che incomincio una novella, mi viene fuori un romanzo». Esattamente l'opposto succedeva a Fenoglio, il quale, quando decise di abbandonare la storia di Johnny per dedicarsi a una nuova raccolta di racconti, aveva già rinunciato al suo primo romanzo, *La paga del sabato*, per ricavarne due testi brevi. Similmente rinuncerà alla prima storia di Milton, il romanzo oggi noto col titolo *L'imboscata*, per ricavarne una seconda serie di racconti sul tema della guerra civile; mentre non ci è dato sapere quale sarebbe stata la sua decisione finale riguardo a *Una questione privata*, la postuma summa poetica dal titolo probabilmente redazionale. Forse erano le caratteristiche stesse del genere breve, a lungo studiate negli esempi dei grandi maestri (Poe, Maupassant, i piú amati), a esaurirlo in una ricerca di perfettibilità senza fine: ricordarne alcune non sarà un esercizio accademico.

Nel romanzo prevale l'analisi, nel racconto la sintesi. Ma non si può dire che il racconto sia un romanzo in sintesi, né che un genere sia superiore all'altro. Paragonare le dieci o venti pagine di un racconto breve alle duecento o trecento di un romanzo è una leggerezza. Calvino scrisse il suo primo romanzo in poco piú di un mese, ma impiegò tre anni a comporre il suo primo libro di racconti. Riprendendo lo spunto di Leone Piccioni, si potrebbe dire che la differenza fondamentale tra un genere e l'altro risieda nella direzione: quella del romanzo è orizzontale, quella del racconto, verticale; oppure, come i due modi della conoscenza secondo Galileo, che la prosa del romanzo è estensiva, mentre quella del racconto è intensiva. Anche per questo l'autore di racconti esercita uno stretto controllo sui personaggi e sul loro destino. Se agli autori di romanzi, come essi amano ripetere, accade spesso che i loro eroi si ribellino e agiscano secondo il proprio istinto dando origine a sviluppi imprevisti, nel racconto la situazione è diversa: l'autore è il padre padrone dei personaggi e non può tollerare obiezioni.

La necessità dell'autore di dominare l'intreccio si traduce in tensione, ovvero in *intensità*. L'intensità di un racconto non è una conseguenza obbligata della sua dimensione breve, ma il frutto della volontà dell'autore che esercita una vigilanza costante sulle proprie emozioni. L'esercizio richiede una tecnica, e la tecnica è preponderante in questo genere letterario. In una lettera al critico

Aleksej Suvorin, il quale lo aveva accusato di essere troppo «oggettivo» nei suoi racconti, indifferente al discernimento del bene e del male e privo d'ideali, Čechov si difendeva indicando nel rispetto delle condizioni imposte dalla tecnica del racconto una necessità ineludibile: «Certo che sarebbe piacevole poter combinare l'arte con un sermone, ma per me personalmente è estremamente difficile, se non impossibile, dovendo rispettare le condizioni impostemi dalla tecnica. Per descrivere un ladro di cavalli in settecento righe devo costantemente pensare al loro modo e con la loro sensibilità, altrimenti, se introduco la soggettività, l'immagine diviene sfocata e il racconto non sarà compatto come tutti i racconti devono essere».

Il riferimento di Čechov alla «compattezza» rinvia a un'altra necessità del racconto: quella della soppressione di tutto ciò che non è strettamente necessario all'enunciazione del fatto, particolari o digressioni che avrebbero l'effetto di allentare la tensione. Naturalmente lo scrittore deve avere piena consapevolezza di ciò che sopprime e, soprattutto, l'abilità di lasciarne l'eco nella scrittura: la parte omessa avrà cosí l'effetto di rafforzare il racconto e il lettore la sensazione di leggere oltre il breve enunciato. Questa, che potremmo chiamare tecnica dell'omissione, è una caratteristica primaria della moderna *short story*, peculiare cifra stilistica di colui che l'avrebbe rinnovata creando un modello per molti scrittori della generazione di Beppe Fenoglio. In *Morte nel pomeriggio*, romanzo-saggio che ha per tema l'arte di scrivere non meno che quella di uccidere tori, Hemingway afferma: «Se un prosatore sa bene di che cosa sta scrivendo, può omettere le cose che sa, e il lettore, se lo scrittore scrive con abbastanza verità, può avere la sensazione di esse con la stessa forza che se lo scrittore le avesse scritte. Il movimento dignitoso di un iceberg è dovuto al fatto che soltanto un ottavo della sua mole sporge dall'acqua».

La metafora dell'*iceberg* illustra perfettamente il racconto breve moderno: la sua dimensione apparente, la sua compattezza, nascondono dimensioni profonde; il non detto avrà eguale importanza che il detto ai fini di una piena intelligenza della storia, tanto piú se nella dimensione del primo si trova l'antecedente al fatto. Esemplare, da questo punto di vista è *Gli inizi del partigiano Raoul*, dove la vita del giovane protagonista viene colta in un momento cruciale: il suo ingresso in una formazione partigiana. La forza del racconto risiede principalmente nel contrasto fra la vita del giovane studente di buona famiglia e quella del neopartigiano; e la prima è quasi del tutto taciuta. Corrado Alvaro, ottimo narratore breve, nel 1947 annotava nel suo diario il seguente pensiero: «Per la composizione di racconti brevi, trovare il momento culminante d'una vita, che lascia scoprire il passato e indovinare il futuro». È esattamente quanto avviene nei migliori racconti: di una vita colgono un momento di crisi o un frammento, ma un frammento capace di riflettere un'intera esistenza.

Intensità, sintesi, omissione: questi fattori fanno del racconto moderno un formidabile congegno destinato a compiere la sua missione narrativa con la massima economia di mezzi, a un ritmo incalzante. Piú che il numero delle pagine, ciò che differenzia il racconto breve dal racconto lungo, è il suo ritmo. E il ritmo è stabilito dall'*incipit*. In alcuni casi, come *The Cask of Amontillado*, *The Killers*, *Andato al comando* e *Il trucco*, rispettivamente di Poe, Hemingway, Calvino e Fenoglio, il «fatto» viene sottratto all'attenzione del lettore, mantenuto nel fondo della narrazione, per essergli rivelato soltanto nel finale; in altri, come nella maggior parte dei *Racconti romani* di Moravia, *Libertà* di Verga o *I ventitre giorni della città di Alba*, viene rivelato immediatamente. In entrambi i casi la prima frase cattura definitivamente l'attenzione del lettore:

> Alla fine di giugno Pietro Gallesio diede la parola alla doppietta. Ammazzò suo fratello in cucina, freddò sull'aia il nipote accorso allo sparo, la cognata era sulla lista ma gli sparí dietro una grata con la bambina ultima sulle braccia e allora lui non le sparò ma si scaraventò giú alla canonica di Gorzegno. Il parroco stava appunto tornando da visitare un moribondo di là di Bormida e Gallesio lo fulminò per strada, con una palla nella tempia. Fu il piú grande fatto prima della guerra d'Abissinia.

È difficile abbandonare la lettura dopo un inizio simile. L'unità d'effetto di cui parlava Poe nel suo celebre articolo dedicato alla teoria della *short story*, trova un'espressione compiuta in *Un giorno di fuoco*.

Per divenire libro, un certo numero di racconti, ha bisogno di un lavoro che potremmo chiamare di organizzazione o compilazione. A differenza del romanzo dove il testo finito coincide col libro, il racconto deve infatti appartenere a un insieme, ovvero a una raccolta. La raccolta può essere organizzata attorno a un comune sfondo geografico, a un comune tempo storico, a comuni situazioni interiori, oppure può dipendere da una cornice: l'archetipo, ovviamente, è il *Decameron*, ma non mancano esempi contemporanei, come *Il sistema periodico* di Primo Levi, il *Sillabario* di Parise o *Il castello dei destini incrociati* di Calvino. In ogni caso gli autori di racconti dedicano molto tempo all'organizzazione della raccolta e, anche quando essa sembra essere informata a un principio di occasionalità, com'è il caso delle raccolte con titoli numerici (*I quarantanove*, *I sessanta*, *I settantacinque racconti*), in realtà risponde a un ordine accuratamente studiato per ottenere un determinato effetto: non può considerarsi un semplice accostamento di testi. Nel caso delle raccolte complete, infine, il disegno può avere un significato riposto. È noto come Pirandello avesse progettato un'edizione delle sue *Novelle per un anno* composta di 365 racconti e divisa in ventiquattro volumi. L'intenzione era quella di creare un microcosmo di frammenti, un'opera vasta e circolare senza principio né fine, piú atta del romanzo a rappresentare la sfuggente realtà dell'uomo contemporaneo. Da parte sua anche Fenoglio, negli ultimi mesi di vita, ideò una raccolta completa dei suoi racconti, divisa in tre sezioni corrispondenti ad altrettante fasi dell'esistenza: *Racconti della guerra civile*, *Racconti del dopoguerra*, *Racconti del parentado*. Ma quella sua ultima volontà è rimasta a lungo inascoltata.

Nell'arco della sua carriera Fenoglio ultimò due raccolte: *Racconti della guerra civile* e *Racconti del parentado*, ma nessuna di esse venne pubblicata con quel titolo e con quell'ordinamento. *I ventitre giorni della città di Alba*, suo volume d'esordio e unica raccolta a vedere la luce in vita, ebbe una gestazione sofferta, passata attraverso il rifiuto di due libri, lo smembramento, la riscrittura, quindi la loro parziale fusione: quasi un presagio del velo di problematicità che avrebbe avvolto l'intera sua opera. Anche il rapporto dello studioso con i racconti di Fenoglio, quindi, è risultato a lungo difficile. Hanno contribuito a questa difficoltà fattori oggettivi: lo stato e la storia interna dei testi; e fattori soggettivi: una spontanea disattenzione da parte del filologo agli aspetti tecnici e formali della narrazione breve, a tutto vantaggio dei contenuti.

Per molti anni il dibattito sulla datazione del *Partigiano Johnny* aveva circoscritto l'interesse degli studiosi: contro chi, adducendo prove tangibili, sosteneva che il capolavoro fenogliano fosse il punto d'arrivo di una decennale esperienza narrativa, altri continuavano ad affermare il valore archetipico dell'opera collocandone la prima redazione nell'immediato dopoguerra, dunque agli inizi della carriera dello scrittore. Soltanto la pubblicazione di *Appunti partigiani*, nel 1994, avrebbe indicato senza ombra di dubbio quale fosse lo stadio della narrativa fenogliana negli anni 1946-47, e la distanza che separa quel primo germinale momento, che potremmo chiamare del «partigiano Beppe», dal grande periodo creativo 1956-59 in cui prese forma il ciclo di Johnny, dello studente, dell'allievo ufficiale e del partigiano. *Appunti partigiani* ha posto fine alla sterile *querelle* permettendo alla critica di voltare pagina, di guardare anche a zone contigue dell'opera fenogliana. Mancavano però i presupposti necessari per un pieno riconoscimento della statura di Fenoglio come autore di racconti, cosí come la posizione privilegiata che il racconto breve ha occupato nella carriera dello scrittore. Il *corpus* dei racconti rimaneva frammentario e incompleto, mentre «l'ottimo principio dell'ultima volontà dell'autore», che si è voluto rispettare nella definizione dei singoli testi, attendeva ancora di essere applicato all'organizzazione delle raccolte. Il presente volume mira a colmare questa lacuna.

Precoce nacque in Fenoglio il desiderio di scrivere racconti. L'amore fu il suo primo tema e un'aula scolastica la prima palestra. Ma un avvenimento storico dalle dimensioni imprevedibili lo avrebbe per sempre distolto da quella materia intimista procurandogli una nuova coscienza. Piú che negli studi liceali, compiuti in Alba sotto la guida d'insegnanti d'eccezione, o in quelli universitari, iniziati a Torino nell'autunno del 1940 e interrotti due anni dopo dalla chiamata alle armi, anche Beppe Fenoglio, come molti suoi coetanei cresciuti all'ombra del fascismo, visse con la guerra partigiana l'esperienza piú alta e formativa. La Resistenza divenne il centro della sua vita, l'evento che lo rivelò a se stesso determinando il suo destino di uomo e di scrittore.

Prima di partire per il servizio militare Beppe Fenoglio era un insicuro studente di lettere con la segreta ambizione di diventare scrittore. Credeva nella superiorità del lavoro creativo su quello critico e sappiamo che già negli anni del liceo aveva cominciato a far leggere all'amata professoressa d'inglese alcune composizioni. Dopo la Liberazione il partigiano Beppe tornò a casa uomo e scrittore diverso da quello partito. Ma la sua arte non maturò per un'ispirazione improvvisa, frutto diretto dell'esperienza: fu l'esito sofferto di una lunga ricerca, fatta di intense e protratte letture, d'innumerevoli prove e di una dedizione totale. L'immagine cara a Maria Corti di un Fenoglio che non appena deposto il fucile della guerra partigiana «prese furiosamente a scrivere», componendo «una specie di cronaca a sfondo autobiografico in cinquantasei capitoli», dalla quale in seguito avrebbe estratto blocchi o sequenze narrative o microracconti, a seconda delle esigenze, era indubbiamente suggestiva, eppure fuorviante. Non teneva conto, oltretutto, del periodo di forte disagio vissuto da Fenoglio durante il suo reinserimento nella vita civile: una sorta di sindrome del reduce di cui il racconto *Ettore va al lavoro* è l'eloquente anamnesi.

Recensendo *I ventitre giorni della città di Alba* Giorgio Luti indicò in *Soldier's Home* di Ernest Hemingway una fonte sicura di questo racconto, al pari di *Nove lune* nato dalla rinuncia al romanzo *La paga del sabato*. Proprio in *Soldier's Home*, incluso da Vittorini nell'antologia *Americana* col titolo *Il ritorno del soldato Krebs*, troviamo quello che potrebbe essere un ritratto fedele dell'ex partigiano Beppe nel difficile anno 1945-46:

> Durante questo tempo, era estate inoltrata, egli restava a letto fino a tardi, si alzava, usciva a passeggiare per la città e andava in biblioteca a prendere un libro, pranzava a casa, leggeva sotto il portico finché si annoiava, poi traversava la città per andare a passare le ore piú calde nella fresca penombra della sala biliardi. Gli piaceva giocare a biliardo.

I sintomi del disagio di Harold Krebs, l'inerzia, la noia, il senso d'estraneità e i conflitti domestici, sono gli stessi che manifesta Ettore nelle prime pagine autobiografiche del racconto di Beppe Fenoglio: anche lui, come già Hemingway e il suo personaggio, aveva un rapporto difficile con la madre, giudicata incapace di comprendere il suo stato d'animo, e i continui litigi e le disperate fughe da casa lo rendevano inquieto e infelice; anche lui, come Harold Krebs-Hemingway, tornato a casa alla fine della prima guerra mondiale, conosce il malessere del reduce e sperimenta lo stesso difficile ritorno alla normalità. In un periodo in cui tutti «sapevano di doversi rimboccare le maniche» per far fronte alle asprezze economiche del dopoguerra – cosí ricorda la sorella Marisa – Beppe «tergiversava a frequentare seriamente la facoltà di lettere» e non sembrava deciso a intraprendere alcuna attività professionale tranne quella, incomprensibile ai famigliari, dello scrittore. *Soldier's Home* dovette offrire a Fenoglio due lezioni che andavano oltre lo specifico spunto narrativo: la dimostrazione di come un racconto potesse condensare nella sua breve dimensione un'intera esistenza; la scoperta di come l'autentica arte narrativa trascende il dato storico e geografico per rappresentare verità universali.

Gli *Appunti partigiani* furono la sua prima prova. Vergati con mano sicura sui libretti di contabilità della macelleria del padre, rappresentano l'elaborazione narrativa di un'esperienza autobiografica già tesa, al di là del suo valore testimoniale, a riassumere il senso della violenza tra gli uomini, ma anche alla ricerca di uno stile che tale senso potesse esprimere.

Per molti ex partigiani gli appunti presi a caldo durante la guerra servirono da supporto a una narrazione che avrebbe preso la forma finale del racconto o del diario. Fenoglio, invece, sembra voler fare degli appunti un genere a sé: rielabora le proprie annotazioni a distanza di tempo dai fatti vissuti mantenendo il presente storico, la prima persona narrativa, il proprio nome, le osservazioni e i commenti tipici di una forma estemporanea. Ma sono l'inventività del linguaggio e una diffusa tendenza alla sintesi a gettare un ponte verso i primi riusciti racconti. C'è già negli *Appunti* la mano dell'artista che punta all'essenziale, alle sensazioni piú segrete che si agitano nell'animo, cosí come la rinuncia a un piatto descrittivismo in favore di una rappresentazione espressionistica, a tratti allucinata, della realtà. C'è lo stile, c'è il lessico, ci sono i temi, manca la tecnica. È in questo cruciale momento che agisce la lezione dei grandi maestri del genere breve.

I ventitre giorni della città di Alba era il primo dei sette *Racconti della guerra civile*, l'originaria raccolta bocciata da quattro editori, e quello che avrebbe dato il titolo al suo primo libro. Significativamente è anche quello che, nel corso della menzionata vicenda editoriale, subisce il minor numero di correzioni e, con la sua già solida cifra stilistica, può considerarsi vetrina di una personalissima arte narrativa. Giudicato in passato secondo criteri ispirati all'attualità politica, conducenti a inevitabili stroncature e condanne, il racconto ebbe nondimeno alcuni estimatori d'eccezione. I giudizi di Giuseppe De Robertis e di Gianfranco Contini, in particolare, sono interessanti per insoliti riferimenti a scrittori francesi. Nella sua *Letteratura dell'Italia unita*, scriveva il secondo a proposito dei *Ventitre giorni*: «È una trascrizione prettamente esistenziale, non agiografica, di probità flaubertiana (si pensa al referto sugli avvenimenti politici nell'*Éducation sentimentale*), tanto piú meritoria per chi era stato fra gli attori dell'evento». Mentre il De Robertis, dopo aver messo in guardia il pubblico dal cadere nel facile equivoco di pensare al giovane scrittore albese come «a un frutto comune di stagione, a un neorealista di qualità piuttosto andante», cosí concludeva: «È scrittore con le sue carte in regola; e io non vi troverei nessuna traccia, intanto, di letteratura americana contemporanea; se mai buone letture francesi del bell'Ottocento, dissuete oggi». Le «buone letture francesi», in realtà, non erano in opposizione a quelle «americane», ma il positivo commento suscitò l'entusiasmo di Italo Calvino, che subito scrisse a De Robertis: «Sono contento che Lei sia un sostenitore di Fenoglio. Mi vanto d'essere stato io a scoprirlo e segnalarlo a Vittorini. E sono d'accordissimo con la Sua definizione: non neo ma integrale, e buon Ottocento». Giudizi interessanti perché le letture di Fenoglio, è il caso di ricordarlo, non si limitavano agli amati classici della letteratura inglese e americana, anche se da questi furono per lungo tempo dominate; cosí come le sue traduzioni, non si limitarono alle traduzioni dall'inglese, anche se queste costituiscono di gran lunga la parte maggiore. Com'era normale per ogni piemontese colto nella prima metà del secolo, Fenoglio conosceva il francese, che aveva studiato ancor prima di arrivare al Liceo, come dimostrano alcuni suoi quaderni scolastici, e continuato a studiare anche dopo essere stato iniziato «to England and things English». Si ricorderà, inoltre, che in qualità di procuratore della ditta vinicola Marengo & Figli di Alba, dove Fenoglio venne assunto nel 1947, egli curava regolarmente la corrispondenza con la Francia e piú volte si recò nella Savoia francese per motivi di lavoro. Non dovrà perciò sorprendere se, agli inizi della sua carriera di scrittore, Fenoglio dimostri di aver letto avidamente l'opera di Maupassant, in particolare i suoi *Contes de guerre*, nella versione originale francese o in una delle numerose traduzioni apparse in Italia dopo la prima guerra mondiale.

Come Fenoglio anche Maupassant aveva vissuto, ventenne, la sua esperienza di guerra, divenuta poi fonte costante d'ispirazione. Nel 1870, allo scoppiare del conflitto franco-prussiano, era stato chiamato alle armi e aveva assistito da vicino ai drammatici eventi che avrebbero segnato il destino della Francia contemporanea. Dieci anni piú tardi, sotto l'egida di Zola, aveva pubblicato il suo primo vero racconto, *Boule de suif*, piccolo capolavoro di osservazione e di ironia ambientato in Normandia, tra Rouen e Tôtes, al tempo dell'invasione prussiana. Nell'intera sua opera anche Maupassant sarebbe rimasto fedele ad alcuni temi originari, cosí come a un paesaggio privilegiato: la guerra e la dura esistenza dei contadini del nord, quei luoghi della Normandia che erano stati i luoghi cari dell'infanzia. Il suo attaccamento filiale alla Normandia non è molto dissimile da quello di Fenoglio alle Langhe, né dissimile è il loro modo frontale di aggredire la realtà, cercando di rendere, del fatto narrato, l'essenza, il significato profondo.

In *Boule de suif* un gruppo composito di borghesi di Rouen fugge in seguito all'occupazione della città da parte delle truppe straniere. Al primo controllo la loro carrozza viene fatta bloccare da un corrotto ufficiale prussiano il quale chiederà una sorta di dazio in natura da parte di uno dei passeggeri, la prostituta soprannominata Boule de suif. I borghesi la spingeranno a sacrificarsi, ma la loro meschinità e ipocrisia vengono smascherate per contrasto dall'inaspettata dignità della donna: prostituta, sí, ma generosa e patriottica! Diversa è la *fabula* dei *Ventitre giorni*, perfettamente riassunta nel celebre *incipit* e risolta in coralità. Protagonista del racconto è la città stessa. Si hanno «i partigiani», «i repubblicani», «i fascisti», «i capi», «i gerarchi», «le ragazze», «le maitresses», «i borghesi», «la gente», «i cittadini»; oppure «il Comandante la Piazza», «il federale di tutto il Piemonte», «il parroco», «un prete della Curia», «quel partigiano semplice» e cosí via; ma nessuno di essi ha un volto, nonché un nome: solamente le loro azioni in funzione della città li descrivono. Quando, nel finale, il Comandante ordina la ritirata e «arriva di corsa alle spalle dei piú lenti, come fanno le maestre coi bambini delle elementari», la città appare ai partigiani nella sua personalità ferita: «la città che laggiú tremava come una creatura». È questo l'unico momento di tutto il racconto in cui l'ironia e il tono burlesco del narratore hanno uno scarto cedendo alla *pietas*.

L'analogia tra i due racconti, a questo primo livello, è soltanto nello spunto iniziale: una città che in tempo di guerra vede alternarsi le forze occupanti. In *Boule de suif* escono le truppe francesi, entrano quelle prussiane; in *Ventitre giorni* escono i fascisti, entrano i partigiani. Eppure una comune sensibilità artistica e una congeniale visione del mondo permettono a Fenoglio di mutuare particolari concreti del linguaggio di Maupassant, il moralismo anonimo e popolareggiante, la demistificante ironia con cui viene descritto il comportamento degli uomini in tempo di guerra. Si vedano gli antefatti all'occupazione delle rispettive città:

Boule de suif

La Guardia nazionale, che da due mesi effettuava con grande prudenza ricognizioni nei boschi vicini, prendendo talvolta a fucilate le sue stesse sentinelle e preparandosi alla battaglia se un coniglietto si muoveva tra i cespugli, era tornata al riparo. Le armi, le divise, tutto l'equipaggiamento di morte col quale fino a ieri spargeva il terrore tra le pietre miliari delle strade maestre per tre miglia all'intorno, erano scomparsi all'improvviso.

I ventitre giorni della città di Alba

Ai primi d'ottobre, il presidio repubblicano, sentendosi mancare il fiato per la stretta che gli davano i partigiani dalle colline (non dormivano da settimane, tutte le notti quelli scendevano a far bordello con le armi, erano esauriti gli stessi borghesi che pure non lasciavano piú il letto), il presidio fece dire dai preti ai partigiani che sgomberava, solo che i partigiani gli garantissero l'incolumità dell'esodo. I partigiani garantirono, e la mattina del 10 ottobre il presidio sgomberò.

Nel racconto di Maupassant, le truppe francesi in rotta attraversano la città di Rouen all'incalzare dell'armata prussiana; in quello di Fenoglio sono i partigiani che percorrono da vincitori la via Maestra di Alba dopo la fuga dei fascisti. In entrambi i casi la singolare sfilata è vista con gli occhi di uno spettatore anonimo che ne sottolinea gli aspetti grotteschi:

Gli ultimi soldati francesi avevano finalmente attraversato la Senna diretti a Pont-Audemer per Saint-Sever e Bourg-Achard; chiudeva la marcia, a piedi tra due ufficiali d'ordinanza, il generale, disperato, che non poteva tentare nulla con quei brandelli eterogenei, sperduto com'era anche lui nel grande sfacelo di un popolo abituato a vincere e disastrosamente sconfitto malgrado il suo valore leggendario.

I repubblicani passarono il Tanaro con armi e bagagli, guardando indietro se i partigiani subentrati li seguivano un po' troppo dappresso... Poi dalla città furon visti correre a cerchio verso un punto unico: era la truppa che si accalcava a consolare i suoi ufficiali che piangevano e mugolavano che si sentivano morire dalla vergogna.

È quindi messa in ridicolo la vanagloria dei superiori con ferocia da Maupassant, con piú sottile sarcasmo e ironia da Fenoglio, ma con uguale esito dissacratorio. Vengono poi evidenziate le preoccupazioni meschine dei borghesi, la maggior parte dei quali non manca di familiarizzare coi vincitori, mentre alcuni decidono di abbandonare la città. Da questa fuga si svilupperà il racconto di Maupassant. In Fenoglio è soltanto un breve inciso nel movimento corale che ha per protagonista l'intera popolazione.

Non erano soldati ma orde allo sbaraglio. Gli uomini avevano la barba lunga e sporca, divise cenciose, e procedevano con un'andatura molle, senza bandiera, senza reggimento. Si vedevano soprattutto dei richiamati, persone pacifiche, tranquilli benestanti, curvi sotto il peso del fucile; ragazzi della premilitare facili alla paura e all'entusiasmo, pronti all'attacco quanto alla fuga; poi, in mezzo a loro, qua e là dei pantaloni rossi, residui di una divisione decimata in una grande battaglia; artiglieri vestiti di scuro in fila con tutti quei fantaccini e, a volte, l'elmetto scintillante di un dragone dal passo appesantito che seguiva a fatica la marcia piú leggera dei fanti. Passavano anche, con espressioni da banditi, schiere di franchi tiratori dalle denominazioni eroiche: «Vendicatori della sconfitta, Cittadini della tomba, Compagni della morte».

Fu la piú selvaggia parata della storia moderna: solamente di divise ce n'era per cento carnevali. Fece impressione senza pari quel partigiano semplice che passò vestito con l'uniforme di gala di colonnello d'artiglieria con gli alamari neri e le bande gialle e intorno alla vita il cinturone rossonero dei pompieri col grosso gancio. Sfilarono i badogliani con su le spalle il fazzoletto azzurro e i garibaldini col fazzoletto rosso e tutti, o quasi, portavano ricamato sul fazzoletto il nome di battaglia. La gente li leggeva come si leggono i numeri sulla schiena dei corridori ciclisti al passaggio della corsa; lesse nomi romantici e formidabili, che andavano da Rolando a Dinamite.

C'è una costante ripresa d'immagini, un giro della frase, che non lasciano dubbi sull'influenza esercitata dallo scrittore francese. Se a questa si unisce la lezione di Poe, appresa già prima della guerra, durante la sporadica frequenza universitaria a Torino, si avrà un quadro piú completo della cultura letteraria del giovane Fenoglio, e sarà allora piú facile comprendere la sua tendenza, quasi una predisposizione naturale, alla narrazione breve. Molti saranno gli scrittori che, prima e dopo l'esperienza dei *Racconti della guerra civile*, contribuiranno a forgiare lo stile, o il «grande stile» come l'ha chiamato Gian Luigi Beccaria, di Beppe Fenoglio; ma in quel primo cruciale momento della sua formazione è il peculiare naturalismo dei racconti di Maupassant, maestro del genere breve, a offrire al giovane albese il modulo narrativo piú idoneo entro cui esercitare la propria immaginazione e la propria sensibilità.

«Ho letto *I ventitre giorni della città di Alba* di Beppe Fenoglio. Non mi è piaciuto. Mentre perdura la propaganda antiresistenziale e i partigiani vengono buttati in carcere come delinquenti, questo racconto di Beppe che ha fatto la Resistenza accanto a me, sulle Langhe, mi è parso aiutare chi s'affanna a denigrarci. Noi garibaldini avevamo osteggiato la decisione di Mauri, il comandante dei badogliani, di volere occupare la città di Alba. Le nostre forze partigiane non erano ancora in grado di difendere la città che avremmo certo riperduto portando scoramento nei combattenti e nella popolazione, come sosteneva Fenoglio in quelle pagine. *Ma perché descrivere l'occupazione come una carnevalata*? I partigiani come soldati di ventura e l'abbandono delle città come una fuga di fronte ai fascisti? Ho scritto un articolo sul libro con tono aspro». Cosí annotava nel proprio diario Davide Lajolo, direttore dell'«Unità» di Milano, il 29 ottobre 1952. Quella mattina era apparso il quarto e piú duro intervento del suo giornale (dopo gli articoli di Giorgio Guazzotti sull'edizione torinese, di Carlo Salinari su quella romana, di un anonimo redattore su quella genovese) contro *I ventitre giorni*: una recensione firmata «Il libraio», in cui il racconto di Fenoglio veniva definito «un gioco di parole, e di brutte parole... un gioco che può essere facilitato dalla novità che consiste nel fatto di vedere le cose dall'altra sponda».

Che terribile equivoco! Il giovane esordiente di Alba si trovava in effetti su un'altra sponda, su un altro ramo rispetto all'arcigno libraio. Ma ciò che cosí drammaticamente li separava non era la dicotomia fascismo/antifascismo: erano idee inconciliabili sulla posizione dello scrittore nella società, era il destino della letteratura! Curioso che quanto sfuggiva allora a un chierico laico, tanto piú predisposto a una visione immanente della realtà, venisse compreso dal sacerdote Carlo Richelmy, autore di una *Lettera aperta a Beppe Fenoglio* apparsa su «Il pennino» di Alba, in cui troviamo questo sorprendente giudizio:

«C'è ancora un punto che mi piace tanto chiarire e che è tra le cose piú belle del tuo libro: sei stato partigiano, hai sofferto pianto e bestemmiato come tanti, quei giorni devono esserti rimasti nel sangue, eppure sei riuscito a scriverne senza retorica. Quel periodo di tempo ha dato tanto materiale ai nostri scrittori, ma, fosse la prospettiva che loro mancava, fosse il troppo amore per quell'idea che avevano timore di vedere non giustamente apprezzata, fatto sta che qualcosa ha turbato i rapporti dello scrivere a piú d'uno, e tu sai bene quale magnifico libro avrebbe potuto essere *Uomini e no* e quale invece povera cosa sia rimasta. I tuoi *Ventitre giorni* invece sono tanto lontani dalla retorica che a volte paiono perfino irriverenti e ingiusti, mentre costituiscono *l'epopea della Resistenza che finalmente riusciamo a vedere per la prima volta tradotta in cifra letteraria senza sprechi e inutili apologismi*. Penso ti sia stato di tanto aiuto, in questa rievocazione pienamente vissuta e sofferta, quella psicologia cruda e oggettiva, per la quale le anime balzano come riprodotte con l'accetta senza falsa pietà: un bene che aiuta i dodici racconti perché brevi e tutto sugo, ma che potrebbe nuocere domani se trasportato in una visione piú ampia quale potrebbe essere un racconto lungo o un romanzo». Giudizio esatto e lungimirante, come lungimirante era lo scrittore a cui si riferiva.

Gli anni in cui Fenoglio passa dalla forma fluida degli appunti a quella definita del racconto, sono soprattutto gli anni dei memorialisti, il cui proposito dichiarato era quello di offrire un documento in rapporto diretto con la realtà storica da essi vissuta, ma anche del cosiddetto «racconto partigiano», che appare regolarmente nelle terze pagine dei nuovi quotidiani a tiratura nazionale, su periodici locali e riviste militanti. Gli autori sono quasi sempre poco piú che ventenni e impegnati politicamente; sorpresi dagli eventi del settembre 1943, avevano aderito con spontaneità giovanile alla lotta contro il nazi-fascismo, vivendo un'esperienza insieme drammatica e rivelatoria che erano ansiosi di rievocare. Sono gli anni di quello che potremmo definire il «neorealismo spontaneo», ancora sganciato, cioè, o per lo meno non direttamente influenzato dalla politica culturale dei partiti di sinistra. Con rare eccezioni, però, prevale già in questi racconti una visione acritica della Resistenza, l'affermazione costante della giustezza della causa, quel «troppo amore per l'idea» di cui parlava Richelmy, che inevitabilmente ne indeboliscono l'effetto drammatico: «La retorica, il commento sentimentale ai fatti» costituiscono, secondo Giovanni Falaschi che li ha studiati in modo esaustivo, un'insidia costante.

Le eccezioni, appunto: principalmente Italo Calvino e Beppe Fenoglio. Se è vero quanto affermava il primo nel 1964, che «il *neorealismo* non fu una scuola» ma «un insieme di voci, in gran parte periferiche», appartengono ad essi le voci piú forti e libere di quella breve stagione letteraria. Entrambi dimostrano fin dagli inizi una sostanziale diversità rispetto alle linee prevalenti e tra loro un'affinità ideale sul piano del gusto e del credo letterari, se non su quello propriamente espressivo. La narrativa resistenziale subordinata a un progetto politico, secondo Calvino, non solo tradiva lo specifico letterario, ma anche quello che era stato l'autentico spirito della lotta partigiana: «Ci pareva allora, a pochi mesi dalla Liberazione, che tutti parlassero della Resistenza in modo sbagliato, che una retorica che s'andava creando ne nascondesse la vera essenza, il suo carattere primario».

Diversamente da Calvino, Fenoglio non ha lasciato saggi né promemoria, ma in alcune sue opere non è difficile scorgere il fastidio provato dallo scrittore per il dilagare di cronache e di diari all'indomani della Liberazione, per una forma narrativa piattamente autobiografica. È il caso di *War can't be put into a book*, una delle piú interessanti *new entries* della presente raccolta, in cui l'autore, sia pure indirettamente, espone le sue idee riguardo alla narrativa resistenziale. Se la pubblicazione degli *Appunti partigiani* ha aperto una finestra sul primo periodo dell'attività di Fenoglio scrittore, questo singolare racconto aggiunge un tassello importante al quadro ancora incompleto della sua biografia letteraria.

Lo stile è quello maturo, dal tono riflessivo e melanconico, dell'ultimo Fenoglio; molto simile a *Ciao, old Lion*, anch'esso lasciato dall'autore privo di titolo, anch'esso ascrivibile agli anni 1961-62. Sua caratteristica peculiare è che i due personaggi che vi agiscono si presentano come una proiezione del ben noto Johnny-Fenoglio, colto in due fasi distinte della sua vicenda umana e intellettuale: il maturo partigiano senza nome che racconta in prima persona, nella vita professore d'inglese e amico di Fulvia Pagani, e il piú giovane Jerry, anch'egli anglofilo, scrittore principiante, che torna al presidio di Mango dopo un breve deludente servizio presso la missione inglese, per poi morire nel combattimento di Valdivilla. È come se un Johnny ormai quarantenne tornasse al tempo della guerra per incontrare il suo io giovanile e, con tenerezza e incredulità, si divertisse a osservarlo «cosí frenetico e absorbed nel vortice dei suoi compagni, avventati, estroversi e comunitari anche nell'ozio».

La riservatezza di Jerry, il pudore che manifesta nel parlare della propria attività di scrittore, sono caratteristiche ben note dell'uomo Fenoglio: né altri che se stesso poteva avergli ispirato la figura del giovane partigiano anglofilo. La successiva insistenza sulla parola «appunti», inoltre, rimanda senz'altro agli *Appunti* del partigiano Beppe, scritti anch'essi su quadernetti «regolarmente numerati», del tutto simili a quelli che l'esecutrice delle ultime volontà di Jerry consegnerà in numero di sei al partigiano narratore; cosí come rimanda all'«inseparabile libretto d'appunti» nel quale, secondo il ricordo del generale Piero Ghiacci, il partigiano Beppe annotava «le sue sensazioni sulle vicende partigiane».

Dopo mesi di vita selvaggia, in cui le uniche parole possibili erano «terra, sangue e fuoco e carne», il narratore prova piacere a sviluppare una conversazione dal tono «decisamente letterario» – col giovane partigiano; ma Jerry reagisce con indignazione quando il suo *work in progress* viene definito un «diario». «E... sarà una cosa puramente documentaria, o qualcosa che varrà... decisamente sul piano artistico?» insiste il partigiano anziano. «Spero... sul piano artistico – risponde Jerry. – Come documentario, non varrebbe nemmeno la pena che me li portassi dietro». Se non è ancora sicuro di come definire i suoi «appunti», egli sa con certezza quello che non vogliono essere: un diario, un racconto documentario o autobiografico. Il narratore comprende fin troppo bene l'ambizioso progetto di Jerry; la sua esperienza, però, gli suggerisce una conclusione amara:

> – Sai, – dissi poi, – che ha scritto Walt Whitman della guerra? Lui si riferiva alla guerra di Secessione, ma naturalmente vale per tutte le guerre.
>
> La curiosità ardeva nel suo viso quasi scancellato dal buio.
>
> – *War can't be put into a book*, – citai in inglese.
>
> – Questo è vero, verissimo, – disse con una sorta di disperazione. – Me ne sto accorgendo. È come svuotare il mare con un secchiellino.

La citazione, inesatta, è dalla raccolta di appunti e impressioni sulla guerra civile americana *Specimen days*, di cui un'ampia scelta si trovava nell'edizione *cardinal* del *Whitman reader* posseduta da Fenoglio: «Future years will never know the seething hell and the black infernal background of countless minor scenes and interiors, not the official surface-courteousness of the Generals, not the few great battles of the Secession war; and it is best they should not – *the real war will never get in the books*». Se da una parte Whitman sottolinea l'impossibilità di rievocare gli infiniti aspetti della guerra (e precisa: le infinite scene minori, non l'ufficiale cortesia, tutta di superficie, dei generali, non le poche battaglie famose!), dall'altra, però, esprime la necessità di scriverne per non dimenticare; scrivere non tanto la cronaca degli avvenimenti, quanto la loro «storia interiore». E se la guerra nella totalità delle sue manifestazioni, coi suoi infiniti episodi di crudeltà e di coraggio, di odio e di solidarietà, con tutte le emozioni e le paure, i pianti e la gioia, e i soldati o i partigiani con le loro abitudini, azioni, gusti e linguaggio... se tutto ciò non può essere descritto in un libro, è anche vero che l'opera di Fenoglio, come poche altre, rappresenta una solenne sfida a questo principio.

Che Jerry muoia a Valdivilla non è casuale. Il combattimento nel piccolo borgo delle Langhe, situato sul crinale che separa Alba da Santo Stefano Belbo, ebbe luogo realmente il 24 febbraio 1945 e Fenoglio vi prese parte insieme ai suoi compagni del distaccamento di Mango guidati da Piero Ghiacci: il tentativo di tendere un'imboscata alla retroguardia di un reparto fascista in azione di rastrellamento si volse in una controimboscata che costò la vita a cinque partigiani. Fenoglio – ha ricordato Ghiacci – non faceva parte del gruppo avanzato di partigiani che venne investito dalla prima micidiale raffica sulla strada principale di Valdivilla, là dove oggi sorge il monumento ai caduti, ma si trovava su un promontorio vicino, dirimpetto al centro dell'azione. Da quella posizione privilegiata, col suo «occhio superiore», Beppe osservò impotente la morte dei compagni, cosí come nel *Partigiano Johnny* il protagonista osserva impotente la morte dei partigiani Ivan e Luis dall'alto di una selletta presso il «pastry-looking knoll del Boscaccio». L'immagine gli si dovette fissare nella mente come su una lastra. Il ricordo di Valdivilla lo accompagnerà sempre, motivo di riflessione sulla fenomenologia della guerra e fonte di numerosi spunti narrativi.

Nella prima redazione di *Primavera di bellezza*, che anticipa l'inizio del romanzo all'incerto periodo d'attesa vissuto da Johnny, studente universitario a Torino, troviamo questo brano:

> Pensava che presto sarebbe partito soldato ed ogni giorno, ogni momento della sua vita sotto le armi avrebbe acerbamente rimpianto anche una sola di quelle tante ore di libertà che adesso non sapeva fecondare. Poteva benissimo morire come Italo Morra per una bomba aerea, o cadere sul fronte russo come Bosca, *e non avrebbe lasciato niente di sé, nemmeno un racconto.*

La preoccupazione principale di Johnny, in quell'attimo eterno fuori del tempo, è questa. Il protagonista ha già fatto la sua scelta di vita, ha scoperto la sua vera vocazione, ma non considera i suoi primi lavori una degna testimonianza: se fosse morto in guerra «non avrebbe lasciato niente di sé, nemmeno un racconto». In *War can't be put into a book* Jerry diviene la sesta vittima del combattimento di Valdivilla, simbolico crocevia del destino, e quello che lascia al mondo di sé sono i sei quadernetti destinati al narratore. Noi ne conoscevamo già il contenuto, conoscevamo la scrittura «regolare e netta» simile al «dettato in bella copia di uno scolaro dal polso fermo e instancabile»: è la stessa vergata nei libretti di contabilità della macelleria Amilcare Fenoglio di Alba. Ma non conoscevamo ancora il testo dei quattro fogli dattiloscritti lasciati da Beppe privi di titolo: una riflessione in forma di racconto sul suo tirocinio di scrittore di guerra, un momento della sua faticosa ricerca di un genere attraverso cui dare voce a una esuberante vena narrativa.

Anche *L'erba brilla al sole*, il racconto scelto da Fenoglio per comparire nel volume miscellaneo *Secondo Risorgimento*, pubblicato a Torino nel centenario dell'unità d'Italia, entra finalmente in catalogo col suo titolo originale. Il tema è la battaglia di Valdivilla, qui descritta in modo lineare e completo. Nonostante l'inevitabile rapporto empatico con la materia, la narrazione è condotta con tersa oggettività, senza nulla concedere al sentimentalismo o al carattere celebrativo dell'opera. L'empatia è nella dedica al partigiano fucilato, nella preghiera che in altra sede Fenoglio rivolge a Calvino affinché il testo del biglietto di Tarzan ai famigliari venisse incluso nella ristampa del «sacro volume» di Einaudi (*Lettere di condannati a morte della Resistenza italiana*); mentre il bellissimo titolo rinvia, chiarendosi, alle ultime parole del caporale fascista nel complementare racconto *La profezia di Pablo*: «Ma sí, togliamoci dal sole».

Altre novità tra i racconti della prima sezione sono: *L'ora della messa grande*, in cui Fenoglio affronta un tema appena sfiorato in precedenza, quello del difficile ruolo dei parroci nei territori occupati, delicatamente risolvendolo in *pie-*

tas (vedi l'imbarazzo di Oscar, o il pianto finale del suonatore di fisarmonica); *La prigionia di Sceriffo*, dove è svolto quello ossessivo della prigionia, già magistralmente trattato in *Un altro muro* (ma si noti anche qui una forza particolare: nella dettagliata rappresentazione dell'odio e della paura, nel feroce sospetto reciproco che isola i personaggi in drammatica sospensione tra la vita e la morte, nell'atroce dubbio del padre del prigioniero, che si scioglie soltanto nel finale, quando egli ha la prova che suo figlio viene veramente condotto a uno scambio e non alla fucilazione); mentre in *Qualcosa ci hai perso* compare per la prima volta il partigiano Milton: «un'altra faccia, piú dura, del sentimentale e dello snob Johnny», come spiega l'autore in una lettera a Livio Garzanti. Beninteso si tratta del primo Milton, il bello e cinico protagonista dell'*Imboscata*, non dell'omonimo eroe di *Una questione privata*: una sorta di Humphrey Bogart in armi, qui colto in un momento d'intimità con Paola, l'insicura amica di Annamaria, conosciuta una domenica di libertà sulla piazza di Santo Stefano Belbo.

«Vede, laggiú è San Benedetto, il paese piú triste di questa terra. Vi ho trascorso le vacanze della mia adolescenza. La tristezza vi cola da ogni parte con la nebbia, con la pioggia interminabile delle Langhe. La sua gente sta già preparandosi alla solitudine dell'inverno»: cosí confessò Fenoglio al giornalista Carlo Cocito durante il soggiorno di Bossolasco, negli ultimi giorni.

San Benedetto, le Langhe, i vecchi Fenoglio: il secondo grande tema narrativo, ispirazione di un vasto microcosmo di storie, di autentici capolavori. Lo scrittore vi lavorò per circa dieci anni, gli ultimi della sua breve vita, e all'estremità di questo affascinante periodo creativo troviamo due raccolte ordinate: *Il paese* e *Racconti del parentado*.

La prima, giunta a noi in forma incompleta, comprende quattro capitoli collegati da un evidente disegno unitario, dallo stesso ambiente paesano e dalla presenza degli stessi personaggi archetipici: l'oste, il medico, il mugnaio, il prete, il commerciante di bestiame. Sono però privi di un protagonista comune e autonomi nel loro sviluppo narrativo. I dati precisi di luogo e di tempo restano sullo sfondo, lontani e sfumati, come a sottolineare il distacco degli avvenimenti dalla società e dalla storia. Non sappiamo quale fosse il progetto dell'autore nel momento in cui, subito dopo aver terminato *La malora*, intraprese questo nuovo lavoro; ma alcune caratteristiche interne, l'esistenza di chiare analogie tematiche con altri testi piú noti, sembrano suggerire che da ciascuno degli almeno undici capitoli composti Fenoglio abbia successivamente ricavato un racconto. Come già era successo con *Appunti partigiani*, come accadrà di nuovo con la storia del primo Milton, il progetto iniziale di un'opera lunga si è venuta trasformando in una raccolta di racconti.

I *Racconti del parentado* assumeranno la forma compiuta di raccolta soltanto nel 1961, quando la tendenza di Fenoglio è ormai quella di recuperare tutti i testi brevi di argomento langhigiano all'unificante ottica parentale. Ma i capitoli superstiti del *Paese* tendono già fortemente al racconto. Anzi, per due di essi, quelli indicati coi numeri III e XI, si può senz'altro parlare di racconti finiti. Il primo è una buona *short story* dall'efficace dialogo hemingwayano, degna di attenzione se non altro per essere l'unico testo a noi noto in cui Fenoglio affronti il tema del gioco del pallone elastico, sport da lui amato, e praticato, come ricorda chi l'ha conosciuto, con una certa bravura. Nel racconto il celebre campione italiano di pallone elastico Augusto Manzo si reca in visita a San Benedetto per esaminare un potenziale terzino da aggiungere alla sua squadra. Agli occhi del giovane prescelto Manzo appare un eroe mitico, l'essere ingaggiato da lui la realizzazione di un sogno: «Certo che va bene, – gli sussurra il vecchio Menemio, – ti va bene anche se ti andasse male. Ricordati che Lui per te è il Padreterno». Ma poi, superata con successo la prova, nel colloquio finale con il veterano terzino di Alba, il futuro tanto agognato si tinge di colori cupi.

Una triste storia di degradazione, interessante per i suoi collegamenti tematici con *Ma il mio amore è Paco*, è invece quella offerta dal capitolo XI, dove troviamo il picaresco protagonista del grande racconto langhigiano, indebitato ben oltre le sue possibilità, ricorrere a un trucco meschino per ingannare due poveri contadini. Anche qui, il finale improvviso, coincidente con la scoperta dell'inganno, evidenzia l'ormai sicura padronanza della tecnica. Piú debole, col suo lento ritmo narrativo e come frammentato in almeno quattro motivi tematici, il *Paese I* merita ugualmente di essere incluso tra i racconti di questa seconda sezione, se non altro per la sua funzione introduttiva dell'universo umano dei *Racconti del parentado*: quella galleria di personaggi che, nelle parole del medico Durante, «sono tutti e unicamente malati nella testa». Rimane invece escluso il capitolo II, stesura parziale e anteriore del *Signor Podestà*.

L'estate del 1954 segna un momento di profonda crisi nella vita di Fenoglio. Il suo secondo libro, *La malora*, è appena uscito col noto «risvolto» di Vittorini, pieno d'incomprensione e quasi denigratorio nel tono; sicuramente sentito tale dall'autore, che sei anni piú tardi avrebbe confessato a Calvino: «Forse non ci crederai, ma il mio abbandono dell'Einaudi ha turbato me piú d'ogni altro. E ancora mi turba, e vorrei non aver provato quello stupido risentimento per il risvolto di Vittorini. Il risentimento fu, debbo ammettere, infinitamente piú sciocco del risvolto che lo provocò. Vidi, ecco l'errore, il risvolto unicamente con l'occhio del dirigente industriale che non si capacita che un altro industriale, l'Einaudi, svaluti il suo prodotto nella stessa presentazione». Nel tentativo di controllare le ansie e i dubbi che lo tormentano decide di fissare in un diario le sue impressioni quotidiane e inizia copiando, a modo di epigrafe, un pensiero del filosofo esistenzialista russo Lev Šestov (Fenoglio segue la lezione francese «Chestov»): «Lo scrittore, fintantoché scrive, rappresenta un certo valore, ma al di fuori delle sue funzioni è il piú nullo degli esseri umani». Quelle poche pagine di quaderno, che il lettore troverà riprodotte in appendice al presente volume, diventano per noi un prezioso documento che ci aiuta a ricostruire il difficile cammino dello scrittore verso la maturità.

Durante la composizione del libro d'esordio Fenoglio era venuto esplorando una nuova materia da affiancare a quella della guerra partigiana. Erano cosí nati i primi racconti langhigiani e, subito dopo, *La malora*. *Quell'antica ragazza* e *Pioggia e la sposa*, rispettivamente ottavo e dodicesimo della prima raccolta, sono quindi da considerarsi gli incunaboli di questa nuova esperienza narrativa; e sarà particolarmente la strada indicata dal secondo, con la scoperta del narratore-bambino, capace di esprimere con freschezza, al di fuori di frusti schemi neorealistici, la straordinarietà dei fatti, a condurre ai capolavori brevi fenogliani: *Un giorno di fuoco*, *Ma il mio amore è Paco*.

Lo scrittore sta ora cercando un motivo unificante per i suoi nuovi racconti, tale da giustificare una nuova raccolta: «Conto di scriverne a fondo – scrive nel diario, – non so ancora in quale forma. Certo si è che il camposanto vecchio di Murazzano mi ha fatto potentemente invidiare il grande spunto di E. L. Masters». Pochi giorni dopo, sotto la voce *Autocritica*, ancora un appunto significativo: «Riletto la mia *Malora*; mi pare d'aver piantato i paracarri e non aver fatto la strada». Piú che un cedimento alla critica di Vittorini, questo pensiero potrebbe interpretarsi nel modo seguente: con *La malora* lo scrittore aveva creato un linguaggio e un ambiente nuovi, un suo quasi perfetto strumento di scrittura e una realtà; ma di quella realtà non aveva colto i fatti profondi, i momenti catalizzatori capaci di rivelare i conflitti latenti nell'apparente immobilismo della vita paesana, quei *fatti*, insomma, che offriranno il tema ai migliori racconti «parentali».

Nasce da questa preoccupazione il rinnovato interesse di Fenoglio per la realtà delle Langhe. Ma parlare di vere e proprie inchieste sarebbe forse riduttivo. È chiaro, infatti, che la scelta di una realtà ambientale da lui conosciuta e amata, è soltanto letteralmente un pretesto alla rappresentazione di vicende umane il cui significato è affatto trascendente. Eugenio Corsini ha osservato a questo proposito: «Chiunque conosca per esperienza diretta i posti descritti da Fenoglio nei suoi racconti *sa* che l'apparente minuzia con cui l'autore li descrive è un finissimo gioco d'illusione di cui egli si serve per raggiungere un obiettivo che è chiaramente posto al di là di quella cura descrittiva. I luoghi, come del resto le vicende narrate (anche quelle che partono da fatti di cronaca noti o, comunque, realmente accaduti), appaiono, in realtà, piuttosto come dei collages di elementi narrativi e descrittivi che la fantasia dell'autore traspone, con illimitata libertà, da un contesto a un altro, senza preoccupazione alcuna della cosiddetta realtà effettiva». Scrittore realista, ma non nel senso cui alludeva Vittorini, delle «cose sperimentate personalmente» o del naturalismo tardo-ottocentesco, Fenoglio era interessato all'ambiente e alle vicende degli uomini per farne, appunto, un «simbolo di storia universale».

Un successivo brano del diario, *Lavoro*, conferma l'interpretazione proposta per la voce *Autocritica*: «Prepotente mi ritorna alla memoria il gran fatto di Gallesio di Gorzegno. Debbo rinfrescarmi i particolari. Ci vorrebbe una scappata a Gorzegno: la casa per sempre muta dei Gallesio, dove s'è fermato il fumo degli spari, il castello spettrale, l'acqua violacea della Bormida avvelenata». Si tratta dell'embrione di *Un giorno di fuoco*, il magistrale racconto pubblicato da «Paragone» che segnerà una svolta nella carriera dello scrittore, con la ripresa e l'approfondimento della nuova tecnica narrativa felicemente sperimentata in *Pioggia e la sposa*, con sempre piú incalzanti proposte da parte di riviste e case editrici.

Nell'ottobre del 1954 apparve sulla rivista «Il Caffè», nella rubrica *L'autore velato*, un breve racconto anonimo intitolato *Alla langa*, in cui la vicenda e il linguaggio della *Malora* erano come sottoposti a una stilizzata parodia: «Se da quelle parti là viene l'amicizia tra due famiglie, – cosí comincia, – è perché l'uva è matura, e si deve necessitare l'aiuto dei vicini. I vicini non si guardano mai in faccia; poi, mentre il barbera si fa nero, la faccia si fa chiara, si comincia perfino a darsi la voce, e viene il giorno dell'accordo» (*sic*!). Il testo era preceduto da un'avvertenza che, con evidente allusione a Beppe Fenoglio, ne attribuiva la paternità a uno scrittore «giovane (all'incirca trentenne), che ha già pubblicato due libri, commerciante, è alto m 1,80». L'iniziativa, concludeva la nota redazionale, sarebbe stata «la controprova della singolarità di linguaggio dei nostri autori: una voce che consente al lettore di essere distinta al primo incontro, anche se si tratta di un autore velato»; e nel tipico stile della rivista diretta da Giambattista Vicari ciò valeva come un polemico *divertissiment*.

Non sappiamo quale fu la reazione di Fenoglio alla burla orchestrata da Vicari, ma è molto probabile che l'episodio abbia contribuito a convincerlo ad abbandonare il radicalismo espressionistico abbracciato con *La malora*. Da parte sua, «Il Caffè», emendato il giudizio sul nuovo libro dello scrittore albese con un articolo in cui ne veniva difesa la «sperimentale ricerca di vivificazione della lingua letteraria», nel numero di dicembre dello stesso anno pubblicò un autentico testo fenogliano, *Il gorgo*, brevissimo e intenso racconto langhigiano che riproponeva il tema del suicidio per annegamento, già affrontato in *L'acqua verde*, nono dei *Ventitre giorni*. Pur orbitante nel sistema della *Malora*, con il piccolo protagonista che rievoca il fatto in prima persona, il racconto ha una sua caratteristica forza, nella rinuncia a quelli che Vittorini aveva ingiustamente definito «afrodisiaci dialettali», ma anche nell'avvio del processo di selezione e circoscrizione di singoli temi che animerà il disegno narrativo del *Paese*, dove il gorgo è assunto come sinonimo di suicidio; una delle scelte incombenti sul personaggio fenogliano di questo ciclo: debole, insicuro, esposto anch'esso alle forze oscure della «malora».

Le polemiche intorno alla pubblicazione del secondo libro di Fenoglio, se da una parte ebbero l'effetto di sancire la rottura del già freddo rapporto con «il signor Vittorini», lasciarono una ferita anche nei rapporti coi prediletti interlocutori della casa editrice torinese. Tutto il 1955 trascorre infatti senza che l'epistolario registri un solo intervento, ed è probabile che già in questo periodo, dietro suggerimento degli amici albesi, Fenoglio abbia pensato a stabilire contatti con altri editori. Fu comunque un anno di grande impegno e di crescita per lo scrittore. Abbandonato il progetto del *Paese*, Fenoglio cominciò a servirsi dei capitoli finiti per elaborare i nuovi testi che avrebbero dato vita ai *Racconti del parentado*. Piú congeniale «concetto informatore» sarebbe stata la relazione parentale del giovane narratore coi protagonisti delle singole storie, e il primo frutto maturo di questa nuova stagione fu *Un giorno di fuoco*: con esso lo scrittore comincia a costruire la strada di cui *La malora* aveva indicato il tracciato.

Nel racconto dell'omicida Pietro Gallesio, che resiste chiuso nel suo fienile all'assedio di «cento carabinieri», la macchina narrativa fenogliana rivela tutta la sua perfezione. Ogni particolare descrittivo è soffocato dall'incalzante ritmo narrativo che cederà soltanto, improvvisamente, nella conclusione. L'azione, interamente spostata fuori campo, è scandita dall'eco dei colpi di moschetto, dalle frammentarie notizie portate dai curiosi e dalle deduzioni fatte di volta in volta dallo zio, ansioso non tanto di conoscere la fine già decisa di Gallesio, ma di sapere se questi si sarebbe comportato all'altezza della situazione. Solo quando giunge la notizia che il ribelle si è tolto la vita con l'ultima cartuccia, egli tirerà un sospiro di sollievo commentando: «Tutt'oggi ho vissuto con la paura matta che si arrendesse, che si facesse prendere vivo, ma lui è stato al gioco. Non m'ha fatto pentire. Di Gallesio voglio ricordarmene fin che campo». E d'improvviso il cielo sopra Gorzegno appare al piccolo narratore come «un lago dove fossero finalmente finiti i cerchi provocati dai tonfi di migliaia di pietre».

La novità rappresentata da *Un giorno di fuoco* non sfuggí a Italo Calvino, il quale proprio nei giorni della pubblicazione del racconto, aveva acquistato la qualifica di dirigente della casa editrice torinese. Ansioso di riallacciare il rapporto con l'amico e con l'autore, dopo il gelo creato dalla critica inopportuna di Vittorini, scrisse a Fenoglio per congratularsi: «Solo in questi giorni mi è capitato di leggere *Un giorno di fuoco*. Molto bello. Cosí teso, con quegli spari per aria, con un linguaggio proprio al punto giusto. Uno dei tuoi racconti piú belli. (Io lo avrei voluto anche piú secco, con meno digressioni di memoria, e rendendo meno esplicita, piú sottintesa la solidarietà dello zio con l'assassino). Quando ci dai un nuovo libro? Vorrei che il tuo prossimo uscisse nei "Coralli"». E Fenoglio risponderà accogliendo con entusiasmo sia la proposta del «Corallo» sia le osservazioni su *Un giorno di fuoco*. Cinque anni dopo, infatti, scrivendo *La novella dell'apprendista esattore*, seguirà puntualmente i consigli dell'amico: il dettato piú «secco», la rinuncia alle digressioni della memoria e, soprattutto, il venir meno della solidarietà degli spettatori con il ribelle. Per quanto riguarda il «Corallo», però, sopraggiunsero complicazioni, un conflitto con l'editore Garzanti sui diritti di pubblicazione dei nuovi racconti, e Fenoglio non avrà il tempo di pubblicare nessun altro libro.

Nel 1962 apparvero in rivista due racconti di *Un giorno di fuoco* (il titolo originale della nuova raccolta, di cui Fenoglio arrivò a correggere le bozze, era stato cambiato ancora una volta dall'editore con quello del primo racconto): *Ma il mio amore è Paco* e *Superino*. Il primo, un'effervescente summa dell'intero ciclo langhigiano, gli valse il conferimento del Premio Alpi Apuane, fondato nei primi anni cinquanta da un gruppo di intellettuali e scrittori vicini alla rivista «Paragone». In agosto, vincendo la sua proverbiale riservatezza, lo scrittore si recò al Pasquilio, in alta Versilia, per la cerimonia di premiazione a cui parteciparono, fra gli altri, Roberto Longhi, Anna Banti e Giorgio Bassani. Se si esclude la presenza al Convegno Nazionale dei Giovani Scrittori, tenutosi a Roma nel dicembre del 1953, fu quella al Pasquilio la prima e ultima apparizione pubblica dello scrittore. Nell'ingresso dell'albergo dove si tenne la cerimonia, proprietà di un ex comandante partigiano, sono rimaste sulle pareti le belle foto del carrarese Ilario Bessi: Fenoglio vi appare a volte soddisfatto e allegro, a volte estraniato e quasi contrito. La sera stessa dovette rientrare ad Alba, assalito dal male.

Negli ultimi mesi del 1962, trascorsi tra Bossolasco, Alba e la clinica di Bra, continuò a scrivere su quaderni scolastici, nella sua grafia sempre piú distesa e illeggibile, segno della dedizione al solo mestiere che sente, nell'intimo, suo: quello che, in un lontano momento di sconforto, aveva definito il semplice «appagamento d'un vizio». Appartengono a questo periodo numerosi lavori rimasti a uno stato embrionale, fra i quali *Un Fenoglio alla prima guerra mondiale* e *I penultimi*: abbozzi di romanzo sulle vicende dei vecchi Fenoglio negli anni della grande guerra, che ribadiscono in limine l'attrazione per il tema bellico sentito come tempo esistenziale, oltre il referente storico e autobiografico. Nello stesso quaderno che l'autore aveva con sé durante il ricovero a Bra figurano anche quattro racconti: *La licenza* e *Il mortorio Boeri* erano già entrati a far parte del canone per merito dei primi studiosi; ne erano invece rimasti esclusi i due che, nel presente volume, concludono la sezione *Racconti del dopoguerra*.

Nel primo il protagonista si reca in treno nella città dove, diciannove anni prima, ha fatto il militare, questa volta per un incontro amoroso non esente da rischi. La ragazza che l'aspetta a casa vive con la madre: una professoressa a riposo dagli orari imprevedibili. Il titolo d'autore – *Figlia, figlia mia* – sembra rinviare a un possibile esito boccaccesco, forse simile a quello stigmatizzato nella voce *Floriana* del *Diario*. Ma il vero tema del racconto è lo stato d'animo del protagonista, gravato da un'amara consapevolezza: nel 1962 erano passati diciannove anni da quando Fenoglio aveva ricevuto la sua prima istruzione militare a Ceva, e in quel tempo aveva già conoscenza del male che lo avrebbe ucciso. Fin dal primo enunciato capiamo che il protagonista rifugge la compagnia. Neppure la vista di un leggiadro tramonto, il cielo che «aderiva ai crinali delle colline con una fascia di bellissimo argento», lo attrae ormai piú. «L'amore del paesaggio era stata forse la prima cosa che gli si era spenta dentro». In passato la vista di quell'albero solitario «con la sua cupola di foglie arrovesciata nella zona argentea del cielo» gli avrebbe fermato il respiro, «l'avrebbe inchiodato». Che cosa succede, dunque? «Si comincia presto a morire, dovette pensare, e ci si mette poi tanto»: questi non sono i pensieri di un amante che sta per incontrare l'amata! Il racconto s'interrompe con la descrizione dei nuovi quartieri della città, con la luce «gemmante» delle grandi insegne al neon che «illindiva ancor piú la vecchia facciata salnitrosa» del cinema. No, non è un appuntamento amoroso quello a cui il protagonista sta andando. «Ci sarà sempre un racconto che vorrò fare ancora, ma ci sarà anche il giorno che non potrò piú vivere» aveva scritto otto anni prima nel diario.

L'altro racconto rimasto fuori catalogo, *La grande pioggia*, è molto probabilmente l'ultimo di Beppe Fenoglio, testimonianza di un attaccamento vitale alla parola scritta, dove il recupero del modello hemingwayano sembra condurre a una sensibilità nuova, tra cupe premonizioni e un dolce rimpianto per gli affetti ormai sfuggenti. Inconsapevole l'autore ne anticipa il tema in una lettera al fratello Walter, scritta da Bra il 20 novembre 1962: la moglie Luciana, che appena l'anno prima gli aveva dato la figlia Margherita facendogli conoscere un'improvvisa felicità, deve recarsi a fargli visita insieme agli amici Francesco Morra e Aldo Agnelli, tra i piú cari compagni di vita albese. È novembre, il mese dei morti e delle lunghe piogge; nonostante l'ingegner Morra disponga di una comoda automobile il breve viaggio da Alba a Bra diventerà un'impresa disagevole, l'attesa riunione un imbarazzante confronto intercalato da gesti gravi e da lunghi silenzi. L'istinto lo spinge a trasformare la delicata occasione in un racconto, che Fenoglio, sempre pronto a registrare gli attimi cruciali dell'esistenza, scrive di getto nel suo inseparabile quaderno.

Si tratta di un componimento breve di straordinaria concentrazione lirica, una montaliana occasione senza titolo, apparentemente priva di avvenimenti, ma che rappresenta un evento importante per Charlie, il protagonista ricoverato nell'ospedale di una città che «non ha mai potuto soffrire»: la visita della moglie e del piú intimo amico, «il professore», in cui confluiscono caratteristiche del professor Pietro Chiodi, dell'ingegner Morra e del fotografo Aldo Agnelli, soltanto quest'ultimo scapolo. Charlie, con il suo sfuggente profilo umano e con le sue cupe premonizioni, è l'ultima incarnazione di Johnny, ora costretto a truffare la suora-infermiera nel computo delle sigarette fumate. E come Johnny non è uomo privo di rimpianti: da giovane «era stato, a giudizio unanime, il miglior liceale della sua generazione, ma poi non si era laureato»; anche per questo, con autoironico puntiglio, ama chiamare i suoi amici «col loro titolo accademico». Charlie è un uomo in attesa, che passa la maggior parte del tempo a letto, sforzandosi di non pensare; come l'ex pugile Ole Andreson di *The Killers*, e come Mr. Frazer, lo scrittore ricoverato nell'ospedale di una piccola cittadina del Montana in *The Gambler, the Nun, and the Radio*, esiti emblematici della già ricordata teoria hemingwayana dell'*iceberg*. Quando gli viene chiesto quale musica avrebbe voluto ascoltare, Mr. Frazer sceglierà una canzone «which has the sinister lightness and deftness of so many of the tunes men have gone to die to»: anche lui aspetta l'incontro decisivo con il «*giant killer*», il Grande Assassino.

L'*incipit* del racconto introduce con feroce immediatezza il tema, una costante della narrativa fenogliana (si ricorderà l'inizio della *Malora*: «Pioveva su tutte le langhe; lassú a San Benedetto mio padre si pigliava la sua prima acqua sottoterra»). La pioggia diluviale che ora cade sulla città di Charlie assume subito una connotazione malefica: l'utilitaria del professore, avanzando sul viale di circonvallazione, «*sventaglia* un'ondata» contro un ciclista che pedalava «senza affanno, protetto da un incerato enorme», e che rimarrà «*mitragliato* dalla pioggia». La pioggia scroscia «sugli altissimi tetti con un fragore cosí fitto e sistematico da parere il rumore di un grosso opificio». Il professore cerca di afferrarne il senso riposto: la notte precedente la visita a Charlie ha rinunciato a prendere il suo solito sonnifero per poterla ascoltare atterrito.

Quella che il professore attraversa per raggiungere la casa della moglie di Charlie, lentamente, come seguisse un funerale, è una città di fantasmi, dove tutte le forme appaiono sfocate dalla cortina di pioggia. Come l'irato ciclista, i passanti hanno «scatti e sbandamenti inconsulti»; le «presuntuose insegne al neon», che stanno diffondendosi nella città «in pieno boom», pendono «non meno slavate e mosce di ramoscelli», mentre un bimbo, che per un momento riesce a sprigionarsi dalla morsa in cui lo tiene la madre, alza le mani al cielo, alla pioggia, «per sgridarla o per applaudirla».

La moglie di Charlie aspettava il professore «come se fosse all'agguato dietro alla porta»: la piova infernale non la offende, non le impedisce di indossare un elegante «completo di nappa grigia metallizzata», e di uscire di casa col solo riparo della «bellissima borsetta», impermeabilizzata dalla sua giovinezza e dal suo splendore. Lei non sa, lei non ha ascoltato il minaccioso fragore. Durante il viaggio «all'altra città» informa il professore che «l'ultima lastra è stata incoraggiante. Molto incoraggiante»; e quando, al suo incosciente ottimismo, il professore risponde con un cupo silenzio, lei ha uno scatto di spirito: lo invita a guardare la pioggia, «non quella che tempestava il parabrezza, ma la piú lontana, quella che oscurava l'orizzonte». Giunti nei pressi della clinica la pioggia è «tanto fitta e violenta da confondere topografia e paesaggio». Il commento della moglie è quindi definitivo come un epigrafe: «Charlie non ha mai potuto soffrire questa città e ha dovuto finirci ammalato». Destino odioso come quello di Milton, che aveva sempre pensato alle colline come al «naturale teatro del suo amore, e gli era invece toccato di farci l'ultima cosa immaginabile, la guerra». Ora Charlie è impegnato in un altro tipo di lotta.

Quello che avviene tra i visitatori e il paziente è un dialogo/non dialogo dove i pensieri di Charlie smorzano parole e movimenti, come quello della sua mano «floscia e stanca» che scorre sul dorso della moglie «con un'ultima e grande voglia di cadere»: la vede il professore, e capisce. Chiede all'amico «se lo deprimeva quella grande lunga pioggia». Ma è una minaccia di cui Charlie non vuole assolutamente parlare: «Voi dite che ha piovuto e che piove?» chiede stranito. All'uscita della moglie, nella stanza cala il silenzio: i due amici si conoscono troppo bene, tra loro non ci possono essere inganni. Finita la finzione dell'ottimismo, resta solo il rumore insistente della pioggia. La *Grande Pioggia*, ovvero il Grande Assassino. La morte presagita, imminente, nel mezzo di affetti ancora fioriti e di un fervido lavoro: il tema struggente del racconto.

Purtroppo non ci è dato conoscere il contenuto del biglietto nel quale, secondo la testimonianza di Pietro Chiodi, poco prima di morire Fenoglio stabilí l'ordinamento dei suoi racconti. È tuttavia lecito pensare che quell'ordine sviluppasse lo schema abbozzato alcuni mesi prima in una lettera ad Attilio Bertolucci, il quale gli aveva proposto di pubblicare una raccolta completa dei suoi racconti presso Garzanti. Fenoglio aveva risposto entusiasta: «la Sua raccolta mi va molto a sangue e me la vedo bene articolata davanti agli occhi. All'incirca cosí: RACCONTI DELLA GUERRA CIVILE: *I 23 giorni della città di Alba*, *L'andata*, *Il trucco*, *Gli inizi del par-*

tigiano Raoul, *Il vecchio Blister*, *Un altro muro*. RACCONTI DEL DOPOGUERRA: *Ettore va al lavoro*, *L'acqua verde*, *Nove lune*. RACCONTI DEL PARENTADO: i tre e forse quattro racconti cui accenno piú sopra. UN RACCONTO LUNGO: *La Malora*».

Fenoglio, dunque, stimolato da Bertolucci, ma anche da altri felici esempi apparsi sul finire degli anni cinquanta, primo fra tutti quello dei *Racconti* di Italo Calvino, già nel 1961 aveva elaborato il progetto di una raccolta completa dei suoi racconti: «la splendida, affascinante, organica proposta dell'amico Bertolucci», come la definirà in una successiva lettera a Livio Garzanti. Di questo primo schema vale sottolineare due aspetti significativi: la riproposta di titoli precedentemente bocciati dagli editori: *Racconti della guerra civile*, *Racconti del parentado*; accanto a uno nuovo: *Racconti del dopoguerra*. Ma questo affascinante libro non era allora possibile. I diritti sui racconti di Fenoglio erano infatti divisi tra due editori le cui posizioni, in occasione della vertenza sul diritto di stampa da parte di Einaudi dei *Racconti del parentado*, si erano dimostrate inconciliabili: essendo riuscito a bloccare la nuova raccolta, ma non potendo a sua volta riproporre i testi del libro d'esordio, Garzanti aveva tutto l'interesse a pubblicare i racconti inediti prima della scadenza del contratto quinquennale sottoscritto dall'autore nel 1959. E ciò spiega la dubbia composizione del primo volume postumo nel quale, sotto il titolo *Un giorno di fuoco*, venivano raccolti dodici racconti di varia origine accanto all'ultima redazione di *Una questione privata*, stabilendo cosí la tendenza a pubblicare i testi via via rinvenuti al di fuori di un piano «organico» come quello caldeggiato dall'autore.

Il volume a cui Fenoglio rivolse il suo ultimo pensiero vede oggi finalmente la luce, con un'esclusione e un'aggiunta. Accogliendo i titoli delle tre sezioni indicati nella lettera a Bertolucci, riorganizzati in senso cronologico, si è creduto opportuno sostituire *La malora*, appartenente a un genere diverso e ormai tradizionalmente libro a sé stante, con una quarta sezione: quella dei racconti che l'autore stesso, in una lettera a Giulio Einaudi, definí «fantastici», senza i quali il registro dell'universo narrativo fenogliano non sarebbe completo.

Ecco quindi *Una crociera agli antipodi*, la storia del picaro Bobby Snye che per sottrarsi alla ferocia di un creditore, dopo aver perso un'enorme somma al gioco, finisce sulla prima nave in partenza da Plymouth. Ed ecco anche il segno piú chiaro d'ammirazione verso il maestro indiscusso del genere. «Mi chiamo Arthur Gordon Pym. Mio padre era un rispettabile commerciante in articoli marittimi, a Nantucket, dove sono nato. Il mio nonno da parte di madre era notaio, e aveva una buona clientela ... »: cosí inizia il celebre romanzo di Edgar Allan Poe; e Fenoglio è discepolo suo quando scrive: «Mi chiamavo Aloysius Butor e nacqui nel villaggio piccardo di Le Quesnoy, nel 149., da famiglia oscura ma non vile. Mio padre era scrivano e anche poeta d'occasione e mia madre, da fanciulla, aveva servito in alto luogo, guardarobiera della contessa di Cambrai...» Entrambi i protagonisti hanno una vocazione all'avventura che si manifesta molto presto nella giovinezza e che li spingerà a ripudiare le piccole comodità di un'esistenza monotona. I loro destini si definiscono all'età di sedici anni, quando l'uno entra all'accademia di mister Ronald, dove stringe amicizia con il figlio di un capitano di mare, Augustus, che sarà l'ispiratore della sua fuga; l'altro, rimasto orfano dei genitori, entra a servizio nella bottega dello zio materno, di mestiere armaiolo, dove «a furia di batter lame e piastre e di ascoltare i discorsi degli avventori» svilupperà il sogno di diventare soldato di ventura. A ciascuno poi la sua storia, ma numerose sono le immagini, particolari concreti del linguaggio, che le accomunano.

Anche *Una crociera agli antipodi* deve piú alla cupa atmosfera dei racconti di Poe di quanto la luminosa cornice da *Treasure Island* potrebbe far pensare: basti ricordare uno dei primi racconti dell'americano, *A Descent into the Maelström*, per trovare il modello della terrificante tempesta che si abbatte sulla squadra del commodoro Earlwood nei pressi della favolosa Antartide. Ed è proprio la rappresentazione della tempesta, del comportamento degli uomini in tale eccezionale frangente, che costituisce il cuore del racconto: «Vedemmo l'intero orizzonte coperto da una strana nuvola color rame, che saliva con la piú strabiliante velocità. In meno di due minuti il cielo fu tutto coperto e fra questo e la schiuma che schiaffeggiava la barca, si fece a un tratto talmente buio, che a bordo non potemmo piú vederci l'un l'altro. *La temperatura si abbassò e la luce diminuí, sebbene i colori del lontano cielo rimanessero splendidi e fissi. C'era, ricordo, del rosso sangue, del verde giada e del giallo zolfo. D'un tratto presero a vorticare e a miscelarsi come in un mulinello e il risultato fu che il cielo assunse una tinta cosí sinistra da non poter reggere a fissarlo*... Allora la barca si scosse, proprio come un cane che esce fuor d'acqua, e cosí si liberò in parte dal mare. *Prese a tirare da sud-est un vento cosí forte che scavava l'oceano come un cucchiaio la minestra. Solamente O'Shea non parlò, ma continuamente sputò in faccia all'oceano e gli faceva versacci*... Il mare, che prima era stato domato dal vento ed era rimasto piatto e spumoso, cominciò ora a gonfiarsi in vere montagne. *Le onde erano alte cento piedi e le voragini che continuamente si aprivano potevano facilmente ingoiare interi villaggi con guglie e campanili*... Entrambi gli alberi finirono in mare, come se fossero stati segati al piede. *La forza del vento era tale che strappò i fanali del Diomedes e roteandoli come palle di brace li scagliò oltre l'orizzonte*». Potrebbe sembrare lo stesso racconto di un'unica mano, ma solo la parte in corsivo appartiene a Fenoglio; l'altra è di Poe.

Originale nel genere umoristico come nel *mystery*, Edgar Allan Poe aveva narrato in *The Literary Life of Thingum Bob, Esq.* la tragicomica vicenda di un giovane letterato di umili origini desideroso di assurgere alla gloria poetica. È questo il caso anche del letterato Franz Laszlo Melas, «rampollo di un fabbroferraio austriaco e della figlia di un ungherese che teneva osteria ai margini della puszta», aspirante al titolo di «poeta laureato alla corte imperiale». Ancora una volta l'affinità delle favole si esaurisce nello spunto iniziale, ma ancora una volta la voce narrante ha la stessa inconfondibile coloritura, la prosa la stessa irreprensibile qualità. Certamente, la voglia di trovare nella fama letteraria un riscatto alle proprie umili origini è pur sempre un sottostante motivo autobiografico in Fenoglio, anch'egli, come Melas, prodotto di «due sangui»: quello *langhét* del padre, già garzone di macelleria, e quello «d'oltretanaro, d'una razza credente e mercantile» della madre. Cosí come squisitamente fenogliano (con i dovuti richiami alle opere maestre di Emily Brontë e di Edmond Rostand), è il motivo del triangolo amoroso in cui finisce per essere coinvolto l'ingenuo Franz Melas. Tuttavia in questo racconto, che ha l'allucinata atmosfera del sogno, il protagonista veste l'abito del bello desiderato; mentre il ruolo dell'innamorato respinto spetta al barcaiolo Hans, al quale Milka, la corteggiata ragazza del popolo, rivolge il crudele adagio ti-voglio-bene-ma-non-ti-amo, equivalente a una pugnalata nel cuore. Che poi sia lo stesso Melas, quando ormai sta per completare l'attraversamento del (simbolico) fiume che lo separa dal coronamento del suo desiderio, a dover infliggere il colpo mortale nel petto di Hans, ci induce a pensare a un nuovo caso di sdoppiamento della personalità, al riflesso di un sofferto conflitto interiore: dolorosa è la soppressione della parte patetica del proprio ego, ma permetterà da sola l'approdo alla pienezza dell'essere, al pubblico riconoscimento del proprio valore. Evento cosí felicemente rappresentato dall'improvviso senso di benessere e di autostima che Franz Laszlo Melas, in passato «disagiatamente incerto e pessimista» circa le proprie qualità fisiche, prova nella gran sala illuminata di palazzo Lazarski.

Neppure nella dimensione fantastica di questi racconti Fenoglio recede dalla sua intima fascinazione per la Storia. Le avventure dei tre protagonisti si svolgono in ambienti meticolosamente inventati, in un tempo solo approssimativamente definito, talvolta con qualche anacronismo, ma all'interno di una precisa cornice storica e geografica. Si pensi anche al grazioso *divertissement* conclusivo, dove la grottesca vicenda della cosiddetta *Armada Invencible* è rievocata con esilaranti toni parodistici, senza troppo badare all'accuratezza (come dimostrano la partenza della flotta da Cadice, anziché da Lisbona, o l'impossibile attraversamento del Golfo del Leone). Aloysius Butor nasce nell'ultimo decennio del XV secolo in un villaggio della Picardia, sul confine tra il Regno di Francia e i Paesi Bassi, e a sedici anni si sposta a Douai, veridica cittadina nella contea di Artois. Da lí, dopo l'apprendistato da «armajolo» presso lo zio Martino Dellonck, comincia la sua avventura di merceneraio che lo porterà ad attraversare il nord Europa sconvolto dal diffondersi del verbo protestante, per concludersi di fronte alla fantastica città di Toeplitz. Il quadro storico generale si colloca negli anni successivi alla dieta di Worms; il trentennio di guerre lucidamente predetto dal vecchio Kaspar morente corrisponde verosimilmente a quello che va dalla rivolta dei contadini radunati attorno alla bandiera del radicalismo religioso di Thomas Münzer (1524), alla pace di Augusta (1555), che pone fine al conflitto fra impero e chiese scismatiche; mentre il cosiddetto «Regno dei Santi», instaurato da ferventi anabattisti sotto la guida di Giovanni da Leyda, e conclusosi dopo lungo assedio nel bagno di sangue di Münster (1535), può aver ispirato a Fenoglio l'episodio dell'assedio di Toeplitz (citato anche nella storia del letterato Franz Laszlo Melas). Per lo piú inventati sono però i toponimi dove avvengono gli specifici fatti d'armi: Tryon, Tillenberg, Ludlinga, la stessa Toeplitz e la Slivonia; cosí come immaginari sono i condottieri sotto le cui bandiere servirà Aloysius: i capitani Arnaut e Ernzer, il duca di Stettino e il «conte della Palomara (o della Palombara)», detto anche «Gran Capitano», appellattivo storicamente attribuito a Gonzalo Fernandez de Cordoba, artefice della *reconquista*.

Lo stesso rapporto creativo con la Storia si riflette nella vicenda del letterato Franz Laszlo Melas. Anche in questo caso è possibile dedurre un generale quadro storico, quello successivo all'unione austro-ungarica, e un ambiente geografico, quello di una città mitteleuropea attraversata dal grande fiume e dominata dalla collina del castello: Budapest, Praga, Bratislava? Fenoglio evita accuratamente di fornire un dato che possa connotare in modo definitivo la città in cui si svolge l'azione: Budapest, la piú somigliante, viene citata in altro contesto, e cosí pure Presburgo, Tomesvar e Leopoli. Via Pelikan, dove abita Melas, è verosimilmente nome ceco, ma non può certo di per sé connotare una città i cui ponti e le cui arterie hanno nomi cosí chiaramente inventati. Anche il termine «kovalcine» (a volte reso con il francese «midinettes»), per indicare le ragazze del popolo con le quali si ferma a conversare il protagonista, nonostante il sapore slavo sembra proprio essere frutto della fantasia di Fenoglio. Autentico, invece, è il nome della «Monthly

Review», definita «la piú autorevole rivista letteraria inglese», che in una «rassegna della situazione letteraria europea» avrebbe definito Franz Laszlo Melas, «sulla base del suo poema epico *La guerra di Religione*» (non sulla base dei *Racconti febbrili*, la cui lettura è costata «una grave punizione» al cadetto che consiglia Franz sul modo migliore di attraversare il fiume), «come uno dei piú grandi poeti continentali contemporanei»...

«*Somewhere over the rainbow skies are blue, and the dreams that you dare to dream really do come true*». Chissà se Beppe Fenoglio non avrebbe ripensato alla cara vecchia aria, potendo leggere la recensione di John Rosselli apparsa sul prestigioso «Times Literary Supplement» di Londra nel 1995, in cui la traduzione del suo poema epico, *Johnny the Partisan*, veniva salutata come «una nuova *Iliade*», dove «l'eroico, il quotidiano e il grottesco sono accostati e innalzati da un uso sapiente di parole e immagini».

C'è una frase che Fenoglio scrive piú volte negli ultimi quaderni, una frase che evidentemente occupa la sua mente in quei giorni d'attesa. È un passo del *Coriolano* di Shakespeare, e la sua vicinanza al manoscritto dei *Penultimi* è stata interpretata come la volontà di farne una sorta di epigrafe per il nuovo libro annuciato nella lettera del 20 novembre al fratello: la storia dei «Fenoglio di Monchiero negli anni della prima guerra mondiale». La stessa frase, però, figura anche sul foglio di guardia del quaderno contenente i quattro racconti già ricordati; il suo significato potrà perciò riferirsi a tutti i lavori degli ultimi giorni. È la frase che il portavoce dei ribelli plebei, decisi a condurre uno sconsiderato assalto al Senato, rivolge a Menenio Agrippa quando questi, nel tentativo di calmarli, chiede di poter raccontare loro una storia: «*Well, I'll hear it, sir. Yet you must not think to fob off our disgrace with a tale. But, an't please you, deliver*». «Bene, l'ascolterò, signore. Non crediate di farci dimenticare la nostra disgrazia con una storiella. Se comunque vi fa piacere, raccontatela pure». E Agrippa racconterà il celebre apologo delle membra del corpo che si ribellarono contro lo stomaco accusandolo di starsene pigro, senza partecipare al duro lavoro degli altri, ricevendo in risposta, dallo stomaco stesso, un'alta lezione di democrazia. Qual è il legame coi nostri racconti? Forse una risposta indiretta alla sfida che «il Fenoglio» protagonista della *Licenza*, lo zio Amilcare dei *Penultimi*, lancia ai borghesi riuniti nel piú bel caffè di Alba, «il caffè dei signori»? Ma la ribellione dei plebei del *Coriolano* sullo sfondo della guerra coi volsci troppo superficialmente si collega a quella dello zio Amilcare sullo sfondo della prima guerra mondiale. Forse la citazione va letta come uno sfogo privato, un pensiero che Fenoglio rivolge soprattutto a se stesso, alla sua coscienza di uomo e di scrittore. La disgrazia che ti ha colpito, sembra voler dire, dovrebbe farti pensare ad altro che a raccontare storie. Ma se questa è la tua natura, se questo il tuo nutrimento, va' pure avanti, racconta!

È nota la frase con cui Fenoglio, nel pieno della maturità, concluse un raro commento autobiografico: «Scrivo *with a deep distrust and a deeper faith*». Nessun'altra sua opera, come questo volume, testimonia una fede profonda nelle risorse della parola.

LUCA BUFANO

Ringrazio gli eredi Fenoglio per la gentile disponibilità, la casa Einaudi per avermi assegnato questo lavoro, Edoardo Borra e Giovanni Falaschi per l'aiuto e i consigli, Ugo Cerrato, il grande e fedele amico di Beppe, che non ha potuto vedere realizzato il progetto di cui abbiamo discusso amabilmente per oltre dieci anni: questa edizione è soprattutto sua.

Tutti i racconti

Racconti della guerra civile

I ventitre giorni della città di Alba

Alba la presero in duemila il 10 ottobre e la persero in duecento il 2 novembre dell'anno 1944.

Ai primi d'ottobre, il presidio repubblicano, sentendosi mancare il fiato per la stretta che gli davano i partigiani dalle colline (non dormivano da settimane, tutte le notti quelli scendevano a far bordello con le armi, erano esauriti gli stessi borghesi che pure non lasciavano piú il letto), il presidio fece dire dai preti ai partigiani che sgomberava, solo che i partigiani gli garantissero l'incolumità dell'esodo. I partigiani garantirono e la mattina del 10 ottobre il presidio sgomberò.

I repubblicani passarono il fiume Tanaro con armi e bagagli, guardando indietro se i partigiani subentranti non li seguivano un po' troppo dappresso, e qualcuno senza parere faceva corsettine avanti ai camerati, per modo che, se da dietro si sparava un colpo a tradimento, non fosse subito la sua schiena ad incassarlo. Quando poi furono sull'altra sponda e su questa di loro non rimase che polvere ricadente, allora si fermarono e voltarono tutti, e in direzione della libera città di Alba urlarono: – Venduti, bastardi e traditori, ritorneremo e v'impiccheremo tutti! – Poi dalla città furon visti correre a cerchio verso un sol punto: era la truppa che si accalcava a consolare i suoi ufficiali che piangevano e mugolavano che si sentivano morire dalla vergogna. E quando gli parve che fossero consolati abbastanza tornarono a rivolgersi alla città e a gridare: – Venduti, bastardi...! – eccetera, ma stavolta un po' piú sostanziosamente, perché non erano tutti improperi quelli che mandavano, c'erano anche mortaiate che riuscirono a dare in seguito un bel profitto ai conciatetti della città. I partigiani si cacciarono in porte e portoni, i borghesi ruzzolarono in cantina, un paio di squadre corse agli argini da dove aprí un fuoco di mitraglia che ammazzò una vacca al pascolo sull'altra riva e fece aria ai repubblicani che però marciaron via di miglior passo.

Allora qualcuno s'attaccò alla fune del campanone della cattedrale, altri alle corde delle campane dell'altre otto chiese di Alba e sembrò che sulla città piovesse scheggioni di bronzo. La gente, ferma o che camminasse, teneva la testa rientrata nelle spalle e aveva la faccia degli ubriachi o quella di chi s'aspetta il solletico in qualche parte. Cosí la gente, pressata contro i muri di via Maestra, vide passare i partigiani delle Langhe. Non che non n'avesse visti mai, al tempo che in Alba era di guarnigione il II Reggimento Cacciatori degli Appennini e che questi tornavano dall'aver rastrellato una porzione di Langa, ce n'era sempre da vedere uno o due con le mani legate col fildiferro e il muso macellato, ma erano solo uno o due, mentre ora c'erano tutti (come credere che ce ne fossero altri ancora?) e nella loro miglior forma.

Fu la piú selvaggia parata della storia moderna: solamente di divise ce n'era per cento carnevali. Fece un impressione senza pari quel partigiano semplice che passò rivestito dell'uniforme di gala di colonnello d'artiglieria cogli alamari neri e le bande gialle e intorno alla vita il cinturone rossonero dei pompieri col grosso gancio. Sfilarono i badogliani con sulle spalle il fazzoletto azzurro e i garibaldini col fazzoletto rosso e tutti, o quasi, portavano ricamato sul fazzoletto il nome di battaglia. La gente li leggeva come si leggono i numeri sulla schiena dei corridori ciclisti; lesse nomi romantici e formidabili, che andavano da Rolando a Dinamite. Cogli uomini sfilarono le partigiane, in abiti maschili, e qui qualcuno tra la gente cominciò a mormorare: – Ahi, povera Italia! – perché queste ragazze avevano delle facce e un'andatura che i cittadini presero tutti a strizzar l'occhio. I comandanti, che su questo punto non si facevano illusioni, alla vigilia della calata avevano dato ordine che le partigiane restassero assolutamente sulle colline, ma quelle li avevano mandati a farsi fottere e s'erano scaraventate in città.

A proposito dei capi, i capi erano subito entrati in municipio per trattare col commissario prefettizio e poi, dietro invito dello stesso, si presentarono al balcone, lentamente, per dare tutto il tempo ad un usciere di stendere per loro un ricco drappo sulla ringhiera. Ma videro abbasso la piazza vuota e deserti i balconi dirimpetto. Sicché la guardia del corpo corse in via Maestra a spedire in piazza quanti incontrava. A spintoni ne arrivò un centinaio, e stettero con gli occhi in alto ma con le braccia ciondoloni. Allora le guardie del corpo serpeggiarono in quel gruppo chiedendo tra i denti: – Ohei, perché non battete le mani? – Le batterono tutti e interminabilmente nonché di cuore. Era stato un attimo di sbalordimento: su quel balcone c'erano tanti capi che in proporzione la truppa doveva essere di ventimila e non di duemila uomini, e poi in prima fila si vedeva un capo che su dei calzoncini corti come quelli d'una ballerina portava un giubbone di pelliccia che da lontano sembrava ermellino, e un altro capo che aveva una divisa completa di gomma nera, con delle cerniere lampeggianti.

Intanto in via Maestra non c'era piú niente da vedere: giunti in cima, i partigiani scantonarono. Una torma, che ad ogni incrocio s'ingrossava, corse ai due postriboli della città, con dietro un codazzo di ragazzini che per fortuna si fermarono sulla porta ad attendere pazientemente che ne uscisse quel partigiano la cui divisa o la cui arma li aveva maggiormente impressionati. In quelle due case c'erano otto professioniste che quel giorno e nei giorni successivi fecero cose da medaglie al valore. Anche le maitresses furono bravissime, riuscirono a riscuotere la gran parte delle tariffe, il che è un miracolo con gente come i partigiani abituata a farsi regalar tutto.

Ma non erano tutti a puttane, naturalmente, anzi i piú erano in giro a requisir macchine, gomme e benzina. Non senza litigare tra loro con l'armi fuor di sicura, scovarono e si presero una quantità d'automobili con le quali iniziarono una emozionante scuola di guida nel viale di circonvallazione. Per le vie correvano partigiani rotolando pneumatici come i bimbi d'una volta i cerchi nei giardini pubblici. A conseguenza di ciò, la benzina dava la febbre a tutti. In quel primo giorno e poi ancora, scoperchiavano le vasche dei distributori e si coricavano colla pancia sull'asfalto e la testa dentro i tombini. – Le vasche sono secche, secche da un anno, – giuravano i padroni, ma i partigiani li guardavano in cagnesco e dicevano di vedere i riflessi e che quindi la benzina c'era. I padroni cercavano di spiegare che i riflessi venivano da quelle due dita di benzina che restano in ogni vasca vuota, ma che la pompa non pescava piú. Allora i partigiani riempivano di bestemmie le vasche e lasciavano i padroni a tapparle. Benzina ne scovarono dai privati, pochissima però, la portavano via in fiaschi. Quel che trovarono in abbondanza fu etere, solvente ed acquaragia coi quali combinarono miscele che avvelenarono i motori.

Altri giravano con in mano un elenco degli ufficiali effettivi e di complemento della città, bussavano alle loro porte vestiti da partigiani e ne uscivano poi bardati da tenenti, capitani e colonnelli. Invadevano subito gli studi dei fotografi e posavano in quelle divise, colla faccia da combattimento che spaccava l'obiettivo.

Intanto, nel Civico Collegio Convitto che era stato adibito a Comando Piazza, i comandanti sedevano davanti a gravi problemi di difesa, di vettovagliamento e di amministrazione civile in genere. Avevano tutta l'aria di non capircene niente, qualche capo anzi lo confessò in apertura di consiglio, segretamente si facevano l'un l'altro una certa pena perché non sapevano cosa e come deliberare. Comunque deliberarono fino a notte.

Quella prima notte d'occupazione passò bianca per civili e partigiani. Non si può chiuder occhio in una città conquistata ad un nemico che non è stato battuto. E se il presidio fuggiasco avesse cambiato idea, o avesse incontrato sulla sua strada chi gliel'avesse fatta cambiare, e cercasse di rientrare in Alba quella notte stessa? I borghesi nell'insonnia ricordavano che la sera, nel primo buio, quel pericolo era nell'aria e stranamente deformava le case e le vie, appesantiva i rumori, rendeva la città a momenti irriconoscibile a chi c'era nato e cresciuto. E i partigiani, che in collina riuscivano a dormire seduti al piede d'un castagno, sulle brande della caserma non chiusero occhio. Pensavano, e in quel pensare che a tratti dava nell'incubo, Alba gli pareva una grande trappola colle porte già abbassate. Era l'effetto del sentirsi chiusi per la prima volta; le ronde che viaggiavano per la città nel fresco della notte erano molto piú tranquille e spensierate.

Non successe niente, come niente successe negli otto giorni e nelle otto notti che seguirono. Accadde solo che i borghesi ebbero campo d'accorgersi che i partigiani erano per lo piú bravi ragazzi e che come tali avevano dei brutti difetti, e che in materia di governo civile i repubblicani erano piú competenti di loro. Accadde ancora che uno di quei giorni, all'ora di pranzo, da Radio Torino si sentirono i capi fascisti del Piemonte alternarsi a giurare che l'onta di Alba sarebbe stata lavata, rovesciata la barbara dominazione partigiana eccetera eccetera.

La mattina del 24 ottobre, le scolte sul fiume che di buonora pescavano colle bombe a mano facendo una strage di pesci che ancor oggi i pescatori se ne lamentano, videro sulla strada Alba-Bra avanzarsi un nuvolone di polvere e da questo usciva un tuono di motori. Spiando negli intervalli tra un pioppeto e l'altro, contarono una dozzina di grossi camion e un paio di piccoli carri armati.

Su Alba suonò la sirena municipale, i civili s'incantinarono e la guarnigione corse agli argini che già sul fiume s'incrociavano i primi colpi.

La repubblica stabilí un fronte di non piú di mezzo chilometro, disteso tra un pescheto e un arenile, e cercò di far forza nel punto migliore per il guado, immediatamente a valle del ponte bombardato dagli inglesi. Ma i partigiani concentrarono le mitraglie e quando quelli si presentarono al pulito, fecero una salva che li ricacciò tutti nei cespugli. Finché mandarono avanti uno di quei carri armati che si calò nel greto come un verme. Facendo fuoco da tutti i suoi buchi, entrò nella prima acqua alta due palmi, ma un mortaista partigiano azzeccò un colpo da 81 che rovinò giusto sul carro che fece poi molte smorfie per tornarsene via. E dopo un altro po' di bordello tanto per prorogare il pranzo ai partigiani, all'ora una pomeridiana la repubblica se ne andò, ma non cosí in fretta che una squadra partigiana non guadasse il fiume e arrivasse al sedere della retroguardia, e se non la catturarono tutta fu perché persero tempo a raccattare le armi che quelli gettavano.

La sirena suonò il finis, e fu un bel pomeriggio con in piazza Umberto I il sole e la popolazione tutta ad aspettare i partigiani che tornavano dagli argini cantando la famosa canzone che dice:

O tu Germania che sei la piú forte,
Fatti avanti se ci hai del coraggio,
Se la repubblica ti lascia il passaggio,
Noi partigiani fermarti saprem!

Si dichiarò il pomeriggio festivo, la gente riempí i caffè e offriva le bibite ai partigiani. Fecero accender le radio sulla stazione di Torino e siccome Radio Torino taceva, gridavano: – Parla adesso, parla adesso! – e la presenza di tante signore e signorine patriote non era un motivo per cui non si dovesse dar forte del fottuto a quelli di Radio Torino.

Ma la sera e la notte molti pensarono che era forse meglio che i partigiani non l'avessero date tanto secche ai fascisti, perché poteva darsi che si dovesse poi pagare il conto.

L'indomani, da Radio Torino parlò il federale di tutto il Piemonte e, sorvolando sul fatto d'armi del giorno precedente, disse che Alba sarebbe stata riconquistata alla vera Italia ad ogni costo e quanto prima. Tutti in Alba lo ascoltarono e, partigiani per primi, presero le sue parole interamente sul serio. Le pattuglie notturne sugli argini furono triplicate; era un servizio che portava l'esaurimento nervoso, col fiume che di notte fa migliaia di rumori tutti sospetti e sull'altra riva luci che s'accendono e si spengono. Una parte dei borghesi lasciò la città dicendo ai vicini che andavano a passare un po' di giorni in campagna, e nessuno si ricordò d'obiettare che non era piú la stagione.

Ma verso la fine d'ottobre piovve in montagna e piovve in pianura, il fiume Tanaro parve rizzarsi in piedi tanto crebbe. La gente ci vide il dito di Dio, veniva in massa sugli argini nelle tregue di quel diluvio e studiava il livello delle acque consentendo col capo. Pioveva notte e giorno, le pattuglie notturne rientravano in caserma tossendo. Il fiume esagerò al punto che si smise d'aver paura della repubblica per cominciare ad averne di lui. Poi spiovve decisamente, ma il fiume rimase di proporzioni piú che incoraggianti. Sugli argini, a tutte l'ore, conveniva parecchia gente, quasi tutti oziavano perché non c'era piú la costanza di lavorare in quello stato di cose, e tra quella gente c'erano vecchi soldati della guerra del '15 che esaminavano il Tanaro e facevano paragoni col Piave.

Lo stesso giorno che spiovve, il Comando Piazza, per certe vie note a lui solo, venne a sapere che i repubblicani avrebbero attaccato, attaccato agli ordini di generali e non piú tardi del 3 novembre. Il Comando provvide a far minare qualche tratto d'argine, ad allagare dei prati tra il fiume e la città deviando un canale d'irrigazione e a far preparare le liste dei civili da reclutare per la costruzione di barricate alle porte della città. Altro non gli riuscí di fare perché gli portò via un gran tempo il dare udienza ad una infinità di gente che aveva cose importantissime da riferire; erano per lo piú commercianti ambulanti che battevano i mercati dell'Oltretanaro presidiati dalla repubblica e sapevano adocchiar tutto guardando in terra. Cosí si seppe tra l'altro che sulla collina di Santa Vittoria avevano già postati i cannoni da 149 prolungati coi quali, in caso di difesa irragionevolmente protratta, avrebbero spianato la città di Alba, e che a monte di Pollenzo c'era ormeggiata una flottiglia di barconi per il passaggio del fiume.

Ma la notizia piú interessante e sicura la portò al Comando un prete della Curia: si trattava che i capi fascisti chiedevano un colloquio in zona partigiana e si auguravano che per il bene della città di Alba i capi ribelli lo concedessero. I capi partigiani non dissero di no e il giorno fissato si recarono con scorta al punto stabilito, alquanto distante dalla città che era il nocciolo della questione. I capi fascisti, i piú terribili nomi di quella repubblica, arrivarono tagliando il fiume con un barcone e siccome quella traversata poteva rappresentare una prova generale, i partigiani sull'altra sponda rimasero malissimo a vedere con che sicurezza quel barcone passò il fiume gonfio. Sbarcarono, e mentre i piú salirono a riva col fango alto agli stivali, alcuni vecchi e grassi s'impantanarono irrimediabilmente. Si videro allora i partigiani della scorta calarsi in quel fango, caricarsi i gerarchi sulle spalle e riarrampicarsi poi a depositarli sul solido. I gerarchi ringraziarono, offrirono sigarette tedesche, quindi s'appartarono coi parigrado partigiani.

Fu un lunghissimo parlamentare che fece crescer la barba alla scorta, ma alla fine si restò come se niente fosse stato detto. I fascisti non vollero dire che non avevan voglia di riprendersi Alba con la forza, i partigiani non vollero dire che non si sentivano di difenderla a lungo, e da queste reticenze nacque la battaglia di Alba. I capi fascisti infangatissimi ripartirono col loro barcone dicendo: – Arrivederci sul campo, – i partigiani risposero: – Certamente, – e stettero a guardare se quelli per caso non facessero naufragio. Non lo fecero.

La mattina del primo di novembre, i comandanti di tutte le squadre della guarnigione furono convocati al Comando Piazza e poi congedati all'ora di mezzogiorno dopo aver sentito parlare di difesa a capisaldi, di massa di manovra, di collegamenti a vista e cosí via. Insomma ne uscirono con le idee confuse, ma poiché nessuno si decise a fare il primo, non tornarono sui loro passi a farsele, se possibile, chiarire. Lungo la strada di ritorno ai singoli accantonamenti, pagarono questa conservazione di prestigio con dei tremendi interrogativi di coscienza. Due sole cose erano ben chiare, e cioè che la repubblica avrebbe attaccato all'alba dell'indomani e che avrebbe cercato di passare sul ponte sospeso di Pollenzo, quel ponte che i partigiani non erano riusciti a rompere semplicemente perché era guardato dai tedeschi che alloggiavano fin dall'armistizio in quel castello reale, in numero sufficiente per infischiarsi di tutti i partigiani delle Langhe.

Il dopopranzo le squadre, tempestando di domande i loro capi, uscirono di città e infilarono la strada Alba-Gallo tirando a mano dei carretti sui quali avevano caricato le mitragliatrici e le casse delle munizioni. Si fermarono dove i capi dissero di fermarsi, presero visione del tratto di fronte loro assegnato e, lasciateci le sentinelle, andarono a trovarsi tutt'insieme sull'aia della cascina di San Casciano che era in metà giusta delle posizioni. Su quell'aia grande come una piazza si trovarono insieme i duecento uomini sui quali pesò quasi interamente la battaglia di Alba. Fecero un coro di *O tu Germania che sei la piú forte*, celiarono in tutti i modi e senza pietà sul fatto che l'indomani era il due di novembre giorno dei morti ed ebbero anche lo spettacolo. Due polacchi, disertori della Wehrmacht e partigiani badogliani, ubriachi marci, fecero segno a tutti di stare a vedere, andarono a collocare due bottiglie vuote sul muretto in fondo all'aia, sbandando tornarono all'altro termine, puntarono i loro fucili tedeschi e le due bottiglie laggiú volarono in polvere. Tutti applaudirono e pensarono che domani in quei mirini ci sarebbe stata carne di fascisti. Cosí fecero sera e tornarono ciascuna squadra alla cascina piú prossima alla rispettiva posizione.

Là cenarono a pane e salame e poi si riposarono. Per le finestre videro farsi notte di colpo e sentirono che faceva un freddo crudo. Fuori rumoreggiava il fiume, dentro si udiva solo respirare, il massimo rumore era quello dei zolfini sfregati per le sigarette. Il fatto è che tra loro non c'era un adulto, quelli che avevano fatto il soldato nel Regio Esercito erano forse cinque ogni cento. Nel buio di quella vigilia di battaglia, molti di quei minorenni che, per non aver mai voluto tirare alle galline, non avevano mai sparato il fucile, si domandavano ora se sparare poteva esser complicato e se il colpo faceva male alle orecchie. Poi pensavano a quelli che aspettavano per l'indomani sul presto, ammettevano che quelli sparare sapevano, e allora si tastavano la pelle o anche solo la camicia.

Poco prima di mezzanotte arrivò un portaordini del Comando Piazza ad avvisare che il posto di medicazione era dietro il cimitero e che il servizio sanitario lo prestavano volontariamente gli studenti albesi in medicina e farmacia. Si sentí un singhiozzo nel buio, ma mezz'ora dopo che il portaordini se n'era andato, per il fatto e la fortuna che erano tutti ragazzi, s'erano già tutti addormentati nelle stalle e sui fienili. E s'addormentò anche qualche sentinella.

La mattina del 2 novembre ci fu per sveglia un boato,

verso le quattro e mezzo. I partigiani a dormire sui fienili trascurarono le scale a pioli e saltaron giú da due e piú metri. Solo per una formalità i comandanti mandarono a vedere se c'era rimasto qualcuno addormentato. Partí una pattuglia dei piú vecchi a vedere cos'era successo. Tornò che erano già tutti in trincea e riferí che un uomo, un borghese, era passato per il campo minato ed era subito saltato in aria ed era là morto. Tutti alla notizia sorrisero e qualcuno disse che era pronto a scommettere che la repubblica non veniva. C'era chi gli avrebbe scommesso contro, ma non ebbe il tempo perché, mentre ai campanili di Alba battevano le cinque, sul fiume scoppiò un rumore da non sapere se erano gli uomini a farlo o la terra o Dio, il rumore che comincia le battaglie, e dalla collina dei Biancardi la mitragliera partigiana prese a far pom pom, si vedevano le sue pallottole traccianti sprofondarsi nei pioppeti del fiume e niente piú.

I repubblicani avevano passato il fiume sul ponte sospeso di Pollenzo con tutta fanteria e vicino al punto dove presero terra, una pattuglia di quattro partigiani, stanca di far la guardia su e giú, s'era ritirata in un casotto di pesca e stavano col lume acceso a far dei giri a poker. Arrivarono loro, non corsero spiegazioni, li ammazzarono colle carte in mano.

Su Alba suonò la sirena municipale e i partigiani in trincea s'irritarono per quel fracasso superfluo e gridavano verso il Comando Piazza, quasi da laggiú potessero sentirli: – State tranquilli che abbiamo sentito, state tranquilli che siamo in allarme!

Si sentivano assai meglio che la notte, e tutti attenti e seri osservavano la traiettoria della loro mitragliera, le nuvolette delle mortaiate dei fascisti che mettevano un colpo sopra l'altro come tanti scalini per arrivare in cima alla collina dei Biancardi, e facevano congetture molto sensate. Uno spettacolo che assorbiva tutt'intera la loro attenzione, e fu un peccato che una staffetta venisse a disturbarli col trasferimento, spiegando che non era piú necessario vegliare sugli argini e che tutti dovevano adesso portarsi sulla linea di San Casciano, perpendicolare alla strada Gallo-Alba che era evidentemente la direttrice d'attacco del nemico. Nel momento che si mossero, prese a piovere, una pioggia pesante che marcí la terra al punto che quando arrivarono dopo non piú di dieci minuti di cammino e posarono le mitraglie, la terra cedeva sotto i treppiedi.

Quella era la linea principale e correva giusto a filo del muro di cinta della cascina di San Casciano. Dal finestrone della torretta della cascina si sporse un comandante con sul petto i binoccoli e gridò ai nuovi arrivati: – Ricordatevi che non si spara se non ve lo dico io. E non fumate, razza d'incoscienti! – urlò a certuni che pur ascoltandolo attentamente s'eran messi a fumare colle mani a cupola sulle sigarette perché la pioggia non le marcisse.

Tutti tenevano d'occhio la traiettoria della mitragliera di Villa Biancardi, convinti che stava facendo un bel lavoro e che a quest'ora i fascisti non erano già piú vergini di morti. Di quando in quando studiavano il terreno davanti a loro e smuovevano di continuo i piedi per non trovarseli al momento buono imprigionati nel fango che cresceva come se avesse il lievito dentro.

Di colpo la mitragliera obliquò paurosamente il tiro, cercava di battere i piedi della sua collina, e nella trincea di San Casciano un partigiano che sembrava competente disse: – Significa che le sono spuntati sotto senza farsi notare –. La mitragliera lasciò partire un rafficone lunghissimo, frenetico, poi tacque. Dopo due minuti erano tutti persuasi che a Villa Biancardi era veramente finita, nemmeno le mortaiate scoppiavano piú sul fianco della collina.

Mancava poco alle sette, e il partigiano competente disse: – Mah! Adesso entra in batteria la mitragliera di Castelgherlone –. Tutti guardarono a Castelgherlone, una grande villa rustica sul versante a sinistra: si vedeva la tozza canna della mitragliera sporgere d'un palmo dall'ogiva della torre. A San Casciano quel comandante coi binoccoli s'affacciò al finestrone e disse: – Tocca a noi, – e nient'altro.

Ma aspettarono un pezzo, i repubblicani nemmeno si sentivano, e i partigiani, siccome non li sentivano, speravano di vederli. Ma per quanto sforzassero gli occhi tra quella pioggia e il verde, non li vedevano. Tanto che dopo un po' qualcuno, a forza di non vederseli davanti, pensò di voltarsi a guardare se per caso non gli erano già dietro. Macché, pareva che avessero abbandonato la campagna per mettersi al riparo da quella grande acqua. Perché pioveva come in principio, e le armi si arrugginivano a vista d'occhio.

Per i partigiani che cominciavano a guardarsi in faccia fu un sollievo sentire a un certo punto la mitragliera di Castelgherlone aprire il fuoco. Rafficava piuttosto spesso e i suoi traccianti cadevano piuttosto obliqui nella pianura. Dall'angolo di caduta calcolarono che la repubblica non era piú distante di trecento metri. Allora si misero bene a posto loro e le armi, obbligando le palpebre a non battere guardavano fissi avanti a sé e con le orecchie tese fino al dolore aspettavano che dal finestrone quello dei binoccoli dicesse qualcosa. Seguitò a non dir niente, finché un minorenne perse la testa e sparò e cinque o sei altri l'imitarono, mirando nel verde all'altezza dei ginocchi di nessuno.

La risposta ci fu, repentina e diretta come il rivoltarsi d'un cane che pare che dorma e gli si pesta la coda: una gran salva complessa e ordinata che passò alta un metro sulla trincea di San Casciano e si schiacciò contro il muro del cimitero.

Stavolta c'erano, proprio di fronte, e si tirarono su dalla molle terra e spararono con tutte le armi, avendo i mirini accecati dal fango. Ora finalmente si vedevano, verdi e lustri come ramarri, ognuno col suo bravo elmetto, e il primo doveva essere un ufficiale, stava tutto diritto e si passava una mano sul viso per toglierne la pioggia. Un attimo dopo, era ancora diritto, ma le sue due mani non gli bastavano piú per tamponarsi il sangue che gli usciva da parecchi punti della divisa.

C'erano di qua mitragliatrici americane e di là tedesche, e insieme fecero il piú grande e lungo rumore che la città di Alba avesse sino allora sentito. Per circa quattro ore, per il tempo cioè che i partigiani tennero San Casciano, fischiò nei due sensi un vento di pallottole che scarnificò tutti gli alberi, stracciò tutte le siepi, spianò ogni canneto, e fece naturalmente dei morti, ma non tanti, una cifra che non rende neanche lontanamente l'idea della battaglia.

Cosí, dalle sette fino alle undici passate, quei dilettanti

della trincea inchiodarono i primi fucilieri della repubblica, uomini che sbalzavano avanti e poi s'accucciavano e viceversa a trilli di fischietto, assaltatori ammaestrati.

Un po' dopo le undici, in un riposo che sembrava si fossero preso i fascisti, quelli giú a San Casciano videro affacciarsi tra gli alberi di Castelgherlone un partigiano, e verso di loro faceva con le braccia segnali disperati. Come vide che da basso non lo capivano, si scaraventò giú per il pendio mentre, forse per fermare proprio lui, i fascisti riprendevano a sparare. Quel partigiano arrivò scivoloni nel fango e disse che la repubblica, visto che al piano non passava, s'era trasportata in collina, in faccia a Castelgherlone, preso il quale, avrebbe aggirato dall'alto San Casciano. Portarsi tutti in collina e spicciarsi, adunata a Cascina Miroglio, perché Castelgherlone l'abbandonavano a momenti. Lui tornò su, i partigiani saltarono fuori dalla trincea, sgambavano già nel fango verso la collina senza aspettarsi l'un l'altro, a certuni scivolavano dalle spalle le cassette delle munizioni e non si fermavano a raccoglierle, quelli che seguivano facevano finta di non vederle.

Il pendio di Cascina Miroglio è ben erto, i piedi sulla terra scivolavano come sulla cera, unico appiglio l'erba fradicia. Qualcuno dei primi scivolò, perse in un attimo dieci metri che gli erano costati dieci minuti, finiva contro le gambe dei seguenti oppure questi per scansarlo si squilibravano, cosí ricadevano a grappoli improperandosi. Qualcuno, provatosi tre o quattro volte a salire e sempre riscivolato, scappò per il piano verso la città e fu perso per la difesa.

Arrivarono sull'aia della cascina vestiti e calzati di fango. A Cascina Miroglio c'era il Comandante la Piazza, un telefono da campo che funzionava e i mezzadri inebetiti dalla paura che porgevano macchinalmente secchi d'acqua da bere.

Marciando piegati in due arrivarono per la vigna gli uomini della mitragliera di Castelgherlone. Ma la grande arma non veniva con loro, l'avevano lasciata perché le si era rotto un pezzo essenziale. Gli altri, a quella vista, si sentirono stringere il cuore come se, girando gli occhi attorno, si fossero visti in cento in meno.

Era mezzogiorno, chi s'affacciò colle armi alle finestre, chi si postò dietro gli alberi, altri fra i filari spogli della vigna. E spararono alla repubblica quando sbucò dal verde di Castelgherlone. Piombò una mortaiata giusto sul tetto e il comignolo si polverizzò sull'aia. Un partigiano venne via dalla finestra per andare a raccogliere sul pavimento la mezzadra che c'era cascata svenuta.

Difesero Cascina Miroglio e, dietro di essa, la città di Alba per altre due ore, sotto quel fuoco e quella pioggia. Ogni quarto d'ora l'aiutante si staccava dal telefono e si sporgeva a gridare: – Tenete duro che vi arrivano i rinforzi! – Ma fino alla fine arrivarono solo per telefono.

In quel medesimo giorno, a Dogliani ch'è un grosso paese a venti chilometri da Alba, c'era la fiera autunnale e in piazza ci sarà stato un migliaio di partigiani che sparavano nei tirasegni, taroccavano le ragazze, bevevano le bibite e riuscivano con molta facilità a non sentire il fragore della battaglia di Alba.

Che cosí fu perduta alle ore due pomeridiane del giorno 2 novembre 1944.

Fu il Comandante la Piazza a dare il segno della ritirata, sparò un razzo rosso che descrisse un'allegra curva in quel cielo di ghisa. Parve che anche i fascisti fossero al corrente di quel segnale, perché smisero di colpo il fuoco concentrato e lasciavano partire solo piú schioppettate sperse.

Tutti avevano già spallato armi e cassette, ma non si decidevano, vagabondavano per l'aia, al bello scoperto. Pensavano che Alba era perduta, ma che faceva una gran differenza perderla alle tre o alle quattro o anche piú tardi invece che alle due. Sicché il Comandante fu costretto a urlare: – Ritirarsi, ritirarsi o ci circondano tutti! – e arrivava di corsa alle spalle dei piú lenti, come fanno le maestre coi bambini delle elementari.

Scesero la collina, molti piangendo e molti bestemmiando, scuotendo la testa guardavano la città che laggiú tremava come una creatura.

Qualcuno senza fermarsi raccattò una manata di fango e se la spalmò furtivamente sulla faccia, come se non fossero già abbastanza i segni che era stata dura. È che la via della ritirata passava per dove la città dà nella campagna: lí c'erano ancora molte case e si sperava che ci fosse gente, donne e ragazze, a vederli, a vederli cosí. Ma quando vi sbucarono, nel viale del Santuario quant'era lungo non c'era anima viva, e questo fu uno dei colpi piú duri di quella terribile giornata. Soltanto, da una portina uscí una signora di piú di cinquant'anni, al vederli scoppiò a piangere e diceva bravo a tutti man mano che la sorpassavano, finché da dietro un'imposta il marito la richiamò con una voce furiosa.

Tagliarono il viale del Santuario e andando contro l'acqua che ruscellava giú per la stradina, attaccarono a salire la collina di Belmondo che è il primo gradino alle Langhe. A mezza costa si fermarono e voltarono a guardar giú la città di Alba. Il campanile della cattedrale segnava le due e dieci. Gli arrivò fin lassú un rumore arrogante, guardando a un tratto scoperto di via Piave videro passarci due carri armati, e poi altri due, ciascuno con fuori dell'orlo una testa con casco. Oh guarda, cosí avevano i carri e non li hanno nemmeno adoperati.

I partigiani ripresero a salire, era spiovuto, i fascisti entrarono e andarono personalmente a suonarsi le campane.

L'andata

Quando il meccanismo del campanile di Mango cominciò a dirugginirsi per battere le cinque di mattina, Bimbo dal bricco dov'era stato un paio d'ore a far la guardia corse giú alla cascina dove gli altri dormivano. Il cielo principiava a smacchiarsi dal nero, ma laggiú la cascina appariva ancora come un fantasma rettangolare.

Entrò nella stalla facendo piano, lasciò la porta semiaperta perché n'entrasse un po' di chiaro ad aiutarlo a cercare e arrivò da Negus.

Negus aveva il posto migliore per dormire, dormiva nel cassone del foraggio e disponeva perfino d'una coperta, anche se era una vecchia gualdrappa da cavallo e puzzava d'orina e di grasso per ruote. Bimbo stese una mano per scuoterlo, ma Negus non dormiva già piú e lo prevenne dicendogli: – Stai fermo, son già sveglio, sveglia gli altri tre.

Bimbo andò, scavalcando corpi, a cercare Colonnello, Treno e Biagino e li svegliò uno dopo l'altro. Poi stette a guardarli mentre si mettevano faticosamente in piedi, si aggiustavano la camicia dentro i calzoni e guardavano di sbieco gli altri che restavano a dormire. Mentre poi si armavano, Bimbo tornò da Negus e come un domestico si mise a togliergli i fili di paglia di dosso.

Saltarono dalla lettiera sull'ammattonato, uscirono sull'aia e infilarono un sentiero col passo di chi comincia ad andar lontano. Colonnello sbirciò il cielo e disse: – Sembra che farà una bella giornata e questo è già qualcosa.

Dal sentiero sboccarono nello stradone di Neive. Al largo, Bimbo s'affiancò a Negus e dopo un po' gli disse: – Voglio vedere la faccia che farà Morgan quando torniamo, se tutto ci va bene. Mi piacerebbe vederlo una volta tanto che non sa piú cosa dire. Questa è la volta buona che gli tappiamo la bocca.

Negus senza guardarlo gli disse: – Piantala, Bimbo, d'avercela con Morgan. Se gli sto sotto io, puoi stargli sotto anche tu. Farai bene a non far piú lo spiritoso con Morgan. Lui ha ventidue anni ed è un uomo, e tu sei un marmocchio di quindici, anche se come partigiano sei abbastanza anziano.

Bimbo scrollò le spalle e disse: – Io ci patisco a vedere uno come Morgan comandare a dei tipi come noi. Non è che Morgan sia fesso, siamo noi che siamo troppo in gamba per lui. Io gli sto sotto perché vedo te che gli stai sotto. Ma non so se ci resisto ancora. Ma una maniera c'è per sopportare Morgan. Ed è che tu Negus ti prenda ogni tanto noi quattro e ci porti in giro a fare delle azioni per nostro conto.

Negus non rispose, si voltò a vedere a che punto erano Treno, Colonnello e Biagino. Venivano staccati, tenendo tutta la strada come la gioventú di campagna quando gira nei giorni di festa.

Scesero un altro po' verso Neive. Bimbo sogguardava Negus e gli vedeva una faccia scura e come nauseata. Pensò a che discorso fargli per interessarlo, gli sembrò d'aver trovato e cosí gli disse: – Lo sai, Negus, che ieri ho visto Carmencita?

Negus calciò forte un ciottolo sulla strada e disse: – Bella roba mi conti. E chi non l'ha vista?

– Ma io l'ho vista alla finestra che si pettinava. Addosso aveva solo una camiciola rosa e teneva le braccia alte. Ma come fa ad avere i peli neri sotto le ascelle se lei è bionda? Tu hai avuto del gusto a posar gli occhi su Carmencita, ma lei è venuta per trovar Morgan.

Negus lo fissò per un attimo come se non sapesse che fare o che dire, poi gli tirò uno schiaffo sul collo e gli gridò: – Crepa a farmi dei discorsi cosí!

Da dietro Colonnello aveva visto e urlò avanti a Negus: – Dàgli, Negus, a quel merdino che si crede chi sa cosa, dàgli giú! – Ma Bimbo era già scattato in avanti e continuava a correre e a prender vantaggio. Negus invece rallentò e si lasciò raggiungere da quegli altri tre.

A metà tra Mango e Neive, la strada fa una serie di tornanti molto lunghi e noiosi a percorrersi, ma l'un tornante e l'altro sono congiunti da scorciatoie diritte e ripide come scale. Bimbo le sfruttava tutte, al fondo si fermava a guardar su se gli altri quattro le sfruttavano anche loro. Invece tenevano la strada e lui batteva i piedi per l'impazienza. Si sedette su un paracarro al principio dell'ultima scorciatoia e aspettò che arrivassero fin lí. Quando finalmente arrivarono, si alzò e fece per calarsi nella scorciatoia, ma Colonnello lo prese per un braccio e riportandolo sulla strada larga gli disse: – Senti, tu zanzarino, noi andiamo forse a lasciarci la pelle, ed è da stupidi prendere delle scorciatoie per questo. Cammina con noi. Di', che tipo è tua sorella?

Bimbo si scrollò di dosso la mano di Colonnello e rispose: – Per lei garantisco io. State sicuri che farà la sua parte. Mia sorella è partigiana tanto quanto noi.

– Ce l'avrà poi il coraggio di farci il segnale?

– È lei che ci ha dato l'idea, no? E se ce l'ha data e si è presa una parte da fare, vuol dire che il coraggio ce l'ha. E poi ci ho pensato: non è mica difficile per lei, e neanche tanto pericoloso. Mettiamo che dopo il fatto la repubblica annusi qualcosa e vada a interrogare mia sorella. Lei risponde: cosa ne posso io se sono da serva in una villa che è vicina a quell'osteria? E se la repubblica dice che l'hanno vista alla finestra a fare dei movimenti, lei risponde che era alla finestra a battere i materassi o a stendere della biancheria. Cosa credete che possano ancora dirle?

Il paese di Neive dormiva ancora quando vi entrarono. Però l'albergo in faccia alla stazione aveva una luce accesa a pianterreno. Entrarono lí, si fecero dare pane e lardo e tornarono fuori a mangiare sotto il portico. Masticavano l'aria del mattino col cibo e guardavano un po' il cielo e un po' le finestre chiuse delle case.

Mangiando Bimbo disse: – Mia sorella ha anche notato che c'è un maresciallo della repubblica che è sempre in giro sulle prime colline di Alba. Questo maresciallo ha il pallino della caccia e gira sempre con un mitra e una doppietta. Non è piú tanto giovane, ma mia sorella dice che ha la faccia decisa. Non fa niente, noi gli facciamo un tranello, gli pigliamo il mitra e ce lo teniamo e il fucile da caccia lo vendiamo a qualcuno e ci spartiamo i soldi.

Treno ingollò un boccone e disse: – Si può fare, ma tua sorella ci deve tenere bene informati su questo maresciallo.

Negus capiva che adesso quei quattro cominciavano a far progetti sul maresciallo e finivano col perdere la nozione di quello che dovevano fare in quel mattino. Cosí disse: – Il maresciallo sarà per un'altra volta, salvo che non ci venga tra i piedi proprio stamattina. Adesso si riparte.

Colonnello gli mostrò quel che gli restava di pane e lardo, ma Negus gli disse: – Mangi per strada. Puoi, no?

– Volevo prendermi ancora due dita di grappa.

Ma Negus non permise e s'incamminò.

All'uscita del paese, s'imbatterono nella sentinella del presidio di Neive. Era della loro stessa divisione badogliana e domandò: – Dove andate, voi cinque di Mango?

Rispose Colonnello: – Andiamo a farci fottere dalla repubblica di Alba. Dov'è che bisogna cominciare ad aprir bene gli occhi?

– Da Treiso in avanti. Fino a Treiso è ancora casa nostra.

Quando si furono lontanati d'un venti passi, Bimbo si voltò e rinculando gridò alla sentinella: – Ehi, partigiano delle balle! Guarda noi e impara come si fa il vero partigiano! A far la guardia a Neive ti credi d'essere un partigiano? Fai un po' come noi, brutto vigliacco, che la repubblica andiamo a trovarla a casa sua! Da questa parte, da questa parte si va a casa della repubblica! – e indicava con gesti pazzi la strada verso Treiso ed Alba.

Colonnello aspettò che la sentinella rispondesse, ma quello taceva pur avendo la bocca aperta, come se non si capacitasse di tutti gli improperi che gli aveva mandato il piú piccolo di quei cinque. Allora Colonnello sorrise e disse agli altri additando Bimbo: – Questo qui è davvero un merdoncino.

Intorno a Treiso e dentro non trovarono nemmeno un borghese. Partigiani non se n'aspettavano, perché dalla caduta di Alba il paese mancava di guarnigione. Si fermarono nel mezzo della piazzetta della chiesa e stettero a gambe piantate larghe a guardare ciascuno il suo punto cardinale. Colonnello, che man mano che s'avvicinava ad Alba si sentiva crescer dentro un certo mal di pancia, corrugò la fronte e lentamente si mandò giú dalla spalla il moschetto.

Da quella piazzetta si domina un po' di Langa a sinistra e a destra le colline dell'Oltretanaro dopo le quali c'è la pianura in fondo a cui sta la grande città di Torino. I vapori del mattino si alzavano adagio e le colline apparivano come se si togliesse loro un vestito da sotto in su.

Disse Negus, come tra sé: – Questo mondo è fatto per viverci in pace.

Colonnello fece in fretta: – Senti, Negus, se c'è qualcosa in mezzo, non è detto che quest'azione sia obbligatorio farla proprio stamattina.

Negus si riscosse. – Io non ho detto questo. Ci siamo fermati solo per prendere un po' di fiato. E adesso che l'abbiamo preso tiriamo avanti.

Il resto del paese e la campagna appena fuori erano deserti e muti come il loro camposanto, non c'erano neanche bestie, neanche galline in giro. Finalmente videro un vecchio sull'aia d'una cascina che sovrastava la strada. Anche il vecchio li vide e parlò per primo: – Andate verso Alba, o patrioti? – e quando Negus gli ebbe fatto segno di sí, aggiunse: – Allora, quando siete al piano, lasciate la strada e mettetevi per la campagna. Si cammina meno comodi ma siete anche meno al pericolo.

– Che pericolo volete dire? – gli domandò Negus da giú.

– Il pericolo della cavalleria. A quest'ora la repubblica di Alba manda sempre fuori la sua cavalleria, un giorno da una parte e un giorno dall'altra. Stamattina potrebbe mandarla nei nostri posti.

Mentre si rincamminavano, erano tutt'e cinque concentrati. Bimbo disse: – Ma come fa la repubblica ad avere la cavalleria? – E Treno: – La cavalleria non si costuma piú.

Negus disse niente ma allungò il passo. Ed entrati nella valletta di San Rocco, lasciarono la strada e si misero per le vigne a salire la collina che è la penultima per arrivare ad Alba. Tenevano gli occhi bassi sul sentiero ma le loro orecchie fremevano. Dopo un po' che ascoltavano e a nessun patto sentivano rumor di cavalli, Treno rialzò la testa e disse: – Quel vecchio ci ha contato una balla. Se al ritorno lo ritroviamo, gli dico che non è salute contar balle ai partigiani.

Alba è una città molto antica, ma a chi la guarda dalla collina i suoi tetti sono rossi come nuovi.

Erano finalmente arrivati a vederla ed ora la contemplavano stando per ordine di Negus al riparo dei tronchi degli alberi. Tutt'e cinque erano stati con Morgan alla occupazione e alla difesa della città e ora si ricordavano di quel tempo ognuno per proprio conto. Poi Biagino disse: – Pensare che solo due settimane fa c'eravamo noi dentro e loro erano di là, – e mostrava la stretta pianura a sinistra del fiume, – e io avrei giurato che non passavano.

Disse Colonnello: – A me non m'importa proprio niente che abbiamo perso Alba. Io ci stavo male in Alba. Avevo sempre paura di far la fine del topo.

Ma Bimbo: – Era un altro vivere, non fosse altro che camminare sui marciapiedi, era tutt'un'altra comodità.

Colonnello rispose a Bimbo: – Per me l'unica comodità che valeva era quella del casino. Tolta quella comodità lí, io mi sento meglio sulla punta d'un bricco che dentro qualunque cittadella.

Scesero metà collina, a sbalzi e facendosi segni invece che parlare. Di novembre la campagna nasconde poco o niente e quella collina sta dirimpetto alla città. Ripararono in un canneto. La schiena curva e le mani posate sui ginocchi, Negus disse a Bimbo: – Su, Bimbo, guarda un po' se sei buono ad orientarti. Dov'è la villa che c'è tua sorella da serva?

– La vedete quella villa coi muri color celeste e il tetto puntuto? È quella villa lí, e l'osteria è subito sotto.

Lasciarono il canneto e mentre si muovevano Colonnello diceva: – Va bene, va bene, non facciamo solo confusione, studiamo bene il terreno –. Aveva voglia d'andar di corpo, ma non pensava a fermarsi per paura di rimanere indietro tutto solo. Fecero a sbalzi un tratto allo scoperto, poi trovarono una stradina sepolta tra due siepi di gaggia. L'infilarono e la seguirono fin che si videro dinanzi un gran canneto. Bimbo disse senza esitare: – È proprio in quelle canne che dobbiamo andarci a mettere. Di là dentro si vede sia la villa che l'osteria –. Prima lui e poi gli altri andarono al canneto, correndo piegati in due e l'arma in posizione. Su un poggio sopra la stradina c'era una casa e sul ballatoio una donna che rovesciava nell'aia l'acqua d'un catino. Li vide per caso, ma subito li riconobbe per quelli che erano e fece una faccia di disgrazia. Biagino si fermò a scrutarla, poi si portò un dito sulla bocca e cosí stette finché lei non fece segno con la testa che aveva capito e che avrebbe ubbidito. Poi Biagino entrò anche lui nel canneto in tempo per sentire le spiegazioni di Bimbo.

A trenta passi di fronte c'era un cortile con in fondo l'uscio che dava nel retro dell'osteria e subito a destra la facciata della villa con una finestra aperta.

Stavano quanto mai scomodi, inginocchiati sulla terra umida, le canne erano fitte e dure, ad ogni loro mossa davano un suono come il gracchiare dei corvi in volo.

Colonnello disse: – Stiamo bene attenti a quello che succede, perché in mezzo a queste canne siamo come pesci in un tramaglio –. Quel bisogno gli premeva dentro, lui muoveva di continuo il sedere in tondo e ogni tanto faceva languide smorfie.

Negus disse: – Tu Bimbo tieni d'occhio la finestra, tu Biagino guarda sempre dalla parte di Alba e noialtri guardiamo l'osteria.

Cosí facevano, e dopo un po' Biagino disse piano che guardassero tutti dalla sua parte. Puntò un dito verso tre uomini in arme che incedevano giú nel viale di circonvallazione. Il viale era lontano e basso e c'era in aria quel brusio che di giorno sale dalle città, ma loro cinque sentivano distintamente la cadenza di quei tre sull'asfalto.

Biagino inghiottí saliva e disse: – È una ronda. Io che ho il moschetto di qua potrei spararglí –. Spianava il moschetto tra le canne. – Non sparo mica, – disse, – guardo solo se si mirano bene.

Spostava impercettibilmente il moschetto per accompagnare con la mira quei tre che procedevano laggiú e da cosí distante sembravano marionette. Gli altri quattro sapevano bene che era soltanto una prova e che alla fine Biagino non sparava, eppure col fiato sospeso guardavano come affascinati un po' l'occhio di Biagino sgranato dietro la tacca di mira, un po' la punta vibrante del suo moschetto e un po' quella ronda laggiú. Poi Negus calò una mano sul moschetto di Biagino e disse: – Basta. Tanto non li coglieresti. Non hai mai avuto il polso fermo.

Al campanile del duomo batterono le nove e mezzo.

A quell'ora, un sergente della repubblica uscí dal Seminario Minore che era stato trasformato in caserma e in cinque minuti arrivò al posto di blocco di Porta Cherasca. C'era una garitta appoggiata al tronco del primo platano del viale, una mitragliatrice posata sull'asfalto e puntata alla prima curva dello stradone della collina e di servizio quattro o cinque soldati poco piú che ragazzi che quando arrivò il sergente si diedero un contegno tal quale fosse arrivato il capitano.

Il sergente accese una sigaretta e dirigendo il fumo della prima boccata verso la collina dirimpetto, domandò: – Che movimento c'è sulle colline?

Rispose un soldato: – Non c'è nessun movimento, sergente, ma noi stiamo sempre all'erta lo stesso.

Un altro cominciò: – State tranquillo, sergente... – ma il sergente si tolse la sigaretta di bocca e lo fissò a lungo finché poté credere che quella recluta avesse capito che se c'era uno che stava sempre tranquillo quello era proprio lui.

Poi andò lentamente alla mitragliatrice, ci si curvò sopra ed esaminò lungamente dove e come era puntata. Si rialzò, fumava e soffiava il fumo verso le colline. Tutt'a un tratto buttò la sigaretta e disse: – Ragazzi, vado a far quattro passi in collina –. Con la coda dell'occhio vide che i soldati lo ammiravano. – Se ogni tanto mi date un'occhiata e per un po' non mi vedete piú, non pensate male. Sarò solo entrato a bere un bicchiere di moscato in quell'osteria alla terza curva.

Il soldato che poco prima s'era preso quella guardata disse con premura: – Volete il mio moschetto, sergente? – ma il sergente tirò a metà fuori dalla tasca una sua grossa pistola e partí per lo stradone.

Alla prima svolta guardò rapido indietro al posto di blocco e notò che i soldati lo seguivano fedelmente cogli occhi.

Soddisfatto, sciolse il passo e si disse che per fare un'impressione ancora piú profonda doveva smetterla di scattare ad ogni momento la testa a destra e a sinistra. Fermò la testa, ma roteava gli occhi come certi bamboloni. Incontrava rara gente, donne per lo piú, e un uomo che se lo vide spuntar davanti all'uscita della seconda curva scartò come un cavallo, ma poi si dominò e camminava compunto come un chierico.

Intanto, nel canneto dietro l'osteria alla terza curva, i cinque partigiani avevano le ginocchia rigide per l'umidità della terra e non s'aspettavano piú di sentir passi di militare sull'asfalto vicino. Colonnello s'era finalmente sgravato, ma non s'era azzardato ad andar troppo lontano a fare quel deposito, ed era mezz'ora che gli altri quattro lo maledivano. La sorella di Bimbo s'era fatta alla finestra già un paio di volte, ma senza mai sciorinare niente di bianco. Li aveva semplicemente guardati stando con mezza faccia nascosta da uno spigolo, da giú non le vedevano che una pupilla straordinariamente nera e sgranata.

Colonnello disse: – Mi rincresce, Bimbo, ma tua sorella si dev'essere sbagliata. Quest'osteria, a vederla da qui dietro, ha tutta l'aria d'una vera bettola. E i repubblicani non sono mica pitocchi come noi. Se vogliono, possono pagarsi le bibite nei piú bei caffè di Alba.

Bimbo disse: – Forse ci vengono perché qui hanno il vino buono. O forse perché c'è una bella ragazza da cameriera.

Biagino schiaffeggiò la canna del suo moschetto e disse: – Io spero solo che quelli che vengono abbiano addosso almeno un'arma automatica. Io sono stufo di questo moschetto, ne sono vergognoso. Voglio un'arma che faccia le raffiche.

Il sergente arrivò alla terza svolta e traversò per andare all'osteria. Traversando, alzò gli occhi alla villa accanto. C'era alla finestra una ragazzina che lo fissava con un paio d'occhi da serpente. Lui s'incuriosí, guardò meglio e poi si disse che la ragazza, per quel che se ne vedeva, non era ancora matura perché lui le ricambiasse un'occhiata di quella forza.

Entrò. La porta dell'osteria aveva un campanello come le botteghe di paese. Mentre lo squillo durava, il padrone sporse la testa da dietro una tenda e poi si fece tutto avanti. Non era la prima volta che quel sergente gli veniva nel locale, non aveva quindi da temere che fosse lí per perquisizioni, interrogatori o altro di peggio. Infatti il sergente salutò, comandò un bicchiere di moscato e si sedette accavallando le gambe. Posò la pistola sul tavolo accanto e sulla pistola posò la gamba destra.

La figlia dell'oste fece capolino dalla tenda. Il sergente scavallò le gambe e le disse: – Ciao, Paola, non vieni fin qui? – e mentre lei veniva, lui pensava che a soli sedici anni e con le fattezze campagnole, la ragazza come carne prometteva. Le disse ancora: – Come va l'amore, Paola?

– Non va perché non è ancora arrivato, signor sergente.

– Ma arriverà, no? – e sorridendo levò la mano da sopra la pistola.

La ragazza disse: – Speriamo, – e si voltò a ricevere da suo padre il bicchiere di moscato. Non era cameriera, glielo portò adagio adagio e senza mai staccar gli occhi dall'orlo e dalla sua sedia il sergente si protendeva per accorciarle la strada.

L'oste tornò verso la tenda, ma non usciva. Cercava nella mente cos'era che doveva fingere di fare per rimanere, voleva sentire che discorso veniva fatto a sua figlia e soprattutto vedere se il sergente teneva le mani a posto.

Il sergente comprese la diffidenza e se ne risentí: tolse il bicchiere dalla bocca, domandò: – Allora, padrone, cosa dice la radio inglese, voi che la sentite sempre?

L'oste si rigirò per far dei giuramenti, ma uno spintone alle spalle lo rovesciò su un tavolo. E ci fu una voce che riempí la stanza. – Mani in alto! – diceva, e l'oste alzò le mani.

Prima di lui le aveva alzate il sergente, ora fissava l'orifizio nero dell'arma di Negus a un palmo dal suo petto. Bimbo tirò da una parte la ragazza dicendole: – Via di mezzo, o bagascetta! – e andò a ritirare la pistola sul tavolo.

L'oste s'era trascinato vicino alla tenda. Quando ci passarono, disse con un filo di voce sia al sergente che ai partigiani: – Noi non c'entriamo niente! – e poi corse da sua figlia ch'era rimasta come se avesse un ciottolo in gola.

Nel retro la moglie dell'oste scappò a Treno che le faceva la guardia e arrivò ad aggrapparsi al braccio di Negus gridando: – E adesso cosa ci fa la repubblica? Cosa le diciamo alla repubblica?

Negus se la scrollò, ma la donna s'attaccò a Colonnello. – Cosa le diciamo alla repubblica? Si metteranno in testa che vi abbiamo aiutati noi! Ammazzano il mio uomo e ci bruciano il tetto!

Colonnello le disse: – Aggiustatevi. Contatele delle balle alla repubblica! – e in quel momento giunse Treno che abbrancò la donna per la vita e la tenne fino a che non furono usciti.

Biagino fece segno di via libera e subito dopo chiese: – Che arma aveva questo bastardo? – e come Bimbo gli mostrò la pistola, corse alle spalle del sergente e gli tirò un calcio in culo. Lo pigliò nell'osso sacro e il prigioniero s'afflosciò rantolando. Ma Biagino lo rimise diritto e gli disse: – Non far finta, carogna, t'ho preso nel molle.

Dal canneto saltarono sulla stradina tra le gaggie. Fecero senza tregua due colline, marciando tutti curvi, come se alle spalle avessero un gran vento. Poi arrivarono nella valletta di San Rocco, e si ritrovarono al limitare di casa loro, e allentarono il passo e la guardia al sergente.

Colonnello chiese a Negus di passare per il villaggio di San Rocco. – È un'ora buona e ci saranno donne in giro che tornano dal forno, – disse, – e noi facciamo bella figura a farci vedere con quello là prigioniero.

Ma Negus disse di no. Guardava la schiena del sergente tra l'ira e la pietà, voleva ammazzarlo per toglierlo via dal fargli la pena che gli faceva, provava una gran stanchezza, una nausea. Ad un bivio il sergente si fermò, si voltò e con degli occhi da pecora morta chiedeva per dove prendere. Negus si riscosse. – Eh? Ah, a sinistra, sempre a sinistra, – e gli segnò la strada con la canna della sua arma.

Al loro passaggio, i cani alla catena latravano e la gente delle cascine si faceva cauta sull'aie a spiare in istrada. I piú vecchi, vedendo il repubblicano e riconoscendolo cercavano di ritirarsi e non facendo in tempo s'irrigidivano a guardare impassibili. Ma poi, passato il sergente, si voltavano ai cinque e battevano le mani, ma solo la mossa facevano e non il rumore. I ragazzi invece si mettevano bene in vista e avevano gli occhi lustri. Uno si calò per una ripa incontro a Treno che faceva la retroguardia e tenendosi a una radice si sporse a domandargli: – Di', partigiano, lo ammazzate?

– Sicuro che lo ammazziamo.

L'altro guardò la schiena del sergente, poi disse: – Mi piacerebbe andare a sputargli in un occhio.

Treno gli disse che loro glielo lasciavano fare, ma il ragazzo ci pensò su e poi risalí.

La strada ora montava. Colonnello guardò il ciglio di una collina e disse: – Oh guarda il camposanto di Treiso. C'è il sole che ci batte in pieno. Là c'è Tom. Che tipo era Tom quando avevano ancora da ammazzarlo. Però bisogna dire che si è fatto ammazzare da fesso.

– Cristo, non dire che è morto da fesso! – gridò Negus, – è morto e ha pagato la fesseria e quindi piú nessuno ha il diritto di dire che è morto da fesso!

– Dio buono, Negus, devi avere il nervoso per venirmi fuori con dei ragionamenti cosí... – cominciò Colonnello, ma non finí, afferrò con una mano il braccio di Negus e l'altra mano se la portò all'orecchio dove gli era entrato rumor di zoccoli di cavalli.

Tutti lo sentivano e si serrarono intorno a Negus. Biagino disse: – È la cavalleria. La cavalleria che ci ha detto quel vecchio, – in un soffio.

Negus ruppe il cerchio che i suoi gli facevano intorno, alzò l'arma e gridò al sergente: – Torna subito indietro!

Il sergente rinculava adagio nel prato verso il torrente e teneva le braccia larghe come chi fa dell'equilibrismo. Ma non staccava gli occhi dall'arma di Negus e gli gridò: – Non sparare! È la nostra cavalleria. Non sparare, possiamo intenderci! – e rinculava.

Negus lo puntò e gli gridò con voce raddoppiata: – Vieni qui! – perché il rumore dei cavalli cresceva.

Il sergente fece un grande scarto e voltandosi partí verso il torrente. Negus fece la raffica, il sergente cadde rigido in avanti come se una trappola nascosta nell'erba gli avesse abbrancato i piedi.

Colonnello scoppiò a piangere e diceva a Negus: – Perché gli hai sparato? Ci poteva venir buono, facevamo dei patti!

Là dove la strada culmina sulla collina arrivavano bassi soffi di polvere bianca e il rumore del galoppo era ormai come il tam-tam vicino nella foresta. Allora Negus urlò: – Lasciate la strada, portatevi in alto! – e dalla strada saltò sulla ripa e dalla ripa sul pendio. Ma appena ci posò i piedi, capí che quello era il piú traditore dei pendii. L'erba nascondeva il fango.

I cavalleggeri apparvero sul ciglio della collina e subito galopparono giú. In aria, tra i nitriti, c'erano già raffiche e moschettate.

Negus scivolava, ficcava nel fango le punte delle scarpe, ma ci faceva una tale disperata fatica che voleva scampare non foss'altro che per riprovare il piacere d'applicare sulla terra tutt'intera la pianta del piede. Si buttò panciaterra e saliva coi gomiti. Voltò mezza testa e vide giú nella strada Bimbo lungo e disteso sulla faccia. Doveva esser caduto un attimo prima perché sopra il suo corpo era ancora sospesa una nuvoletta di polvere. Dieci passi piú avanti, un cavalleggero spronava contro Colonnello che cadeva in ginocchio alzando le lunghe braccia.

La gran parte dei cavalleggeri era già smontata e i cavalli liberi correvano pazzamente all'intorno.

Negus si rimise a strisciar su, ma cogli occhi chiusi. Non voleva vedere quanto restava lontana la cima della collina, e poi le gobbe del pendio gli parevano enormi ondate di mare che si rovesciavano tutte su lui.

Ci fu un silenzio e Negus per lo stupore si voltò. Vide che quattro o cinque cavalleggeri smontati prendevano posizione sulla strada rivolti a lui. Guardò oltre e vide Treno e Biagino addossati al tronco d'un albero nel prato dov'era caduto il sergente. Una fila di cavalleggeri li stava puntando, da pochi passi. Urlò, si mise seduto e scaricò l'arma contro quell'albero. Poi si rivoltò.

Echeggiarono colpi, ma non vennero dalla sua parte e Negus pensò che erano stati per Treno e per Biagino.

Subito dopo lo rasentò una moschettata e lui si disse che era tempo. Aveva l'arma vuota, ma non pensava a ricaricarla, la voglia di sparare era la prima voglia che lo abbandonava. Strisciava su.

Dalla strada sparavano fitto, ma non lo coglievano, e sí che lui era un lucertolone impaniato nel fango d'un pendio a tramontana.

Si girò a vedere se qualcuno l'inseguiva su per il pendio, e se a salire faceva la sua stessa pena. Ma erano rimasti tutti sulla strada e stavano allineati a sparare come al banco d'un tirasegno. Il primo a sinistra era distintamente un ufficiale. Sulla punta dell'arma dell'ufficiale, infallibilmente spianata su di lui, vide scoppiare dei colori cosí ripugnanti che di colpo il vomito gli invase la bocca. Scivolava giú per i piedi, e le sue mani aperte trascorrevano sull'erba come in una lunghissima carezza. A una gobba del terreno non si fermò, ma si girò di traverso. Prese l'avvio e rotolò al fondo e l'ufficiale dovette correre da un lato per trovarsi a riceverlo sulla punta degli stivali.

Il trucco

Gli irrequieti uomini di René presero un soldato in aperta campagna e lo rinchiusero nella stalla di una cascina appena fuori Neviglie. E René spedí subito una staffetta a prender la sentenza per quel prigioniero dal Capitano, che per quel giorno era fermo nell'osteria di T..., ed era il piú grande capo delle basse Langhe e aveva diritto di vita e di morte.

Ma a T... la staffetta non vide la faccia del Capitano né sentí la sua voce; dopo una lunga attesa venne fatto montare su una macchina coi partigiani Moro, Giulio e Napoleone.

Sulla macchina che correva al piano verso Neviglie, Giulio sedeva davanti a fianco di Moro che guidava, Napoleone dietro con la staffetta di René.

A metà strada, Giulio si voltò indietro, appoggiò il mento sullo schienale, guardò Napoleone in modo molto amichevole e infine gli disse: – Allora, Napo, come l'aggiustiamo?

Napoleone, per non fissare Giulio, si voltò a guardare il torrente a lato della strada e disse: – Io dico solo che stavolta tocca a me e non c'è niente da aggiustare.

– Questo lo dici tu, – rispose Giulio. – Io non ne posso niente se l'ultima volta tu eri malato con la febbre. Causa tua o no, hai perso il turno e stavolta tocca di nuovo a me. Ma stai tranquillo che la volta che viene non ti taglio la strada.

A Napoleone tremava la bocca per la rabbia. Parlò solo quando fu sicuro di non balbettare e disse: – La volta che viene non mi interessa. È oggi che m'interessa e staremo a vedere.

Giulio sbuffò e si voltò, e Napoleone si mise a fissargli intensamente la nuca.

La staffetta capiva che i due discutevano su chi doveva fucilare il prigioniero. Napoleone gli premeva la coscia contro la coscia, ne sentiva il forte calore attraverso la stoffa. Scostò con disgusto ma con riguardo la gamba e guardò avanti. Vide nello specchietto del parabrezza la faccia di Moro: sorrideva a labbra strette.

Arrivarono presso Neviglie che la guarnigione era già tutta all'erta per quel rumore d'automobile che avviluppava la collina.

La macchina di Moro scendeva in folle verso l'aia della cascina. Gli uomini di René allungarono il collo, videro chi portava, li riconobbero e la sentenza per loro non era piú un mistero.

René mosse incontro alla macchina. Svoltava in quel momento nell'aia e prima che si fermasse, cinque o sei partigiani di Neviglie saltarono sulle predelle per godersi quell'ultimo moto. Moro li ricacciò giú tutti come bambini, si tolse un biglietto di tasca, senza dire una parola lo diede a René e con uno sguardo all'intorno chiese: – Dov'è?

Nessuno gli rispose, fissavano tutti René che leggeva il biglietto del Capitano. Dovevano essere appena due righe, perché René alzò presto gli occhi e disse: – È chiuso nella stalla. Aprite pure a Moro.

Spalancarono la porta della stalla. Due buoi si voltarono a vedere chi entrava. Non si voltò un uomo in divisa che stava lungo tirato sulla paglia. Moro gli comandò di voltarsi e l'uomo si voltò, non per guardare ma solo per mostrare la faccia. Ce l'aveva rovinata dai pugni e strizzava gli occhi come se avesse contro un fortissimo sole.

Quando Moro si volse per uscire, urtò nel petto di Giulio e Napoleone che s'erano piantati alle sue spalle.

Per il sentiero che dall'aia saliva alla cima della collina già s'incamminava in processione il grosso del presidio di Neviglie. Il primo portava una zappa sulle spalle.

Moro cercò René e lo vide sul margine dell'aia, appartato con due che parevano i piú importanti dopo di lui. S'avvicinò: i tre dovevano aver discusso fino a quel momento sul posto della fucilazione.

Uno finiva di dire: – ... ma io avrei preferito a Sant'Adriano.

René rispondeva: – Ce n'è già quattro e questo farebbe cinque. Invece è meglio che siano sparpagliati. Va bene il rittano sotto il Caffa. Cerchiamo lí un pezzo di terra selvaggio che sia senza padrone.

Moro entrò nel gruppo e disse: – C'è bisogno di far degli studi cosí per un posto? Tanto è tutta terra, e buttarci un morto è come buttare una pietra nell'acqua.

René disse: – Non parli bene, Moro. Tu sei col Capitano e si può dire che non sei mai fermo in nessun posto e cosí non hai obblighi con la gente. Ma noi qui ci abbiamo le radici e dobbiamo tener conto della gente. Credi che faccia piacere a uno sapere che c'è un repubblicano sotterrato nella sua campagna e che questo scherzo gliel'han fatto i partigiani del suo paese?

– Adesso però avete trovato?

René alzò gli occhi alla collina dirimpetto e disse gravemente: – In fondo a un rittano dietro quella collina lí.

Moro cercò con gli occhi i partigiani sulla cima della collina. Fece appena in tempo a vederli sparire in una curva a sinistra. Poi guardò verso la stalla e vide Giulio e Napoleone appoggiati agli stipiti della porta. Gridò verso di loro: – Giulio! Nap! Cosa state lí a fare?

I due partirono insieme e insieme arrivarono davanti a lui. Moro disse: – Perché non vi siete incamminati con gli altri? Partite subito e quando arriva René col prigioniero siate già pronti.

Giulio disse: – Dov'è con precisione questo posto?

– È a Sant'Adriano, – e siccome Giulio guardava vagamente le colline, aggiunse: – Avete notato il punto dove sono spariti i partigiani di Neviglie?

Giulio e Napoleone accennarono di no con la testa.

– No? Be', sono spariti in quella curva a destra. Voi arrivate fin lassú e poi scendete dall'altra parte fino a che vi trovate al piano. Sant'Adriano è là.

Napoleone fece un passo avanti e disse: – Adesso, Moro, stabilisci una cosa: chi è che spara? L'ultima volta ha sparato lui.

Moro gridò: – Avete ancora sempre quella questione lí? Sparate tutt'e due insieme!

– Questo no, – disse Napoleone e anche Giulio scrollò la testa.

– Allora spari chi vuole, giocatevela a pari e dispari, non sparatevi solo tra voi due!

Per un momento Giulio fissò Moro negli occhi e poi gli disse: – Tu non vieni a Sant'Adriano? Perché?

Moro sostenne lo sguardo di Giulio e rispose: – Io resto qui vicino alla macchina perché quelli di René non ci rubino la benzina dal serbatoio.

Giulio e Napoleone partirono di conserva. Giulio teneva un gran passo, Napoleone sentí presto male alla milza e camminava con una mano premuta sul ventre, ma in cima alla collina arrivarono perfettamente insieme.

Si calarono giú per il pendio e dopo un po' Napoleone disse: – A me non pare che son passati da questa parte.

– Come fai a dirlo?

– Io sento, io annuso. Quando passa un gruppo come quello, non si lascia dietro una morte come questa.

Non c'era un'eco, non c'era un movimento d'aria.

Continuarono a scendere, ma Napoleone scosse sovente la testa.

Quando posarono i piedi sul piano, Giulio si fermò e fermò Napoleone stendendogli un braccio davanti al petto. Un rumore di zappa, ben distinto, arrivava da dietro un noccioleto a fianco della cappella di Sant'Adriano. – Senti, Nap? Questa è una zappa. Son loro che fanno la fossa.

Napoleone gli tenne dietro verso quei noccioli e diceva: – Ma com'è che non si sente parlare? Possibile che quelli che non zappano stanno zitti?

– Mah. Certe volte, a veder far la fossa, ti va via la voglia di parlare. Stai a vedere e basta.

Mentre giravano attorno al noccioleto, quel rumore cessò e, passate quelle piante, scorsero un contadino tutto solo con la zappa al piede e l'aria d'aspettar proprio che spuntassero loro. Li guardò sottomesso e disse: – Buondí, patrioti.

Una lunga raffica crepitò dietro la collina.

Giulio si orientò subito e si voltò a guardare dalla parte giusta, Napoleone invece guardava vagamente in cielo dove galoppava l'eco della raffica.

Partirono. Invano quel contadino tese verso loro un braccio e disse: – Per piacere, cos'è stato? C'è la repubblica qui vicino? Se lo sapete, ditemelo e io vado a nascondermi –. Non gli risposero.

Risalirono la collina, Giulio velocemente e Napoleone adagio, perché non aveva piú nessun motivo di farsi crepare la milza. Ma quando arrivò su, Giulio era lí ad aspettarlo.

Guardarono giú. Videro i partigiani di Neviglie salire dal rittano sotto il Caffa, ma come se battessero in ritirata. Salivano anche dei borghesi che si erano mischiati a vedere e adesso ritornavano con le spalle raggricciate come se rincasassero in una sera già d'inverno. Passarono vicino a loro e uno diceva: – Però l'hanno fucilato un po' troppo vicino al paese.

Giulio e Napoleone scesero per il pendio ormai deserto fino al ciglio del rittano. Videro giú duc partigiani che stavano rifinendo la fossa. Uno calava la zappa di piatto e l'altro schiacciava le zolle sotto le scarpe.

Quello della zappa diceva a quell'altro: – Vedrai questa primavera che l'erba che cresce qui sopra è piú alta d'una spanna di tutta l'altra.

L'ombra dei due sopraggiunti cadde su di loro ed essi alzarono gli occhi al ciglio del rittano.

– Chi è stato? – domandò subito Giulio.

Rispose quello della zappa: – Chi vuoi che sia stato? È stato il vostro Moro.

Napoleone lo sapeva già da un pezzo, ma gridò ugualmente: – Cristo, quel bastardo di Moro ci toglie sempre il pane di bocca!

Dopo un momento Giulio indicò la fossa col piede e domandò: – Di', com'è morto questo qui?

– Prima si è pisciato addosso. Ho visto proprio io farsi una macchia scura sulla brachetta e allargarsi.

Giulio si aggiustò l'arma sulla spalla e si ritirò d'un passo dal ciglio del rittano. – Be', se si è pisciato addosso son contento, – disse: – Moro non deve aver goduto granché a fucilare uno che prima si piscia addosso. Ti ricordi invece, Napo, quel tedesco che abbiamo preso a Scaletta e che poi hai fucilato tu? Dio che roba! Vieni, Napo, che Moro è anche capace di lasciarci a piedi.

Gli inizi del partigiano Raoul

Sergio P. partí una mattina da Castagnole delle Lanze per andare a Castino ad arruolarsi in quell'importante presidio badogliano.

Aveva diciotto anni scarsi, un impermeabile chiaro, un cinturone da ufficiale e scarpe da montagna nuove con bei legacci colorati, ma rimaneva quello che era sempre stato sino a un minuto dalla partenza: un ragazzo di paese che i suoi sono possidenti e l'hanno mandato in città a studiare. E lo stesso rimase anche quando, perso di vista Castagnole, da una tasca sotto l'impermeabile tirò fuori una pistola nuovissima e ne riempí la fondina dando cosí un significato al cinturone da ufficiale.

Aveva in mente di mettersi nome di battaglia Raoul.

Per una strada tutta deserta camminava a cuor leggero; a dispetto del fatto che al paese aveva lasciata sola sua madre vedova, si sentiva figlio di nessuno, e questa è la condizione ideale per fare le due cose veramente gravi e dure per un individuo: andare in guerra ed emigrare.

Verso le dieci arrivò alla porta di Castino e precisamente davanti al casotto del peso pubblico. C'era un partigiano in servizio di posto di blocco. Sergio si fermò a trenta passi da lui e se lo studiò bene per farsi un'idea dell'aspetto che avrebbe avuto pure lui, tra poco. Era un tipo basso, ma lo prolungava il moschetto a bracciarm e una volta che si presentò di profilo Sergio gli vide l'enorme bubbone che sulla chiappa gli formava la bomba a mano nella tasca posteriore dei calzoni. E poi aveva i capelli fin sulle spalle come uno del Seicento.

Nella valle scoppiò una salva di fucilate, un'altra. Erano pochi fucili insieme, ma l'eco ne traeva un gran rumore. Lui era rimasto inchiodato in mezzo alla strada, convulse ma deboli le sue mani cincischiavano il bottone della fondina. Ma poi notò che il partigiano non s'era minimamente allarmato e dall'uscio della prima casa una vecchia chiamava dolcemente una coppia di galline dalla strada. Staccò la mano dalla fondina e si affrettò verso il partigiano che s'era girato dalla sua parte e lo stava ad aspettare. Vista la faccia nuova, fece per scendersi il moschetto dalla spalla. Allora Sergio tese una mano avanti e domandò forte: – C'è il comandante Marco?

L'altro aveva il moschetto a mezzo braccio, non lo rimise su né lo sfilò del tutto e quando Sergio gli fu davanti, fece: – Per cosa?

– Vorrei parlargli per arruolarmi, se non è troppo tardi.

– Tu come fai a conoscere Marco?

– Per fama. Io vengo appena da Castagnole e di Marco se ne parla fin sull'altra riva di Tanaro.

Il partigiano si rimandò il moschetto sulla spalla. – Hai tabacco?

S'aspettava del trinciato e non le nazionali che Sergio tirò fuori per lui. Disse: – Questo è un altro fumare, – prese due sigarette e ne accese subito una.

Adesso fumava, guardava avanti e pareva essersi dimenticato di lui. Sergio dopo un momento si voltò a vedere cosa poteva guardare quell'altro. Per la strada veniva una ragazza, camminava sul bordo e con occhi desiderosi guardava giú per il pendio per scoprire quelli che sparavano.

Sergio si rigirò, gli disse: – Allora mi dici dov'è che posso trovar Marco?

– In Comune. A quest'ora dà udienza alla popolazione –. Scansò Sergio e andò a incontrare quella ragazza.

Sergio s'inoltrò in paese e trovò facilmente il Comune, che era una casa qualunque con scritto sulla facciata: «Municipio». Entrò, salí e si trovò davanti a tre porte. Bussò alla prima e poi l'aprí educatamente. Era una stanza vuota e polverosa, con un certo odore di granaglie. Lo stesso gli capitò alla seconda porta. E cosí aperse la terza senza cerimonie.

C'era un tavolo e sopra una ragazza che fece appena in tempo a serrare le gambe e mandar giú le sottane. C'era pure un uomo, ma voltava la schiena, dai suoi movimenti Sergio capí che si stava abbottonando la brachetta.

Poi si voltò, e aveva la piú bella faccia d'uomo che Sergio avesse mai vista. Portava una divisa complicata e impressionante, fatta mista di panno inglese, di maglia e di cuoio.

Sergio si schiarí la gola e l'uomo increspò la fronte. La ragazza esaminava Sergio e nel mentre si passava una mano sui capelli, che erano biondi, secchi e fruscianti come saggina.

Sergio disse: – M'hanno mandato qui per trovare Marco.

– Marco sono io.

Sergio istintivamente uní i tacchi, ma con un minimo di rumore, eppure un sorriso si disegnò piccolissimo all'angolo della bocca della ragazza.

– Sono venuto per arruolarmi, se non è troppo tardi.

– Sei bell'e arruolato, – disse Marco. – In quanto a esser tardi, non è mai troppo tardi, perché anche se finisse domani sei ancora in tempo per restarci ammazzato. Se ci si pensa, il discorso dell'anzianità è il discorso piú scemo che si possa sentire da un partigiano. Eppure da una parola in su tutti i partigiani ti sbattono in faccia la loro anzianità –. Questo sembrò a Sergio fosse rivolto piú particolarmente alla ragazza che a lui. Infatti la ragazza sbatté le palpebre come per dargli ragione e cominciò a dondolare una gamba.

– Tu mi sembri studente, – disse Marco.

– Sí.

– Di che?

– Magistrale. Seconda superiore.

– Ne terrò conto. Non c'è granché di studenti tra i partigiani.

Poi Marco gli venne vicino, gli sbottonò la fondina e uscí la pistola a metà. Fece con le labbra un segno d'apprezzamento, poi rimandò giú l'arma. Lasciando a Sergio di riabbottonar la fondina, disse: – Hai fatto bene a venir già armato, perché io non potevo darti nemmeno uno scacciacani. Da Alba siamo tornati con meno armi di quante n'avevamo quando ci siamo entrati, questo è il fatto –. Anche questo doveva averlo detto per la ragazza.

– A proposito, come ti dobbiamo chiamare?

Lui s'era scelto il nome di Raoul fin dalla notte che aveva deciso di andare coi partigiani. Sapeva perciò come rispondere, ma sentiva che niente gli poteva costar piú vergogna che pronunciare quel nome Raoul. Cosí esitava e Marco dovette ripetere la domanda.

Si fece forza e disse: – Avevo pensato di farmi chiamare Raoul, – ma con un tono come se non ne fosse ben sicuro. Poi aspettò che Marco e la ragazza scoppiassero a ridere, niente gli pareva piú giusto che scoppiassero a ridere.

Invece Marco disse: – Raoul. È un gran bel nome di battaglia. Credo che sia l'unico Raoul in giro per le Langhe.

La ragazza aveva fermato la gamba destra e messa in movimento la sinistra. Sospirò anche con una certa intensità. Allora Marco disse: – Va bene, sei dei nostri. Seconda Divisione Langhe, Brigata Belbo. Gli altri sono giú in un prato a fare i tiri. Vacci anche tu e fai conoscenza. E mescolati, dài retta a me, mescolati subito agli altri.

Quando Raoul uscí, fuori sparavano sempre. Si orientò e giunse sul ciglio della collina. Si sporse a guardar giú, cautissimo, come se si piegasse su uno strapiombo, ma tutto era perché voleva vedere e non esser visto. Ma di lassú non vedeva niente per via d'una gobba del pendio. Allora infilò un sentiero e lo scese fino a che poté scorgere i partigiani.

Erano una trentina sdraiati su un sentiero trasversale a quello di Raoul, e sparavano giú nella valle a quei cosi di cemento dove i contadini tengono a suo tempo il verderame.

Raoul scese ancora e passò sul sentiero dei partigiani. Si avvicinava adagio, che piú adagio non poteva, si sentiva molto peggio di quando era entrato per la prima volta in collegio. Adesso quelli s'accorgevano di lui, si drizzavano sui gomiti e gli gridavano tutti insieme: – Sei un nuovo, eh? È adesso che arrivi? Hai fatto con comodo, eh? Sei in ritardo di dieci mesi in confronto a noi! Dove sei stato fino ad oggi? Nascosto in un seminario?

Invece nessuno disse niente, qualcuno lo guardò subito, altri lo guardarono poi. E quando l'ebbero guardato, tornarono a mirare quei cosi bianchi in fondo alla valle.

Raoul si sedette sull'orlo del sentiero e stette per un po'

a fissare l'una o l'altra bocca di fucile per cogliere il momento che ne usciva la fiammata. Piú tardi s'azzardò a guardare le facce dei tiratori, per trovarne una un po' umana. Non la trovò, ma pensò che forse era perché nessuna faccia è umana quando appare concentrata dietro il congegno di mira d'una qualsiasi arma. Si rialzò e con passo indifferente andò da una parte verso un albero. Ci si piantò di fronte, estrasse la pistola, l'armò e mirò lungamente il tronco. Il colpo partí, ma Raoul non avrebbe saputo dire se aveva o no premuto il grilletto e tanto meno dov'era potuto finire il colpo, non ce n'era traccia sulla corteccia scura. Profondamente preoccupato, rinfoderò in fretta la pistola.

Uno di quei partigiani veniva dalla sua parte. Questo aveva una faccia umana, ma quando incominciò a sorridere, il suo sorriso era cosí pieno che appariva persino feroce. Fu il primo che gli parlò, si faceva chiamare Sgancia, era con Marco da quattro mesi ma altrettanti ne aveva fatti prima in Val di Lanzo. Con tutto ciò, era appena della leva di Raoul.

Si sedettero insieme sul bordo del sentiero, ma Sgancia scelse un posto non troppo vicino alla compagnia. E dopo un accenno all'insensatezza di quella sparatoria che non serviva ad altro che a richiamar repubblica se ce n'era in giro, dopo disse a Raoul: – Fammi un po' vedere la tua pistola.

Raoul gliela passò, col presentimento che cominciava una faccenda che per lui finiva in perdita.

Sgancia esaminò la pistola da ogni parte, la fece ballare sul palmo della mano e poi disse: – È una buona pistola, ma è soltanto italiana –. Se la posò sui ginocchi e dicendo: – La mia invece è tedesca, – tirò fuori la sua e la mise in mano a Raoul.

Era di forma poco moderna e presentava parecchie macchie di ruggine e perciò Sgancia s'affrettò a dire: – Ho tre caricatori di riserva. Tu quanti ne hai?

– Ho solo piú cinque colpi, perché uno l'ho sparato in quella pianta.

– Sono pochi, cinque. Però, se vuoi, ti faccio il cambio ugualmente. Solo perché la tua è piú pesante e io me la sento meglio nel pugno. Altrimenti non la baratterei a nessun patto, nemmeno con la pistola cromata di Marco.

Raoul fece il cambio, la faccia tirata per lo sforzo di dissimulare la rabbia e l'amarezza, per un attimo cercò gli occhi di Sgancia, ma poi gli sembrò che con quel cambio pagava qualcosa di cui era in debito.

Dopo, nemmeno Sgancia sapeva piú che discorso fare. Finalmente disse: – Sai che io sono un buon tiratore? – e Raoul s'aspettava una storia di SS e fascisti ammazzati da Sgancia. Invece Sgancia tirò fuori il portafoglio e da questo una serie di foto fatte da borghese ai tirasegni fotolampo. Raoul mostrò d'interessarsi a quelle foto e fece a Sgancia qualche domanda sulla ragazza che gli compariva sempre accanto.

– Questa è roba che abbiamo lasciato in pianura, – disse Sgancia.

– Di', Sgancia, che tipo è questo Marco che ci comanda tutti?

– È uno con dei coglioni cosí, – e Sgancia fece con le dita la misura di due bocce. Poi disse: – Hanno un bel dire che per fare l'ufficiale dei partigiani l'istruzione non vale. Io per me sto sotto volentieri a uno che ha l'istruzione. Come Marco. Marco era già ufficiale nel regio e da borghese studiava all'Università di Torino per diventare professore di qualcosa. Invece in Val di Lanzo avevo per capo un meccanico della Fiat. Aveva fegato, ma non aveva l'istruzione. Ci faceva ammazzare per sport.

– Quando mi sono presentato, – disse Raoul, – c'era una ragazza con Marco.

– Parli di Jole. Abbastanza un bel gnocco, eh? Non è una cattiva ragazza.

– E che ci fa qui con noi?

– Dovrebbe far la staffetta, e non dico mica che al bisogno non la faccia.

– Ha del coraggio a stare coi partigiani. Chissà come s'è decisa a venirci?

– Io una volta gliel'ho chiesto e sai cosa m'ha risposto lei? Che essere una ragazza è la cosa piú cretina di questo mondo.

Si voltarono perché qualcosa succedeva tra gli altri partigiani. Guardavano su alla cresta della collina dove s'era affacciato un borghese. Aveva tutto l'aspetto d'un proprietario e domandava forte: – Perché sparate a quei cosi bianchi laggiú? Lo sapete che noi là dentro ci mettiamo il verderame? Me li bucate e quando ci verserò il verderame si perderà tutto. Smettetela subito o vado a dirlo a Marco.

Un partigiano salí due passi verso il borghese e gli rispose: – Sí, ma quei cosi bianchi sono l'unico bersaglio che c'è nella valle. Noi dobbiamo allenarci a sparare dall'alto in basso, perché di solito noi stiamo in alto e la repubblica in basso.

– Ben detto, Kin! – gridò un altro partigiano.

Ma il borghese disse: – Allenatevi fin che volete, ma da una parte dove non facciate danno, o vado a dirlo a Marco –. Non aggiunse altro, ma restò a guardare se sgomberavano. Sgomberarono e, Sgancia e Raoul con loro, andarono alla cappella di San Bovo. Si misero a tirare alla campanella, ad ogni schioppettata giusta la campanella faceva den! e loro ridevano come bambini.

A mezzogiorno risalirono la collina e andarono a una grossa cascina dov'era la mensa. Entrarono cozzandosi in uno stanzone: c'erano quattro lunghe tavole con intorno tante panche, una damigiana di vino in un cantone e in aria l'odore di carne arrostita nell'olio di nocciole. C'erano già molti altri partigiani che Raoul non sapeva dove potevano esser stati tutta la mattina; dovevano aver fatto strada perché erano piú impolverati del resto. Ce n'era uno giovanissimo che fissò Raoul tra l'arrogante e il perplesso e poi domandò forte in giro: – E questo chi è?

Seduti c'erano già Marco e Jole. Jole adesso portava calzoni da uomo e tamburellava con due dita una coscia di Marco.

Vedendosi addosso gli occhi di Marco, Raoul di nuovo batté istintivamente i tacchi e dietro di lui quel partigiano giovanissimo chiese a Sgancia: – Ma chi è questo leccaculo mai visto che saluta come nell'esercito?

Raoul sedette in punta ad una panca, accanto a Sgancia. Non c'era ancora niente di pronto e cosí i partigiani cominciarono a rubarsi l'uno all'altro il pane fresco. Poi arrivò il cuciniere con un piatto di bistecche e per primi serví Marco e Jole e fin lí nessuno disse niente. Ma quando distribuí le rimanenti ad altri che loro, gridarono al cuciniere: – Ferdinando, venduto! Chi t'ha detto di farlo di lí il giro? Noi siamo i figli della serva?

Raoul fissò Marco: tagliava la carne con una specie di pugnale e pareva sordo a tutto. Allora dovette guardare altrove e per non guardar le facce dei suoi nuovi compagni finí col guardarsi le unghie. Rialzando gli occhi, vide che Marco lo fissava come a studiarlo.

Finalmente ebbero tutti la carne, ma a Raoul per quanto la masticasse non andava giú.

Rientrò Ferdinando e posò sulla tavola un cestone di pere. Ma erano acerbe e dure come pietre, le morsicarono appena, poi protestando le fecero volare nell'aia per la porta e la finestra.

Jole si alzò e uscí dicendo che andava a pisciare. Il partigiano che Raoul aveva inteso chiamare Miguel si alzò pure lui e muovendo verso la porta in punta di piedi e con la testa incassata nelle spalle disse piano: – Le vado dietro e mi nascondo a vederglielo fare.

Raoul sogguardò Marco: rideva come tutti gli altri.

Quattro o cinque si addormentarono sulla tavola col naso tra le briciole del pane e il grasso della carne. Gli altri torchiavano sigarette con cartine e un tabacco cosí scuro che a Raoul, solo a vederlo, metteva voglia di tossire.

Quando Raoul cominciò a star attento ai discorsi che si facevano intorno alla tavola dopo accese le sigarette, Kin diceva: – ... però in politica io sono rosso e a cose finite è facile che m'iscrivo al partito comunista –. Lo diceva a Delio, quello molto giovane, ma fu Sgancia che raccolse le sue parole e gli domandò un po' secco: – E allora perché stai nei badogliani?

– Cosa vuol dire? Io sono nei badogliani perché quando son venuto in collina son cascato in mezzo a dei badogliani. Se cascavo in mezzo agli anarchici o ai partigiani del Cristo che so io, facevo il partigiano con loro. Cosa vuol dire?

– Ma bravo, sei proprio un uomo con un'idea!

Kin si scaldava: – Sicuro che ho un'idea! Tu piuttosto ho paura che non ce l'hai. Perché se uno viene a dirmi che lui è comunista, io pressapoco capisco che idea ha. Ma se uno mi dice che lui è badogliano, io cosa devo capire? Dài, Sgancia, rispondi lí. Cosa significa essere badogliano?

– Io te lo spiego subito, – disse Sgancia spegnendo la sigaretta. – Significa esser d'accordo con Badoglio, approvare quel che Badoglio ha fatto il 25 luglio e dopo. Significa accettare il suo programma che, se non lo sai, è questo: far la guerra ai tedeschi e ai fascisti, salvare l'onore del nostro esercito che l'8 settembre è sprofondato molto giú, mantenere il giuramento al re...

– Cosa il re? – Kin s'era inarcato sulla panca come per prendere lo slancio. Difatti, quando Sgancia affermò che i partigiani badogliani erano monarchici, Kin scattò in piedi. – Monarchici le balle! – urlò. I quattro o cinque addormentati alzarono la testa e guardarono in giro con occhi torbidi.

– Monarchici le balle! – ripeté Kin. – Il tuo re è uno schifoso vigliacco, è il primo traditore...!

Sgancia si alzò e pallido come un morto disse: – Non parlare cosí del re! Cristo, Kin, non parlare cosí del re davanti a me!

– Non parlare cosí del re? Cristo, ci ha messi tutti su una strada! Era già un mezzo uomo che a vederlo faceva ridere tutti gli stranieri, va ancora a farci fare la guerra! Ci ha rovinati e poi ci ha lasciati a sbrogliarcela da soli. Ma guarda che strage per sbrogliarcela da soli! Se aveva un po' d'onta, veniva a fare il partigiano con noi o almeno ci mandava quel puttaniere di suo figlio che è ancora giovane. Ma finito questo, li fuciliamo tutt'e due, com'è vero Dio li fuciliamo! E se riescono a scappare, visto che a scappare sono in gamba, ci sarà sempre un italiano che li andrà a cercare e li troverà e li ammazzerà come due cani!

Uno che si chiamava Gilera alzò una mano e disse: – Basta, Sgancia, basta Kin, non abbiamo mai fatto della politica e ci mettiamo a farla adesso? Se volete saperlo, io ero nella Garibaldi e sono passato nei badogliani perché nella Garibaldi avevamo i commissari di guerra che ci imbalordivano con la politica.

Raoul era monarchico, ma a modo suo, amava la monarchia come si ama una donna. Ora odiava Kin, ma non s'accostava a Sgancia, per gelosia. E stava zitto, perché aveva paura, tutta la gente nello stanzone gli faceva una grande, precisa paura. Guardò a Marco: fumava e soffiava il fumo dentro un raggio di sole che entrava dalla finestra. Pareva concentrato a studiare come il fumo evoluiva e s'assestava in quella guida di luce, ma di colpo fece un gesto come ad accusar malditesta, gettò la sigaretta e uscí.

Raoul s'alzò dalla panca per seguirlo, non voleva restare senza Marco nello stanzone, si preparò ad uscire alla meno peggio. Mentre cosí esitava, rientrò Jole e Raoul ricadde sulla panca, incapace di fare un movimento qualunque sotto gli occhi della ragazza.

Gilera disse a Jole: – Ce n'hai messo del tempo. Dunque non hai pisciato soltanto.

– Fattelo dire da Miguel cos'ho fatto.

Dietro di lei era tornato Miguel e faceva apposta la faccia di chi ha visto cose grandi e rare. Disse: – Lo fa cosí bene che non ti fa perdere la poesia. Se avevo la macchina, le prendevo la foto.

Risero tutti, anche Sgancia e Kin che erano ancora sfisonomiati. Rise anche Jole e ridendo saltò a sedere sulla tavola e di là disse: – Su, ragazzi, parliamo sporco.

Raoul si portò una mano alla bocca, si alzò e urtando un paio di panche uscí a testa bassa. Traversò l'aia e senza stare a cercar sentieri arrivò sulla strada della collina tagliando per un prato in salita. Appena sulla strada si voltò di scatto, perché gli era balenato il pensiero che i partigiani nello stanzone credessero che lui disertasse e lo inseguissero con le armi puntate. Ma nessuno l'inseguiva. Allora traversò la strada camminando a passi storti e masticando continuamente a vuoto per tener giú qualcosa che voleva venirgli su dallo stomaco. Sul bordo della strada disse: – Oh mamma, mamma! – e poi si slanciò giú per il pendio. Era tanto ripido che in breve la sua corsa divenne una irresistibile volata, gli alberi piantati ai piedi della collina sembravano salirgli incontro, aveva una paura matta di stramazzare con le caviglie rotte. Vide da una parte una depressione del terreno, deviò con un gran salto e vi cadde dentro. Era un buco abbastanza profondo, nessuno ve lo poteva scorgere dentro che non fosse sospeso per aria. Si allungò tutto sulla terra umida e gridò:

– A cosa mi serve aver studiato? Qui per resistere bisogna diventare una bestia! E io non me la sento, io sono buono! Oh mamma, mamma!

Ripensò all'alba di quello stesso giorno, possibile che si trattasse di sole otto ore fa?

Otto ore fa sua madre girava per la cucina in sottoveste e aveva la voce rauca, come se fosse stata svegliata da una disgrazia nella notte. Lui non poté finire il latte con l'uovo sbattuto dentro e pieno di rimorso allontanò la tazza. Disse: – È una cosa giusta, mamma. La parte buona è quella dove vado io. Anzi io ci vado un po' tardi. Ci son già andati tanti come me e meglio di me.

– Lo so che vai dalla parte buona e che ce ne sono già tanti, ma... – insomma si capiva che per sua madre lui era d'altra carne e d'altre ossa. Lei disse ancora: – Io dico solo che ci potresti andare al momento buono.

– Ma è sempre il momento buono, lo è stato fin dal principio. E poi capisci che se per andare tutti aspettano il momento buono, il momento buono non verrà mai.

Sua madre scosse la testa. – Non è ancora il momento buono. Guarda che batosta i partigiani si sono ancora presi dalla repubblica ad Alba. No, non è ancora il momento buono. Lo dice anche Radio Londra.

Sergio s'era alzato da tavola ed era andato alla porta a passi indiretti. Di là guardò sua madre: mai l'aveva vista tanto svestita e spettinata, mai le aveva sentita quella voce dura, da uomo. Disse: – Ti piacerebbe che poi mi dessero del vigliacco?

Lei gli rispose forte: – Nessuno può darti del vigliacco se tu dici che non hai voluto dare il crepacuore a tua madre. E poi c'è la legge che parla per te. Nemmeno l'esercito del re prendeva i figli unici alle madri vedove.

Uscí sull'aia e sua madre dietro. Si voltò a dirle che rientrasse, che non era abbastanza vestita per stare all'aria alle cinque di mattina. Lei non gli badò, gli disse: – Tu non sei buono a fare quel mestiere, non ne sai niente, non hai mai fatto il soldato.

– Sono buono, stai tranquilla, mi difenderò.

Lei si mise a guardare in alto. – C'è un brutto cielo, mi

mette dei presentimenti. Se devi partire, parti una mattina che il cielo si presenti un po' piú bello. Può già essere domani mattina –. Poi, come lo vide incamminarsi al cancello, gli domandò con un grido: – Da che parte vai?

– Vado a Castino, voglio arruolarmi sotto il famoso Marco. Vedi, sarò appena a quindici chilometri da casa. Fa' conto che sia in vacanza dalla nonna.

Quando passò il cancello lei gli gridò: – Sergio! Sergio, per carità, non voler sempre fare il primo! Non fare il valoroso!

Lui si voltò e le disse: – Ciao, mamma. Ho un debito di sessanta lire al caffè della stazione. Fa' il piacere, pagamelo.

Se con gli altri sapesse esser duro, quasi crudele come lo era con quelli che gli volevano bene, non si sentirebbe tanto indifeso agli sguardi e alle parole dei partigiani. Se fosse stato inflessibile con Sgancia come con sua madre, a Sgancia non riusciva sicuramente la porcheria del cambio della pistola.

Quando si levò da quel buco, poté leggere l'ora nel colore dell'aria. Dovevano esser le sei, il tempo gli era passato come a uno che dorme. Ma lui non aveva dormito, aveva fatto centinaia di pensieri, tutti disperati, nei quali dava la colpa ai partigiani che non erano come lui li aveva immaginati e poi, siccome coi partigiani non poteva sfogarsi e con se stesso invece sí, dava la colpa a sé che aveva sbagliato a immaginarli.

Ritto sul pendio, aveva dinanzi ondate di colline che già si fondevano nella precoce sera di novembre. Guardava verso Castagnole e mentalmente calcolava che per tornarci c'erano quattro colline da valicare e un tratto di piana. Un lume, il primo che s'accese sulla collina dirimpetto, lo fece decidere: se partiva subito, si ritrovava a casa prima di mezzanotte. Era ancora fermo sul bricco di Castino e già si vedeva spingere la porta di casa sua, entrare e sedersi stanchissimo sulla prima seggiola della cucina. Avrebbe smesso il vestito che aveva indossato la mattina per andare in guerra, avrebbe smesso anche tante idee, ma gli sarebbe rimasto il rispetto di sé, perché da solo s'era tirato fuori dall'orribile avventura nella quale s'era cacciato da solo.

Se risaliva il pendio e pigliava la strada di Castino poteva incocciare qualche uomo di Marco. Pensò di calare al piano e di laggiú attaccare a salire la prima delle quattro colline. Ma guardando in basso vide la valle cieca e profonda come un lago d'inchiostro. E poi, tutto d'un tratto, dal versante dirimpetto venne il rumore d'una motocicletta. Raoul non scorgeva il fanale della macchina, non la strada sulla quale essa correva, il rumore era intermittente come se si liberasse solo in certi punti e non aveva piú niente di meccanico, era selvaggio, lamentoso e spaventevole come il verso del lupo errante sulle colline. Raoul rabbrividí. I partigiani erano in giro! Non partigiani di Marco, ma partigiani con la faccia ed il cuore di Kin e di Sgancia, di Miguel e di Delio, ancora piú terribili perché sconosciuti, che lui aveva il terrore d'incontrare di notte sulla cresta delle colline, nel fondo delle valli, alle svolte delle strade.

Al campanile di Castino batterono le ore, e quei sei tocchi, pur tristi, lo confortarono, gli suonarono come un saggio, amichevole consiglio di togliersi da quella solitudine. Risalí rapidamente il pendio e una volta sulla collina, fu lieto di vedere illuminata la finestra a pianterreno della casa dov'era la mensa.

Cosí Raoul rimase coi partigiani e a cena nessuno, nemmeno Marco, gli domandò dov'era stato l'intero pomeriggio.

Dopo cena, Kin venne a dirgli che gli toccava fare due ore di guardia e gli prestò il suo moschetto per fare il servizio.

Salí al bricco che Kin gli aveva mostrato da sulla porta e cominciò a vigilare.

L'essere solo e armato nella notte fu la prima grande sensazione che provò, l'unica delle tante belle che aveva immaginato doversi provare da partigiano. Stava all'erta ma senza timori, non c'erano insidie nella notte, anche se ai suoi occhi troppo fissi il buio pareva brulicare e in fondo alla valle gli alberi crosciavano con un rumore di grandi cascate d'acqua. Non una luce nel seno nero delle colline, luci c'erano laggiú in fondo a tutto, là dove si poteva credere ci fosse la pianura. Si voltò a guardar giú alla cascina e la vide tutta spenta. Kin e Sgancia, Miguel e Delio e tutti quegli altri dormivano già, prima d'addormentarsi dovevano essersi detto che potevano fidarsi di lui.

Essendo stato attento anche ai tocchi delle ore al campanile, sapeva che il suo turno era già passato, ma non gli rincresceva fare quel soprappiú di guardia perché sentiva che quando fosse rientrato per mettersi a dormire, dove e come ancora non sapeva, sarebbero ricominciate le sue miserie, le brutte sensazioni.

Quando un altro tocco batté al campanile, venne su Delio, si fece passare il moschetto e gli disse di scendere a dormire.

– Dove si dorme?

– Nella stalla.

– E dov'è la stalla?

– Prima del portico. Oh, non coricarti nella greppia perché quello è il mio posto. Se ti corichi, quando poi torno io, devi sgomberare.

Raoul scendendo smarrí il sentiero e senza piú cercarlo finí di calarsi per un prato marcio di guazza.

Aveva aperto cautamente la porta della stalla e s'era fermato un istante sulla soglia. La stalla era un blocco di tenebra e ne veniva un puzzo tale quale. Due grosse macchie biancastre oscillarono in quel buio e Raoul capí che erano due buoi che si voltavano a vederlo entrare. Ma gli uomini coricati non erano assolutamente visibili, i respiri e il russare sembravano venir da sottoterra.

Entrò, deviò a destra, miserabilmente incerto su ciò che avrebbe fatto. Urtò col piede un corpo, ma da questo non venne nessuna reazione, come morto. Raoul era rimasto col fiato ed il piede sospesi. Dopo non aveva cercato oltre, s'era chinato e coi piedi e con le mani aveva tastato se c'era spazio per il suo corpo e s'era allungato lí.

Ora giaceva sull'ammattonato come se ci stesse per tortura, tra le sconnessure dell'uscio filtravano mute correnti d'aria che infallibilmente lo ferivano nelle parti piú sensibili. Il collo degli scarponi gli pesava ferocemente sulle caviglie, pareva gliele stesse lentamente incidendo e che tra poco gli scarponi dovessero cadere con dentro i suoi piedi. Soffriva un gran male ma pensava che non doveva toglierseli.

Non trovava la posizione buona, soprattutto non sapeva dove sistemare la testa e pensava a come son ben provveduti gli uccelli che possono ficcarla sotto un'ala.

Di quando in quando i buoi puntavano gli zoccoli e la paglia gemeva sotto i corpi che si rivoltavano.

Poi il freddo crebbe, s'erano interrotti quei fiati di caldo che venivano dalle due bestie. Si trascinò sulle ginocchia fino alla lettiera e prese due manate di paglia. In quel momento uno di quei due bestioni fece il suo bisogno, si sentí forte un plaff! Raoul si parò la faccia con la paglia perché aveva sentito gli schizzi prendere il volo. Si ritirò, sedette, si fece piovere un po' di paglia sui piedi, si ridistese e si aggiustò il resto della paglia sulla pancia e sul petto.

Ma stava male lo stesso, insopportabilmente male e se la sentinella fosse stato un altro che Delio, sarebbe stato un sollievo tornarsene fuori e aiutarlo a far la guardia, e poi aiutare quello che avrebbe rilevato Delio e cosí avanti fino a chiaro. Eppure era stanco, quella era stata la piú lunga giornata della sua vita. Si disse: «Come mi sento male! E non ci farò mai il callo, mai!»

Cominciò ad avvertire in tutto il corpo quella pesantezza che a casa nel suo letto lo faceva languidamente sorridere perché era il segnale che il sonno arrivava quatto quatto, un sonno pulito, regolare, sicuro. Ma qui c'era miseria e pericolo.

Infatti, se pensava alla notte fuori di quella lurida stalla, non riusciva piú ad immaginarla tranquilla e innocente come l'aveva vista e sentita in quelle ore che era stato di sentinella. Le cose dovevano esser cambiate da quando non piú lui ma Delio faceva la guardia per tutti. Sentiva che un pericolo veniva velocemente alla loro volta, dritto su quella stalla, e doveva esser partito proprio da quelle luci laggiú in pianura. Come facevano gli altri a dormire con quell'abbandono? Erano sicuri d'arrivare a vedere il mattino?

Sentí l'ammattonato sciogliersi sotto la schiena e divaricando le gambe s'addormentò profondamente.

La porta della stalla si spalancava con un colpo rimbombante e il vano si riempiva d'uomini tutti neri come mascherati dalla testa ai piedi. Mossero un passo avanti e puntarono potenti lampade elettriche per tutta la stalla. La prima cosa che quella luce feroce scopriva erano le canne delle loro armi spianate verso la lettiera. A Raoul quella luce passava un palmo sopra la testa e si poteva credere che non l'avessero ancora visto. I fasci di luce finivano in circoletti bianchi simili a tante piccolissime lune e centravano una per una le facce di tutti i partigiani. Fosse quella luce artificiale o altro, eran già tutte facce di cadaveri, con le palpebre immote e gli occhi sbarrati. Poi uno di quegli uomini neri urlò un comando e tutti i partigiani si alzarono dalla paglia aiutandosi con le mani o strusciando la schiena contro la parete. Adesso li facevano uscire come vitelli dalla stalla. Senza che nessuno gli dicesse niente o gli posasse una mano sulla spalla, Raoul si drizzò e passò ultimo tra due file di uomini neri schierati contro i battenti della porta. Passando, vide luccicare sugli elmi e sui baveri gli emblemi della repubblica.

Sull'aia c'era già Delio, ma tutto rattrappito per terra. Li lasciarono fermarsi a guardarlo, poi cinque o sei di quegli uomini presero la rincorsa, scavalcarono il cadavere di Delio, si buttarono in mezzo a loro maneggiando i fucili per la canna e li mandavano in mucchio contro il muro dell'aia. Ma non ce ne sarebbe stato bisogno, ci andavano da soli, anche se un po' adagio, ma era perché non dovevano essere perfettamente svegli. Erano tanti, tutta la guarnigione di Castino, mancava solamente Marco e Jole, e quel lungo muro non aveva un posto per ognuno e cosí in certi punti la fila era doppia e tripla. Raoul venne a trovarsi con la schiena al muro e sul petto, che lo soffocava, l'ampio dorso di Miguel. Sentí Kin dir piano a Miguel: – Marco è a dormire con Jole in un altro posto. Ma spero che poi trovino anche lui. Se no, non è giusto –. Una parte dei soldati venne marciando a schierarsi davanti a loro. Raoul volle urlare, ma non gli uscí che un fischio tra i denti. Poi trovò la voce e cacciò un urlo: – No! – e nel medesimo tempo scostava il corpaccio di Miguel come fosse una piuma e correva in mezzo all'aia gridando: – Non voglio, non voglio! – Lottò con un soldato che gli aveva subito sbarrato la strada e gli premeva la punta del fucile nella bocca dello stomaco, ma lui urlava lo stesso: – No! Non è che non voglio morire! Ma voglio morire a parte, morire da solo! Mi fa schifo dividere il muro con quelli là! Non li conosco, non li...!

Era già chiaro, i due buoi erano ben svegli e freschi come se avessero già fatto la loro ginnastica mattutina. Raoul sollevò la testa adagio e faticosamente come se si sentisse appesa una palla di piombo. Girando gli occhi, vide per primo Delio. Stava seduto a cavalcioni della greppia, si grattava la nuca e la sua fronte era piena di rughe.

Delio gli domandò: – Dormito bene per la prima volta?

C'era un po' di malignità nella sua voce, ma forse Delio non aveva un'altra voce.

Raoul gli disse: – Ho sognato che t'hanno ammazzato. La repubblica, lí fuori sull'aia. Parola d'onore che l'ho sognato.

Delio disse: – Stessi secco a sognare delle cose cosí! – ma rideva.

Rise anche Raoul e svegliarono tutta la stallata.

Vecchio Blister

Quando Blister accennò a parlare, i partigiani di Cossano gridarono: – Stai zitto tu che ci hai smerdati tutti! Fai star zitto questo ladro, Morris!

Blister, il ladro, stava seduto su uno sgabello a ridosso della parete, e aveva di contro la fila dei partigiani innocenti e offesi, ma tra lui e loro correva vuoto lo spazio di quasi tutto lo stanzone.

Il capo Morris disse: – Parli se vuol parlare. A lui non servirà a niente e noi invece ci passiamo il tempo mentre aspettiamo che torni Riccio con la sentenza.

Set scosse la testa. – Ci farà solo mangiare dell'altra rabbia, – disse, ma tutti s'erano già voltati a sentir Blister.

Blister ruotò adagio la testa per mostrare come gliela avevano conciata, poi disse accoratamente: – Guardate come avete conciato il vostro vecchio Blister.

Uno gridò: – Cosa t'aspettavi? Che ti facessimo le carezze? Sei un delinquente!

Blister dimenò la testa e disse col medesimo tono: – Avete fatto molto male. Dovevate ricordarvi che io sono di almeno quindici anni piú vecchio del piú vecchio fra voi. Ho i capelli grigi e ho dovuto sentire uno come Riccio che ha sí e no sedici anni che bestemmiava perché non arrivava a darmi un pugno sul naso.

Disse Morris: – Qui l'età non c'entra. Qui c'entra solo essere partigiani onesti o ladri. Noi siamo onesti e tu sei un ladro e cosí noi t'abbiamo picchiato. E ringrazia, Blister, che abbiamo fatto le cose tra di noi. La prima idea era di legarti alla pompa del paese e tutti i partigiani di passaggio avevano il diritto di darti un pugno per uno. E sarebbe stata una cosa giusta, perché tu hai sporcato la bandiera di tutti.

Blister disse: – Allora vi ringrazio e dei pugni non parliamone piú –. Parlava con voce piana, come uno di età che vuole ragionare dei ragazzi impulsivi ed è convinto che alla fine riuscirà a ragionarli. – Parliamo del resto. Però vorrei che vi faceste un po' piú avanti perché mi fa male vedervi cosí distanti. Non ci sono abituato.

Non se ne mosse uno, Blister aspettò un poco e poi disse: – Ho capito. Vi faccio schifo –. Giunse le mani e chiese: – Ma come posso farvi schifo? Cos'è capitato? Fino all'altro giorno io ero il vostro vecchio Blister e, senza offendere Morris, ero il numero uno dei partigiani di Cossano. Ognuno di voi stava piú volentieri con me che con chiunque altro, potete forse negarlo? Quando ci incontravamo con l'altre squadre, voi mi mostravate a tutti perché non c'era in nessuna squadra un uomo vecchio come me. Allora mi presentavate come il vostro vecchio Blister e vi facevate vedere a tenermi una mano sulla spalla. Io sono quello che vi ha tenuti sempre tutti di buonumore. Da chi andavano quelli di voi che avevano il morale basso? Venivano da Blister, come se Blister fosse un settimino. È che io sapevo il segreto, perché voi siete ancora tutti ragazzi, mentre io ho quarant'anni e ho imparato che la vita è una cosa talmente seria che va presa qualche volta sottogamba altrimenti la tensione ci fa crepare tutti. Vi ricordate quel giorno che arrivò Morris e ci disse che l'indomani ci sarebbe stato un rastrellamento mai visto? Poi non ci fu, ma Morris non ci aveva nessuna colpa perché ci aveva solo detto quello che il Capitano aveva detto a lui. Ma nella notte avevate tutti il morale basso, eravate pieni di presentimenti. Vi ricordate cos'ho fatto io? Verso mezzanotte ho cominciato a tirare fuori una barzelletta e poi un'altra e un'altra. Voi non finivate piú di ridere e arrivò la mattina e si poté vedere che il rastrellamento non c'era. Adesso mi sanguina il cuore a pensare a quella notte e darei non so cosa perché niente fosse cambiato da allora –. Giunse di nuovo le mani e domandò: – Ma perché siete cambiati con me? Per la balla che ho fatto?

– Chiamala balla! – disse Morris, – sai come si chiama

nella legge la tua balla? Rapina a mano armata. E per di piú fatta in divisa da partigiano.

– Sarà come dici tu, Morris. Sarà che ho rubato, ma io non ne sono persuaso. Per me, io mi sono solo sbagliato perché ero ubriaco.

Disse Set: – Questa non è mica una scusa. Questo significa che sei un porco ancora di piú.

– Lascia perdere, Set, – disse Blister. – Fatto sta che ero ubriaco. E m'ero ubriacato in questo modo. Andavo a spasso per la collina, ma avevo il mio moschetto a tracolla, perché nessuno può dire che Blister non faceva il partigiano sul serio. A un certo punto mi sento sete e vado alla prima cascina e dico al padrone di darmi un bicchiere di vino. Vedete come vanno le cose? Alzi una mano chi non è mai andato a una cascina per farsi dare un bicchiere di vino. Ah, nessuno può alzarla. Il padrone per prendere un bicchiere apre la credenza e io vedo che nella credenza c'era una mezza bottiglia di marsala. Allora gli ho detto di darmi un bicchiere di marsala invece che di vino. Lui me l'ha dato e io ho finito per bergli tutta quella mezza bottiglia. Il padrone non protestava, io ho un'età che la roba un po' forte è una necessità del corpo e l'ho bevuta tutta. Però in quella cascina non ho fatto niente di male perché la marsala ha cominciato a farmi effetto quando ero già lontano un chilometro. Ma guardate le cose, mi è tornata la sete. E cosí sono entrato in un'altra cascina dove c'era un padrone e una padrona. Giuro che non ho visto che la padrona aveva la pancia rotonda. Ho chiesto un bicchiere di grappa e l'ho chiesto un po' da prepotente, questo è vero. Ho finito per berne tre. Allora dentro di me c'è stata la rivoluzione. Mi son trovato in mano il moschetto che avevo a tracolla e ho sparato al lume sopra la tavola e un altro colpo nel vetro della credenza. La padrona aveva alzato le mani e strideva come un'aquila e il padrone mi grida: «La mia donna è incinta, per amor di Dio non spaventarla o le succede qualche pasticcio dentro!» Io non sentivo piú nessuna ragione e cercavo solo qualche altra cosa di vetro da spararci dentro. Allora il padrone m'è girato dietro e con uno spintone a tradimento m'ha buttato fuori e ha subito sprangato la porta. Fuori c'era legato il cane e voleva saltarmi addosso. Io gli ho fatto un colpo dentro e quel cane è stato secco. Ero ubriaco marcio, ero matto, e capisco che sono stato un gran vigliacco, specialmente con quella donna incinta e anche con quel povero cagnetto, ma neh che se mi fermavo lí voi non mi facevate la parte che m'avete fatto per il resto?

Nessuno gli rispose. Blister si portò le due mani alla testa, ma per sfiorarla appena, e si lamentò cosí: – Che male mi fa la testa. Sento bisogno di toccarmela ma se me la tocco mi brucia come il ferro rosso. E non posso neanche piú parlare –. Guardò i partigiani uno ad uno e poi disse: – Gym, tu che mi sembra m'hai sempre voluto bene, vammi a prendere un mestolo d'acqua. Non posso quasi piú muovere la lingua dentro la bocca.

– Vai pure a prendergli l'acqua, – disse Morris a Gym, e a Blister: – Puoi anche smettere di parlare, tanto è come se parlassi ai muri. E poi non dipende piú da noi. Ho mandato Riccio dal Capitano a prendere la tua sentenza. E il Capitano è uno che ci tiene alla bandiera pulita ed è piú facile faccia la grazia ad uno della repubblica che a uno dei suoi che ha rubato.

Blister aveva trasalito. – Hai mandato Riccio dal Capitano? Ah, Morris, non mi hai mica trattato bene. Dovevi dirmelo che mandavi Riccio dal Capitano, cosí io prima parlavo a Riccio. Non gli dicevo mica niente di segreto, gli dicevo solo di spiegare bene al Capitano chi sono io. Il Capitano ne comanda tanti che non può ricordarsi di tutti. Al Capitano io ho parlato una volta sola, ma quella volta il Capitano m'ha detto bravo Blister. Questa è una cosa di cui vorrei che il Capitano si ricordasse. Io l'avrei detto a Riccio.

Morris scosse la testa. – Stai sicuro che anche stavolta il Capitano ti dice bravo Blister, ma in una maniera che te ne accorgerai.

Rientrò Gym col mestolo d'acqua, Blister lo prese con due mani e bevve, ma si sbrodolava tutto.

Set stette a guardarlo per un po' e poi fece: – Pfuah! Non fare il teatro, Blister.

Blister alzò gli occhi a Set e abbassò il mestolo. Disse: – Non faccio il teatro, Set. Lo vedi anche tu che ho un labbro spaccato. E adesso che ci penso, devi avermelo fatto proprio tu perché ci sei solo tu qua dentro ad avere un pugno di quella forza. Tu non sei mai stato mio amico.

– Puoi dirlo. E adesso sono il solo che può dire di non essersi sbagliato sul tuo conto. Io ho sempre diffidato di te. Non capivo cosa veniva a fare uno della tua età in mezzo a dei giovani come noi. Io avevo il sospetto.

E Blister: – Tu hai il sospetto come tutti quelli che non capiscono o capiscono troppo tardi. Qui dentro sono tutti buoni, in fondo, meno te. Tu, Set, incominci a farmi paura.

Set allargò la bocca come per ridere e disse: – Io me ne vanto di far paura ai delinquenti!

Blister disse calmo: – Ma io non sono persuaso d'essere un delinquente e se me lo dici tu ne sono ancora meno persuaso –. Scrollò le spalle, si voltò agli altri e disse: – Adesso che ho bevuto voglio dirvi la fine. Solo per farvi vedere come vanno le cose. Io ero ubriaco e dalla cascina della grappa sono andato a un'altra cascina. Mi pare che volevo dormire e dormire in un letto. Forse era l'effetto del bere, ma per me quella cascina aveva un'aria misteriosa. C'era un silenzio, tutte le imposte chiuse in pieno pomeriggio, non c'era nemmeno il cane di guardia. Viene ad aprire un vecchio dopo che io avevo bussato tre o quattro volte. Ma non m'ha mica aperto, ha slargato appena la fessura della porta e mi ha guardato in faccia. Si capisce che io avevo una faccia un po' sfisonomiata, ma non credo che fosse una faccia cattiva. Invece quel vecchio deve aver preso paura della mia faccia e pian piano cercava di richiudere l'uscio e nel mentre mi diceva tutto di seguito: «Io ai partigiani ho già dato un vitello, i salami di mezzo maiale, ho dato un quintale di nocciole per far l'olio, e due damigiane di vino. Io non ho mai chiuso la porta in faccia ai partigiani e non gliela chiuderò mai. Ma non mi piacciono i partigiani che girano da soli». Credeva di avermi ragionato e teneva la porta ancora socchiusa forse per vedermi andar via. Io invece mi sono incarognito, ero ubriaco, ho fatto forza con le spalle e sono entrato. Una stanza scura e c'era una donna giovane che mi sembrava saltata fuori per magia. Il vecchio aveva paura e mi dice: «Questa è la sposa di mio figlio prigioniero in Russia». La donna invece non aveva paura, e ha incominciato a farmi un mucchio di domande, chi ero, chi era il mio comandante, cosa cercavo, troppe domande per il carattere di uno nello stato in cui ero io. A tutte quelle domande io mi metto a pensare: «Costoro hanno il sospetto. E chi ha il sospetto ha il difetto». Mi guardo intorno e la prima cosa che vedo è un gagliardetto del fascio. Un gagliardetto nell'angolo piú scuro della stanza.

Morris disse: – Non era un gagliardetto! Era una bandiera che aveva guadagnato suo marito a ballare. Tant'è vero che c'era sopra ricamato «Gara Danzante. Primo Premio».

Disse Blister: – Lo so che lo sai, Morris, l'ha detto la donna al processo che m'avete fatto ieri. Ma io l'ho preso per un gagliardetto e lo prendeva per un gagliardetto chiunque fosse stato partigiano e ubriaco. Allora gli ho dato dei fascisti e degli spioni, li ho puntati col moschetto e li ho messi tutt'e due al muro. Il vecchio si è messo a piangere, ma la donna strideva come un'aquila, non voleva stare al muro e ho dovuto rimettercela tre volte. Poi gli ho detto: «Il gagliardetto ce l'avete. Adesso guardo se avete anche il ritratto di Mussolini».

– E invece hai trovato l'oro e te lo sei preso tutto.

– Io ero convinto che erano fascisti. E chi è che lascia la roba ai fascisti?

Morris continuò: – E poi sei andato a venderlo a quell'uomo di Castiglione.

– Cosa ne facevo dell'oro?

Parlò Set: – Già, non ne facevi niente –. La rabbia gli scuoteva tutto il corpo, un momento prima si era allentata la cinghia per aggiustarsi i calzoni alla vita ed ora non riusciva piú a ristringerla per via della fibbia che gli ballava tra le dita tremanti. Disse: – Ma non farai mai piú niente di niente se il Capitano è d'accordo.

Blister drizzò la testa e chiese: – Ma per quello che c'è stato e che vi ho raccontato volete proprio prendermi la pelle? Ma allora non è meglio che me la facciate prendere dalla repubblica? Non è una condanna piú da partigiani? Se proprio volete che io ci lasci la pelle, stanotte mandatemi ad Alba a disarmare da me solo un posto di blocco. Io ci vado, naturalmente da me solo non ci riesco, la repubblica mi fa la pelle e voi siete soddisfatti.

Tutti scoppiarono a ridere di scherno e Morris disse: – Stai fresco che ti mandiamo ad Alba. Tu ci vai fino ad Alba, nessuno ne dubita. Ma poi a cinquanta metri dal posto di blocco lasci cascare il fucile, alzi le mani e gridi che sei scappato dai partigiani, che vuoi arruolarti nella repubblica e che se loro ti dànno fiducia tu gli fai prendere in un colpo solo tutti i partigiani di Cossano. Stai fresco, Blister, che ti mandiamo ad Alba.

Prima ancora che Morris finisse, Blister aveva steso avanti le mani e le agitava in aria come se volesse cancellare le parole di Morris. Disse: – Ah, Morris, non sei giusto, non parli bene. Sopporto che mi date del ladro ma non del traditore. Non c'è nessuno che può trovar da dire a Blister come partigiano. Io ho sempre fatto il mio dovere di partigiano. Non ho mai fatto niente di speciale, ma chi è che ha fatto qualcosa di speciale? Però io l'ho fatto qualcosa di speciale, adesso che ci penso, ed è stato quando è finita la battaglia di Alba e il vescovo di Alba ci ha fatto sapere che la repubblica era disposta a darci indietro i nostri morti. C'era o non c'era Blister in quei sei che sono entrati in Alba nel bel mezzo della repubblica a prendere i morti partigiani? I morti erano sul selciato, già nelle loro casse, e intorno c'erano degli ufficiali della repubblica con l'elmetto in testa e i guanti nelle mani. Aspettavano che arrivassimo noi e noi siamo arrivati su un camion tedesco di quelli gialli, preda bellica lampante. Abbiamo preso quel camion là per non far la figura di essere completamente al passivo. Gli ufficiali della repubblica hanno arricciato il naso a vedere quel camion tedesco, ma poi non hanno detto niente. E quando abbiamo finito di caricare le casse sul camion, uno di quegli ufficiali viene da me forse perché ero il piú vecchio e mi dà la mano da stringere, ma vigliacco se io gliel'ho stretta. È stata una scena, chiedete alla gente di Alba che stava a vedere dalle finestre e non respirava nemmeno piú per la paura che succedesse qualcosa da un momento all'altro. E questo è capitato il 3 di novembre ed è stata una cosa speciale perché se non è speciale che un vivo giochi la sua pelle per portare a casa dei morti, allora di speciale non c'è piú niente. Quindi come partigiano Blister lasciatelo stare e fate l'esame di coscienza prima di fargli la pelle.

Adesso lo lasciavano, uscivano tutti in fila, doveva esserci stato un gesto di Morris che Blister non aveva notato.

«Vanno a mangiare, dev'essere mezzogiorno, – pensò lui, – da ieri ho perso il concetto del tempo». Si sentí come se il cuore gli precipitasse in un burrone aperto nel suo stesso corpo, fin che parlava ed era ascoltato si sentiva difeso, nel silenzio e nella solitudine si perdeva. Guardò in faccia quelli che uscivano per ultimi per cercare di leggervi l'effetto del suo discorso. Vide che Set aveva un'ombra su tutta la faccia e pareva avercela con Morris.

Morris uscí l'ultimo e dal fondo dello stanzone Blister lo richiamò. – Morris. Lo so che non posso venire a mangiare con voi. Però fammi dire l'ora di tanto in tanto, Morris.

Morris annuí e, uscito lui, la chiave girò due volte nella toppa.

Mangiavano nell'altro stanzone e ne veniva rumore di piatti, di vetri e di posate, ma non di voci. «A tavola parlano sempre, alle volte gridano. Oggi no, oggi mangiano e pensano. È l'effetto del mio discorso. Si ricordano di nuovo bene del vecchio Blister». Si lasciò andare a sorridere.

Poi la sentinella aveva aperto ed era entrato il cuciniere con un piatto con dentro carne e pane. Aveva fatto appena un passo dentro e posato il piatto per terra vicino all'uscio, come ai cani. Blister l'aveva ringraziato lo stesso, ma il cuciniere gli disse: – Ringrazia il cuore debole di Morris. Io questa carne me la mettevo sotto i piedi piuttosto che portarla a te. E poi è roba sprecata, non ha piú tempo di farti pro.

Il cuciniere uscí, ma subito rientrò con due cose che doveva aver lasciato dietro l'uscio: un secchio d'acqua e uno straccio d'asciugamani che posò dicendo: – Per lavarti la faccia. Devi averla pulita quando ti portiamo fuori, – e uscí definitivamente.

Blister non toccò il mangiare, prese il secchio e se lo portò fino allo sgabello. Ci si sedette, col secchio tra le gambe. Cominciò a lavarsi, ma passarsi le mani sulla faccia gli bruciava.

Allora intingeva le dita nell'acqua e poi se la spruzzava in faccia e aveva l'aria di godere come uno che si spruzza un profumo.

Parlavano dietro la porta. Scostò il secchio, in punta di piedi e colla faccia gocciolante andò all'uscio e ci stette ad origliare. Riconobbe le voci di Morris e di Set. Parlavano con molte pause, come chi sta fumando, ma senza riservatezza, e sembrava a Blister che dovessero farlo apposta a parlar tanto chiaro.

Diceva Morris: – Cosa fa Riccio che non torna? Riccio è di quelli che ce l'hanno di piú con Blister per quello che ha fatto.

Set diceva: – Fammelo fucilare da me, che io gli sparerò come se fosse un repubblicano.

E Morris: – Bisogna stare a vedere. Se Riccio torna con le guardie del corpo, sei tu che vai a toglierlo di mano alle guardie del corpo?

– Ma se deve essere uno di noi, quello voglio essere io. E dov'è che lo facciamo?

– Ho pensato a Madonna del Rovere. È un po' lontano come posto ma è sicuro.

Set non pareva interessato al posto e disse solamente: – Davvero, Morris, io mi sento di sparargli senza nessuno scrupolo, colla sigaretta in bocca.

Blister non aveva perso una parola e alla fine pensò: «L'hanno fatto apposta a farsi sentire da me. È tutto teatro. Vogliono solo farmi prendere uno spavento e poi lasciano correre. Vogliono farmi provare l'agonia, ma adesso io so come regolarmi».

Cominciò a sorridere e sorrideva ancora quando nel cortile s'alzò un vocio e da questo apprese che era tornato Riccio.

Si portò di fronte alla porta e aspettò i due giri di chiave. Adesso tutto dipendeva da che Riccio fosse tornato solo e non colle guardie del corpo. Il presidio di Cossano faceva tutto teatro, ma le guardie del corpo difficilmente si adattavano a fare solo teatro, non si scomodavano per cosí poco, sotto questo aspetto era gente tremendamente seria.

Ma quando la porta si aprí, erano tutti suoi compagni

quelli che si accalcarono dietro Morris e Riccio e stavano a fissarlo come affascinati.

Morris spiegò un foglietto da taccuino e nel silenzio fece lettura d'una condanna a morte mediante fucilazione. E aggiunse: – Te lo dicevamo che il Capitano non perdona queste cose. Ha detto che si vergogna lui per te.

Blister allargò le braccia e poi le lasciò ricadere sui fianchi. Morris si sporse a scrutarlo: fosse che i pugni gli avessero fatto una maschera o fosse altro, Blister sorrideva, un sorriso da furbo.

Uscirono di paese e andavano col passo legato di chi segue un funerale. A un ballatoio s'affacciò una ragazza. Era in confidenza coi partigiani e doveva saper tutto su Blister, perché dal ballatoio lo guardò precisamente come l'avevano guardato i partigiani da sulla porta. Blister guardò su, le strizzò l'occhio e passò via.

Camminava in testa tra Morris e Set, ogni tanto si voltava per un'occhiata a quella processione e quando si rigirava rifaceva il sorriso da furbo.

Passarono il ponte sul Belbo e cominciarono la piana che cessa all'imbocco della valle della Madonna del Rovere.

Morris guardando indietro vide che una mezza dozzina di suoi uomini s'erano staccati dalla fila e indugiavano sul ponte colle mani in tasca e la testa sul petto. Disse a Set di proseguire e lui tornò al ponte.

Quando vide che Morris tornava, Gym si chinò e si diede da fare col legaccio d'una scarpa.

Morris gli arrivò davanti e disse: – È inutile che fai finta di legarti una scarpa. Tirati su, che ho capito benissimo –. Li guardò in faccia uno ad uno e disse: – Parole chiare, cosa vi prende? Non siete ancora convinti che Blister è un delinquente e non volete immischiarvene?

Gym disse: – Per essere convinti siamo convinti, ma non ce la sentiamo lo stesso. È che noi eravamo abituati a Blister. Non t'arrabbiare, Morris, ma noi torniamo indietro.

Morris invece s'arrabbiò e disse duramente: – Avete la coscienza molle, però fate come vi pare. Ma è chiaro che quelli che vanno fino a Madonna del Rovere ci vanno per fare giustizia. Questo sia chiaro.

Gym disse: – Questo è chiaro, Morris, e nessuno dirà mai il contrario, – e Morris tornò su.

Blister stava dicendo a quello che gli veniva dietro: – Non pizzicarmi i talloni, Pietro.

Pietro rispose: – E tu cammina.

E Blister: – Io cammino, ma devi capire che non posso avere il tuo passo perché io ho un'altra età che la tua –. Poi si rivide Morris accanto e gli domandò dov'era stato, e Morris gli disse che s'era dovuto fermare per legarsi una scarpa. Blister gli sorrideva, un sorriso proprio naturale, e finí con lo strizzargli l'occhio. E poi gli disse: – Non farmi quella faccia da mortorio, Morris. Va' là che sei un bel burlone. Bei burloni che siete tutti. Set poi è il campione dei burloni, è quello che fa meglio la sua parte, ma è la faccia che lo aiuta di piú, che è tetra per natura. Voi non vi sognate nemmeno di fucilarmi, mi avete già quasi perdonato e se non fosse per la figura mi trattereste già di nuovo come prima, quando il presidio di Cossano non si poteva nemmeno concepire senza il vecchio Blister. Però pensate che a non farmi niente io la passo troppo liscia e cercate di farmela pagare un pochino. Ma io ho già fiutato che farete tutto in regola, meno la raffica e meno la fossa. Volete solo farmi venire un accidente, farmi prendere uno spavento che mi serva di lezione e poi per voi io sono già bell'e castigato. Volete che io mi metta in ginocchio, che preghi a mani giunte, che mi pisci nei calzoni e nient'altro. Ma se è solo per questo, perché far sgambare me e voi fino al Rovere? Potevate ben farmelo nel cortile giú a Cossano. Invece no, tutto per il teatro, fino al Rovere. È lontano, Cristo!

Blister s'era fermato per fare questo discorso e con lui s'erano dovuti fermare Morris e Set e i primi della fila. Set con uno scossone ripartí e spingendo avanti Blister disse rauco: – Io se fossi in te non lo direi piú Cristo a questa mira.

Blister stirò la faccia come se avesse un sospetto, ma poi ripigliò a sorridere e guardando Set con la coda dell'occhio: – È tutto teatro quel che fate, – disse, – e fin qui l'avete fatto bene, ma dovreste esserne già un po' stufi.

Come entrarono nella valle, da tutti i pagliai i cani di guardia cominciarono a latrare e a sbatacchiar le catene.

Morris sopportò un poco quel chiasso e poi gridò: – Possibile che non si strozzino questi cani bastardi?

Blister disse calmo: – Sono i nostri peggiori nemici. Vengono subito dopo la repubblica.

Pietro passò avanti e fece colla testa un segno a Morris. Scese a una cascina e gli ultimi della fila si fermarono ad aspettarlo sul bordo della strada. Blister, Morris e Set e gli altri erano andati avanti ed entrati in un castagneto. Da valle venne qualche grido incomprensibile e poi una voce che chiamava chiaramente Morris.

Quando fu tornato sulla strada, Morris vide giú nell'aia della cascina Pietro che alzava le mani vuote e additava un vecchio contadino che gli stava accanto. Pietro mise le mani a tromba intorno alla bocca e gridò: – O Morris, non me la vuol dare!

Morris gridò: – Perché non te la vuol dare?

Laggiú il vecchio contadino stava come una statua.

Pietro gridò: – Dice che ce n'ha già imprestata una e non gliel'abbiamo riportata!

Morris gridò al contadino: – Dategliela. Io sono Morris. Garantisco io che vi torna a casa!

Pietro e il contadino sparirono sotto un portico e poi si vide Pietro risalire il pendio con una zappa sulle spalle. Tutti fissavano l'arnese, mentre Pietro risaliva e poi ancora quando si ritrovò sulla strada.

Morris disse a Pietro: – Adesso noi portiamo Blister in un posto pulito, ma tu la fossa vai a farla nel selvaggio dove non passa gente. E falla profonda come si deve, che poi non spunti fuori niente.

Disse Pietro: – Va bene, ma poi stasera a cena non voglio veder nessuno che non mi vuol mangiare vicino e nessuno che mi dica d'andarmi a lavare le mani due volte. Siamo intesi –. Ciò detto, se ne andò colla zappa per un sentiero traverso.

Era un posto pulito, una radura, dove i partigiani di Cossano si fermarono. Si misero su due file lasciando in mezzo un largo corridoio come la gente che aspetta di vedere una partita a bocce. E quando Blister venne a mettersi in cima a quel corridoio, si tolsero le mani di tasca e si tirarono un poco indietro.

Blister appariva fortemente arrabbiato e disse: – Voi fate come volete, però la regola è che un bel gioco dura poco, – e guardò Morris perché stava in Morris di finirla con quel teatro.

Morris tendeva l'orecchio al castagneto, sentiva venirne il picchio della zappa di Pietro, faceva un rumore dolce. Guardò Blister per capire se anche lui sentiva quel rumore, ma dalla faccia sembrava di no e allora Morris si disse che Blister era veramente vecchio.

Invece Blister afferrò quel rumore e capí ed emise un mugolio di quelli che fanno gli idioti che han sempre la bocca spalancata. Poi urlò: – Raoul...! – con una voce che fece drizzar le orecchie a tutti i cani nella lunga valle, e corse incontro a Set che era apparso in fondo al corridoio. Corse avanti colle mani protese come a tappar la bocca dell'arma di Set e cosí i primi colpi gli bucarono le mani.

Un altro muro

Le due guardie marciavano come se ogni volta calassero i tacchi su capsule di potassa, Max camminava avanti tastandosi il petto.

Lo sterno risaltava subito sotto le dita, era diventato magro da far senso a se stesso, per la fame patita in quei due mesi di neve sulle colline. Non c'era piú polpa tra la pelle e lo sterno, le pallottole gliel'avrebbero schiantato immediatamente. Si strizzò la pelle e si arrestò netto. Uno dei soldati lo gomitò nella schiena e lui si rincamminò.

«Ecco com'è finita! – gridava dentro di sé, – mi fucilano! Maledetti i miei amici! È per loro che io sono entrato nei partigiani, perché già c'erano loro. E maledetti tutti quelli che parlano della libertà! Mia madre farà bene ad andargli davanti e gridargli in faccia che sono degli assassini!»

Da qualcuna delle tante porte di quel lunghissimo androne uscivano voci come «Tocca a Caprara uscire di ronda», e «Chi ha visto il tenente Guerrini?», frasi qualunque di caserma, e dette nella sua lingua, ma all'orecchio di Max suonavano misteriose e terribili come voci d'una moltitudine di selvaggi africani che hanno catturato uno sperduto uomo bianco e si apprestano a sacrificarlo. Lui era l'uomo bianco.

Deviarono verso una porta sfumata nell'oscurità e scesero un paio di scale da sotterraneo. A metà delle scale gli occhi già gli lacrimavano per il freddo, poi intravide un barlume di luce e si asciugò gli occhi col dorso della mano.

Si trovavano al piano, in un corridoio lungo basso e stretto, con in fondo una lampada insufficiente. Nel cerchio di luce stava una sentinella che come li vide comparire si staccò dal muro e gli mosse incontro con una mano tesa e dicendo forte: – Un momento, fatemelo vedere nel muso questo traditore, – ma le due guardie non l'aspettarono e quando l'altro arrivò Max già stava dietro un usciolo con spioncino.

Quando la chiave fu levata dalla toppa, allora si voltò a guardare il posto. Era buio come un pozzo, salvo che per una ragnatela di luce grigiastra che pendeva da una botola in un angolo del soffitto. Ed era una ghiacciaia, il freddo l'attanagliò tutto e prontamente come se ad esso fosse affidata la prima tortura.

Sentí un respiro, cricchiare della paglia e vide alzarsi una forma umana.

– Sei partigiano anche tu? T'è andata male come a me?

Una voce giovane, ma rauca.

Lui non rispose, senza togliergli gli occhi di dosso si portò sotto la botola, al chiaro. L'altro l'aveva seguito fin là, e Max si sentí male quando vide una faccia pesta e due occhi famelicamente curiosi ancorché semisommersi dal ridondare della carne tumefatta. L'altro disse: – Adesso mi va già meglio, dovevi vedermi subito dopo il trattamento –. Si sporse a guardarlo bene in faccia, la nebbietta del suo fiato investiva la bocca di Max. – Te però non t'hanno picchiato.

– Vallo a domandare a loro perché non me l'hanno fatto.

– Forse all'interrogatorio gli hai risposto come volevano loro.

– Non è vero, mi sono tenuto su nelle risposte. Capito?

– E va bene. Me invece m'hanno picchiato perché non dicevo quello che volevano loro. C'è un partigiano dei nostri che ha preso uno dei loro e prima di finirlo gli ha cavato gli occhi. Io so che il fatto è capitato, ma non c'entro. Loro volevano che confessassi che ero stato io a cavargli gli occhi. Tu non sei mica garibaldino?

– Io ero badogliano.

L'altro gli andò via da davanti. – Allora puoi ancora sperare, – disse cominciando a fare il giro della cella, – i preti si fanno in quattro per salvarvi la vita a voi badogliani. Ma per noi rossi non alzano un dito.

Max s'offese della stoltezza di questo garibaldino che trovava che lui poteva sperare per il solo fatto che era badogliano. – Tu non sai quel che ti dici. Per la repubblica siamo tutti nemici uguali.

L'altro sorrise. – Io so bene quel che mi dico. Da quando son qua sotto, ho già visto un garibaldino andare al muro e due badogliani uscire grazie a un cambio che gli hanno combinato i preti della curia.

– Di' quel che ti pare. Ma se ci troveremo tutt'e due al muro, allora ti dirò io due parole –. Era molto irritato, ma poi tremò ripensando al modo naturale con cui aveva potuto parlare del muro. L'altro taceva, guardava in terra, ma non pareva proprio mortificato.

Max guardò la botola e chiese dove dava.

– Dà nel cortile.

– Dove ci troviamo?

– Nelle cantine del Seminario Minore. Ma adesso non farmi piú domande, – e andò in un angolo dove si accucciò sulla paglia.

– Perché? – disse Max facendo un passo verso lui. – Hai paura che io sia una spia, che m'abbiano chiuso qui dentro per farti cantare?

Scosse la testa. – Lo vedo bene che sei un disgraziato come me. Ma non ho piú voglia di parlare. Prima speravo che mi dessero una compagnia in questa cella, e adesso che me l'han data... Per me è un male che t'abbiano messo con me. Mi accorgo adesso che mi toccherà cambiare quasi tutte le abitudini che mi son fatte.

Max andò a sedersi sulla paglia nell'angolo opposto e tra loro due passò un lungo silenzio. Per via del buio non era sicuro che l'altro lo guardasse, ma lui fissava l'altro e questo gli impediva di pensare soltanto a se stesso. Lo fissava e si diceva: «Sento che ci fucileranno insieme, lo sento. Chissà se sente anche lui la stessa cosa». Ma gli mancò il coraggio di domandarglielo.

Fu l'altro a riattaccar discorso. Prima si dimenò un poco come a vincere una resistenza e poi disse: – È il maggiore che ti ha interrogato? E te l'ha poi detto per quando?

– Non me l'ha detto di preciso. Ascolta che discorso m'ha fatto. M'ha detto che stasera lui gioca a poker coi suoi ufficiali e se perde non mi lascia vivere fino a domani a mezzogiorno.

– Quel discorso lí l'ha fatto anche a me, sembra che lo faccia a tutti.

– Ma allora lo dice per scherzo.

– No, non lo dice per scherzo. È una specie di libidine che ha il maggiore. Ma non lo dice per scherzo. Lo disse anche a Fulmine, quel garibaldino che te n'ho parlato prima, venne giú personalmente una sera a dirglielo in cella e l'indomani Fulmine lo portarono fuori al cimitero.

A Max cadde la testa sul petto. Poi pensò che l'altro lo osservava, rialzò la testa e domandò: – Ne dànno da mangiare?

– Come mangiano loro.

– E uscire?

– Niente uscire, nemmeno un minuto al giorno.

– Cosí è dura!

– Mica vero. A me non uscire non mi fa gia piú nessun effetto. Pensaci un po', cosa vuoi che me ne faccia di vedere un pezzo di mondo se tanto non posso vederlo come vorrei io?

Si drizzò e andò in un angolo. Dopo un momento Max sentí rumore d'acqua che cade dall'alto in una latta. Il getto gli parve estremamente fragoroso. Poi l'altro si scrollò, tornò al suo posto senza nemmeno riabbottonarsi la brachetta. Si rimise giú sulla paglia e disse: – Eh, in questo stato la vita dovrebbe scaderti dal cuore, dovrebbe farti venir voglia di darle un calcio in culo e... Ma la voglia di vivere invece non ti va mica via.

A Max si misero a tremare i ginocchi, presto sbatterono l'un contro l'altro, con un suono secco, legnoso. Dapprima ficcò le mani tra i ginocchi per tenerli discosti, poi saltò via dalla paglia. Camminava su e giú.

Dal suo angolo l'altro lo studiava. – Cos'hai? Freddo? Paura?

– Freddo. Tutt'e due. Ma per adesso piú freddo che paura –. Mentí, perché gli sembrava che l'altro non ne avesse di paura.

– Se cominci ad aver freddo adesso, chissà stanotte. Voglio sperare che stanotte mi lasci dormire.

Max fece dietrofront. – Tu la notte dormi, qui dentro?

– Sicuro che dormo. Capirai che se anche devo essere fucilato ma la fucilazione si fa aspettare otto giorni, capirai che non posso sempre star sveglio. Sono otto giorni che sono qua dentro. Soltanto la prima notte sono stato sveglio un bel po'. Ma adesso mi addormento facilmente. Torna a sederti, va'!

Max tornò a sedersi e dopo un po' gli domandò come si chiamava.

– Mi chiamo Lancia. Nome di battaglia, si capisce.

– Io Max. E quanti anni hai?

Lancia gli rispose che andava per i venti e Max non se ne capacitava perché la faccia che Lancia gli aveva presentata sotto la botola era quella d'un uomo d'almeno trent'anni. Ma poi pensò che Lancia era stato picchiato, che era da otto giorni in quel sotterraneo, senza lavarsi né radersi, e che soprattutto era uno che nel migliore dei casi gli restava qualche decina d'ore da vivere, e credette ai vent'anni di Lancia.

Sentí lontana la voce di Lancia, gli domandava i suoi anni.

– Tanti come te.

Lancia disse solamente: – Facciamo una bella coppia, – e sembrò a Max che la voce gli avesse fatto cilecca per la prima volta.

Per il corridoio venivano uomini. Max puntò le mani sulla paglia, ma Lancia gli disse: – Non t'impressionare. Sono solo quelli che portano la sbobba.

Andarono insieme alla porta. Da fuori aprirono e un uomo accompagnato da una guardia sporse dentro due gavette e due pagnotte. A Lancia diedero subito la sua parte, ma Max lo fecero aspettare tenendo indietro la sua roba, per aver modo di guardarlo bene in faccia, perché Max era una novità.

Lancia l'aveva aspettato e tornarono insieme ai loro angoli con le gavette calde strette forte tra le mani.

Lancia sorrise. – Ti rincresce persino vuotare la gavetta, perché fin che c'è la roba dentro ti scalda le mani tanto bene. Ma il calore è meglio averlo nello stomaco. Il guaio è che dura poco.

Fin dai primi bocconi Max si sentí fortificato. Ma il cibo gli si incagliò in gola quando alzando a caso gli occhi vide l'ultimo chiarore ritirarsi su per la botola come se una qualche forza l'aspirasse da sopra. Era naturale che a quell'ora la luce venisse meno, stava cadendo la sera d'inverno. «Non è naturale! – gridò Max dentro di sé, – non è naturale!»

Stentò a finire la buona minestra della repubblica. Posò la gavetta a terra tra i piedi e stette a fissarla con la testa tra le mani. Pensava che aveva finito di mangiare, finito di fare una cosa che forse non avrebbe piú potuto rifare. Rialzò furiosamente la testa e guardò Lancia. Aveva finito anche lui di mangiare e stava posando la gavetta con un gesto lentissimo.

– Senti, Lancia. Senti, io ho tanti buoni amici e compagni su in collina. Mi fido soprattutto di uno che si chiama Luis. A quest'ora sanno di sicuro che sono stato preso e portato prigioniero ad Alba, e si saranno mossi per fare qualcosa per me. È impossibile che non facciano niente.

Lancia tardava a rispondergli e Max non discerneva piú la sua faccia. Poi Lancia disse: – Pensala come ti pare.

Max annaspò per lo stupore e poi disse violento: – Ma in che maniera mi rispondi?

– Se io ti dico come la penso io, tu mi salteresti addosso lo stesso. Be', te lo dico. Non aspettarti niente da fuori, non farti nessuna illusione su fuori. Anch'io avevo su in collina degli amici e dei compagni, ma in otto giorni non hanno fatto niente. Può darsi che pensino a noi, ma sai, come la gente sana pensa ai tisici. D'altronde io mi ricordo che ero anch'io cosí, quand'ero libero e sentivo che la repubblica aveva preso il tale partigiano, ci pensavo su un momento e poi tiravo avanti e non ne facevo niente. È cosí, va bene fin che capita agli altri. Ma stavolta è capitato a noi. E sai cosa voglio ancora dirti? Ci gioco che i nostri parlando di noi dicono che siamo stati dei fessi a farci prendere.

– Sono tanti vigliacchi! Io sono stato preso a tradimento! Non mi son fatto prendere come un fesso! La nebbia come ha tradito me poteva tradire chiunque! – Odiava i suoi amici e compagni, li vedeva in quella notte girare per le alte colline liberi e padroni della loro vita, armati tranquilli e superbi, vedeva le colline illuminate come a giorno per via del lume della luna sulla neve gelata, sentiva il vento arrivare dal mare passando per il grande varco tra gli Appennini e le Alpi. Si percosse la fronte coi pugni e gridava: – La libertà, la libertà, la libertà!

Lancia si era rizzato sui ginocchi e trascinato fin da lui. Gli aveva attanagliato un braccio ed ora lo scrollava. – Non fare il matto, non alzar la voce! – Il suo tono era bassissimo e spaventato, l'orecchio teso alla porta. – Ti fai sentire dalla guardia. Viene alla porta e si mette a prenderci in giro con la tua libertà. Sono tremendi per prendere in giro.

Poi tornò ginocchioni alla sua paglia. – Stai calmo, e fai come faccio io adesso. Allungati e dormi.

– Tu sei pazzo!

– Sei tu pazzo.

– Io voglio restar sveglio. Dovessi tenermi gli occhi aperti con le dita.

Sentí la paglia gemere sotto il corpo di Lancia. – Aspetta un momento, Lancia, dimmi una cosa. Non c'è pericolo che entrino qua dentro al buio e che ci facciano fuori con la pistola?

– Qui no, se è per quello. Qui fanno le cose in regola. Ti portano fuori col plotone –. Lancia doveva aver proprio sonno, già la sua voce s'era ispessita.

– Te l'ho chiesto perché a un mio amico in prigione han fatto fare quella fine lí.

– Qui no, – e Lancia calò la testa sul braccio.

Lui si rannicchiò nel suo angolo. Ora che Lancia dormiva, lui rimaneva solo con se stesso, avrebbe pensato soltanto a se stesso. Era necessario, forse era già persino un po' tardi, ma pensare a se stesso l'atterriva, non raccoglieva la forza di cominciare. Cosí stette attento al respiro di Lancia ed ai moti del suo corpo.

Il buio non aveva ancora scancellato quella forma rattrappita. Lancia per terra l'affascinava. Immaginò di avvicinarglisi, giaceva sulla faccia, lui l'aveva preso per le spalle e adesso lo rivoltava, Lancia si lasciava fare con la greve docilità dei cadaveri. Ma rigirato che l'ebbe, vide innestata sul corpo di Lancia la sua testa, la sua faccia, in tutto e per tutto la sua. Era la faccia del suo cadavere, cogli occhi sigillati, la bocca schiusa e la gola ferma.

«Questa è soltanto la fine, non è ad essa che debbo pensare. Il difficile è arrivare alla fine, è su questo punto che mi debbo preparare».

Venivano, gli comandavano d'alzarsi e camminare, sulla porta lui si voltava a vedere se Lancia lo seguiva. Sí, veniva anche Lancia.

«Ci porteranno a un muro qualunque e a un certo punto toccheremo questo muro con la schiena. No, ci faranno mettere con la faccia al muro, vorranno fucilarci nella schiena, noi per loro siamo traditori. Non deve fare nessuna differenza, tanto anche se ci mettessero di fronte non ce la faremmo a tenere gli occhi aperti fino alla fine...» e in quel momento pensò la scarica, e atrocemente indurí il petto per non lasciarle il passo dentro il suo corpo. Ma si sentí come gli prendessero il cuore ed i polmoni a sforbiciate.

Saltò via dalla paglia, d'impeto arrivò da Lancia, frenò la gamba in tempo per non dargli un calcio in un fianco. Ne colse il respiro, corto e frequente. Lo guardò, cosí in basso come se già posasse in fondo a una fossa. Come lui ora guardava Lancia, i suoi esecutori avrebbero guardato lui, dopo.

Pensò di svegliarlo, premendogli una mano sulla spalla e con pronte in bocca le parole per rassicurarlo non appena aprisse gli occhi. Ma Lancia si sarebbe spaventato e poi si sarebbe infuriato. Il pensiero della collera di Lancia lo fermò. Aggirando il corpo di Lancia andò nell'angolo della latta. Ci orinò dentro con violenza, cercando di fare piú rumore possibile. Cosí forse Lancia si sarebbe svegliato e non avrebbe potuto dirgli tanto. Ma quello respirò un po' piú forte e si girò semplicemente sull'altro fianco.

Non si riabbottonò la brachetta e scavalcò Lancia. Tornando affondò le mani nelle tasche dei calzoni e si sentí sotto i polpastrelli, tra il pelo della stoffa, grani di pane e fili di tabacco. Il pane che aveva mangiato e il tabacco fumato in un tempo imprecisato, qualunque, del quale poteva soltanto dire che allora era libero. Gli partí un singhiozzo, tale che poteva aver varcato la porta ed esser giunto all'orecchio della guardia. Difatti sentí muovere nel corridoio, passi di chi viene a sorprendere in flagrante, fatti accuratamente sulla punta del piede. Ma poi la guardia dovette cambiare idea, si riallontanava con passi non piú segreti, fatti su tutto il piede.

Tornato al suo angolo, guardò su alla botola. «È buio, ma non dev'essere molto tardi. Saranno le otto. A quest'ora già abbiamo mangiato, già dovrei dormire come fa Lancia. Piú niente dipende da noi. Per noi il giorno e la notte ce li fa il maggiore, ci fa lui la vita e la morte. È spaventoso che degli uomini abbiano una simile potenza, una simile potenza dovrebbe essere soltanto di Dio. Ma Dio non c'è, bisogna proprio dire che non c'è. Chissà se il maggiore s'è già messo a giocare».

Fece con gli occhi il giro dei quattro muri. «Non riesco a spiegarmi come son finito qua dentro. So perfettamente come mi è andata, dal principio alla fine, ma non riesco a spiegarmelo. Mi sembra tutto un vigliacco gioco di prestigio. Il terribile è che non ci sarà nessun gioco di prestigio per tirarmi fuori».

Rivide sua madre, ferma nel mezzo della cucina in una tregua del suo lavoro, con negli occhi uno sguardo lontano che lui non le conosceva, e cantava come gemendo la sua solita, unica canzone:

> La vita è breve, la morte viene,
> Beati quelli che si fan del bene.

Sua madre ne avrebbe sofferto, tanto, e nel suo dolore ci sarebbe stata sempre una vena d'orrore per la fine che gli avevano fatto fare. Lui lo capiva, ma non poteva sentir pietà di lei, aveva bisogno di tutta la sua pietà per se stesso.

Rivide il fidanzato di Mabí, che era stata anche la sua fidanzata, al tempo in cui lei non prendeva niente sul serio. Lui Mabí ce l'aveva sempre avuta nel sangue, aveva sempre creduto con vera fede che il corpo di Mabí era il suo tra i milioni di corpi di ragazze che ballano sulla faccia della terra. Ora rivedeva il fidanzato di Mabí e provava per lui un'invidia travolgente, ma solo perché lui non doveva esser fucilato, lui sarebbe vissuto e per l'enorme numero di anni che compongono la vita normale d'un uomo avrebbe potuto fare un'infinità di cose delle quali il possedere Mabí era assolutamente la piú trascurabile.

«Luis lui è libero, deve ricordarsi di me, deve far qualcosa per me. Sono stato io che l'ho tirato via dalla strada di Valdivilla dov'era caduto per quella palla nel ginocchio. Se non era per me, lui non si sarebbe piú mosso e la repubblica gli arrivava sopra e lo finiva. A buon rendere. Ricordatene, Luis, per carità!»

Senza sapere come e in quanto tempo gli fosse venuto fatto, si trovò lungo disteso sulla paglia, il suo corpo premeva sul pavimento tanto pesantemente che questo gli sembrava cedesse e si avvallasse. Ci stava abbastanza comodo, almeno per quei primi momenti, ma stentava sempre piú a risollevare le palpebre. «Ti ricordi tuo cugino? Come piangeva quella sera, per la paura d'addormentarsi, dopo che gli avevano dato l'olio santo? Tu adesso sei come lui. E non sei tisico com'era lui, ma ti sei fatto prendere dalla repubblica e la repubblica t'ha condannato a morte. Ti fucileranno domani. Sei nato vent'anni fa apposta per questo».

Fuori nel corridoio c'erano passi e confabulare, cambiavano la guardia. Lui avvertiva i rumori, ma talmente lontani che non bastavano piú a scuoterlo.

La nuova guardia si affacciò allo spioncino e si disse che quei due, se non fingevano, dormivano.

La mattina Max fu svegliato di strappo da un pesante passo di truppa. Tutto gli fu subito presente come se tra la sera avanti e stamane non fosse passato che un battito di palpebre, come aprí gli occhi saltò in piedi e corse sotto la botola da dove scendeva il trac-trac dei soldati insieme con la luce acquosa del primo mattino.

Guardò Lancia. Aveva anche lui gli occhi aperti e fissi alla botola. Lancia gli disse: – Non t'impressionare. Escono a rastrellare la campagna.

Era infatti la cadenza legata e pestante della colonna che si è appena mossa e non s'è ancora intervallata a dovere.

Lancia gli era venuto accanto. – Speriamo che i nostri non gli facciano un'imboscata o li impegnino in combattimento. Perché se gli fanno dei morti, quelli che tornano si vendicano su di noi.

Quando il rumore della marcia passò via, Lancia si spostò in metà della cella e fece là un po' di ginnastica. Alzava nella luce del giorno la sua faccia pesta, gialla dove non era violacea, particolarmente sformata attorno agli occhi. Ma ora la faccia di Lancia non faceva a Max piú nessun effetto.

Poi Lancia prese ad andare su e giú, e finí col mettercisi anche Max. Ma Lancia si fermò presto, per soffiarsi il naso. Siccome non aveva fazzoletto, si strinse il naso tra pollice e indice e soffiò forte torcendosi da una parte. Poi era tornato a rincantucciarsi al suo solito posto, come se quel poco moto fosse stato abbastanza per il suo corpo.

Max seguitò su e giú un altro po', finché si fermò per domandare: – Che si fa la mattina qua dentro? – Si sentí la voce grossa, catarrosa, e tutta la pelle come a contatto d'un vestito fradicio.

– Niente, – rispose Lancia, – lo stesso che di notte.

Dopo un lungo silenzio Max andò da Lancia e si chinò sui ginocchi davanti a lui. Si schiarí la gola e gli disse: – Senti, Lancia. Se ci mettono al muro insieme, facciamoci forza tra di noi. Facciamo un piano fin d'adesso.

Ma Lancia scuoteva già la testa quando Max doveva ancora finire di parlare. Sempre scuotendo la testa disse: – Non prendo nessun impegno, perché non posso prenderne. Neanche tu puoi prenderne con me, se ci pensi. Se mi mettono al muro, per me non ha nessuna importanza che mi ci mettano solo o con te. E poi non ho nessuna idea di come mi comporterò. Avrò una paura nera, questo è certo, ma non so proprio che razza di cose mi farà fare questa paura.

Max non disse piú niente, si rialzò e andò alla porta. Là serrò le dita attorno a una sbarra dello spioncino e cosí stette finché si sentí le dita abbruciacchiate dalla ruggine.

Tornò e si sedette nel suo angolo in faccia a Lancia.

Parlò. – Se me la cavo, se il maggiore ritira l'ordine della mia fucilazione e mi libera... – Lancia fece con le labbra un verso d'irrisione, ma questo non lo fermò, – ... esco e non m'intrigherò mai piú di niente. Di niente. Nei partigiani non ci torno, tiro una croce sulla guerra e sulla politica. E se qualcuno verrà a dirmi che sono un vigliacco, io non gli risponderò a parole, ma gli riderò soltanto sul muso. Nei partigiani non ci torno. Tanto non avrò piú ragione di fare il partigiano perché, se mi lascia andare, io la repubblica non la odierò piú. Me ne dimenticherò. Penserò soltanto che a un certo punto della guerra m'è capitata una cosa tanto tremenda che non è possibile che siano stati degli uomini a farmela. Mi ricorderò fin che campo della cosa, ma mi dimenticherò subito degli uomini. Purché me la cavi, faccio voto di solo guardare e non toccare nella vita, sono pronto a fare il pitocco tutta la vita, lavorerò a raccogliere lo sterco delle bestie nelle strade. E se cosí la vita mi sembrerà dura, farò presto a rinfrescarmi la memoria, e dopo mi metterò a sorridere.

Guardava in terra ma si sentiva puntati addosso gli occhi di Lancia.

– Non contiamoci balle, Lancia, che è peccato mortale contarcene al punto che siamo. Sei convinto che noi siamo stati fatti fessi e che non possiamo piú farci furbi perché ci pigliano la pelle? Tu te la senti di morire per l'idea? Io no. E poi che idea? Se ti cerchi dentro, tu te la trovi l'idea? Io no. E nemmeno tu.

Lancia lo fissava, ma i suoi occhi semiaffogati non gli lasciavano capir niente. Max si sentí una vampa sulla faccia e un furore dentro. Era tutto teso, se Lancia faceva tanto di accennare a negare, lui gli si sarebbe buttato addosso e l'avrebbe preso per la gola urlando: – Porco bugiardo e vigliacco che non vuoi dire che io dico la verità!

Ma Lancia disse con voce controllata: – Sfogati fin che vuoi, ma parla piano che la guardia non ti senta. Non mi piace che si affaccino allo spioncino.

Max sgonfiò il petto e poi riprese a parlare calmo.

– Io non ho mai ucciso. Ho visto uccidere, questo sí. La prima volta che ho visto i miei compagni fucilare un fascista, quando è caduto, io mi son messe le mani sulla testa perché mi sembrava che il cielo dovesse crollarci addosso. Soltanto la prima volta m'ha fatto quell'effetto, ma anche in seguito veder fucilare è una cosa che m'ha sempre indisposto, che mi ha sempre fatto venire delle crisi. Una volta ho preso un repubblicano, io da solo. Gli sono arrivato dietro e gli ho puntato la pistola nella schiena. A momenti sveniva per lo spavento, ho dovuto prenderlo per la collottola per tenerlo dritto. Ti giuro che ho sentito pietà, e sono stato a un pelo dal buttar via la pistola e mettermi a confortarlo. Lui piangeva e avevo voglia di piangere anch'io. Poi l'ho portato su al comando, l'ho consegnato e mi son fatto promettere che quello non l'uccidevano. Mi hanno promesso tutto quello che volevo, m'hanno lasciato voltar le spalle e l'hanno fucilato. Ti dico queste cose perché voglio farti capire come mi sento io. Quando ho vinto non ho intascato la posta, e adesso che ho perduto devo pagarla per intiero. Ma mi sembra di pagare per degli altri.

– E le hai dette queste cose al maggiore quando t'ha interrogato?

– No.

– Tanto non ti avrebbe creduto.

Sentirono su in cortile un vociare e correre d'uomini e Lancia disse subito: – Sono quelli a riposo che giocano al football per scaldarsi.

Max si alzò e andò come incantato sotto la botola. Sentiva gridare: – Passa, tira, dài una volta anche a me! – da voci calde e liete, di ragazzi, le fughe e gli arresti sul terreno invetriato, schioccar di dita, i botti del pallone ed il suo corto fruscio per l'aria. Di quando in quando il pallone veniva a stamparsi sul muro sopra la cantina ed ogni volta Max torceva istintivamente la testa come ad evitare uno schiaffo.

Per tutto il tempo che in cortile giocarono, i due nella cella non fecero parola. Smisero dopo un'ora buona, il mattino era alto ma la luce rimaneva acerba.

La porta si aprí e comparve un sergente. Fece due passi dentro mentre dietro di lui una guardia riempiva il vano della porta. Il sergente nascondeva una mano dietro la schiena e fissava Lancia. Lo stesso la guardia, e Max pensò che era strano, che Lancia già dovevano conoscerlo bene e che era piú logico prendessero interesse a lui che era nuovo.

Il sergente portò avanti quella mano, stringeva un paio di pantofole. Le buttò sulla paglia accanto a Lancia dicendogli: – Cambiati le scarpe.

Lancia guardò il sergente da sotto in su, senza toccar le pantofole.

– Cambiatele, ho detto.

Lancia abbassò gli occhi e le mani sulle scarpe e incominciò a slacciarsele. Max gli vedeva le dita tremare attorno ai legacci mentre ciocche di capelli gli si rovesciavano sulla fronte. Lancia sospendeva d'allentar le stringhe e con tutt'e due le mani si rimandava indietro i capelli.

– Piú presto, – diceva il sergente.

Max tremava e pensava che non capiva, che le sue scarpe erano molto piú buone di quelle di Lancia.

Finalmente il sergente ricevette le scarpe da Lancia e uscí con esse. Nel vano della porta rimase la sentinella. Max guardò Lancia, ma questi teneva la testa china, fisso a guardar le punte delle pantofole che s'era dovuto infilare. Allora Max guardò la sentinella, stava rivolto a un'estremità del corridoio. Poi da laggiú dovette arrivargli un segnale perché lui rispose con un gesto d'intesa. Guardò dentro e fece segno d'uscire, a tutt'e due.

Percorso il corridoio tra due nuove guardie, risalirono le scale che Max aveva discese la sera avanti. Pensò che non si poteva, non si doveva salire piú oltre in quel silenzio, con quella rassegnazione, che bisognava fare o dire qualcosa, per rompere. A metà dell'ultima scala, si voltò alla sua guardia e disse rauco: – Si può avere un po' d'acqua? Là sotto mi sono raffreddato e ho la gola che chiama acqua.

Ma la guardia inarcò le sopracciglia come per furore e gli gridò sulla bocca: – Non comunicare!

Riuscirono nell'androne e vi allungarono lo sguardo. Davanti alla porta del maggiore, con l'elmo in testa e il fucile a bracciarm, stavano otto soldati su una fila.

Le due guardie li fecero marciare e arrivarono davanti a quegli otto soldati. Il primo di questi li prese in consegna e le due guardie ripartirono.

Max e Lancia fissavano i soldati e Max si diceva: «Scommetto che sono di quelli che un'ora fa giocavano a football».

I soldati fissavano i due prigionieri, le facce impenetrabili, solo sbattevano troppo sovente le palpebre, forse per il fastidio dell'elmetto calcato sulla fronte.

Lancia prese a pestare i piedi, la suola di quelle pantofole era troppo sottile e il pavimento gelato. E Max si sentiva crescere dentro una specie di disturbo intestinale, si sarebbe premute le due mani sul ventre, ma non sapeva farlo sotto quei sedici occhi puntati.

La porta del comando era semiaperta, Max guardando di sbieco vide uno spigolo della scrivania del maggiore. Ciò che poteva vedere interamente era un uomo inclinato verso quella scrivania, un uomo alto e ossuto, vestito in borghese con un impermeabile chiaro e un cappello verde. Ma era lampante che quello non era il suo vestire solito, Max si spaventò e s'indignò come davanti a una sporca frode vittoriosa.

Poi l'uomo si drizzò, uní i tacchi senza batterli e si dispose a uscire. Mentre si chiudeva l'impermeabile, Max vide pendergli da una spalla sopra la giacca un mitra col calcio mozzato.

– Ce lo farà lui, con quello.

L'uomo uscí, sorpassando i due li guardò con occhi grigi e andò a fermarsi nel mezzo dell'androne con le spalle rivolte a loro. Il busto eretto e i tacchi accostati, la sua figura era inequivocabilmente militare. Guardò indietro se il drappello s'era formato e partí avanti.

Non ripercorsero tutto l'androne, tagliarono verso la porta d'un'arcata vetrata che dava nel cortile. La porta era bloccata dal gelo, ci vollero due soldati e tirare forte per disincastrarla.

Scesero nel cortile bianco e deserto, il terreno cricchiava acutamente sotto i loro piedi.

– Non facciamo molta strada, – disse Max e subito dopo trasalí, perché credeva d'averlo solo pensato. Ma i soldati non gli dissero né fecero niente, quel borghese nemmeno si voltò. Lancia ciondolava la testa, pareva desse ragione alle parole di Max, ma forse quel movimento della testa era semplicemente effetto della cadenza.

Erano nel bel mezzo del cortile. Lancia da una parte e Max dall'altra guardavano trascorrere i muri e spesso i loro sguardi s'incrociavano. Ma non li fecero deviare verso nessun muro, si lasciarono dietro tutti i muri, e arrivarono alla porta carraia. Un soldato corse avanti ad aprirla.

– Ci portano fuori. Sono furbi. Dev'essere mezzogiorno e la gente è ritirata a mangiare e cosí non può essere testimone dei loro assassinamenti. Ci portano al cimitero. So dov'è, è abbastanza lontano, ma ci arriveremo. Vorrei poter camminare per tutta l'eternità.

Usciti dalla porta carraia, raddoppiarono il passo. Erano entrati in una strada secondaria, dritta e deserta in tutta la sua lunghezza.

– È cosí, fanno le cose di nascosto dalla gente. Ma adesso io mi metto a urlare, mi faccio sentire. Tanto sono morto.

Alle loro spalle i soldati scoppiarono a cantare:

San Marco, San Marco,
Cosa importa se si muore...

Per lo stupore Max si fermò, girò la testa e vide serrarglisi addosso i soldati, con gli occhi arrovesciati, le facce congestionate dallo sforzo di cantare e marciare insieme con quella intensità, sentí dalle loro bocche spalancate le note arrivargli nelle orecchie come pietre da una fionda. San Marco, San Marco!

Si rigirò, ma non fece in tempo a distanziarsi, i soldati della prima fila lo presero a ginocchiate e lo cacciarono avanti cosí. Dovette correre per appaiarsi a Lancia, che correva anche lui, con le pantofole che gli scappavano dai piedi, le braccia tese come se volesse acchiappare i talloni del borghese che tirava via sempre piú rapido.

Max alzò gli occhi alle rade finestre di quella via: non una che si aprisse, nessuna tendina che si scostasse, nemmeno un'ombra guizzava dietro i vetri.

Passarono in un'altra strada e i soldati cantavano sempre, i loro fiati violenti sollevavano a Max e a Lancia i capelli sulla nuca.

Lancia scivolò, sbandò e cascò, i soldati a calci lo rimisero in piedi e in carreggiata. Cantavano ancora, ma non riuscivano piú ad articolare le parole della loro canzone, stridevano solo piú come uccellacci. Ma anche questa strada rimaneva deserta e le sue molte finestre sembravano sigillate.

– Gente di Alba! Gente di Alba, non puoi non sentire! Affacciati a vedere, non ti chiediamo di salvarci, vieni soltanto a vederci! – Max urlava, ma la sua voce annegava nel canto dei soldati. Guardò Lancia, si trascinava con una mano premuta sulla milza e la sua bocca era spalancata come a lasciare uscir grida che Max non intendeva.

Presso una piazza il borghese levò in alto una mano e i soldati cessarono di cantare e moderarono il passo.

In quella piazza c'era un gruppo di spalatori che avevano fatto mezzogiorno e stavano allontanandosi dalle loro pale piantate nei mucchi di neve. Li videro venire, riandarono ai mucchi, sconficcarono le pale e si rimisero a lavorare. Il drappello passò in rivista una fila di schiene curve.

Finita la piazza e attraversato un passaggio a livello, entrarono nella strada del cimitero.

Max guardava in terra la carreggiata della vettura dei morti, poi rialzò gli occhi e vide a sinistra rotondeggiare in lungo il tubo dell'acquedotto. Sapeva che correva parallelo alla strada fino al cimitero per proseguire poi da solo nell'aperta campagna. A destra vide prati sepolti da neve stendersi fino ai primi argini del fiume.

«Io parto. Mi butto verso il fiume. Sarò nella neve come una mosca nel miele, mi ammazzano infallantemente, ma io parto lo stesso. Cosí è piú facile, non c'è preparazione».

Cosí pensò Max, ma non poteva, non poteva fare un passo fuori della cadenza del drappello.

Una svolta e si profilò il cimitero.

Max guardò il bianco quadrato, poi frugò cogli occhi la nuda campagna e gridò dentro di sé: «Dove siete, o partigiani? Cosa fate, partigiani? Saltate fuori dal vostro nascondiglio! Saltate fuori e sparate! Fateci tutti a pezzi!»

Nessuno venne in vista, solo una vecchia, lontano, oltre il cimitero, saliva un sentiero sul fianco dell'acquedotto, tirandosi dietro una capra.

Si fermarono al primo angolo del cimitero. Max alzò una mano e disse: – Prima lasciatemi orinare, – ma due soldati per ciascuno li spinsero di corsa con la faccia al muro.

Max allargò un gomito a toccar Lancia, ma non ci arrivava, vide soltanto con la coda dell'occhio la nebbietta che faceva nell'aria l'ultimo fiato di Lancia.

Si concentrò a fissare un segno rosso nel muro, una scrostatura che denudava il mattone rosso vivo tra il grigio vecchio e sporco dell'intonaco. Decise di fissare quel segno rosso fino alla fine.

Dietro c'era assoluto silenzio. Le ginocchia gli si sciolsero, ma il segno rosso rimaneva all'altezza dei suoi occhi.

Sentí il rumore della fine del mondo e tutti i capelli gli si rizzarono in testa. Qualcosa al suo fianco si torse e andò giú morbidamente. Lui era in piedi, e la sua schiena era certamente intatta, l'orina gli irrorava le cosce, calda tanto da farlo quasi uscir di sentimento. Ma non svenne e sospirò: – Avanti!

Non seppe quanto aspettò, poi riaprí gli occhi e guardò basso da una parte. Rivoletti di sangue correvano diramandosi verso le sue scarpe, ma prima d'arrivarci si rapprendevano sul terreno gelato. Risalí adagio il corso di quel sangue ed alla fine vide Lancia a terra, preciso come l'aveva visto dormire la notte in cella. Vide la mascella di Lancia muoversi un'ultima volta, come la mascella di chi mastica nel sonno, ma doveva essere un abbaglio della sua vista folle.

Si voltò. I soldati alzarono gli occhi da Lancia per posarli su lui. Lo stesso fece il borghese, che stava tutto solo da una parte, finiva di riabbottonarsi l'impermeabile e l'arma non era piú visibile tra le sue mani.

A una voce del borghese i soldati si riscossero, vennero a prenderlo per le braccia e se lo misero in mezzo. Ripartivano, si lasciarono alle spalle quel muro, s'indirizzavano alla città.

I soldati avevano preso un tranquillo passo di strada e giravano spesso gli occhi verso la faccia di Max.

Lui cercò con lo sguardo il borghese: era rimasto indietro per accendersi una sigaretta, ora li raggiungeva tirando le prime boccate.

Tra il fumo lo fissò con gli occhi grigi e gli disse: – Questo ti serva di lezione per quando sarai di nuovo libero. T'hanno fatto il cambio, fin da ieri sera è arrivato un prete dalle colline a proporcelo. Il cambio si farà nel pomeriggio, a Madonna degli Angeli. Ma questo ti serva di lezione. Era troppo comodo per te farti prendere e tornar libero in ventiquattr'ore senza passare niente. E raccontala pure, a me non importa proprio niente che tu la racconti.

Max non rispose. Andando guardava l'erba spuntare gialla tra la neve sul fianco dell'acquedotto.

Nella valle di San Benedetto

Respiravo bene, non sentivo assolutamente nessun tanfo e la parete alla quale mi appoggiavo era asciutta. Una tomba sana, davvero la migliore del cimitero di San Benedetto.

Con la schiena contro la parete e la coperta sui ginocchi, mangiavo castagne bianche. Nello sciogliere il collo del sacchetto un po' di castagne mi erano cadute in terra ma io m'ero guardato bene dal raccoglierle. Tanto non le potevo vedere, erano finite nel buio, fuori dell'alone del lumino perenne che ardeva nell'angolo alla mia destra. Faceva un chiarore debolissimo e questo era un bene perché altrimenti scopriva ai miei occhi quello che io non volevo vedere, i pezzi di legno e di zinco ed il mucchietto di immondizie che io pensavo essere tutto ciò che restava della maestra Enrichetta Ghirardi morta nel 1928.

Le castagne bianche facevano un rumore secco quando le spezzavo tra i denti. Io dovevo temere tutti i rumori che potevo fare ed inoltre avevo l'impressione che nel chiuso della tomba ogni rumore si ingrossasse maledettamente. Cosí mi concentravo ad aspettare il momento che chissà come giudicavo il piú sicuro, chiudevo decisamente i denti intorno alla castagna, la spezzavo, poi restavo per un attimo sospeso ed infine mi mettevo a masticare.

Masticando guardai sú allo spiraglio che Giorgio mi aveva lasciato tirandomi sopra la grande pietra sepolcrale. Vedevo una fettina di un qualcosa grigio scuro che poteva essere il cielo come la volta del tempietto. Mi dissi che prima di calarmi in quella tomba avrei dovuto guardarmi meglio il cielo. Questa era una scorta come un'altra, come il sacchetto di castagne bianche, il bottiglione d'acqua, il lumino e la coperta che mi ero portato giú con me.

Mi ricordai di come era il cielo alla fine della battaglia di Castino, due giorni avanti. Da Castino si alzavano diciotto torri di fumo nero e il cielo sopra il paese era come il cielo sopra una grande stazione ferroviaria.

Poi, io e Giorgio e Bob eravamo partiti alla buona ventura, ma per partire avevamo aspettato che il Capitano sparasse il razzo bianco che significava si salvi chi può. Avremmo dovuto essere in quattro, perché Leo era sempre stato con noi. Ma Leo l'avevamo lasciato nelle mani del curato di Castino che la battaglia si era appena attaccata. Sulla nostra trincea era arrivata giusta una mortaiata dei tedeschi, e mentre il nembo svaniva io vidi Leo drizzarsi atleticamente in tutta la sua statura. Tendeva le braccia al cielo, emetteva un grido interminabile e l'occhio destro, simile a una noce di burro, gli scivolava giú per il cavo della guancia. Cosa ne aveva fatto Leo del suo occhio? L'aveva lasciato nel fango della collina di Castino o l'aveva raccattato e se l'era messo in tasca ravvolto nel fazzoletto?

I denti mi facevano già un po' male, le castagne bianche sono troppo secche. Rimisi nel sacchetto quelle poche che mi restavano in mano e mi posi a sentir fuori. Non si sentivano passi sulla ghiaia del camposanto. Se anche si fossero sentiti, non era indispensabile che io mi spaventassi, poteva anche essere solo Giorgio. Me l'aveva detto Giorgio prima di lasciarmi: – Io non starò mai fermo, girerò sempre per tutta la valle e girando posso capitare qualche volta al cimitero.

Pensai a Giorgio e naturalmente il mio pensiero comprendeva anche Bob. Pensavo freddamente, freddamente come prima non mi era mai riuscito di pensare, ai miei compagni Giorgio e Bob. C'era voluto questo grande rastrellamento di novembre, essere dispersi eppur tenuti insieme come tanti grani di polvere in un vortice d'aria, andare in armi e a casaccio in cerca di un buco nella grande rete che ci avevano tesa nei quattro punti cardinali, per capire in pieno come eravamo simili noi tre e come non potevamo assolutamente andare d'accordo. Eravamo entrati insieme nel movimento quando i partigiani la gente li chiamava ancora i ribelli, eravamo tutt'e tre studenti d'Università, avevamo intelligenza e virilità pressoché pari. E nessuno voleva comandare né ubbidire all'altro, tra noi nessuna parola cadeva nel vuoto eppure non ne usciva mai niente di fatto. Perché non litigavamo mai e non ci davamo mai ragione. Siccome nei partigiani tutto si riduceva ad essere una questione di fregature, ciascuno di noi tre preferiva farsi fregare da un qualsiasi estraneo piuttosto che da uno degli altri due. Andavamo insieme, ma ognuno era responsabile per sé e per sé solo, della sua morte o della sua salvezza.

Fin dal principio, quando s'era trattato d'iniziare la ritirata, Bob aveva chiesto: – Da che parte prendiamo?

Era una domanda idiota, da uno che vuol fare il normale nel pieno del piú grande rastrellamento passato sulle Langhe. Gli avevo risposto io, senza pazienza: – Possiamo gettare un soldo in aria e se viene testa andiamo a nord e croce andiamo a sud. Cosa vuoi che conti piú la parte da prendere? Non capisci che hanno messo le griglie alle Langhe e noi ci siamo dentro come le scimmie allo zoo? – Intanto mi ero incamminato a sud e sentivo che Bob mi seguiva con della rabbia in lui verso di me. Credette di sfogarsi una prima volta dopo che avevamo fatto un po' di chilometri senza incontrare o avvistare un cane né dei nostri né dei loro né borghese. Bob mi disse: – Non può essere la parte buona questa, perché ci siamo noi soli a passarci.

Ed io: – Invece questo è proprio il segno che è la parte buona. Piú pochi siamo e meno pericolo c è. Il pericolo sarà da quella parte dove passano in tanti. Credi che i tedeschi ne lascino perdere dei mille per prendere tre gatti come noi?

Giorgio mi diede apertamente ragione, ma Bob insistette: – E dove andiamo avanti cosí?

– Andando sempre cosí diritti al nostro naso arriveremo in Liguria. E poi traverseremo il mare a piedi e arriveremo in Corsica. E se fa bisogno, andremo a piedi fino in Tunisia.

Io avevo scherzato per vendicarmi di Bob e lui mi guardò in modo da farmi capire che non sarebbe stato scontento se qualcosa, i tedeschi, mi avesse fatto rincrescere d'aver scherzato.

Poi arrivammo davanti a una cascina. Era come tutte le altre che avevamo passate, chiusa scura e muta come se la gente dentro fosse tutta morta, lunga rigida sul letto. Invece all'inferriata di una finestra a pianterreno si affacciò una donna e ci mandò una voce bassa ma violenta. Noi tre rimanemmo sulla strada a sentirla. Ci disse: – Guardate quel fucile e quella borsa sulla mia aia. È stato un partigiano a lasciarli lí. Non per voi che siete suoi compagni, ma è stato vigliacco. È una brutta cosa pericolosa, io non so dove nasconderla, non so nemmeno come prenderla in mano, ho paura che mi scoppi. Ho mio marito e mio suocero in un buco sottoterra. Se arrivano i tedeschi e mi trovano quegli affari sulla mia aia, il meno che mi fanno mi bruciano il tetto –. Poi si mise a piangere, un pianto liscio e continuo come il getto d'una fontana. Io andai sull'aia e raccolsi il fucile e la borsa delle munizioni. La donna cessò subito di piangere e mi chiese: – Sono sicuri i miei uomini sottoterra? Ci ho messo sopra del letame fresco, cosí se vengono i cani poliziotti annusano il letame, si confondono il naso e non sentono piú l'odore della carne cristiana.

– Chi ha detto che hanno anche i cani poliziotti?

– Tutti lo dicono che li hanno. Sono sicuri i miei uomini sottoterra?

– Sí, stanno bene dove sono, – le risposi e tornai sulla strada. Mi misi il fucile sulla spalla sinistra e tesi avanti la borsa delle munizioni per vedere chi dei due se la caricava. Entrambi guardarono in terra e non fecero un gesto. Io entrai in un castagneto. Giorgio e Bob pensavano che io ci fossi entrato per fare un bisogno ed invece io ne tornai senza piú il fucile né la borsa. Non mi dissero niente e mi guardarono quel tanto che bastava per vedere che non avevo piú addosso quelle due cose.

Piú avanti Giorgio mi domandò: – Tu ti ficcheresti in un buco sottoterra?

Io scossi la testa in segno di no e Giorgio disse:

– Neanch'io. Io comincerei a pensare che non possono non trovarmi, il buco è mal nascosto, è una cosa ridicola come è mal nascosto, arrivano i tedeschi e se ne accorgono subito, scavano giusto, infilano una mano nel buco, mi tirano su per i capelli e mi fanno sporgere quel tanto di testa dove ci sta una rivoltellata, tanto io sono già sottoterra...

Io lo guardai, aveva la voce e la faccia di uno che si sente pian piano soffocare, agitava la testa come per scansare con la bocca un tappo messo lí fermo per asfissiarlo. Io dissi a me stesso: «Considera bene che tipo è Giorgio».

Parlò Bob: – Noi siamo gente che ha la disgrazia di avere fantasia. Questo non è pensare, questo è fantasia. Ed è la fantasia che ci frega. Di questi tempi il piú forte è quello che ha meno fantasia, che non ne ha per niente.

Girai lentamente lo sguardo verso l'angolo dove avevo appoggiato il mio Thompson. Le sue parti metalliche splendevano al lume vicino con una ricchezza discreta, l'arma mi pareva un arredo sacro. Non potei fare a meno di sorridere. Mi ero ricordato del fucile buttato via sull'aia di quella donna e pensai che quando il rastrellamento fosse passato e noi vivi fossimo tornati ai nostri posti, ci saremmo guardati l'un l'altro e avremmo visto chi aveva conservata la sua arma e chi no. Io sarei tornato col mio Thompson sulle spalle e questo sarebbe bastato ad esimermi dal raccontare come avevo fatto a cavarmela. Ma sarei stato zitto? Non avrei detto orgogliosamente che per non finire in mano ai tedeschi mi ero ficcato di notte in una tomba, in una tomba del cimitero di San Benedetto con il morto dentro? Questo era un caso che nascondersi era un atto di enorme coraggio. Questo era il mio caso.

Bevetti un sorso d'acqua al bottiglione e poi tesi l'orecchio senza cogliere il minimo rumore. Allora guardai il cielo attraverso lo spiraglio. Aveva lo stesso colore dell'ultima volta che l'avevo guardato ed io capii che avevo già perduta la nozione del tempo. Al campanile di San Benedetto dovevano pur battere le ore, al meccanismo non importava niente che dappertutto nella valle ci fossero i tedeschi, scoccava le ore quando era ora, ma io non avevo sentito nessun tocco.

Mi dissi che in fondo non mi sarebbe dispiaciuto poter parlare un po' con Giorgio attraverso lo spiraglio. Però pensai anche che Giorgio avrebbe dovuto arrivare fino alla mia tomba e fare necessariamente del rumore con la ghiaia e che io mi sarei spaventato di quei passi prima di esser certo che erano i suoi. E poi pensavo che era meglio di no anche perché Giorgio poteva essersi stancato o spaventato di girare per la valle e adesso poteva voler scendere anche lui nella tomba della maestra Ghirardi. E Giorgio era proprio il tipo che poteva perdermi. Non era un vigliacco, l'avevo già visto in due battaglie alla battaglia di Alba e a quella di Castino, ma non sapeva aspettare, ecco, gli mancava quella che io chiamo la forza dell'attesa.

Giorgio era proprio il tipo che poteva perdermi, era già stato sul punto di perderci tutt'e tre poco prima che entrassimo nella valle di San Benedetto.

Andavamo a sud avendo alla destra il torrente Belbo e un po' per stanchezza e un po' per rassegnazione non facevamo molta attenzione intorno. Fu Bob che mi toccò col gomito perché mi voltassi a guardare con lui. Dalla cresta della collina a sinistra spuntavano elmetti come funghi. Poi i tedeschi si erano affacciati a persona intera, ma tenevano ancora le armi basse. Sia noi che loro siamo stati un attimo a fissarci come conoscenti vaghi che da un marciapiede all'altro aguzzano gli occhi e non si decidono a salutare. Ci siamo resi conto noi prima di loro e c'eravamo già slanciati verso il torrente prima che loro ci puntassero con le armi. Fecero ancora in tempo a spararci ma non ci colsero e noi tre ci tuffammo di pancia in quei due palmi d'acqua gelida. Non volevamo fermarci lí, ma una forza che non era quella dell'acqua ci premeva i ginocchi sul fondo del torrente. Cosí nascondemmo la testa sotto le erbacce dell'altra sponda e aspettavamo che i tedeschi scendessero per ammazzarci a mollo. Vedremo il nostro sangue partirsi da noi sul filo della corrente. Invece quei tedeschi tirarono via per la loro collina. Io alzai la testa da sotto quelle erbacce e avevo la bocca aperta. Ma subito la richiusi perché subito vidi e capii. Sulla collina a destra, che strapiombava sul torrente, venivano altri tedeschi. Se ne venivano in fila indiana e senza fermarsi, uno dopo l'altro, gettavano giú bombe a mano. Esse cadevano pressapoco sulla sponda del torrente, tra i felceti, a intervalli abbastanza regolari. Uang! Uang! si avvicinavano. Giorgio aveva visto e capito quanto me, cercò di saltar via dall'acqua, ma Bob lo tenne giú, io lo aiutai e gli facemmo cacciar la testa sott'acqua. Doveva aver aperta la bocca per urlare perché intorno alla sua testa l'acqua ribollí violentemente. Anch'io e Bob cacciammo la testa sott'acqua, eravamo lunghi sdraiati sul fondo ma sentivamo che il nostro sedere emergeva.

Delle due bombe che ci riguardavano, una cadde troppo a monte e l'altra troppo a valle.

Ecco, Giorgio mi avrebbe fatto lo stesso scherzo se avesse sentito i tedeschi entrare nel camposanto e mettersi a girare tra le tombe. Eppure Giorgio dopo il fatto del torrente si comportò con noi esattamente come prima, come se nulla fosse successo, come se io e Bob non potessimo uscire a dirgli: «Tu, a momenti ci fai accoppare tutti».

Poi, quando arrivammo al paese di San Benedetto, ci accorgemmo che era domenica per via della gente che usciva da vespro. Erano tutte donne, dovevano avere i loro uomini nei buchi sottoterra, e ci guardarono mentre eravamo fermi al principio del paese e subito abbassarono gli occhi come se noi tre fossimo una visione impudica.

Andammo in giro per il breve paese per le strade vuote e col selciato risonante e le donne ci spiavano dalle fessure delle porte, al riparo degli spigoli delle finestre. Spesso noi ci voltavamo di scatto per sorprenderle, ma quegli occhi sparivano come i riflessi di uno specchietto sottratto rapidamente ai raggi del sole. Poi eravamo usciti e andati come a spasso fino al torrente ed ai margini dei boschi. Le donne s'erano affacciate piú liberamente a vederci uscire dal paese, erano convinte che noi andassimo ad essere la rovina di un altro paese, e certo ebbero un colpo al cuore quando ci videro tornare.

Chiedemmo da mangiare alla prima donna che sorprendemmo a spiarci e non fece in tempo a ritirarsi. In faccia sembrava una ranocchia, era brutta di quella bruttezza che si fa odiare, ci diede pane e lardo da sulla porta nella maniera che si dà ai mendicanti. Noi mangiammo seduti sugli scalini e dietro ci stava la donna a sorvegliare cos'altro facevamo. Bob si voltò a guardarla in modo da ispirarle, se possibile, un po' di compassione per noi. Ma lei ci fissava impassibilmente, non doveva sentire nessuna pietà di noi, doveva pensare che la colpa di ciò che succedeva la metà era nostra. Per dispetto salimmo a sedere sullo scalino piú alto, con l'aria di starci fino a quando ci faceva comodo. Un lampo di paura passò negli occhi della donna. Rientrò in casa e la sua porta si richiuse con forza dietro le nostre spalle.

Giorgio si levò il pane di bocca e disse: – Non siamo piú i partigiani, non siamo piú i combattenti della libertà, siamo mendicanti che fanno paura a chi se la lascia fare.

A me non interessava cos'eravamo, mangiando guardavo punto per punto la valle di San Benedetto ed alla fine dissi: – Mah, a me sembra un posto sicuro.

Bob disse sprezzante: – Sicuro perché è il posto che ci siamo noi? Io sento che non lontano da qui c'è un ufficiale tedesco che sta guardando sulla carta topografica proprio la valle di San Benedetto.

Io guardai Giorgio. Si teneva coi denti il labbro inferiore, aveva l'occhio fisso in avanti, ma non c'erano riflessi nelle sue pupille. Io non pensai nemmeno di farlo riscuotere, non era dal Giorgio che avevo conosciuto ultimamente che ci si poteva aspettare delle idee. E poi mi pareva che neanche le idee potessero piú contare.

Invece Giorgio abbandonò il labbro coi denti, si schiarí la gola e facendo col dito puntato il giro delle colline che chiudono la valle di San Benedetto disse: – Se i tedeschi arrivano e si mettono lassú tutt'in giro e poi scendono ordinatamente come fanno loro, non ci sarà piú niente da fare che crepare.

Io dissi: – Se usciamo dalla valle di San Benedetto, quello che dici tu può succedere nella valle in cui andremo a finire. Le Langhe sono fatte cosí. I tedeschi sono fatti cosí.

Giorgio scosse la testa: – Io facevo solo un caso. Se i tedeschi fanno come ho detto io, siamo fottuti. Bisognerebbe che la terra si aprisse. Ma la terra non si apre.

In un lampo io guardai il cimitero di San Benedetto, ma non dissi niente. Forse solo perché mi pareva troppo presto.

Intanto era calata la sera, rapida e scura come di novembre. In paese non avevano acceso un solo lume, come se col non accendere luci e stare al buio volessero dare a credere che né loro né il loro paese esistevano sulla faccia della terra. In compenso i cani da guardia abbaiavano sui fianchi delle colline. Era nato un vento fortissimo, alto, il vento di quelle parti che costringe a caricare di sassi i tetti delle case. Ne veniva un enorme rumore come di fiumana.

Fu per questo rumore del vento che noi non sentimmo l'altro rumore e solo per il richiamo della luce ci accorgemmo che i camion tedeschi erano arrivati sulla collina di destra e vi si erano fermati in colonna. I fanalini rossi posteriori di ciascun camion splendevano investiti dai fasci di luce bianca dei fari del camion seguente.

Noi tre ci drizzammo in piedi e guardammo. Poi Giorgio disse, piano come se temesse d'esser sentito dai tedeschi lassú: – Fanno solo una tappa. Devono esser diretti a Murazzano o a Ceva. È troppo una colonna cosí per San Benedetto.

Io stavo zitto, contavo i fanalini rossi.

Poi dovemmo voltarci a guardare in alto sulla collina di sinistra da dove arrivava luce e rumore. Una colonna di camion, lunga come la prima, si distese sulla strada e ci si fermò.

Da tutt'e due le parti, figure di soldati si materializzavano per un attimo attraversando la luce dei fari e poi subito si disfacevano nel buio. Potenti pile elettriche nelle mani di uomini invisibili cominciavano a frugare l'orlo boscoso del pendio.

Una specie di pallone rosso scoppiò istantaneamente in cielo: era un semplice razzo, il segnale di un tedesco a dei tedeschi che fin lí tutto era andato con ordine, ma per noi tre fu come se avessimo visto pendere la bilancia di Giove.

Andammo in mezzo alla piazzetta della chiesa, davanti intorno e dietro a noi porte e finestre si chiudevano con colpi secchi come fucilate. Davanti alla chiesa ci fermammo, io in faccia a Bob e a Giorgio, e ci fissammo come se dovessimo sbrigare qualcosa di mortale tra noi tre. Ma non ci decidevamo a parlare, finché un gatto ci rasentò di corsa sollevando verso di noi i suoi occhi azzurri fosforescenti.

E Giorgio disse: – Vorrei essere quel gatto.

Io dissi: – Cos'hai detto, Giorgio, prima di sera? Bisognerebbe che la terra si aprisse, non è vero che l'hai detto? Ebbene, pensa un po' al camposanto. Ci sarà bene un sepolcro. Ci caliamo dentro e può darsi che cosí ci salviamo.

Bob disse: – Tu sei pazzo! Non cerchiamo le cose difficili. Io vado dal parroco e mi faccio nascondere in casa sua. È un prete e non può dirmi di no.

– E se non ti fa entrare?

– Mi farà entrare.

– Non farai mica il criminale, Bob, perché tu sei armato e lui no?

– Non gli farò del male, tu non ci pensare. Ma io gli entrerò in casa e lui mi nasconderà. In tutte le case c'è almeno un nascondiglio che nessuno si sogna che ci sia.

Io dissi a Bob: – Io ho bisogno che qualcuno venga con me al camposanto per chiudere la tomba dopo che io ci sarò dentro. Se ci entriamo io e Giorgio, solo tu, Bob, puoi farci questo servizio. Per te è identico andare dal parroco una mezz'ora prima o dopo. Tanto i tedeschi di notte difficilmente si muovono.

Bob scosse la testa nel buio e allora Giorgio venne a mettersi tra lui e me, mi prese per un braccio e mi disse: – Vieni, che tra noi due ci aggiusteremo. Ciao, Bob, ci vediamo.

Cosí ci eravamo separati da Bob, in un modo che se ci fossimo rivisti vivi, ben difficilmente avremmo potuto tornare amici.

Io pensai a ciò di cui avrei potuto aver bisogno in fondo a una tomba. Mi avvicinai ad una casa che aveva a pianterreno una finestra con la sola inferriata. Applicai il viso alle sbarre e sussultai vedendo un'altra faccia a un palmo dalla mia. Era una vecchia, la faccia bianca, e le sue labbra si muovevano come per dire il rosario.

– Signora, c'è nel vostro camposanto un sepolcro, una tomba con sopra una pietra che si può levare e rimettere?

Mi rispose: – Io ho tanta paura, – e seguitò a muovere le labbra.

– Per carità, signora!

– C'è la tomba Ghirardi. È la piú bella di tutte ed è come la cercate voi. Nell'angolo destro in fondo.

– E quando è morto chi c'è dentro?

– È la maestra Enrichetta Ghirardi. È morta nel '28.

– Potete darmi qualcosa da mangiare e da bere e una coperta?

La vecchia mi voltò le spalle, se ne andò facendo molto rumore come se il pavimento le ballasse sotto i piedi.

Aspettai per un po' e poi mi dissi: «Addio. Se n'è andata e non ritorna. Non dovevo lasciarla andare. Avrei dovuto mostrarle la pistola. Bob l'avrebbe fatto».

Sentii tirare un catenaccio e la porta a fianco della finestra si aprí. Non guardai piú su del braccio che mi porgeva un sacchetto. Lo tastai, capii che conteneva castagne bianche e lo passai a Giorgio. Poi ricevetti un bottiglione d'acqua e una coperta. La voce della donna disse: – La coperta...

– Lo so che vale. Spero di potervela riportare.

La donna ci considerò per un momento, poi giunse le mani sbattendole e disse: – E mio figlio che è in Russia!

Io allargai le braccia come un Cristo e dissi: – Ringraziate che è in Russia. Non ci vedete noi che siamo a casa?

Ci vedeva, abbatté la testa sul petto e scoppiò a piangere cosí forte che io e Giorgio scappammo per paura del rumore.

Prima d'arrivare al camposanto guardammo alle due colline. I fari dei camion erano sempre accesi, i fanalini rossi splendevano sempre e continuava quel vagare di pile elettriche sui fianchi delle colline.

Scavalcammo il cancelletto ed io andai dritto là dove ardeva un lumino perenne. Lo staccai dal braccio di una croce di pietra e lo portavo avanti come si porta un candeliere.

Da dietro Giorgio mi disse: – Stai attento alla luce. Ti vedono, il muricciolo è basso, chinati o para il lume con la mano.

Quella era la tomba Ghirardi. Entrai tra due colonnette sotto la volta e accostai il lume alla lapide murata.

GHIRARDI ENRICHETTA
1862 1928
R.I.P.

Adesso il cuore mi batteva assai piú forte di quando c'eravamo accorti dei camion tedeschi. Tastai col piede la pietra finché urtai un anello di ferro.

– È qui che dobbiamo prendere per tirare, – dissi a me e a Giorgio, e posai il lume ai piedi d'una colonnetta.

Tirammo tirammo e da una parte cominciava ad aprirsi un vuoto, un triangolino nero. Sentii che la mano di Giorgio si allentava intorno all'anello e si ritraeva, lasciai la presa anch'io e la pietra ricadde con un rumore che ci parve terribile. Tenevamo gli occhi fissi su quel triangolino nero, io potevo sentire il flebilissimo lamento che facevano le cartilagini nel naso di Giorgio quando respirava.

Dissi: – Ma siamo pazzi, Giorgio? Siamo pazzi a fare un rumore cosí?

– Sí, siamo pazzi. Siamo pazzi, – mi rispose Giorgio.

Gli misi una mano sulla spalla e gliela strinsi. Gli dissi: – Che ti sembra? Una cosa contro natura? Ricordati di quello che hai detto. Se la terra si aprisse –. Gli lasciai la spalla, feci un passo avanti e mi chinai su quel buco. – Senti anche tu, – gli dissi poi, – non ne esce nessun odore.

Ripigliammo l'anello e tirammo ancora. Quando il buco mi sembrò largo abbastanza, dissi che bastava cosí e rimisi giú l'anello accompagnandolo fino in fondo perché non sbattesse e non risuonasse.

Giorgio fece l'atto di abbassare il lume in quel vuoto, ma io lo fermai con la mano e gli dissi: – Non serve, non serve a niente. Esploreremo dopo. Adesso bisogna scendere. Faccio io il primo.

Mi calavo, toccavo già l'orlo col petto. Avevo paura di lasciarmi andare, di toccare il fondo coi miei piedi, avevo anche paura che non ci fosse un fondo. Ma le dita non mi reggevano piú, già prima mi facevano male per aver stretto forte quell'anello rugginoso, e mi lasciai andare.

Toccai terra con un rimbombo. Restai immoto in quell'ondata di suono, la testa incassata tra le scapole, ed era come se alle spalle avessi un tedesco che mi puntasse la rivoltella alla nuca. Mandai un grido a Giorgio e tesi una mano verso l'aperto. Ma poi dissi: – È niente, Giorgio, è niente, è niente! Passami subito il lume.

Col lume in mano ma con gli occhi chiusi non volendo vedere niente di quel posto, mossi alcuni passi. Tastavo la terra coi piedi, senza incontrare nulla. Giorgio da lassú doveva sentire il fruscio dei miei piedi ed io gli dissi: – È terra comune, Giorgio, è terra comune.

Finalmente urtai col piede una parete, giusto in un angolo. Lí posai il lume.

Non avevo piú paura, la mia mente era piena soltanto di problemi fisiologici, mi domandavo soprattutto a che punto di dissolvimento poteva essere il corpo di una donna morta sedici anni fa.

Poi Giorgio mi passò il sacchetto, il bottiglione e la coperta. Quindi io dissi: – Sarà difficile da qui sotto rimettere bene a posto la pietra. Bob è stato vigliacco con noi due.

– Non preoccuparti per la pietra. Io da solo ce la faccio.

– Cosa vuoi dire, Giorgio?

Si serrò la testa tra le mani e disse disperato: – Io non posso, è piú forte di me, è un fatto fisico!

– Non parlarmi da cosí diritto, chinati sul buco che ti possa sentir bene.

Giorgio esitò, poi si inginocchiò sull'orlo e disse: – Mi sanguina il cuore a lasciarti solo lí dentro. Sono vigliacco con te, come Bob e peggio di Bob, ma io non posso. È una cosa del fisico, morirei lí dentro, anche con te vicino.

– Non parlare per me, Giorgio, parla per te. Se non scendi qui dentro, dove vai? Te li sei dimenticati i tedeschi? Cosa vuoi fare fuori?

– Girerò per la valle, cosa vuoi che faccia?

– Di me e te e Bob tu sei quello che pigli la strada piú brutta, Giorgio. Io non mi faccio molte illusioni né su me né su Bob, ma te ti do già morto fin d'adesso se esci di qui e vai in giro per la valle.

A Giorgio venne una voce da ragazza isterica e disse forte: – Io voglio crepare all'aria libera, sulla terra. Dopo andrò sottoterra, ma al mio fisico non importerà piú niente.

– Non puoi farcela a stare in giro. Sei come un vitello che infila da solo la strada del mattatoio. Vieni giú con me.

Contro il cielo vidi la testa di Giorgio agitarsi in segno di no. Allora gli dissi: – Prendi la mia pistola.

– No, grazie, non userò nemmeno le mie armi.

Io dicevo adagio: – Cosa fai, Giorgio, cosa fai? – come se, legato mani e piedi e preso tra l'orrore e lo stupore, me lo vedessi uccidersi davanti ai miei occhi con lenti gesti.

Si rialzò, sentii distintamente le sue ginocchia crocchiare nel ridistendersi. Mi disse: – Ti lascio uno spiraglio. Dimmi poi se respiri bene.

Giorgio ansimava nel ricollocare la pietra. Mi ero portato sotto l'apertura e sentivo sfiorarmi i capelli dalla mano di Giorgio che abbrancava un angolo del lastrone. Allungai una mia mano per toccarla, ma poi non lo feci.

A scosse la pietra riandava a posto, il buco era solo piú uno spiraglio, due volte Giorgio dovette restringerlo perché due volte io gli dissi: – Piú stretto, piú stretto, se ne accorgono, mi vedono.

Alla fine dissi: – Basta cosí, Giorgio. Respiro bene.

Lui mi disse in fretta: – Io non starò mai fermo, girerò sempre per tutta la valle e girando posso capitare qualche volta al cimitero. Te lo dico perché se senti dei passi possono anche essere solo i miei.

Ed era scappato lasciandomi solo dov'ero.

Non ne potevo piú di star seduto, avevo le natiche ormai insensibili, ma mi ripugnava di distendermi su quel pavimento. Per ridare sensibilità alla mia carne, per incoraggiare il mio sangue a non fermarsi di scorrere, cominciai a strofinarmi la schiena contro la parete, ritmicamente.

Ora cominciava a farmi schifo anche respirare, mi pareva d'immettere nelle narici altra sostanza che l'aria. E i denti mi facevano male, me li sentivo allentati nelle gengive, mi dicevo che era per via che avevo spezzato e masticato tante dure castagne bianche, eppure era in me piú forte l'idea che fosse decadimento fisico, principio di corruzione.

Avevo sete ed impugnai il bottiglione, ma non ne toccai l'orlo con le labbra perché avevo la sensazione che esso fosse spalmato di quella stessa sostanza per cui inspirare l'aria mi faceva schifo, qualcosa come la membrana dell'ala di un pipistrello. Tenni alto il bottiglione, lo inclinai lentamente con la mano che mi tremava e bevvi a garganella con la bocca del vetro a un palmo dalla mia. Mi bagnai tutto il petto e la poca acqua che mi mandai in bocca la risputai subito e con violenza. Lo schizzo arrivò in metà della tomba e fece uno sciacquio sonoro. Posai il bottiglione e gli feci dare un tonfo. Ecco, cominciavo a far rumori, quello che non dovevo assolutamente fare, e una volta cominciato, chissà quando avrei smesso di farne. Era il principio della mia pazzia, della mia rovina. Mi presi una mano con l'altra ed a fatica le tenni a lungo cosí prigioniere, per non fare altro, per non toccare piú niente.

Mi voltai a guardare il lume nell'angolo, davanti ai miei occhi languenti la fiammella oscillava come una piuma che ripetutamente mi sfiorasse la gola e mi facesse montare un vomito da morire. Tra poco, se continuavo a fissare quel lume, avrei vomitato, un vomito di tritatura di castagne bianche, un vomito da maiali.

Girai la testa dal lato opposto al lume e mi dissi: «Non è il corpo, il corpo non sta male, è la tua immaginazione che si impone al corpo, che lo ammala». Mi chiamai col mio nome, mi chiamai alla riscossa. Ma ciò non mi diede forza, non mi fece reagire, fu solo un modo di farmi pietà a me stesso.

Allora decisi di mettermi a morire. Scivolai con la schiena lungo la parete e mi allungai interamente sulla terra, fissando per l'ultima volta i miei due piedi ritti e divaricati nell'alone del lume.

Ma appena toccai con la schiena la terra, subito rimbalzai a sedere. Avevo pazzamente afferrato il lume e me lo passavo accosto alle braccia, alle gambe, al petto e ai fianchi. Me li sentivo invasi dai vermi, ed altri vermi venivano ad assaltarmi da ogni parte. Vermi si staccavano dall'alto della parete e mi saltavano in testa, li sentivo intrufolarsi nei miei lunghi capelli e poi muoversi come pidocchi. Alla luce non vidi niente né sulla pelle né sulla stoffa, ma le mie pupille vedevano vermi lo stesso, i vermi erano dentro le mie pupille.

Gridai: – Pietà! Pietà! Pietà, maestra Ghirardi!

Non avevo mai gridato tanto forte, il volume della mia voce mi aveva atterrito. E poi mi atterrí il silenzio che seguí la caduta del mio grido. Avevo chiamato la morta, sarebbe certamente venuta, i miei occhi si preparavano a vederla, c'era già davanti ad essi o in essi una grande macchia bianca. Non potevo lasciar venire la morta, dovevo fermarla, afferrai il Thompson e feci una raffica da sinistra a destra, dal basso in alto, una croce di colpi.

Fuori echeggiò una detonazione, ma lontana. Fulmineamente pensai che soltanto una sentinella tedesca aveva potuto fare quel colpo. Tremai come sotto uno scroscio inaspettato d'acqua gelata e non avevo piú davanti agli occhi la grande macchia bianca.

Subito dopo credetti di sentir crocchiare la ghiaia e gridando: – Giorgio! – mi alzai e mi precipitai allo spiraglio gridando: – Giorgio, vieni, se sei tu!

Nessuno era nel camposanto. Le orecchie mi ronzavano e una vena sulla tempia martellava assai piú forte del cuore.

– Mi hanno sentito, hanno sentito la raffica che ho fatto. A quest'ora si son già mossi. Caccia alla talpa.

Non potevo aspettare i tedeschi dov'ero, col mio cranio a filo dello spiraglio. Guardai un'ultima volta il cielo, il suo nero era già iniettato di bianco, e poi tornai a sedermi contro la parete. Mi misi il lume tra le gambe e chiusi fortemente gli occhi. Non volevo veder piú niente, avessi potuto anche diventar sordo per non sentir piú niente, ora che tutta la mia vita consisteva nel cogliere rumori.

Sarebbero arrivati sulla pietra, senza esitazioni, come chi sa la meta fin dalla partenza. Avrei visto lo spiraglio allargarsi, allargarsi e poi vi si sarebbe affacciato un soldato tedesco, preceduto dalla canna della sua arma. Mi puntava e nel mentre mi diceva in perfetto italiano: – Tu sei già a posto, hai già la tomba, tu sei fortunato. Solo fatti veder meglio che ti possa puntar bene, non voglio farti soffrire.

No, io non avrei aspettato tanto, io ero cosí come dicevo che era Giorgio, come avevo potuto persuadermi che io possedevo la forza dell'attesa? Avrei trattenuto il respiro sino a quando avessi visto la pietra smuoversi e poi avrei gridato: – Sí, ci sono, sono qui giú, fate solo presto!

Mi ricordai che da ragazzo giocavo ogni sera d'estate con tutti gli altri ragazzi della mia piazza a un gioco a nascondersi e a prendersi. Se toccava alla mia squadra di nascondersi, io andavo a nascondermi in qualche angolo buio e lí aspettavo che il mio capo desse il segnale che gli altri potevano mettersi a cercarci. Da allora io mi irrigidivo dolorosamente e tenevo il fiato sino a che il petto mi faceva male e poi tornavo a respirare, ma solo quel tanto che bastava per vivere. Vedevo i cercatori passarmi davanti con le braccia protese e avevo paura che i miei occhi fossero fosforescenti. I loro erano fosforescenti. Poi qualcuno dei cercatori si insospettiva, mi si fermava davanti e verso di me allungava la testa e le braccia. C'era ancora una probabilità che pensasse di essersi sbagliato e passasse via, ma io avevo già perduta la testa e lo chiamavo col suo nome e mi slanciavo in avanti ad arrendermi. Ciononostante tremavo tutto e quando l'avversario alzava la mano per calarmela sulla spalla e farmi cosí suo prigioniero, quel gesto mi fermava il sangue.

Quel ricordo mi cadde addosso come una irrimediabile condanna. Non potevo mentire a me stesso, non ero cambiato, a vent'anni in guerra con la repubblica e i tedeschi avevo lo stesso cuore di quando avevo otto anni e giocavo a nascondersi e prendersi. No, non avrei aspettato tanto, avrei gridato prima, prima che mettessero mano all'anello. Anzi, se avessi potuto da solo spostare la pietra, sarei uscito fuori e andato loro incontro.

Desiderai che qualcuno alle mie spalle mi desse una mazzata alla nuca, che mi stendesse svenuto, esanime. Poi non sarebbe stata piú questione che di svegliarsi. E se non mi fossi svegliato piú, finito tutto, anche la pazzia ed il dolore.

Come potei addormentarmi, quando maggiore era la mia angoscia? Forse il nostro corpo sente a volte pietà della nostra anima.

Ad un certo punto sognai che mi avevano messo in prigione, che mi avevano rinchiuso in una cella tutta di granito. Era notte ed io ero sveglio e fissavo il soffitto da coricato, ed ecco che le pareti si stringevano ed il soffitto si abbassava, silenziosamente come se scorressero sulla cera. Inghiottivano adagio quel poco spazio ed ora avevo tutto quel granito sul ventre, sul petto, ora mi arrivava sulla bocca e sulla fronte.

Nel sonno ripiegai le braccia per scostare quel micidiale peso mortale, spinsi mugolando e mi svegliai con le gambe in aria. Non mi domandai se era stato un sogno o qualcos'altro, pensavo soltanto che dovevo respirare e corsi allo spiraglio.

Il cielo era di un dolce color grigio, doveva essere il vespero di un giorno stato sereno.

La ghiaia strideva. Ma non era il rumore di un passo che si avanza, ma quello che fanno i piedi che accompagnano il movimento degli occhi di uno che si guarda intorno. Poi un piede si posò cautamente sull'ammattonato del sepolcro. Vidi la gamba, non era un pantalone militare quello che la vestiva. Piú su vidi una camicia grigia ed un corpetto nero e piú su ancora due occhi di uomo vecchio e perplesso. Quegli occhi si fissarono nei miei attraverso lo spiraglio, ci passò un lampo di paura, capii che tra un attimo quel vecchio sarebbe fuggito come un pazzo. Allora gridai: – Sono un partigiano! Italiano! Sono andati via i tedeschi? Hanno fatto del male? Avete visto in giro due partigiani? Voi chi siete? Siete il becchino? Che giorno è? Che ora è?

Non mi rispose, ma la sua gamba restò ferma dov'era. Poi la vidi flettersi e vidi una mano infilarsi nello spiraglio, serrarsi intorno allo spigolo della pietra e tirare. Io lo aiutai con una forza febbrile, ricacciando giú la saliva che mi veniva in bocca a fiotti.

Quando l'apertura fu larga abbastanza, saltai da terra, mi attaccai all'orlo con le mani e mi sporsi fuori fino alla cintola. Restai per un momento cosí issato sulle braccia e roteavo lentamente la testa per farmi investire da ogni parte dal vento leggero.

Guardai dapprima in alto, alle strade sulla cresta delle due colline. Erano deserte, vi correvano solo bianchi soffi di polvere incalzati dall'aria.

Guardai piú basso: oltre il cancelletto spalancato un carro cigolando tornava su per la stradina del camposanto. Sopra c'era seduto un uomo, tutto giacca e cappello come uno spaventapasseri visto di spalle, e agitava una canna sulla schiena del bue ma senza toccarlo.

Sulla ghiaia passato il cancelletto c'erano due casse, bianche del colore del legno tagliato di fresco.

Ogni forza mi venne meno, i polsi non mi ressero piú, ma il becchino mi trattenne per le spalle in tempo.

Camminai sulla ghiaia verso le due casse ed il becchino mi seguiva dappresso e certo mi parlava, ma le sue parole si disfacevano prima d'entrare nelle mie orecchie.

Mi fermai tra le due casse. Le misurai con gli occhi e mi

dissi che questo era Giorgio e che quello era Bob. Me lo dissi ad alta voce. M'inginocchiai, posai una mano sulla cassa di Giorgio e l'altra sulla cassa di Bob ed oltre il cancelletto guardai là dove finisce la valle di San Benedetto.

Il padrone paga male

Domandò Gilera a Oscar: – Tu non hai fatto come Jack e Maté il passaggio dalla Stella Rossa?

Stavano finendo il loro turno di guardia nei pressi del cimitero di Mango. Il giorno era completamente fatto e c'erano già per aria alcuni rumori ma tutti pacifici.

– Io no, – rispose Oscar, – io entrai direttamente nei badogliani. Io veramente mi ero già deciso per la Stella Rossa ma mio cugino Alfredo che si era arruolato una settimana prima all'atto della partenza mi aveva consigliato di attendere sue informazioni. Io aspettai e in capo a dieci giorni ricevetti la seguente cartolina: «Il padrone paga male, Alfredo». Ci voleva poco a capire che qualcosa nella Stella Rossa non girava a suo gusto e, siccome io e mio cugino avevamo all'incirca lo stesso carattere e le medesime esigenze, la sera stessa io andai ad arruolarmi nei badogliani.

– Ah, per te andò cosí, – disse Gilera.

– Veramente, – proseguí Oscar, – per i primi due giorni mio cugino si era trovato discretamente, ma questo perché era assente il commissario di guerra. Era sceso in fondovalle per fare propaganda. Ma al terzo giorno il commissario tornò e tornando domandò che cosa c'era di nuovo e di nuovo non c'era altro che mio cugino. Questo commissario era delle parti di Brescia, si chiamava Ferdi e avrà avuto trentacinque anni. Mio cugino gli si presenta dinnanzi e Ferdi gli fa: «Tu saresti un partigiano?» «E non vede?» risponde mio cugino, che era tutto equipaggiato da montagna (parlo del febbraio), col moschetto e la borsetta delle munizioni. «Dammi del tu», gli dice il commissario. «E non vedi?» ripete mio cugino.

«Cosí tu saresti un partigiano», dice il commissario esaminandolo dalla testa ai piedi. «Scusa, ma se mi vuoi tirare la giacca...» dice a questo punto mio cugino. «Ma nemmeno per sogno, – fa il commissario. – Vedo bene che sei un partigiano. E qual è la tua idea?» «Quella di ammazzare i fascisti», dichiara pronto mio cugino. «Sufficiente, – dice il commissario Ferdi, – per cominciare è piú che sufficiente. E come farai ad ammazzarne?» «Farò del mio meglio, – dice mio cugino, – cercherò di sfruttare tutte le occasioni. Cercherò di ammazzarne sia andandoli a cercare sia aspettandoli al varco quando saliranno per ammazzare noi». «Benissimo, – dice Ferdi. – E non hai mica scrupoli ad ammazzarli?» «Nessunissimo scrupolo, – risponde mio cugino. – Perché averne? I fascisti non sono mica uomini. È piú peccato schiacciare una formica che uccidere un fascista».

– Io avrei risposto tal quale, – disse Gilera.

– Ferdi sembrava abbastanza soddisfatto ma ciononostante non lo lasciava ancora in libertà. Anzi, tutto d'un tratto gli rifà: «Dunque tu saresti un partigiano». E mio cugino gli risponde un po' seccato: «Lo sono sí, a meno che non mi trovi in mezzo a un sogno». Allora il commissario dice: «Cerchiamo un po' di stabilire che razza di partigiano sei». «Sono a tua disposizione», risponde mio cugino. Rispose pronto ma dentro di sé era un po' affannato, perché il commissario Ferdi gli pareva il tipo di ordinargli come capolavoro di scendere immediatamente a D...i e prendere da solo il bunker che stava all'ingresso del paese. O un'altra cosetta del genere. Comunque rispose pronto: «Sono a tua disposizione». Ferdi dovette leggergli nel pensiero perché subito gli disse: «Lo stabiliamo in teoria, per ora», e mio cugino tirò il fiato e stette ad ascoltarlo con la massima attenzione. E il commissario comincia. «Rispondimi, partigiano. Tu hai una sorella, se non l'hai immagina di averne una. Hai una sorella che per combinazione è bella e appetitosa. La tua città è occupata dai fascisti, stabilmente occupata. Questa tua sorella piace, o potrebbe piacere, a un ufficiale della guarnigione fascista della tua città. Ora, far fuori un ufficiale fascista è cosa d'importanza...» «Della massima importanza», dice mio cugino. «Fin qui ci siamo, – dice Ferdi. – A questo maledetto ufficiale fascista tu ti provi a montargli dei trucchi, delle trappole, lo apposti per delle ore, per dei giorni ed in località diverse, ma lui non ci casca mai, oppure è la sua fortunaccia pura e semplice che lo tiene lontano da te. A questo punto, partigiano: tu ti sentiresti di convincere e mandare tua sorella a far l'amore con questo ufficiale fascista, naturalmente in un luogo ben studiato, in collina o sugli argini del fiume, cioè in un posto isolato dove tu potrai liquidarlo con sicurezza e tranquillità? Aspetta a rispondermi. Naturalmente può anche succedere che per un contrattempo qualunque tu arrivi ad ammazzarlo quando lui ha già fatto tutto il fattibile con tua sorella. Adesso rispondimi». «Io no, – risponde netto mio cugino, – io non mi sento affatto di usare cosí mia sorella, non mi passa nemmeno a un chilometro dal cranio». «E va bene, – osserva Ferdi senza scomporsi. – Tu sei un partigiano e queste cose non le fai. Sei un partigiano, l'hai detto tu stesso e ne sei pienamente convinto, però questo genere di cose non le fai». «Io no di certo», ripete mio cugino. «Questo punto allora è chiarito, – riprende Ferdi sempre calmo. – Facciamo un altro caso. Immaginiamo che un bel gruppetto di ufficiali sia in pensione nel tal ristorante della tua città. Pranzano sempre nella sala che dà nel cortile che a sua volta dà in quella certa strada. Tu conosci bene tutte le vie, tutte le piazze, tutti i cortili e i vicoli e i buchi della tua città perché per una infinità di estati ci hai giocato a nasconderello tutte le sere». «Come il palmo della mia mano», dice mio cugino. «Benissimo, – dice Ferdi e continua: – Un bel giorno, non dico che sia domani o posdomani, ma un bel giorno qualsiasi tu dici a te stesso: "Voglio fare qualcosa di speciale. Sono stufo di fare puramente e semplicemente il mio dovere e voglio fare qualcosa di speciale"». «Sí», dice mio cugino con molta fermezza ma in realtà senza sapere dove il commissario volesse parare con quel ristorante, quei vicoli ecc. E il commissario continua: «Decidi insomma di andare a tirare una buona bomba a mano nella sala di quel ristorante proprio quando gli ufficiali fascisti sono tutti a tavola. D'accordo? E cosí fai. Ti travesti in borghese, con la tua brava bomba sotto la camicia e naturalmente con un giro di imbottitura intorno al torace perché la gobba della bomba non risalti troppo, e scendi alla tua città. Ci entri non per le porte che sono tutte bloccate e sorvegliate, ma ci entri per un qualche buco che tu conosci perfettamente perché quella è la tua città. Entri e dato che conosci le vie a menadito, nascondendoti di uscio in portone, riparandoti dietro colonne, passando per cortili comunicanti e cosí via, riesci ad avvicinarti al cortile di quel tale ristorante. È mezzogiorno passato. Finalmente sbuchi nella strada che dà in quel famoso cortile su cui dà la sala da pranzo degli ufficiali. Ci sbuchi, mettiamo, dopo aver schivato per un pelo una loro ronda». «Già, – fa mio cugino serio serio, – bisogna tener presenti anche le loro ronde». «Certamente, – dice Ferdi e continua: – Ti affacci al cortile. Vuoto. C'è un portico che ti permetterà di arrivare difilato fino a pochi metri dalla finestra della sala. Avanzi sotto il portico. Già li senti sbattere le posate, chiacchierare e ridere. Arrivi all'ultima pila del portico. Da lí vedi benissimo la finestra. Sei molto fortunato. Una volta quella finestra era grigliata ma proprio ultimamente la griglia è stata levata. Anzi, sei eccezionalmente fortunato. Perché anche i vetri interni sono aperti, perché è la prima giornata veramente calda dell'anno, cosí per lanciare la tua bomba non avrai nemmeno da rompere i vetri». «Sí», dice mio cugino col sudore in fronte a venti gradi sotto zero. E Ferdi prosegue: «Con un gran salto passi contro il muro e di spalla e in punta di piedi ti accosti alla finestra. Scarti un pochino la testa e sei riuscito a intravvederli. Siedono tutti stretti e compatti, hanno tutti il naso nel piatto, puoi farne una strage. È materialmente impossibile che non ne fai una strage. Creperanno tutti in una frazione di secondo, ne resteranno dei pezzi appesi al lampadario. Ma... c'è un ma. A servire a tavola ci sono due camerierine, due servotte svelte e simpatiche, la piú vecchia avrà vent'anni. Tu tiri la bomba lo stesso...» «Io no! – grida mio cugino, – io la bomba non la tiro affatto. Con quelle due disgraziate fra i piedi io non la posso tirare. Io me ne torno come sono venuto». «Ma certo, – fa Ferdi passandosi una mano sulla fronte, – ma s'intende. Perché tu sei un partigiano. Ho capito. Ma facciamo ancora un caso». «Commissario, – dice mio cugino, – io per la verità ne avrei abbastanza. Se a te non spiace per me basterebbe cosí». Ma per Ferdi non bastava. «Aspetta, – dice, – questo è l'ultimo. Breve. Parliamo ancora della tua città. Tu ami la tua città. Ci sei nato, ti ci trovavi bene, contavi di non lasciarla mai, speravi di morirci in pace e dopo un ragionevole numero di anni. Ma la tua città adesso è occupata dai fascisti. Tu questo non lo sopporti, il pensiero della tua città occupata, appestata da loro non ti lascia dormire, se ci pensi ti crocchiano i denti e ti si intorbida la vista e senti un grande odio per loro e una grande vergogna di te stesso». «Sí», dice mio cugino che già si sentiva un cranio doppio di quello di Mussolini. «Procediamo, – insiste il commissario. – La guarnigione fascista nella tua città è molto forte. Non perché la tua città sia molto importante per se stessa ma perché è collocata allo sbocco di due o tre valli». «Capisco bene», dice mio cugino. E Ferdi: «Cosí come stanno le cose, la tua città per noi è imprendibile. Nemmeno se fossimo in cinquecento di piú e armati a puntino possiamo sognarci di prenderla. Potremmo prenderla solo se intervenisse un fatto esterno che non solo falcidiasse la guarnigione ma le mettesse per giunta un bel po' di panico. Comprendi?» «Mica tanto», confessa mio cugino. «Parlo di un bombardamento aereo, – gli spiega il commissario. – Una mezza dozzina di cacciabombardieri inglesi che arrivano sopra all'improvviso e sganciano da bassissima quota. Gli inglesi, si sa, non bombardano troppo bene. Ciò significa che per una bomba che finirà sulla caserma nove cascheranno sull'abitato. Ti dico subito che non si potrà né si dovrà avvertire la popolazione perché se lo viene a sapere qualche borghese fascista o venduto immediatamente lo rifischia ai soldati i quali potranno prendere provvedimenti per salvarsi da questo attacco aereo. Nella città naturalmente abitano anche tuo padre e tua madre ma come tutti gli altri non sanno niente di quello che sta loro sulla testa. Una delle nove bombe su dieci che cascheranno fuori della caserma può benissimo finire su casa tua. Dimmi: tu chiameresti gli inglesi a bombardare la tua città?» «Ma lei è matto! – grida mio cugino, – lei è peggio che matto! Ma io, per liberare la mia città, io piuttosto aspetto fino a novant'anni!»

– E il commissario? – ridacchiò Gilera.

– Il commissario stavolta fece una smorfia terribile e gli scaraventò in faccia un'urlata quale mio cugino non si era mai ricevuto. Ma per la verità non ce l'aveva solo con lui, era furibondo con tutti e tutto. Sbraitava. «E tu sei un partigiano!? E voi sareste partigiani? E voi qui e voi là! Ma tornate tutti al premilitare! Anzi tornate tutti all'asilo della divina provvidenza! Nanerottoli che volete fare un lavoro da giganti!» Mio cugino resisteva a stargli davanti, teneva gli occhi bassi ma resisteva a stargli davanti, e intanto era accorso qualcun altro al baccano infernale del commissario. «E voi sareste partigiani!? – continuava a urlare. – Ma non fatemi crepare dallo schifo. Torniamo tutti a casa, io compreso. Meglio, andiamo tutti a sotterrarci. Non stiamo qui a mangiare a tradimento il pane dei contadini». Insomma era uscito completamente dai gangheri. Quando finalmente gli parve che si fosse un po' calmato mio cugino gli si riavvicinò e gli chiese il permesso di andarsene. Gli giurò che non tornava a casa per denunciarsi al servizio del lavoro ma che semplicemente passava a un'altra formazione dove fossero contenti di lui cosí com'era. Ma il commissario gli posò una mano sulla spalla e con voce quasi normale lo invitò a restare, che avrebbero finito col capirsi, che si sarebbe poi trovato bene con lui e la sua brigata. E infatti mio cugino si è fermato nella Stella Rossa. Però il giorno stesso di quella polemica mi spedí la famosa cartolina «Il padrone paga male». Mi arrivò dopo una settimana perché la posta era già mezza scassata. Io seppi leggere tra le righe e la sera stessa mi presentai ai badogliani.

– Comunque, – osservò Gilera, – tuo cugino ha finito col rimanerci. Segno è che non si sta poi tanto male nella Stella Rossa e che il commissario avrà poi cambiato vela.

– Il commissario, – disse Oscar, – non so se cambiò vela. Ti so dire che molto presto tolse l'incomodo. Una mattina scese in pianura per incontrarsi con gente della sua idea ma nella stazione di M...í lo beccò una pattuglia di fascisti. Lo chiusero nel carcere di C...o dove gliene fecero di tutti i colori. Proprio quando stavano per finirlo arrivarono i tedeschi e lo vollero loro. I fascisti glielo cedettero e i tedeschi lo inganciarono per la gola.

– Madonna no, – fece Gilera parandosi il collo con una mano.

– Glielo fecero sul ponte di P...a. Alzarono un palo alla testata del ponte e gli trapassarono il collo con un gancio da macellaio.

– Madonna, – bisbigliò Gilera.

– Mio cugino dice che al comando della brigata si venne poi a sapere, io non so come, che a morire Ferdi ci mise 56 minuti. Lo alzarono con la fronte alle montagne. Quando lo inganciarono il sole stava facendosi rosso e quando constatarono la morte il sole era appena sparito dietro le montagne. Queste son cose che mi ha raccontato mio cugino l'ultima volta che ci siamo visti. Quindi cose abbastanza fresche.

– Perché? Non è molto che vi siete visti?

– Circa un mese fa, – rispose Oscar. – Sai l'ultima volta che ho chiesto permesso? Avevo appuntamento con lui. Ci siamo incontrati a Bonivello, che sta proprio a metà strada fra la nostra zona e la zona dei rossi, cosí nessuno si sforzava piú dell'altro. Ci siamo fatti servire pranzo all'osteria, a un tavolino accostato alla finestra per poter sorvegliare la strada, e mentre mangiavamo ci siamo raccontati come ce la passavamo, io nei badogliani e lui nella Stella Rossa. A un certo punto gli ho domandato se era comunista o se stava per diventarlo e mio cugino Alfredo mi ha risposto testuali parole.

– Dimmelo ché m'interessa

– Testuali parole, – disse Oscar. – Non sono comunista e nemmeno lo diventerò. Ma se qualcuno, fossi anche tu, si azzardasse a ridere della mia stella rossa, io gli mangio il cuore crudo.

Lo scambio dei prigionieri

Maté smise di limare il fondello di una cartuccia di sten. Un lavoro che faceva per conto del tenente Leo il quale da un pezzo non riusciva piú a trovare le munizioni originali del mitra Beretta.

– Chi ti ha detto che io feci parte della squadra che scambiò Sceriffo?

– Sceriffo medesimo, – rispose Genio.

– Sí, – disse allora Maté intascando la lima. – Perez mandò me ed io mi misi al bivio ad aspettare il prigioniero fascista che doveva scendere dal comando di Morgan. Era il venti di marzo o giú di lí. Dopo mezz'ora che aspettavo vedo spuntare dall'ultima curva un trio. Uno era il prigioniero, in divisa grigioverde e gli occhi bendati, l'altro una guardia del corpo di Nord che si chiama Orlando e il terzo un uomo di Morgan che si chiama Miguel. Ancora da distante Orlando mi chiese del curato di Mangano che doveva fare da mediatore e io lo informai che era partito prima sulla sua bicicletta da corsa e ci aspettava a Travio. Vicino a me si fermarono e quel prigioniero cominciò a piangere a mani giunte e a dire no, no, no. «Che gli prende?» domando io e Orlando mi spiega che faceva cosí a ogni fermata, perché a ogni fermata credeva di essere arrivato al posto della sua fucilazione. «Ma non gli avete detto che lo portate a scambiare?» e Orlando «Detto e ridetto, ma non ci crede». Intanto ci eravamo avviati e il prigioniero continuava a piangere e supplicare e allora Miguel gli disse «Adesso piantala. Ma credi sul serio che se volessimo fucilarti faremmo fare a te e a noi una simile sgambata?»

– Andavamo verso Meviglie. Camminavamo senza sforzarci sia perché avevamo molto tempo davanti sia perché il prigioniero per essere bendato logicamente non abbondava col passo. Dopo cinque o sei chilometri ci fermammo per accendere le sigarette e quello tornò a belare. «Non ricominciare, – gli dissi, – piuttosto apri la bocca». Avevo acceso anche per lui. «No, no, no!» grida e poi serra la bocca piú che può. «Non fare storie, aprila. Voglio solo ficcarci una sigaretta. Tu fumi, no?» «Fumo sí, ma ho paura». «Paura di che?» «Ho paura, – mi risponde, – ho paura che tu mi cacci in bocca una matita esplosiva». «Disgraziato!» gli dico io, ma non insisto. Lui allenta, io colgo il momento buono e gli premo una sigaretta fra i denti. «Tira e dimmi se è una sigaretta esplosiva». Tirò una boccata, un'altra. «Di' almeno grazie». «Grazie, grazie mille», fa lui, ed io «Va' là che sei un bel disgraziato».

– Meritava che gliela infilassi dalla parte accesa, – disse Genio.

– Non mi è nemmeno passato per mente, – disse secco Maté sentendosi scappare la voglia di raccontare. Ma poi proseguí. – Entrammo in Meviglie e non ci trovammo un'anima. Nemmeno uno straccio di sentinella, tutti per i fatti loro. È sempre stato un presidio sballato, prima con Luciano e anche adesso con Diaz. Non una sentinella e nemmeno un privato. Di gente ce ne stava in giro, a lavorare o a far ciance, ma erano spariti tutti. Da lontano avevano visto la divisa fascista e avevano preferito ritirarsi, pur avendo visto benissimo che era prigioniero e completamente nelle nostre mani. Quando a metà paese, tra l'osteria e il giardino del parroco, spunta Filippo. Tu lo conosci. Veniva dalla nostra parte e teneva mezza la strada, e perché è grosso come un armadio e perché era sbronzo. Alle nove e mezzo della mattina era sbronzo. Se lo conosci saprai che in fondo non è un cattivo soggetto e tanto meno un cattivo partigiano. Non starlo a vedere in combattimento, vedilo come uomo di fatica. Non ho mai visto nessuno lavorare, spendersi come Filippo. Gliene ho visti disincagliare e spingere carri e camions, gliene ho viste portare casse di munizioni. Una volta l'ho visto scavalcare una collina con sulle spalle una mitragliera bell'e montata. Era sbronzo, ti ho detto, ma il grigioverde gli snebbiò la vista.

– Veniva avanti rimboccandosi le mani e io dissi a Orlando di lasciarlo trattare a me. Filippo si piazza a tre passi e dice «Bravi, ragazzi, bravissimi. Ora però scostatevi. È mio quanto vostro, no? Voi avete fatto il piú a prenderlo e adesso io faccio il meno. Scostatevi che me lo maneggi un po'». Naturalmente ci eravamo fermati e al solito il prigioniero piagnucolava. Io mi paro davanti e dico «Fermati dove sei, Flip. Questo non si tocca. Questo va per uno scambio, quindi non è né mio né tuo. Questo è di Sceriffo. Conosci Sceriffo, era tuo compagno di squadra ai bei tempi di Luciano. Ieri l'hanno preso e condannato a morte e noi portiamo questo a Marca per scambiarlo con Sceriffo. Quindi sta' lontano e tranquillo». E lui «Sta' tranquillo tu, Maté, mica lo ammazzo. Lo maneggio soltanto. Su, scansati, Maté». Io non mi scansai, anzi lo coprii meglio. Dietro sentivo Orlando che perdeva la pazienza, voleva picchiare lo sten sulla testa di Filippo. Io che conosco i metodi di queste guardie del corpo di Nord volevo aggiustarla a parole, perché Filippo in fondo non era cattivo e inoltre io sapevo i suoi motivi. Gli dissi «Sta' dove sei, Flip. Mettiti nella pelle di Sceriffo». Allora Filippo mi guardò veramente brutto e disse «Non avevo mai pensato di doverti mettere le mani addosso, Maté, ma non avevo nemmeno mai pensato che tu mi diventassi un tale porco. Un porco che non vuole lasciarmi castigare un fascista, un porco che si è già dimenticato che a me i fascisti hanno ammazzato un fratello».

– Questo è vero, no? – disse Genio.

– Come se non lo sapessi. Lo fucilò la Muti. E nota che non era ancora partigiano vero e proprio. Ci ronzava attorno da un pezzo ma entrato in forza proprio non era ancora. Per sentirsi qualcuno viaggiava con un cinturone da ufficiale e tanto di fondina. Senonché la fondina era vuota perché la pistola non se l'era ancora fatta. I criminali della Muti lo sorpresero lungo la ferrovia, quasi all'imbocco della galleria di Moresco. A regola non potevano fucilarlo perché era stato trovato senz'armi. Ma va' a parlare di regole con la Muti, la Muti che era per ammazzare prese lo spunto della fondina. Dove c'è fondina c'è rivoltella, dissero, lui l'aveva buttata o nascosta appena vistosi circondato. E siccome il fratello di Filippo negava con tutte le forze, gli montarono il trucco. Uno di quei galeotti lanciò la sua pistola verso il tunnel e poi fece finta di frugare tutt'intorno con la massima attenzione. Naturalmente trovò la pistola in un minuto e corse a metterla sotto il naso del fratello di Filippo che una pistola cosí se l'era sempre e solo sognata. La misurarono nella sua fondina e si capisce che la fondina bene o male la conteneva. Allora l'ufficiale lo dichiarò bandito armato e lo fucilarono all'istante.

– Tornando a Filippo io gli dissi «Non me ne sono dimenticato affatto. Se voglio che non lo tocchi è perché questo serve proprio a evitare a Sceriffo la fine di tuo fratello. Pensa a Sceriffo...» «Io me ne frego di Sceriffo!» urlò, e mi venne addosso con tutto il suo peso. Io non chiusi gli occhi e gli tirai un calcio sotto il ginocchio, proprio cercandogli l'osso. Filippo si piegò in due e Orlando che si era sfilato il portacaricatori glielo diede in testa. Il povero Filippo cascò nella cunetta e lí Orlando finí di tramortirlo. Poi io e Miguel lo prendemmo su e andammo a stenderlo nella stalla dell'osteria. L'oste che era venuto a farci strada disse «Gli ci voleva a questo bue di Filippo, gli ci voleva da un pezzo. Purché rinvenendo non mi sfasci la casa». «Non te la sfascierà, – gli dissi io, – e se minacciasse tu telefona al centralino di Mangano, chiedi aiuto a Perez o a Leo». Intanto Orlando si era stufato e diceva che Filippo sfasciasse o no noi dovevamo impiparcene e ripartire immediatamente. Lo scambio era fissato per mezzogiorno e stavano per battere le dieci.

– Da Meviglie puntammo su Travio. Strada facendo domandai a Orlando se aveva una buona pratica di scambi. «Questo di oggi, – mi rispose, – è il mio terzo scambio. Le prime due volte ho incontrato sempre il medesimo ufficiale. Stavolta sarà un altro perché a Marca hanno cambiato reggimento da allora. Quello era un tenente. Un tipo di malnutrito, con occhiali e pieno di foruncoli, un tipo che avrei potuto rompere con due dita se l'avessi trovato fuori del terreno di scambio. Mi ricordo che la prima volta che c'incontrammo era metà gennaio e naturalmente le nostre colline erano la siberia. Quello mi fa un ghignetto e mi dice «Allora, partigiano, come ve la fate in montagna con questo benedetto freddo?» E io prontissimo «Molto meglio di come ve la farete voi col benedetto caldo».

Genio era perplesso. – Ma io direi, – osservò, – che il caldo è sempre meglio del freddo.

– Tu devi capire, – disse allora Maté, – che a gennaio noi eravamo tutti convinti che sarebbe finita entro l'estate, che entro luglio avremmo avuto il tempo di rovesciarne due di fascismi e che quindi l'estate sarebbe stata la loro tomba. Invece siamo ancora qui e se finisse in novembre io personalmente ci metterei la firma. Ti ho detto tutto questo, Genio, per farti meglio capire l'ironia che c'era nella risposta di Orlando.

– Cosí discorrendo arrivammo sotto Travio e vedemmo il curato in bicicletta con un piede appoggiato al parapetto. Ci salutò con la mano e ci segnalò che ripartiva subito e ci avrebbe aspettato sull'ultima collina. Aveva la tonaca rimboccata alla vita e pedalava deciso anche in discesa. Intanto calò da Travio uno del presidio per unirsi a noi e rinforzare un po' la squadra dello scambio. Era della tua età, Genio, e si faceva chiamare Tigre. Poi passammo di fianco a San Quirico e ai piedi dell'ultima collina Miguel sbendò il prigioniero, dato che ormai eravamo in piena terra di nessuno. Ma come gli fu tolta la benda dovette sbrigarsi a coprirsi gli occhi con le mani. A parte che stava bendato da tre ore, al comando di Morgan, mi disse Miguel, l'avevano tenuto due settimane in un grottino. «Hai visto? – gli disse Orlando, – che non ti abbiamo portato alla morte? Ora sei convinto che ti scambiamo con uno dei nostri? Riconosci il posto? Dietro questa collina c'è Marca e la tua caserma». Era piú che convinto, piangeva di consolazione e non finiva di ringraziarci e lodarci. «Siete stati buoni, – diceva, – non credevo tanto. Ma mi ricorderò di voi». «Meglio che ti scordi di noi», gli disse Miguel. «Volevo dire che mi ricorderò di voi nel caso che...» Ma Orlando gli disse «Non ti sforzare. Primo perché non sarà il caso. Secondo perché, se anche succedesse, tu al reggimento devi essere l'ultima ruota del carro». E io gli dissi «Guardami. Io sono quello che ti ha fatto fumare. Guardami bene. Ho la faccia di uno che caccia matite esplosive in bocca ai prigionieri?»

– Arrivammo rapidamente in cima all'ultima collina e vedemmo la bicicletta del prete appoggiata al muro della cappella. Lui stava sotto il portichetto, si era abbassata la tonaca e se la spolverava. Disse al prigioniero «Vedo che sei arrivato bene. Hai notato che bravi ragazzi ci sono dall'altra parte? Non te ne scordare. Fra un quarto d'ora sarai coi tuoi». A noi quattro partigiani disse «Sono le undici e quaranta. Sarà meglio che io mi porti all'ultima curva. E voglia il cielo che questo scambio avvenga regolare e senza trucchi». Orlando gli disse di star tranquillo, almeno per quanto riguarda noi, e il curato si incamminò verso l'ultima curva che era a sessanta-settanta metri dalla cappella.

– Avrei dovuto dirti fin dal principio che io mi ero portato il binoccolo. L'avrai adoperato anche tu. È un binoccolo da teatro che mi regalò la mia padrona di casa quando partii, dicendomi che mi avrebbe aiutato a controllare dall'alto i movimenti dei fascisti. Infatti a qualche cosa serve, è debole ma a qualcosetta serve. Me l'ero portato perché volevo prendermi qualche interessante veduta di Marca in mano a loro. Cosí mi appoggiai coi gomiti al parapetto della strada e guardavo la città in lungo e in largo. E binoccolando in lungo e in largo mi dimenticai quasi completamente di Sceriffo. D'un tratto Orlando raccomandò attenzione e io vidi nel terzultimo tornante la squadra fascista con la bandierina bianca e in mezzo uno spilungone che non poteva essere che Sceriffo. Al penultimo tornante ci passarono talmente sotto che se avessi voluto avrei potuto mandare una voce a Sceriffo e farmi riconoscere. Ma non lo feci perché negli scambi bisogna sapersi controllare. Al piú piccolo imprevisto gli altri si considerano traditi e rafficano fin che ne hanno. Però, se non gli gridai, puntai il binoccolo su Sceriffo, gli centrai la faccia e gliela vidi tutta bombata. Guardo meglio per accertarmene e me ne accerto. Allora stacco il binoccolo e dico a Orlando «Ehi, il nostro uomo è bombato!» «Che cosa? – fa Orlando, – ne sei ben sicuro?» «Nel modo piú assoluto. L'ho inquadrato col binoccolo». Orlando bestemmiò e disse che questo doveva essere uno scambio alla pari e il nostro prigioniero era intatto e fresco come una rosa. «Tu mi dici che Sceriffo è gonfiato. Questo deve essere uno scambio alla pari e me ne assumo io la responsabilità». Si girò verso Miguel e gli disse «Gonfialo, fagli una testa cosí». Miguel non lo lasciò finire e tirò un primo pugno al soldato mirando al naso. Ci si mise anche Tigre e lo bombavano insieme. Il soldato era già finito in terra e loro due lo colpivano da piegati. «Presto, – diceva Orlando, – prima che spuntino loro». Poi allontanò i due ed esaminò il soldato. «Sí, – disse, – è discretamente gonfiato. Credo che cosí non ci rimettiamo». Il soldato rantolava e si rotolava nella polvere. Orlando lo rimise in piedi e lo spazzolava con le mani. Poi il curato si sporse dalla curva a segnalarci che arrivavano. Infatti sbucarono dopo un minuto e come li vide il soldato smise di gemere e faceva salti di gioia. E cosí fu scambiato Sceriffo.

– L'ufficiale, – domandò Genio, – l'ufficiale o chi per esso non fece osservazione?

– Fece qualche smorfia, – rispose Maté, – ma c'era poco da osservare. Erano gonfiati tutt'e due, potevano specchiarsi l'uno nell'altro. Solo che il soldato era gonfiato di fresco e Sceriffo di ieri.

Genio sospirò. – Tanto valeva lasciarlo maneggiare al povero Filippo.

– Certo, – ammise Maté, – a Filippo avrebbe dato tutta un'altra soddisfazione che a noi che dovemmo farlo per pura giustizia. Ma vedi, un pugno di Filippo ammazza un toro.

Golia

Il primo grido della sentinella andò perso. Ma quando ripeté: – I nostri! Tornano i nostri! Hanno un prigioniero! – allora i partigiani che sedevano a cavalcioni del parapetto della scuola a guardare in faccia il sole di gennaio sciamarono via dal parapetto e per i vicoli e le scarpate si buttarono sullo stradone della collina. E la popolazione col batticuore corse alla specola a prender parte.

Videro attaccar la salita un drappello di partigiani con in mezzo un uomo tanto piú alto di loro, come se lui sfuggisse alle regole della distanza che riducevano di tanto i partigiani. Il gigante vestiva un'uniforme e aveva capelli biondissimi, nei quali il sole giocava frenetico, come se non n'avesse parecchie di quelle occasioni.

Poi dall'ultima svolta sbucarono in velocità i partigiani del presidio e ora si sfrenavano contro il drappello come se volessero ributtarlo a valle. La gente sulla specola pensò: «Qui succede come tutte le altre volte che beccano uno della repubblica», e si aspettava di vederli cozzare nel drappello, scardinarlo e artigliare il prigioniero per dargli poi a pugni e calci un primo acconto. L'ultima volta gli stessi catturatori avevano fatto quadrato intorno al prigioniero e avevano resistito all'assalto sebbene grandinassero su loro tutti i colpi destinati al fascista. S'erano lottati cosí per un quarto d'ora, e il groviglio sbandava da un ciglio all'altro della strada come se questa s'inclinasse ora di qua ora di là. Il drappello puntava per salire, gli altri per fermarlo, sicché a chi guardava dalla specola pareva che tutt'insieme si affannassero a spingere su per l'erta un pesantissimo carro che un po' sale ma poi riscivola quando lo sforzo si rompe. Questo era successo l'ultima volta e la penultima, ma stavolta fu differente.

A venti passi dal drappello si arrestarono di netto, guardarono un momento, poi in silenzio e con le mani basse scansarono il drappello e gli si accodarono come ad ingrossar la scorta. Si vide però il piú piccolo ed il piú giovane dei partigiani, quello che per scherno chiamavano Carnera, avvicinarsi piú d'ogni altro al gigante, spiccare un salto e a volo strappargli dal petto un qualcosa che vi luccicava. Il colosso si portò una mano al petto come se lí fosse stato ferito e poi girò la testa, come la girano i buoi, verso il partigiano piccolo.

Sulla specola la gente si guardò in faccia e un anziano disse: – Non dev'essere un fascista. O se lo è, è talmente un pezzo grosso che gli mette rispetto.

Poi dalla specola corsero giú alla porta del paese, giusto in tempo per fare ala all'entrata di un soldato tedesco circondato dai partigiani del presidio. La gente fremette e serrò gomito a gomito quando su di essa, in curva, passò lo sguardo di lui. Non era uno sguardo feroce, ma scaturiva da occhi cosí azzurri, piombava da tanta altitudine. Varcò la soglia della scuola con dietro i partigiani che arrivavano sí e no a coprirgli le scapole, e la popolazione restò a fissare le pietre toccate dai suoi piedi e ad annusare l'aria quasi che egli avesse dovuto lasciarci un odore particolare. In quel boccheggiamento uno disse: – Visto, come son fatti gli uomini di Hitler? – L'avevano visto, e tacevano, cominciando a spiegarsi il mistero dell'otto settembre, quando una dozzina di questi uomini avevano domato delle caserme con dentro interi reggimenti nostri.

Sostarono davanti alla scuola un'ora buona, e alle donne non passava per la mente di rincasare né glielo ricordavano i loro uomini. Finalmente dalla scuola uscí Sandor, il comandante, e gli trovarono un'aria grave come non mai, come se sentisse il peso di una nuova e piú alta responsabilità. L'avvilupparono in una rete di domande, ma tutte fatte a bassa voce, quasi nella paura che il tedesco da là dentro potesse afferrarle, offendersi e infuriarsi e travolgendo i partigiani comparire sulla soglia e farli crepar tutti di puro spavento. Ma la voce di Sandor era normale, e sonora, mentre rispondeva a tutti e a ciascuno: – Sí, parla discretamente l'italiano. Del resto è piú d'un anno che è in Italia. Prima era sul fronte russo, poi l'hanno mandato qui da noi in riposo. Chiamalo riposo. L'ha preso Tarzan e la sua volante, alla periferia di Ceva. No no, ha subito alzato le mani, non se l'aspettava neanche lontanamente. Cosa gli ha fatto Carnera? Gli ha soltanto preso la medaglia, una medaglia della Russia.

Uno si schiarí la gola e domandò se lo fucilavano.

– Non ci conviene mica. È meglio conservarlo per un cambio. Se va male a uno dei nostri, si manda il parroco a Ceva a proporre il cambio. C'è da guadagnarci, alle volte per uno di loro te ne restituiscono dieci dei nostri.

A sentire che non lo fucilavano alla gente si slargò il cuore e rincasarono con una certa qual consolazione.

Per un paio di giorni il tedesco non fu visibile, quantunque molti perdessero un bel po' di tempo appostati in mira alle finestre della scuola, per vederlo almeno di sfuggita, per vederne almeno un pezzo.

Il terzo giorno, due donne che tornavano dal forno con un bambino per mano e nell'altra il cestone del pane, queste due donne all'altezza della scuola girarono a caso gli occhi e sussultarono a vedere il tedesco alla finestra, inquadrato di profilo. Stava seduto e facendo un lavoro per suo conto con le labbra strette e le mani sotto il davanzale. Dietro alle due donne altri si accalcarono e guardavano incantati. Finché il tedesco voltò gli occhi alla strada: la gente tenne il fiato, ma lo sguardo di lui era diretto in basso, centrava i due bambini. – Belli bambini, – disse poi.

Alzò una mano e mostrava uno stivaletto, lo agitò un po' come se volesse metterlo in vendita e disse: – Stivale, mio stivale, rotto in una parte.

Un uomo si staccò e andò sorridendo fin sotto la grata; le donne lo seguirono con occhi trepidi e compiaciuti. E disse, ad alta voce: – Io sapere aggiustare. Aggiustare e riportare. Va bene?

– Voi aggiustare e riportare. Capito. Grazie, – sillabò il tedesco e di tra le sbarre gli passò lo stivaletto.

Il ciabattino tornò, fendette il crocchio, tenendo alto lo stivale, mostrandolo ma non prestandolo, come chi torna dal palco della giuria con un premio. Benché il tedesco indugiasse dietro la grata, ora la gente non aveva piú occhi che per la sua calzatura, perché era una cosa sua e la piú vicina, che si poteva toccare.

Poi di Fritz (lo battezzarono cosí, all'unanimità, partigiani e borghesi) di Fritz Sandor dovette essersi fatto un buon concetto, perché lo mise fuori a spaccar legna. Non libero, a sorvegliarlo c'era sempre Carnera, seduto sulla montagnola dei ceppi, con la testa nella coppa delle mani e gli occhi, naturalmente torvi, a seguire la traiettoria delle schegge. Aveva quattordici anni appena compiuti ed era fatto come un ragno. Ficcato nei calzoni teneva il suo pistolino 6,35 e ogni tanto lo tirava su a metà, un po' come memento al tedesco e un po' perché non gli indolenzisse la pancia.

Ma Fritz a Carnera sorrideva sempre, cosí come sorrideva a tutti e a tutto, perfino ai ciocchi sulla toppa. E quando gli riusciva un fendente di particolare forza e precisione, che le schegge rimbalzavano fin sul tetto della censa, allora fissava Carnera pazientemente come se non potesse essergli negato un sorriso almeno di apprezzamento. Ma Carnera non poteva e non voleva sorridergli, sempre i suoi occhi o s'appuntivano per il sospetto o s'intorbidavano per la noia. Avrebbe dato un calcio a quel servizio di guardia, non fosse stato che il prigioniero era un tedesco e questo servizio quindi tra i fatti salienti della sua carriera partigiana.

Ancorché pieno gennaio, Fritz per spaccar la legna si sfilava camicia e flanella. E le donne, al riparo degli spigoli e delle tendine, lo guardavano a lungo: nessuno dei loro uomini aveva quella pelle, una pelle di bimbo a fasciare un gigante di quarant'anni, tenera, abbondante, fulgida per i peli d'oro. E un giorno in una casa sullo spiazzo dove Fritz lavorava detonò uno schiaffo. Un marito era arrivato dietro la moglie che perdeva tempo a contemplare il torace del tedesco, l'aveva afferrata per le spalle, ruotata e battuta in faccia. Il fatto però non danneggiò Fritz in paese, dove la cosa si riseppe, perché era chiaro che la colpa era tutta di lei.

Non lo consideravano piú un nemico – del resto l'avevano considerato tale soltanto per i pochi minuti della sua entrata in paese – e riusciva sempre piú difficile perfino considerarlo straniero; in quanto a stranieri, erano infinitamente piú stranieri i due prigionieri inglesi, Tom e Victory, che l'otto settembre erano evasi da un campo di concentramento ed erano stati qualche mese con Sandor finché in uno sbandamento del '44 erano andati a perdersi chissà dove.

Ma la curiosità non moriva. I bambini che tornavano dalla dottrina in canonica, si fermavano sempre a vedere Fritz lavorare alla legna o ad altro e facevano ogni volta tardissimo, ma a casa era sempre buona la scusa d'essersi fermati per Fritz. A Carnera la bile montava fin sotto il palato, perché lui teneva infinitamente all'ammirazione dei bambini, ma questi s'interessavano sempre e soltanto a Fritz. Finché, al massimo della gelosia, Carnera li cacciava tutti a casa con un urlo e la faccia feroce.

Ora il cuciniere lo mandava spesso in giro per le case a farsi imprestare gli arnesi da cucina che a lui mancavano, e dopo avergli dato quel che gli bisognava, le donne lo trattenevano sempre un po' e gli versavano un bicchiere di vino dolce, la prima che aveva pensato d'offrirglielo avendo scoperto che gli piaceva piú dell'altro ed essendosi fatta premura d'avvisarne le compagne.

Quanto ai partigiani, l'ammisero a mangiar con loro, anche se subito dopo lo spedivano nello stanzino di là a lavare i piatti.

Ma un giorno, appena sentí Fritz affondare i primi piatti nell'acqua, Ivan, che era dei piú vecchi, ritirò le mani da sulla tavola e disse: – È scandaloso trattare un tedesco cosí come lo trattiamo noi.

Sandor stava bagnando di saliva una sigaretta accesa male. Capí storto e disse: – Vorresti che non gli facessimo nemmeno lavare i piatti?

Allora Ivan disse adagio e marcato: – Io voglio dire che lo trattiamo scandalosamente bene. Quasi come se gli volessimo bene, ecco. Questo è lo scandaloso che dico io.

Sandor disse con leggerezza: – E cosa vuoi fargli? Fucilarlo?

– Io non sono un sanguinario e tu lo sai. Ci ho riflettuto molto, ed è proprio quello che dovremmo fargli. Fucilarlo.

Non aveva ancor detto l'ultima parola e già Carnera gli si era postato dietro, con una mano sulla spalla, come a schierarsi e a incoraggiarlo.

Lo stanzone s'era allagato di silenzio, un partigiano lasciò cadere sulla tavola la tabacchiera.

– Per principio, bisogna farlo, – aggiunse Ivan.

Sandor guardò di sfuggita verso lo stanzino dove Fritz rigovernava, poi, abbassando involontariamente la voce, disse: – A parte il fatto che eravamo d'accordo di conservarlo per un eventuale cambio. A parte questo, a te cos'ha fatto? Perché ce l'hai?

– A me niente, perché se un tedesco m'avesse fatto qualcosa, non sarei qui a parlarti. A me niente, ma qualcosa avrà ben fatto a qualcun altro. Pensa un momento, Sandor, a tutto quello che hanno fatto i tedeschi in Italia. Ne hanno fatte tante, dico io, che per farle debbono essercisi messi in tutti quanti sono, nessuno escluso, e quindi Fritz compreso.

S'intromise Polo, un altro dei piú vecchi, e disse: – Ma cosa vuoi che abbia fatto Fritz? Non lo vedi che è il tedesco meno tedesco che ci sia? Fritz è il tipo domestico.

Carnera premeva sempre alle spalle di Ivan e accennava a lavorargli i fianchi coi pugni per pungolarlo e intanto fissava Sandor come a convincerlo per via ipnotica.

Ivan disse, opacamente come sempre: – Anche se lui personalmente non ha fatto niente, è giusto che paghi lui per gli altri che hanno fatto e che non ci vengono nelle mani.

Disse Polo, sporgendo le labbra: – Per fortuna hai detto in principio che tu non sei sanguinario...

Allora Ivan alzò la voce. – No, sono giusto, e non sanguinario. Pensa un momento ai nostri, che i tedeschi hanno fucilato, impiccato, bruciato coi lanciafiamme, pensa a Marco, Dio Cristo, a Marco che l'hanno impiccato col gancio da macellaio e ci ha messo un'ora a morire. E credi che Marco in tutta quell'agonia non abbia pensato: «Almeno restano dei nostri che mi vendicheranno, che li faranno pagare anche per me!»? Guarda noi come gliela facciamo pagare! Questo è tradimento!

– È tradimento! – echeggiò Carnera, sporgendosi da dietro la schiena di Ivan.

La parola mozzò il fiato a tutti. Poi, il partigiano Gibbs cominciò: – Gli altri... – Non si poteva ancora dedurre se Gibbs parlava a favore o contro, ma Ivan scattò subito.

– Gli altri! Ma non capite che gli altri siamo noi, possiamo esserlo da un minuto all'altro? Appena ci ammazzano siamo subito gli altri. E se capitasse a me, e ne avessi il tempo, io lo penserei: «Almeno i miei mi vendicheranno». E se da dove sarò andato a finire vedo che i miei non soltanto non mi vendicano ma trattano bene uno di quelli che m'hanno ucciso, allora, se potessi tornar giú, com'è vero Dio faccio la pelle al tedesco che m'ha ammazzato e anche al partigiano che potendolo non m'ha vendicato.

– Io ti capisco, Ivan, – disse allora Sandor, – ma non mi sento di far fare a Fritz la fine che vuoi tu. Io coi tedeschi ce l'ho, è naturale che ce l'ho, per tante cose. Ma non c'è confronto con come ce l'ho coi fascisti. Io arrivo a dirti che ce l'ho soltanto coi fascisti. Per me son loro la causa di tutto. Guarda, Ivan, se io corressi dietro a un tedesco, e mi spuntasse da un'altra parte un fascista, stai certo che io lascio perdere il tedesco e mi ficco dietro al fascista. E lo acchiappo, dovesse creparmi la milza. E tu faresti lo stesso.

– Questo è vero, anch'io farei cosí. Ma con questo tedesco io non ho per niente la coscienza a posto. Per niente –. E scuoteva tenacemente la testa. Poi si alzò, andò alla finestra, come se le sue prossime parole fossero da proclamarsi al mondo. E disse: – Ma che gente siamo noi italiani? Siamo in una guerra in cui si può far del male a tutti, si deve far del male a tutti, e noi ce lo facciamo soltanto tra noi. Cos'è questo? Vigliaccheria, cretina bontà, forse giustizia? Io non lo so. So solo che se noi di qua pigliamo un tedesco, invece di ammazzarlo finiamo per tenerlo come uno dei nostri. I fascisti di là, se beccano un inglese o un americano, qualche sfregio certo gli faranno, ma ammazzarlo non lo ammazzano. Ma se invece ci pigliamo tra noi, niente ti salva piú, e se cerchiamo di spiegare che siamo fratelli ci ridiamo in faccia. E cosí, quando la guerra finirà, ci sarà, mettiamo, degli inglesi che tornano dalle loro madri e dicono: «M'hanno preso i fascisti italiani ma m'hanno lasciata salva la vita», e dei tedeschi che torneranno a casa e diranno la stessa cosa dei partigiani italiani. Ma alle madri italiane, alle nostre, che cosa si dirà?

Si sentiva l'acciottolio dei piatti sotto le mani del tedesco e il respiro pesante dei partigiani. Poi Polo disse, lasciando cascar le braccia: – Tutta questa discussione per Fritz. E lui è di là che ci lava i piatti. Di', Ivan, non ti sembra già abbastanza che un uomo di Hitler, un soldato dell'esercito tedesco che ha domato Francia e Polonia e mezzo mondo sia di là a lavarci i piatti a noi poveri scalcinati partigiani italiani?

– Mah, – fece Ivan, stanchissimo, – io non lo so, non so piú niente. Io ho parlato per questione di principio.

Gridò Carnera: – Abbastanza? È abbastanza le balle!

Sandor alzò appena un sopracciglio, ma Polo domandò: – E tu, Mosquito, cosa vorresti fargli di piú?

– Io l'ammazzerei! Io lo ammazzo!

Polo ci fece sopra una sghignazzata, cosí artificiale e concisa che Carnera se ne offese il doppio che se fosse stata sincera e prolungata. Gridò: – Voi non mi prendete sul serio perché io non ho la vostra età, ma io come partigiano valgo tanto quanto voi! Con la differenza che se voi aveste solo la mia età non avreste avuto il coraggio d'entrare nei partigiani, come ho fatto io a quattordici anni.

Polo disse, con una voce ghiacciata: – Te lo dico io quel che sei venuto a far tu nei partigiani. Ci sei venuto per farti mantenere, perché ci hai tutto da guadagnare, per mangiare tutti i giorni la carne che a casa tua vedevi soltanto la domenica...

Ben piú lunga era la lista, ma Polo la troncò perché la fisonomia del piccolo impressionava. Piangeva di furore e quell'acqua l'accecava, sicché il dito puntato non centrava affatto Polo, ma era a Polo che disse: – A te ti farò vedere io, ti farò vedere!

– Sí, ma sbrigati, perché altrimenti la guerra finisce e tu non ci avrai fatto veder altro che mangiar carne.

– Ti farò vedere io, e presto. E intanto ti dico che sei un vergognoso. Vergognoso tu e vergognosi tutti, meno Ivan –. E scavalcò la panca perché Polo e qualche altro offeso stavano per abbrivarlo, e dalla porta gridò tutto d'un fiato:

– Qui dentro ad avere il cuore di partigiano ci siamo solo io e Ivan. Voi siete tutti dei vergognosi. Perché se io piglio un tedesco, io l'ammazzo. Perché io sono un partigiano e Ivan ha ragione a dire che è un tradimento, – e scappò.

Quella sera stessa una donna del paese entrò al comando a regalare un cambio di biancheria per Fritz.

Ma, ancora di gennaio, ci fu un giorno che il tedesco dovette tremare per la sua vita, che era, a fil di logica, perduta. Tarzan mancava da tre giorni, forse era sceso a Ceva a studiare i posti di blocco o forse batteva le colline semplicemente per distrazione, era quello che diceva che a non muoversi il partigiano è il piú noioso dei mestieri e che in fondo, a muoversi o a starsene fermi, il pericolo era pressoché identico. Tre giorni erano molti, ma Tarzan era il tipo che rientrava sempre alla base.

Invece arrivò, mandato dai frati del convento appena fuori Ceva, un uomo ad avvisare che la repubblica aveva preso e fucilato un partigiano proprio all'angolo del convento, e là l'aveva lasciato. Dalla descrizione era Tarzan.

– E portatevi qualcosa da far leva, ché per il gelo s'è tutto attaccato alla ghiaia.

Fritz stava alla grata e vide il gruppo dei partigiani spartirsi. Vide Polo andare al portico e tirarne fuori il camion e manovrarlo fino al limite della piazza, pronto per la discesa. E Ivan salire sul cassone con cinque altri, piazzare un mitragliatore sulla cabina e tutti aspettare Sandor. Il capo era entrato in casa del medico condotto. Ne usciva adesso, portava sul braccio un fagottone bianco, e dietro gli uscí la moglie del dottore, che pareva fare a Sandor delle raccomandazioni. Poi Sandor sparí nella cabina e il camion rotolò in folle giú per la discesa.

Dopo tre ore tornavano, si sentí il camion penare in salita come sempre, il suo motore urlare come Sisifo.

Fritz, trovato tutto spalancato, era uscito in piazza. Già ci stava adunata tutta la popolazione, dopo aver chiuso i bambini in casa e sbarrato tutto, che non potessero vedere assolutamente niente di quanto andava a succedere in piazza. Tutti stavano a testa china, come violentati dal fragore del camion ormai vicinissimo, qualcuno si premeva le due mani sul petto, altri si tamponavano la bocca.

Il camion frenò nel bel mezzo della piazza, tutto fu visto e compreso quando Polo saltato giú dalla cabina andò ad abbattere la sponda del cassone. Lo calarono e lo deposero sul primo scalino della chiesa. La moglie del medico, con le mani giunte sotto il mento, fissava la muffa rossa fiorita sul suo bel lenzuolo matrimoniale. S'erano dimenticati di spegnere il motore, singhiozzava come un orco. Polo corse a spegnerlo, e cosí si sentí distintamente il cigolio delle imposte tentate dai bambini confinati nelle case.

Sandor attraversò la piazza, arrivò allo scalino e rimase lí come una statua. Elia, partigiano meridionale, partí dal fondo e avanzò adagio rasente alla popolazione; nelle mani a coppa teneva quattro o cinque ciottoli innaffiati di sangue e ripeteva con voce da chierico: – Queste pietre sono sporche del suo sangue. Sono le pietre del mucchio di ghiaia sul quale l'hanno fucilato –. La gente ritraeva la testa ma aguzzava gli occhi, e le donne si segnavano, perché pareva proprio una cosa di chiesa, un passaggio di sante reliquie.

Ora Sandor s'era riscosso, si chinò, prese un lembo del lenzuolo e lentissimamente scoprí Tarzan fino alla cintola. Poi si raddrizzò e disse: – L'hanno ammazzato come voi ammazzate i vostri conigli. Venite tutti a vedere come l'hanno ammazzato.

Nessuno si mosse, soltanto il medico, ma non poteva passare, l'orrore aveva paralizzato la gente e toltole ogni senso fuorché la vista, e cosí si opponeva al medico compatta ed insensibile come un muro. Dovette aggirarla, ma gli ci vollero piú di cinque minuti per arrivare allo scalino. Si chinò, poi posò un ginocchio a terra, era fortemente miope e perciò il suo naso sfiorava il petto di Tarzan, la gente da lontano accompagnava con gli occhi il suo dito nella minuziosa ricerca di tutti i buchi aperti dalla raffica.

Una donna urlò: – Tiratelo su da quelle pietre, portatelo in chiesa. Le pietre gli fanno male, ha persino la testa sulle pietre. Vado a prendergli un cuscino.

Dall'altra parte s'alzò un urlo selvaggio e come molteplice. La gente si sentí mancare, un urlo cosí poteva farlo solo la repubblica, venuta su a tradimento dietro il camion a sorprenderli mentre facevano la pietà a Tarzan e fra un attimo avrebbe spazzato la piazza con la mitraglia.

Era soltanto Polo. I capelli serpentini gli ingraticciavano la faccia, lucente per pianto o sudor freddo, e degli occhi gli si vedeva solo il bianco. S'era chinato sopra un catino immaginario, si rimboccava le maniche e gridava: – Hanno ammazzato Tarzan che era nostro fratello! Voglio lavarmi nel loro sangue! – e immergeva le mani in quel catino e se le lavava con cura e naturalezza. Toccandosi i bicipiti urlò: – Voglio lavarmi fin qui!

Fritz era nell'ultima fila, ma per la sua statura dominava tutta la piazza. D'improvviso quel suo svettare lo spaventò, cosí era impossibile non esser visto e additato. Si curvò, già le ginocchia gli tremavano come ai cavalli e le natiche gli pulsavano come un cuore. Ora che la gente era ai sentimenti estremi lui non capiva piú una parola d'italiano, il silenzio e il clamore l'atterrivano egualmente. Nell'uno e nell'altro, nelle facce, nell'aria coglieva la necessità della vendetta, del sacrificio, e per placare lo spirito di Tarzan non c'era che lui sottomano.

Tutti erano come sotto ipnosi. Macchinalmente rinculò d'un passo, d'un altro e un altro ancora, finché urtò col tallone contro il parapetto della scuola. Conosceva la natura sottostante: una scarpata da potersi far rotoloni in un niente, quindi una raggera di rittani, uno dei quali talmente incassato da sembrare un sotterraneo. Ma poi?

Avvertí una presenza al suo fianco. Abbassando lo sguardo vide Carnera, tutto eretto come se volesse piantargli gli occhi al livello, ed erano occhi impietrati, nemmeno il gran piangere fatto per Tarzan li aveva illanguiditi un po'.

Fritz annaspò e disse: – Tu cercare me? Sandor ti manda? – Non reggeva lo sguardo di Carnera e d'altra parte non si fidava a distogliere gli occhi per non perdere il minimo movimento del piccolo, se metteva mano a quella sua pistola ficcata nei calzoni. Si sentiva tutto gelato, come se fosse morto già da parecchie ore. Poi batté le ciglia e, sperando che gli occhi gli si inumidissero almeno un po', disse: – Povero Tarzan. Buono era Tarzan. Quando preso me, agito da vero soldato.

Ma Carnera taceva, e quella pistola non saltava fuori, e i secondi passavano. E già si diramava calda nel cervello di Fritz, a scongelarlo, la certezza che non lui sarebbe stato immolato allo spirito di Tarzan, che la cosa stava tutta tra italiani. Carnera infatti finí col chinar gli occhi e si limitò a riportarlo dentro la scuola, dove il cuciniere, senza una parola, gli diede da pelar le castagne.

Fu comunque per Fritz la peggior sera di tutta la sua prigionia. Non cenò, rimase sempre in un angolo dello stanzone della mensa, rabbrividendo alle fiammelle degli zolfini con cui i partigiani si accendevano le sigarette: dovevano non vederlo, non ricordarsi di lui, non indicarselo l'un l'altro. Non alzò mai gli occhi, non vedeva che le gambe dei partigiani che entravano e uscivano dandosi il cambio per vegliare Tarzan in chiesa. E benedisse il cuciniere quando dallo stanzino lo chiamò a rigovernare. Nessuno gli si arrestò davanti, nessuno lo fissò particolarmente, non gli venne rivolta parola. Finalmente, verso le dieci, Sandor passando gli fece: – Tu non andare a dormire?

Nulla era dunque cambiato, semplicemente non c'era piú Tarzan ad essere come tutti gli altri buono con lui.

Ci fu poi un altro avvenimento, borghese questo e felice, il matrimonio dell'unica figlia del signor Ilario, padrone della censa e gran rifornitore dei partigiani. Sposava un uomo di Murazzano, che sarebbe entrato in famiglia. Malgrado il contrario parere dei loro vecchi, non vollero aspettare la fine della guerra. I vecchi avevano detto: – È troppo pericoloso sposarsi in un'epoca come questa in cui gli uomini si dànno la caccia e s'ammazzano l'un l'altro. Il tuo uomo, Elsa, è di quelli che se ne stanno a casa a farsi gli affari loro e di politica non s'intrigano, ma vedi bene che son proprio gli estranei, gli innocenti, che il piú delle volte ci lasciano la pelle. E tu, Dario, abbi cognizione per tutt'e due. Sai bene che un giovane come te non ha la sicurezza di andare a letto la sera e svegliarsi vivo la mattina dopo. Se ti dovesse capitare una disgrazia, cerca di farla contare per te solo e non per due.

Ma Elsa rispondeva: – È appunto perché viviamo in una epoca come questa che ci vogliamo sposare a tutti i costi. Se capita una disgrazia a Dario, io che me ne faccio poi della vita? Invece, se gli capita da sposati, almeno sarò stata sua moglie e qualcosa dalla vita avrò avuto.

I vecchi allargarono le braccia e le nozze si fecero, le sole che in quel paese si celebrarono nei due anni della guerra partigiana.

Al ricevimento in casa del signor Ilario andarono tutti i partigiani, ma alla spicciolata e solo per il tempo di far gli auguri, mordere in una fetta di torta e bere un bicchiere di moscato, ripeter gli auguri e via, perché tutti insieme avrebbero intasato la sala. Solo Sandor ci sarebbe rimasto dal principio alla fine.

Fritz era nella lista, per espresso invito del signor Ilario e consenso di Sandor. Quando, al suo turno, apparve sulla soglia, lo accolse un applauso inaudito, che egli ricevette impalato e come gonfio, mentre la gente non finiva di battergli le mani, insensibile agli spifferi gelati. Poi Fritz s'avanzò, a testa china per non darla nei molti lumi che pendevano dal soffitto, si presentò agli sposi e batté i tacchi. Allora le donne si allungarono sulla tavola a brandire bottiglie e tutte insieme gridavano: – Da bere a Fritz! Non date di quello a Fritz! È il vino dolce che piace a Fritz! Il vino dolce a Fritz! – Basta, il tedesco ebbe un trattamento speciale e restò con Sandor fino alla fine.

Un fratello dello sposo aveva portato la fisarmonica, a un certo punto la spallò e attaccò una mazurca. Finita quella prima aria, Fritz col bicchiere in mano s'avvicinò al musicante e gli domandò, mentre tutti pendevano da lui: – Sapere valzer delle bimbe brune?

Il ragazzotto non rispose né sí né no, reclinò il capo sulla tastiera, finché il signor Ilario gli disse ruvidamente: – Lo sai o non lo sai quel che t'ha detto Fritz? Non sarai mica cosí stupido da aver soggezione? Non vedi che è dei nostri?

Al ragazzo venne da piangere, dopo tutto non era un musicante pagato, era venuto con lo strumento solo per festeggiare a modo suo il fratello sposo. Ma poi, per non passar da selvaggio, fece un accordo e disse con gli occhi bassi che la sapeva.

Allora Fritz si raddrizzò, misurando con le dita lo spazio

che separava la sua testa dal soffitto. – Se tu sapere, anche io sapere. Tu suonare e io cantare –. E la cantò tutta in italiano, scortecciando le parole, mentre le donne si torcevano le mani in grembo e vibravano dalla testa ai piedi, con gli occhi lustri puntati su Fritz.

Finito, per i battimani tintinnarono i vetri e ballarono i lumi, e le donne incrociarono le loro grida: – Ma bravo, Fritz! L'ha cantata tutta in italiano, tutta! E che bella voce, diversa dalle nostre. Chi te l'ha insegnata, Fritz? Deve avergliela insegnata una donna delle nostre, un'italiana di chissà dove. Non ne sai altre, Fritz?

Fritz s'inchinò alla sposa e disse: – No, io non saperne altre canze, ma sapere tante altre cose buone per festa...

– Avanti, Fritz! Forza, Fritz! – gridarono le donne, come percorse dalla corrente elettrica. E Fritz sciorinò tutto un repertorio di giochi scherzi e trucchi, con le carte, con l'orologio del signor Ilario, coi fazzoletti delle donne e i cappelli degli uomini, perfino con roba fatta venire dalla cucina. Gli invitati inghiottivano saliva, si davano gomitate, qualche donna rovesciava la pupilla come se fosse per godere, gli stessi uomini fissavano caldamente Fritz, che rimaneva composto come un professionista. E alla fine un invitato disse: – Certo che nella meccanica i tedeschi non li batte nessuno.

Negli stomaci le torte si rapprendevano e pesavano come cemento, dentro il vino correva a gara col sangue, la stufa era incandescente. Il tedesco aveva eclissato gli stessi sposi, e le donne non la smettevano. – Ma com'è simpatico! Non è stato straordinario con quei giochi? Tu credevi che ci fossero dei tedeschi cosí? Non vi sembra che sia sempre stato dei nostri, che l'abbiamo sempre avuto in paese? – E tornavano a fissarlo come per rinforzarsi dentro quelle impressioni. Gli guardavano soprattutto il collo, che nessuna di loro avrebbe potuto cingere con le due mani, e la nuca, cosí grassa e rasa e brillante come la gola del maiale maturo.

Poi il signor Ilario s'alzò e trascinandosi dietro la sedia andò a portarsi dirimpetto a Fritz. Che mise via il bicchiere e si protese verso il padrone di casa.

Il signor Ilario sbatté le labbra, posò una mano sulla spalla a Fritz, poi la ritirò mandandosela con forza sulla coscia e finalmente disse: – Sentire un po' me, Fritz. Parliamoci da soldato a soldato.

Fritz, da seduto, uní i tacchi e accennò di sí con la testa, con gravità senza pari.

– Perché anch'io essere stato soldato, ai tempi di mia gioventú, avere fatto tutta l'altra guerra. Essere alpino, alpini, quei soldati italiani con una piuma sul cappello. Forse tu, Fritz, conoscerli, austriaci conoscerli di sicuro.

Fritz assentí su ogni punto, mentre la gente faceva cerchio e spalliera, e partiva qualche schiocco di dita a quelli che per accostarsi strisciavano sul pavimento le gambe delle sedie.

Poi il signor Ilario, chi l'avrebbe detto? si mise a parlare in mezzo tedesco, e Fritz s'illuminò tutto in faccia, ma per un attimo solo, poi ritornò compunto, perché in quel mezzo tedesco il signor Ilario gli raccontava cose tristi.

– Ich, – esordí il vecchio battendosi il petto, – ich kriegsgefangen in Osterreich.

– Sie?

– Mangiare sempre kartoffel. Gran kartoffel.

– Kartoffel, patate, ja.

Il signor Ilario si palpò la giacca. – Com'è la parola? Ah, papier. Papier, sempre vestiti di papier, im winter und arbeit in bahnen –. Poi si voltò a tradurre alla gente: – Gli sto dicendo che quando ci hanno portato prigionieri in Austria, là ci davano da mangiare patate e sempre solo patate, e noi andavamo ancora a cercar le bucce nella fossa dell'immondizie. E ci davano dei vestiti di carta, cosí noi giravamo vestiti di carta, d'inverno e a lavorare sulle strade –. Tornando a Fritz: – Tanta fame in Austria, e tanto freddo. Nicht brot, nicht feuer. Ma la gente non era cattiva, era buona come in tutte le parti del mondo. Noi prigionieri lo vedevamo da noi che la gente non avere pane nemmeno per lei e pochissima legna da bruciare. Datemi da bere. Dunque, Fritz, tu vedere che anch'io stato soldato. Tu devi parlarmi da soldato a soldato –. E qui gli occhi del padrone di casa annegarono nelle lacrime. Fritz turbatissimo alzò gli occhi in faccia alla gente, ma questa era tutta fissa a lui e si accorse del cambiamento d'umore dell'altro quando ripigliò a parlare e la sua voce era accidentata per il pianto. Diceva: – Fritz, quando finire questa guerra, quando? Perché se andare ancora lunga, noi tutti moriamo di crepacuore. Per noi, noi siamo vecchi e frusti, e quando la morte viene, viene sempre all'ora giusta, e magari anche un po' tardi. Ma mia figlia e quelli giovani come lei? Mia figlia e suo uomo, Fritz! Io ho resistito alla prigionia in Austria, poi ho fatto dieci anni il cantiniere in Francia, e adesso sono vent'anni che lavoro nella censa di questo paese. Tutta la vita ho lavorato per procurar del bene a mia figlia, a lei e all'uomo che si sarebbe poi scelto. Perché se lo godano e si ricordino sempre di me. E invece, se la guerra va ancora lunga, mia figlia può perdere il suo uomo, e allora tutto il bene che io le ho fatto non le servirebbe piú a niente, non la consolerebbe piú –. Le ultime parole le disse mulinando le braccia per tener discosto sua figlia che gli si era chinata addosso per interromperlo e gli diceva: – Fatti forza, papà. Non parlare cosí, non far cosí, asciugati gli occhi.

Un'invitata vecchia con tanta pratica di uomini disse: – È vecchio. Ha bevuto un po' fuori dell'ordinario e il vino l'ha portato al sentimento.

Sandor s'era fatto accanto al signor Ilario e gli disse: – La faremo finire noi, e piú presto di quel che si creda.

Ma il vecchio scuoteva la testa. – Voi, poveri ragazzi, lontani dalle vostre case, fate tutto quello che potete, ma non potete far altro che star quassú a difendervi, con poco o niente, e a patire. Voi lo sapete solo quanto me quando la guerra finisce. Fritz invece lo sa, lui è dell'esercito tedesco, e tutto dipende dall'esercito tedesco.

Fritz fissava attonito quella vecchia faccia stemperata nelle lacrime, quella bocca tremante sotto i baffoni imperlati di vino. Gli uomini avevano messo via i bicchieri e s'erano presa la testa fra le mani. Poi il tedesco si raccolse, cominciò a percuotersi la coscia, con violenza, piú volte, e a roteare degli occhi impressionanti. Qualcuno temette che quella debolezza, quel sentimento del padrone di casa avesse avuto l'effetto di offenderlo, d'infuriarlo, e adesso chissà cosa andava a capitare, cosí allo stretto, con quel bestione che per giunta aveva strabevuto. Sicché si sbirciò Sandor, se era armato e gli stava attento, pronto a intervenire.

Il tedesco s'era alzato, sbuffò un paio di volte come se già volesse rimettersi dal faticoso discorso che ancora non aveva fatto, poi disse: – Ora io dire tutto quello che io sapere. E io sapere, anche se sono da lungo tempo separato dai miei camerati, da mio esercito tedesco. Germania non piú forte da vincere guerra. Ma ancora forte, Germania, da farla andare lunga, come dice il padrone della casa. Voi potere domandare: perché ancora combattere, se guerra è perduta? Ma voi essere italiani, e solo tedeschi adatti a capire i tedeschi. Tutti gli altri non adatti, e voi italiani meno di tutti, scusate. Soldati tedeschi essere tutti eroi, essere molto pochi quelli come Fritz che stare a bere vino dolce e vicino a buono fuoco. Ora molti soldati tedeschi morire, molti molti, ma morire anche molti suoi nemici, perché soldato tedesco non morire mai solo, portare con sé almeno un nemico. Signore Ilario, voi volete sapere quando finisce guerra? Allora calcolare il tempo che tutti soldati tedeschi morire, tutti, da oceano Atlantico a Russia. Solo una parola potere fermarli da combattere e morire. Parola del Führer, ma Führer non dire mai questa parola, Führer prima morire anche lui. Se guerra finisce, tutto il mondo è felice, e solo popolo tedesco triste e disperato. Perché non essere tutti tristi e disperati?

Cosí parlò Fritz, con la fronte avvampante per il riflesso della stufa.

Il discorso aveva affrettato l'ora di togliere il disturbo. Mentre la sposa accompagnava suo padre a letto, lo sposo spalancò la porta al buio e al gelo della notte e disse: – Siamo noi che dobbiamo ringraziare voi. E perdonate la debolezza di mio suocero.

S'incamminarono tutt'insieme, col programma di sciogliersi in piazza come un corteo, e facevano catena perché nessuno scivolasse malamente sulla strada ghiacciata. Tutti zitti, qualcuno batteva i denti. Li sorpassarono Sandor e Fritz, che tagliavano per la scuola: marciavano disinvolti sul ghiaccione e il tedesco graduava il passo su quello del comandante. Una donna disse: – Però Fritz è proprio come uno dei nostri –. Non le risposero né sí né no, uno le fece una smorfia al buio e suo marito si curvò a sibilarle all'orecchio: – La pianti, stupida e ubriaca?

Poi nevicò, tanta ne venne che sotterrò la scure di Fritz e i due terzi dell'alta toppa.

La mattina Fritz parve impazzire alla vista della neve. Col pretesto di dissotterrar la scure, buttò all'aria con le mani nude metri quadri di neve, raccogliendone i fiocchi ricadenti nella bocca aperta o nello slargo della camicia, e con quella che v'era entrata si massaggiava il petto. E nel mentre parlava e cantava e gesticolava come uno zingaro, con certe scrollate elettriche. Dalle finestre dirimpetto occhieggiava la gente, e sorrideva di quella felicità e rabbrividiva per quel massaggio di neve. A un bel momento Carnera urlò: – Parla almeno italiano, o tedescaccio, se la neve ti fa questo effetto! – insospettito da quelle raffiche di parole tutte tedesche. Poi, tanto piú torvo in quanto vedeva Fritz divertirsi genuinamente e l'inutilità, dal punto di vista lavoro, di quella sua sosta all'aperto, lo rispedí dentro la scuola. Ma di lí a un momento Fritz era già alla finestra, con la fronte premuta contro l'inferriata che quando si fosse poi ritirato ne avrebbe portato i segni. E le donne che tra una faccenda e l'altra lo sbirciavano dai vetri lo videro stare a lungo in quella posizione, a sorridere fisso alla neve. Ma poi gli videro le mascelle afflosciarsi e gli occhi stringersi come per voglia di lacrimare, e stette a guardar tristemente la neve molto piú a lungo di quanto fosse stato a sorriderle.

Lo si rivide libero in piazza nel pomeriggio. I partigiani battagliavano a palle di neve, divisi in due squadre; avevano posato all'asciutto le armi da fuoco e con mani bollenti raccoglievano, comprimevano e scagliavano, con urla di provocazione e di trionfo. Fritz arrivò dondolando fino alla linea di mezzo e lí si fermò, fuori della lizza, a seguire con gli occhi l'incrociarsi delle palle. Sorrideva, con le mani ciondoloni che non conoscevano le tasche. Sandor lo vide con la coda dell'occhio, gli gridò senza guardarlo, intentissimo a mirare e a schivare: – Tirare anche tu, Fritz! Mettiti dalla parte che vuoi.

Ma Fritz scosse la testa, sempre sorridendo, e allora Sandor sventolò una mano per ottenere un minuto di tregua per sé, poi si rivolse a Fritz: – Perché non vuoi? Non essere capace?

– Capace, sí. Ma non potere, non potere tirare a voi.

Il tempo passava lentissimo, come facesse la stessa fatica che gli uomini a spostarsi sulla neve fonda. Un po' piú filato doveva trascorrere a Ceva, dove i fascisti e i tedeschi avevano caffè, cinema e portici. I partigiani dormivano venti ore su ventiquattro, cambiando stalla ogni notte, litigando per il posto nella greppia o nel cassone del fieno, riempiendo i dormiveglia di fantasie libidinose come tabacco a volontà, bere un'aranciata, che una donna per tutta una notte gli pitturasse con lacca azzurra le piante dei piedi. Si sollevavano ogni tanto sui gomiti e attraverso i finestrini delle stalle guardavano fuggevolmente la valle Bormida tutta parata di bianco come un duomo per il funerale d'una vergine, poi ripiombavano sulla paglia. Dormivano venti ore su ventiquattro, senza nemmeno una sentinella; Sandor aveva proibito ai paesani di aprir le strade con lo spartineve, tanto avevano in casa di tutto, pane e carne e vino.

Finché un giorno di primo febbraio, Pantera, seduto alla finestra per aver luce per una certa sua operazione (con un coltello da cucina si scrostava dai piedi la carne morta stratificatavi sotto dal tanto camminare), diede un allarme.

Un uomo arrancava sull'ultimo costone, squarciando la neve al polpaccio, la nebbietta del fiato fissa tra le labbra come una pipa, e da piú presso si notò che indossava una divisa tutta d'un colore, una vera divisa insomma. Della repubblica non era, tedesca non pareva, ad ogni buon conto lo puntarono con tutte le armi.

L'uomo si fermò ai piedi della scarpata, ansava a testa china. Alzati gli occhi e viste le nere canne spianate, rise di collerica compassione e gridò: – Che fate, disgraziati? Sono del comando. Vengo da voi. Prendo di qua?

Sandor si scostò dal parapetto e disse: – Ha una faccia da Gielle. – Se avesse la barba, – precisò Polo e andarono con tutti gli altri ad aspettarlo in piazza.

Arrivò, scuotendo i calzoni per scrostarli dalla neve. Era anche piú giovane di Sandor, con un'aria metà da intellettuale e metà da ufficiale effettivo, il che finiva per comporgli un'unica aria di estrema durezza e antipatia. Indossava, completa, una divisa inglese, la prima che venisse sotto gli occhi degli uomini di Sandor, quella divisa inglese tanto piú razionale di quella tedesca, tanto piú maschia dell'americana. Come sola arma portava la pistola, ma una pistola come un cannoncino, che spuntava con la sua poderosa culatta da una fondina di tela cruda sulla quale stava scritto in inchiostro blu e con la calligrafia consentita dalla ruvidità della trama: LADY REB.

Li confrontò per qualche minuto, mentre il respiro gli si normalizzava. Davanti a lui tutti, Sandor il primo, provarono una vaga umiliazione, quasi la vergogna d'esser sempre rimasti a presidiare quel paese ultimo creato da Dio quando a stare un po' piú vicino al comando c'era da acquisire tutte quelle cose, quella divisa, quell'arma e, soprattutto, quell'aria. Mai avevano pensato di doversi vergognare, come ora facevano, davanti a un altro partigiano. Dalla schifiltosaggine di quell'ufficiale s'intuiva che il loro distaccamento era dal comando tenuto in pochissimo conto, sicché ai partigiani parve in pericolo il riconoscimento dei tanti mesi di servizio, come se quell'ufficiale avesse il diritto e il potere di negar la convalida.

L'ufficiale osservò criticamente Gibbs, che indossava la maglia gialloverde d'una squadra di calcio della pianura, poi finalmente aprí la bocca. Disse: – Sono il tenente Robin. Chi di voi è Sandor? Tu sei il capo qui. Devi avere una ventina di uomini.

Sandor confermò con una cert'aria subordinata e l'altro: – Senza perdere tempo, armatevi e scendiamo insieme a Monesiglio. Sono arrivati degli ufficiali inglesi, scesi col paracadute, col programma di eseguirci dei lanci. Questa è già roba loro, – e si palpò una manica, – e questa pure, – schiaffeggiando la fondina che rivestiva la Colt 45. – Vogliono vederci tutti quanti siamo, fare i loro conti e mandarci il necessario.

I partigiani volarono alle armi e ai pellicciotti, folli di voglia di possedere una divisa e un'arma come quelle, folli di paura d'arrivar tardi.

L'ufficiale s'era accesa una sigaretta mai vista col bocchino di sughero e aspettava fumando. Gli capitò sott'occhio Carnera, che si serrava convulsamente il pellicciotto con una banda di cuoio. Strinse le labbra fino a risucchiarsele in bocca e chiamò Sandor. – Chi è quel piccolo? Vi mancava la mascotte? Queste cose lasciamole fare ai Muti.

– Non è una mascotte. È uno dei nostri, con noi da un pezzo. Ha sulle spalle due combattimenti e sei rastrellamenti.

– Fallo restar su. Se gli inglesi vedono inquadrato uno scugnizzo simile, c'è pericolo che si formino il concetto che noi partigiani non siamo una cosa seria.

Sandor andò a convincere Carnera. Che s'offese, s'indignò e disse: – Ma io vado a chiedergli spiegazione –. Sandor lo frenò col braccio teso. – Lasciami passare, Sandor. Ma non lo sa che io son buono di spaccargli la testa? Lo sa che io ho sulle spalle tre combattimenti e sette rastrellamenti, che io mangio un cane se lui ne ha altrettanti? Domandagli un po' se vuol farsela con me alla pistola. Lasciami passare, Sandor, vado soltanto a chiedergli spiegazione.

Ma Sandor non lo lasciò, gli ordinò di restar su a sorvegliare Fritz, soltanto ora il tedesco gli riveniva in mente.

I partigiani si allineavano, pestando i piedi, e Ivan disse: – Addio, siamo di nuovo nel Regio.

Sandor domandò all'ufficiale: – Come sono?

– Chi? I tuoi uomini?

– No, questi ufficiali inglesi.

L'altro nicchiò, come se Sandor non fosse degno dell'informazione, poi disse in fretta: – Sono dei filoni, sono. Allora, siamo al completo?

– Manca il partigiano Elia.

– Motivo?

– Malato con la scabbia.

L'ufficiale strinse le labbra alla sua maniera. In quel momento Fritz sbucò con due fascine sottobraccio. Vide il nuovo, calò le fascine a terra, uní i tacchi sulla neve senza rumore e disse a se stesso: – Englisch!? Englische streituniform!

L'ufficiale scattò con Sandor. – Dio santo, avete un prigioniero tedesco e lo trattenete senza avvertire il comando. Ma scherziamo?

– Noi l'abbiamo preso e ce lo siamo tenuto. Eventualmente per un cambio. Intanto ci fa i servizi –. Ma il tono di Sandor non era deciso come lui avrebbe voluto.

– Perché l'avete preso voi mica è roba vostra! Dio santo un prigioniero tedesco è importante, è roba da comando, e voi ve lo tenete quassú, cosí –. Poi, piú sommesso ma piú concentrato: – Quasi quasi l'interrogherei, ma ci vuole troppo tempo per cavargli qualcosa che meriti e noi dobbiamo andare. Partiamo. Arrivati al comando, ne parlo subito al maggiore e vedrai che lui ti dirà di portarglielo giú e ti farà un cicchetto perché non hai provveduto a suo tempo.

Guardò vivamente a Fritz, riobbligandolo a riunire i tacchi. – Non c'è pericolo che evada ora che il grosso viene via con me? Non avete un locale dove rinchiuderlo?

– Non c'è nessun pericolo, – rispose Sandor. – Quel piccolo di prima basta lui a tenerlo d'occhio. Ormai lo conosciamo bene, è una pasta frolla, non sembra nemmeno un soldato tedesco.

– Forse austriaco? – indagò sottilmente l'ufficiale.

– No, no, tedesco. Ma non somiglia, ecco.

Segnale di partenza. Carnera andò al parapetto, li avrebbe seguiti con gli occhi fin dove possibile. E come la fila s'allungò sull'intatto pendio, sorrise. Il primo era quell'odioso del comando, ma sarebbe stato dimenticato prima di sera. Gli altri guardava Carnera, a loro sorrideva: Sandor, Ivan, Gibbs, Pantera, anche Polo, e tutti gli altri; scendevano un po' legnosi, un po' burattini sulla neve diseguagliata dai colpi di vento, i piú con le mani in tasca, tutti con le armi pendule a tracolla come chitarre. Erano i suoi compagni, quelli i cui nomi avrebbe dovuto citare ogniqualvolta avesse raccontato di sé, fra dieci venti cinquant'anni, gli unici partigiani che avrebbe riconosciuto tali, perché erano stati partigiani con lui.

Mentre Domenico che chiudeva la fila spariva con la testa sotto una gobba del pendio, Carnera sentí dietro di sé crocchiare la neve. Era Fritz che tornava dall'aver scaricato le fascine in cucina.

Domandò ansioso: – Essere ufficiale inglese?

– Quello là? Quello è inglese come me. Ha soltanto la divisa. Ora ce la dànno a tutti. Tu li conosci gli inglesi?

– Popolo molto serio, popolo molto capace fare affari.

– Ah sí?

Indugiarono un po' a considerare le orme che i partiti avevano lasciato e poi mossero gli occhi intorno e in alto. C'era da restare accecati a voler fissare là dove il cielo d'un azzurro di maggio si saldava alla cresta delle colline, di tutto nude fuorché di neve cristallizzata. Una irresistibile attrazione veniva, col barbaglio, da quella linea: sembrava essere la frontiera del mondo, da lassú potersi fare il tuffo senza fine.

Il nervoso prese Carnera. A se stesso, ma gridando, disse: – Cosa stiamo a fare? Tutt'oggi soli! Stesse secco quel beccamorto del comando. Stessero secchi anche gli inglesi. Cosa facciamo? Se andiamo a casa, c'è il cuciniere che prima o poi ci mette a lavorare. E poi c'è Elia con la scabbia che si lamenta e si gratta a sangue. Andiamo a fare un giro intorno al paese. Spazziren, eh?

Fritz raggiò in faccia, senza esitare additò il bosco. – Andiamo a bosco –. L'attirava fin dai primi tempi e aveva sempre sperato di visitarlo una volta o l'altra. Coronava un bricco a cupola ed ora appariva come un magazzino di forche.

Carnera s'insospettí. – Perché proprio a bosco?

– Io amo boschi.

– È lontano.

– No, niente lontano.

Carnera gonfiò la pancia per sentirci contro la pistola ficcata nei calzoni; la sentí e disse: – Allora muoviamoci. Ma tu cammina sempre avanti e non fare scherzi, capito?

Fritz fece la faccia offesa: – No, no, io...

– Intesi. Tu camminare avanti e fare buchi per me dove io mettere i miei piedi.

S'incamminarono, Fritz imprimeva pesantemente i piedi sulla neve e Carnera saltellava dall'una all'altra di quelle impronte elefantesche. Ma dopo un po' di quella ginnastica gridò: – Fa' i passi piú corti, mi stanco a saltare cosí in lungo.

Erano nella terra di nessuno tra il paese e il bosco, ai piedi del bricco a cupola. Gli occhi di Carnera si puntarono sulla schiena del tedesco: dopo appena un quarto d'ora di cammino il sudore già scuriva la camicia sulle scapole e al confine coi calzoni; anche da questo Carnera giudicò la forza del tedesco, quella era la sudorazione di un gigante, non di un uomo. Sentí freddo nella schiena, ma non era che gli salisse dai piedi assediati dalla neve, e si mise a pensare e pensando dimenticò le orme di Fritz e si trovò ad avanzare sulla neve compatta. Vedeva che Fritz lo stava distanziando, ma non lo richiamò, era troppo concentrato a pensare. – E se questo tedesco si convince che io sono piccolo, un ragazzino qualunque? Arrivati a un certo punto, tra le piante, si volterà di scatto e mi verrà addosso con le mani avanti. È vero che io sono armato. Ma la mia pistola sparerà? Non l'ho mai provata. Ho solo quattro colpi e di quelli che non si trovano e li ho sempre conservati per quando ne avessi bisogno con la repubblica. Chissà da quanto tempo questa pistola non spara? E se io premessi il grilletto e non ne uscisse niente, facesse solo pluff come una bottiglia che si stappa? Allora lui riderebbe, mi verrebbe addosso e mi fiacca sotto i piedi.

– Friiiitz!

Un urlo cosí non gli era mai uscito, Fritz ruotò su se stesso. Disse da lassú: – Cosa avere? Perché non venire?

Carnera avanzò ricercando le impronte di Fritz e salí rapidamente, ma a dieci metri da lui s'arrestò. A guardarlo da sotto in su, gli apparí non un uomo ma una rocca sul punto di rovinare su di lui.

– Fritz, torniamo indietro.

Il tedesco fece una tal faccia contrariata che a ciascun angolo della bocca venne a pendergli un chilo di carne.

– Non andare piú a bosco?

– No, torniamo giú. Non sto bene, ho mal di testa. Questa neve con questo sole m'ha dato alla testa –. Infatti il riverbero gli sigillava gli occhi, e sí che aveva bisogno di tenerli bene aperti per controllare ogni mossa del tedesco.

Ma Fritz non scendeva, pur nel barbaglio Carnera scoprí il sorriso di disprezzo che gli arricciò i labbroni. Disse Fritz:

– Io non buono soldato tedesco, ma anche tu non buono partigiano. Partigiano nemmeno capace di camminare sulla collina. Tu essere piccolo, dovere stare a scuola invece che fare il partigiano.

Carnera nel furore scalciò la neve, ma non salí d'un passo. Gridò da giú: – Bastardone, è vero che io non sono un buon partigiano, e sai perché? Perché non ti ho ammazzato subito. Anche Sandor e tutti gli altri non sono buoni partigiani, ma ci mettiamo poco, sai, a diventare buoni partigiani.

Sentí la neve stringergli i polpacci, come una morsa. Intanto Fritz scendeva, un passo, due passi. Carnera aprí la bocca per urlargli di fermarsi dov'era, ma il tedesco si fermò spontaneamente.

Fritz sorrideva come prima e adesso sollevava una gamba per ripigliar la discesa. Carnera estrasse la pistola e gliela spianò contro. Fritz ricalò la gamba: fissava l'arma, un pistolino, ma puntato dritto al suo cuore. Poi scosse la testa e rise. – Tu piccolo. Non essere capace di uccidere me.

– Non esser tanto sicuro.

– Tu piccolo. Non essere capace di uccidere me –. E si tastava tutto il petto, come per misurarlo per sé e per Carnera. Sorrideva sempre.

L'arma tremava visibilmente nel pugno di Carnera.

– Guarda, Fritz, che ti faccio kaputt. Non dirmelo un'altra volta.

Il tedesco lo fissava come a ipnotizzarlo, e Carnera si sentiva dentro come debbono sentirsi le gallinelle all'abbrivo del gallo.

Fritz sollevò la gamba, sempre sorridendo.

– Kaputt! – urlò Carnera.

– Tu piccolo. Non essere capace di uccidere me, – e scese. Un colpo solo partí dal pistolino di Carnera, ma fu come se saltasse una mina nella pancia del bricco. E Fritz piombò giú piatto come una rana, e la neve sventagliata volò a pungere in faccia Carnera e a risvegliarlo.

War can't be put into a book

Sapevo che il mio compagno Jerry scriveva della guerra. Troppe volte l'avevo adocchiato intento a scrivere, freneticamente, seduto ai piedi d'un albero o appoggiato a un muricciolo; talvolta scriveva fino a buio, orientandosi verso l'ultima luce solare.

Scriveva, alternando una quantità di matite ogni cinque minuti, su dei quadernetti scolastici. Calcolai che doveva averne riempiti almeno una mezza dozzina, naturalmente a far tempo da quando era passato nel mio reparto. Prima stava con Giorgione, nel presidio di Castagnole. Sapevo pure che il paese non gli andava: non gli andava che fosse in piano, che fosse diviso in due borghi, non gli andava che avesse una stazione ferroviaria (sebbene la linea fosse interrotta dalla primavera del '44), non gli andava la popolazione, non gli andava nemmeno il suono delle campane di Castagnole.

Lo vedevo scrivere e non dubitavo che scriveva della guerra. Ricordo che quando me ne convinsi mi venne subito in mente una frase di Lawrence (quello buono, il colonnello): «... to pick some flowers...» ma conclusi che non potevo, proprio non potevo, ascriverglielo a frivolezza.

«È un'idea, – dicevo fra me commentarily: – Questa roba potrà andar molto, dopo. Gli editori saranno tutti per questo genere di roba, dopo, per almeno una decina d'anni. Ma ci sarà un dopo per Jerry?»

E di sottecchi, e da lontano, l'osservavo scrivere quei suoi quadernetti, e intanto mi chiedevo se Jerry avrebbe visto la fine della guerra. Un po' m'inteneriva, e un po' insieme m'irritava, questo ragazzo (di bassa statura, la testa un po' grossa e con capelli biondi troppo rari e troppo fini, il torace un po' striminzito e le cosce proporzionalmente troppo sviluppate) che scriveva cosí solo, cosí frenetico e absorbed nel vortice dei suoi compagni, avventati, estroversi e comunitari anche nell'ozio.

Da certe sue impuntature e da certi movimenti della mano mi pareva che dovesse inframezzare lo scritto con disegni e schizzi – il profilo di un compagno, un paesaggio di collina, l'arrivo di una camionata di munizioni – ma mi sbagliavo.

Una sera gli arrivai letteralmente addosso. Svoltai nella circonvallazione sottana di Mango e quasi me lo trovai sotto i piedi. Si era infatti messo seduto poco sotto l'orlo della strada, sull'erba già umida, rivolto all'ultima luce solare.

Jerry chiuse il quadernetto con un colpo secco, poi lo riaprí uneasily.

Io andai a sedermi il piú distante possibile e gli offersi il pacchetto aperto di Craven A.

Rifiutò con la mano ancora armata della matita. – Mi piace tutto degli inglesi... – mi disse.

– Lo so.

– ... tranne il tabacco. Poco manca che mi dia il vomito, non so perché.

Lo avevo acceso.

– Scrivi della guerra, eh, Jerry?

– Appunti, – disse in fretta.

– Appunti della guerra, – insinuai io.

– Naturale, – disse lui un po' ostilmente.

Aveva afferrato il tono vagamente ironico che io usavo e, stranamente, io non riuscivo a correggerlo. Mi provai dunque a renderlo perlomeno simpaticamente ironico, visto che non riuscivo a voltarlo su una non sforzata serietà.

– E... ti vengono bene? – domandai, stupidamente.

– Questo non si può dire, di appunti. Sono soltanto appunti.

Mi sentii toccato e per un minuto aspirai dalla Craven A.

– Sai, – dissi poi, – che ha scritto Walt Whitman della guerra? Lui si riferiva alla Guerra di Secessione, ma naturalmente vale per tutte le guerre.

La curiosità ardeva nel suo viso quasi scancellato dal buio.
– War can't be put into a book, – citai in inglese.
– Questo è vero, verissimo, – disse con una sorta di disperazione. – Me ne sto accorgendo. È come svuotare il mare con un secchiellino.
Poi ebbe uno scatto quasi elettrico. – Ma tu che facevi nella vita?
– Insegnavo lingua e letteratura inglese.
– Ah, – fece, rather bashfully.
Prendeva a far freddo. Il freddo saliva quasi liquido dal vallone poco distante.
Lo fai per la stampa, spero? – ripresi.
– Spero, – rispose con una sorta di non-speranza.
– Gli editori saranno tutti per questo genere di letteratura. E... sarà una cosa puramente documentaria, o qualcosa che varrà... decisamente sul piano artistico?
– Spero... sul piano artistico, – rispose con quel suo tono di non-speranza. – Come documentario, non varrebbe nemmeno la pena che me li portassi dietro. – Diceva dei quadernetti: dunque dovevano essere parecchi.
Mi rendevo perfettamente conto che il dialogo aveva un tono decisamente letterario e inconsistente, fatto di compiacenze da parte mia e di [reticenze] da parte di Jerry. Ma mi andava a genio: erano mesi che non sviluppavo un dialogo del genere... da mesi non dicevo che parole le quali erano non parole ma terra, sangue e fuoco e carne... da quel giorno che andai a prendere il tè da Fulvia Pagani nella sua villa sulle prime balze della collina di Alba, occupata da duemila fascisti.
Non avevo il minimo desiderio di scorrere nemmeno una pagina, eppure si vedeva che Jerry agonizzava dalla paura che io glielo chiedessi. Volevo sollevarlo da quella pena, ma non sapevo proprio come dirglielo.
– Da dove principia il tuo diario?
– Non è un diario! – disse di scatto.
– Quello che è. Da dove comincia?
– Dal principio. Dal mio principio.
– Quando sei venuto?
– Nel luglio.

– Hai scelto bene. Erano mesi meravigliosi. Avevamo, si può dire, un impero e...

M'interruppe quasi irosamente. – Un momento. È vero che arrivai nella bella stagione, ma per me furono subito sorbe. Io mi arruolai il ventitre luglio e il ventiquattro già la mia vita non valeva piú di un soldo bucato. Non ti ricordi già piú che cosa successe il ventiquattro luglio?

Lí per lí non ricordavo. Ne erano successe tante...

– Al bricco di Avene, – mi aiutò Jerry.

Ricordai istantaneamente. La pazzia di Orlando, sette o otto morti nostri, nessuno per loro...

– Ah, eri di quelli di Orlando...? – domandai senza vero interesse.

– Già, di quelli di quel pazzo di Orlando! Ora dirai ancora che sono arrivato nella bella stagione? Uno che si arruola il ventitre e il ventiquattro si trova fino al collo in una delle piú belle stragi...

– Bene, – stavolta lo interruppi io. – Comunque dopo fu ancora piú dura.

– Per me no, – disse. – Io non mi sono piú trovato alle strette come il ventiquattro luglio. Ma collettivamente ammetto che dopo fu infinitamente piú dura. Secondo me, tutto nacque, tutto il duro, dal prendere Alba. Era prendibile, ma dovevamo resistere alla tentazione.

– Fu un errore, e non stiamo a vedere se fu magnifico o no. Io ero di quelli che dissero che era un errore, ma quando entrai mi ubriacai di gioia come tutti gli altri, e quasi mi maledicevo per aver pensato il contrario. E ti dirò di piú: pensai anche che potessimo tenerla, contro tutte le piú lampanti evidenze.

Mi mossi uneasily sull'erba e ripresi: – Ma l'avessimo presa o l'avessimo lasciata a quella guarnigione di fessi, la grande sorbola di novembre ce l'avrebbero rifilata lo stesso.

– Questo sí, – ammise Jerry.

– E allora ringraziamo di aver perduto Alba, – dissi: – ringraziamo le forze di Torino che ci hanno cacciato venendo dal fiume. Se non riuscivano loro, noi restavamo nella città e ci arrivavano addosso le divisioni che in novembre ci hanno attaccato da sud. E annegavamo tutti in Tanaro, quanti eravamo. Ricordi com'era grosso il fiume?

Jerry assentí profondamente con la testa. – Faceva spavento, come piena in sé. Ma come sbarramento protettivo dava tanta consolazione.

Io sorrisi. – C'è nel diario la piena del fiume di Alba?

– Certo.

– Dovrebbe essere una bella pagina.

– Io lo spero.

– Benissimo, – dissi conclusivamente, e mi alzai.

La sera stessa Jerry mi accostò alla mensa. C'era un vocio infernale e Jerry non riusciva a farsi intendere a voce normale. Vidi nei suoi occhi la preghiera che uscissi un momento con lui, ma io ne avevo abbastanza di letteratura, abbastanza per un po', e non lo esaudii, con non poca callousness. Cosí fu costretto a spiegarsi loudly, e si vedeva che ci soffriva. Era venuto a dirmi che, nel caso che gli succedesse qualcosa, aveva dato disposizione perché tutti i quadernetti venissero consegnati a me. Ne facessi poi quel che volevo, quel che avrei giudicato migliore... per la sua memoria. Disse proprio cosí. Ricordo che lo ringraziai, quanto piú sobriamente potei: solo osservai che, nel generale trambusto, le sue disposizioni non venissero attuate. Ma mi rispose, con una certezza quasi fanatica, che io avrei immancabilmente ricevuto i manoscritti in caso di... Ricordo ancora che non gli dissi che non gli sarebbe capitato nulla e che sarebbe tornato a Torino col suo tascapane inzeppato di quei quadernetti. Eravamo troppo avanti, troppo, per questo genere di consolazione.

Subito dopo mi lasciò. L'avevano aggregato alla missione inglese, ma non ci rimase piú di una settimana. Scriveva un buon inglese e lo parlava discretamente, ma assolutamente non lo riceveva. Dopo una settimana il maggiore Hope, stufo di scrivergli le domande su carta, me lo rimandò indietro. Era piuttosto avvilito, ma lo rianimai facilmente. – Scrivi, – gli dissi, – la tua esperienza presso la missione inglese in tono umoristico, – e lo destinai al plotone di Diego.

Lo rividi morto, insieme a cinque altri, sulla strada di Valdivilla, verso le tre del pomeriggio del venticinque febbraio. Gli diedi appena uno sguardo, notai che l'avevano spogliato delle scarpe di foca inglesi: non piú, perché dovetti correre a trattenere Diego che voleva uccidersi. Se ne dava tutta la colpa. Era andato per fare un'imboscata e l'aveva subita. E aveva perduto sei uomini, primo dei quali Jerry.

Non mi ricordai dei quadernetti che quando tornammo dall'averli seppelliti nel cimitero di Mango. Me ne ricordai e aspettai che l'esecutore di Jerry si facesse vivo. Non m'aspettavo che fosse uno dei suoi compagni, perché con tutti questi aveva dei puri rapporti di squadra, ma nemmeno mi aspettavo la persona che, tre giorni dopo la sepoltura, si presentò al comando di Mango chiedendo di me.

Era una ragazza di sí o no diciotto anni. Era cosí distrutta fisicamente che nemmeno suscitò l'interesse sexy degli uomini di guardia. Reggeva a stento un tascapane floscio. Io la conoscevo: era Paola, la figlia della cascina dove Jerry aveva svernato dopo lo sbandamento e fino al ritorno alle bandiere. Credo che studiasse da maestra. Il suo rapporto con Jerry deve esser stato molto profondo, almeno da parte di lei. Aveva pronto tutto un discorso, ma nemmeno la forza per cominciarlo, e allora parlai io. Le dissi non del mio colloquio con Jerry, ma dei miei colloquii con Jerry e del mio interesse nelle sue cose. Allora lei non fece altro che porgermi il tascapane e se ne andò, distrutta e inosservata com'era venuta.

I quadernetti erano sei, regolarmente e pesantemente numerati. Non c'erano disegni né schizzi. La scrittura era molto regolare e netta, e ciò mi stupí: m'aspettavo di cavarmi gli occhi ricordando la frenesia con cui Jerry scriveva. Invece pareva il dettato in bella copia di uno scolaro dal polso fermo e instancabile.

Cominciai la lettura vera e propria a notte. Alloggiavo in una cascina isolata, a un chilometro dal paese, verso Alba. I miei ospiti erano benestanti ed io potevo accettare senza troppi scrupoli le gentilezze e le dolcezze che mi offrivano ad ogni momento. Avevo un buon letto, dovevo indurirmi a vietare alla donna di metterci lo scaldino, e avevo una grossa scorta di candele. Potevo leggere per ore e ore, senza rimorsi di coscienza.

La profezia di Pablo

– Che cosa aspettiamo? Io sono pronto, – disse dopo un po' il caporale.
– Non è ancora il tuo momento, – rispose Pablo.
Allora quello ebbe uno strano mancamento alle gambe e cascò seduto in terra. Poi si strinse la testa fra le mani.
Pablo disse: – Se volessi scrivere una lettera...
– A chi?
– ... io la consegnerei a un prete.
– Ma a chi? Posso scrivere al Presidente dei Trovatelli!
– Ah, – fece Giulio, – doveva vedersi che eri un bastardo.
– È un bastardo solo perché è un fascista, – dichiarò Pablo.
– Pablo, – disse Giulio, – io vado per una commissione che mi prenderà cinque minuti.
– Va', ma lasciami lo sten e pigliati il moschetto.
Si scambiarono le armi e Giulio si allontanò verso un macchione.
– Quello va a c... – disse il caporale senza seguirlo con lo sguardo.
– Tu ne avresti voglia? – domandò Pablo.
– Magari, ma che prò mi fa?
– Già. Fumati piuttosto una sigaretta, – e Pablo sporse il pacchetto.
– No. Non ho l'abitudine.
– E fuma! Possibile che tu non abbia questo vizio?
– L'avevo, ma poi l'ho perso.
– E fuma ancora una volta!

– Se fumassi non finirei piú di tossire.

– E ti preoccupi per un po' di tosse?

– Io voglio gridare, – rispose il caporale quasi sillabando.

– Gridare? – fece Pablo un po' intrigato. – Adesso?

– Non adesso. Quando sarà il mio momento.

– Grida quanto ti pare.

– Griderò Viva il Duce! – annunziò il caporale.

Pablo lo guardò in tralice, ma quando riparlò la sua voce era paziente e comprensiva come sempre.

– Grida quel che ti pare, però ricordati che ti sprechi.

Il caporale scrollò le spalle.

– Si capisce che ti sprechi, – disse Pablo senza alzare la voce, – perché il tuo duce è un gran vigliacco.

– Puah! Il nostro Duce è un grande eroe. Voialtri, voialtri siete i vigliacchi, i grandi vigliacchi. E anche noi, suoi soldati, siamo vigliacconi. Se non fossimo vigliacconi, se non avessimo tirato solo a campare, a quest'ora vi avremmo già sterminati tutti, avremmo piantato la nostra bandiera sull'ultima vostra porca collina. Ma lui, il Duce, è un grandissimo eroe e io morirò gridando Viva Lui!

E Pablo: – Ti ho già detto che puoi gridare quel che ti pare, ma ti ripeto che secondo me ti sprechi. Io sono sicuro che tu, che in fondo sei una mezza calzetta, tu morirai molto meglio di quanto saprà fare lui quando sarà la sua ora.

– E io ti ripeto che il Duce è un grandissimo eroe, un eroe mai visto, e tutti noi italiani siamo degli schifosi che non ce lo meritavamo.

– Senti qua, – disse Pablo. – Io non vorrei discutere con te al punto che sei. Al punto che sei vorrei dartele tutte vinte. Ma il duce è un grandissimo vigliacco. Io gliel'ho letto in faccia. Senti qua.

– Non voglio sentir niente, – rispose il caporale. – Al punto che sono posso anche non voler sentire.

– E invece senti qua, – disse Pablo, con le mani che quasi si staccavano dallo sten per gesticolare di rinforzo al discorso. – Io gliel'ho letto in faccia. Tempo fa mi è venuto in mano un giornale di allora, con una fotografia di lui che prendeva un'intera pagina, e l'ho studiata per un'ora. Me la sono messa davanti come su un leggio e... gliel'ho letto in faccia. Gliel'ho letto negli occhi, nella fronte, nelle mascelle, nella bocca, nella pelle. E se insisto tanto è perché non voglio che ti sprechi a gridare Viva Lui in punto di crepare. Io me lo vedo, chiaro come il sole. Quando toccherà a lui come ora tocca a te, lui non saprà morire da uomo. E nemmeno da donna, toh! Morirà come un maiale, io me lo vedo. Perché è un vigliacco colossale.

– Ah, sí? – fece il caporale, e poi: – Viva il Duce! – facendo rimbalzar le sillabe come sputi verso Pablo.

Pablo si contenne, anche perché l'altro si era ripreso la testa fra le mani.

– Un vigliacco enorme, ti dico. Quello di voi che morirà piú da schifoso, morirà sempre come un dio in confronto a lui. Perché lui è un vigliacco fenomenale. È il piú vigliacco italiano che sia esistito da quando esiste l'Italia e per vigliaccheria non ne nascerà l'uguale anche se l'Italia durasse un miliardo di anni.

Il caporale aprí la bocca per rispondere, ma non disse parola, perché era ricomparso Giulio.

– Vogliono che ci sbrighiamo, – disse Giulio a Pablo.

– Alzati, – disse Pablo al caporale.

– Ma sí, – fece il caporale, – togliamoci dal sole.

L'ora della messa grande

Era domenica e l'ora della messa grande. Smith, Oscar e Gilera sedevano su una ripa sotto la chiesa e ascoltavano la musica d'organo che ne usciva. Chi suonava era uno sfollato cieco, suonava cosí bene che gente veniva da molto distante a prendere la messa grande a Mangano.

Disse Gilera: – Fuori si sente anche meglio che dentro.

– Io in chiesa non ci andavo già piú da borghese, – disse Smith, – figuriamoci adesso.

– Nemmeno io ci vado piú, – disse Oscar, – e un po' mi dispiace per il curato di qui.

– Che te ne frega? – disse Smith.

– È un buon ragazzo, è simpatico e coraggioso. Sarebbe stato certamente dei nostri se non fosse prete.

– Vuoi dire? – disse Gilera.

– Dritto come il fuso, – assicurò Oscar. – Non gli manca niente per fare il partigiano. Il fisico ce l'ha e il coraggio. Vedi come si presta per i cambi dei prigionieri. Ci vuole fegato, sai? Nei cambi tutto ti pare formalità, educazione, perfino strette di mano, ma sotto sotto c'è l'odio e il tradimento. Non ci vuol niente a riceverti una raffica nella schiena e quella nemmeno il Papa te la leva piú.

– Ricordiamoci di Neri, – disse Smith, – di Neri andato a parlamentare con loro in una sacrestia. Dopo essersi detti quel poco che avevano da dirsi, lo lasciarono uscire e montare sulla moto. Poi lo rafficarono nella schiena. E poi gli rovesciarono addosso la benzina del serbatoio e gli diedero fuoco.

Tacquero per un po', mentre in chiesa si scampanellava,

poi Oscar riprese: – E come prete non è per niente noioso. Fa sí il suo mestiere, ma senza esagerare. Il contrario di certi altri preti che conoscevo io e che per salvarti l'anima te la straccano ben bene.

– E se ci lasciasse perdere del tutto? – disse Smith.

– E no, – obbiettò Oscar, – lasciarci perdere del tutto non può, altrimenti non fa piú il suo mestiere.

– Dunque il suo mestiere è quello di rompere le scatole, – osservò Smith.

– Questo non rompe le scatole, – disse Oscar. – A me per esempio non le ha rotte affatto. Quando ha visto che non ero molto dell'idea si è ritirato in buon ordine. Mi fece persino un certo effetto vederlo ritirarsi cosí. È stato un giorno d'aprile. Di vista ci conoscevamo ma non ci eravamo parlati mai. Io andavo alla farmacia e lui scendeva dalla canonica. Mi vede, mi sorride e mi taglia la strada.

– Cosí fanno, – grinned Smith.

– Aspetta, – disse Oscar. – «Scusa, – mi dice, – tu sei Oscar?» Gli dico di sí e per un minuto andiamo avanti con le solite cosette. Quanti anni avevo, se Oscar era il mio nome vero o quello di battaglia, se avevo ancora tutt'e due i genitori, ecc. ecc. Poi comincia a fare il suo mestiere, è naturale, e mi dice che non aveva ancora avuto il bene di vedermi in chiesa. Io faccio una faccia mezza e mezza e lui mi dice: «Almeno alla messa della domenica. Sarebbe tanto opportuno che vi confessaste e vi comunicaste piuttosto sovente ma si sa che da voialtri non si può pretendere troppo. Ma almeno una volta ogni tanto. Non siete piú buoni cristiani, voi?» Allora io gli dico «Non so, reverendo, se a fare il partigiano si rimane cristiani». «Ma certo! – fa lui. – La libertà è anzitutto un dono di Dio e l'uomo ha il dovere di difenderlo e conservarlo. Ma certo!» E me lo disse con uno slancio tale che io non sbaglio a dire che sarebbe stato certamente dei nostri se non avesse avuto la tonaca addosso.

– Ah, ah, – fece Gilera.

– E mi dice: «Ma appunto per il mestiere che fate dovreste frequentare la chiesa e accostarvi ai sacramenti il piú spesso possibile. Perché con la vita che fate, col mestiere che fate, potete trovarvi di punto in bianco davanti al tribunale di

Dio». Io mi misi a ridere. Senza intenzione e tanto meno con spregio, ma mi misi a ridere e dissi: «Oh, quello non mi fa paura. Purché non venga a trovarmi davanti al tribunale dell'A.P.». E il curato non disse piú niente; a questo punto lasciò perdere. Come vedi, Smith, questo non è rompere le scatole.

Smith non fece commenti e parlò Gilera: – In coscienza meno di cosí non poteva fare. È senz'altro dei migliori che ci siano in giro.

– Ma certo, – disse allora Smith, – tra lui e il parroco di Colforte c'è una bella diversità. Ma vorrei vedere non ci fosse diversità.

Gilera domandò chi era e che c'entrasse questo parroco di Colforte. Gilera conosceva il paese ma non il parroco.

Disse Smith: – È un corvaccio al quale demmo una lezione. Gliela dovemmo dare, ci tirò proprio per i capelli. Tanto era ignorante e testardo, tanto era fascista. Una bestia fascista.

– Cosa vi aveva fatto il parroco di Colforte?

– Parlo del gennaio, – disse Smith. – Eravamo a metà gennaio. Vero, Oscar?

Oscar confermò.

– Eravate già insieme voi due? – domandò Gilera.

– Già, eravamo insieme nella Stella Rossa a Colforte e ancor prima di Colforte.

– Dio fascista! – fece Gilera, – ma voi uscite tutti dalla Stella Rossa.

– I vecchi vengono tutti dalla Stella Rossa. E si capisce. La Stella Rossa è stata la prima delle formazioni.

– Va' avanti col parroco, – disse Gilera.

– Oscar te la può raccontare tanto quanto me. C'era anche lui al fatto.

– È vero, – disse Oscar, – ma io questa non la racconto volentieri.

– Io invece non ho mai avuta nessuna difficoltà, – disse Smith. – Non è stata una canagliata, ma pura giustizia o perlomeno rappresaglia legittima. E tu, Oscar, sei testimone che il parroco se la meritò.

Oscar non si pronunciò e Smith riprese: – Stavamo a

Colforte da circa una settimana. Prima eravamo accampati su una collinaccia sopra Malvicino che era peggio di un ghiacciaio. Lí per fortuna ci sbandarono e ci riadunammo a Colforte. Ci chiamavamo brigata ma in effetti eravamo poco piú di quello che oggi nella Garibaldi è un normale distaccamento. C'era Ursus come comandante militare, Gabilondo come commissario di guerra e come intendente avevamo un certo maresciallo Mario. Questo Mario è importante per una cosa sola, perché è stato il primo uomo cui vedessimo in mano uno sten.

– Uno sten? Uno sten nel gennaio? – Gilera non voleva crederci.

– È un mistero, – disse Smith, e poi: – Gabilondo era un tipo duro ma abbastanza a posto. Ursus invece valeva pochissime lire. Aveva infilato nella brigata una donna...

– Luana si faceva chiamare, – ricordò Oscar.

– La infilò come staffetta, ma non era nient'altro che la sua puttana. Questa faccenda ci mise tutti di malumore e chi ne pativa di piú era un nostro compagno che morí poco dopo con una raffica nella pancia. Si chiamava Stalin e mi ricordo che Gabilondo questo nome di battaglia non glielo voleva assolutamente passare perché gli sapeva di profanazione. Questo Stalin una volta disse né piano né forte: «Io capisco che i capi sono i capi e noi siamo soltanto la truppaccia lurida. Io tollero che noi si faccia la guardia e loro no, tollero che loro sentano la radio e noi no, tollero che essi dormino e mangino a parte, io tollero tutto in sostanza. Ma una cosa assolutamente non tollero: che essi chiavino e noi no».

– Lo facevano? – domandò Gilera con voce anormale.

– Se lo facevano! – disse Smith. – Lo facevano tanto che dopo la Luana girava a requisire uova e zucchero per farsi gli zabaglioni.

– E la gente gliele dava cose care e scarse come uova e zucchero?

– Per forza, – disse Oscar. – Quella porca diceva che erano per uno dei nostri tubercolotico.

– Allora. Stavamo a Colforte da circa una settimana ed io questo parroco l'avevo visto un paio di volte. L'avevo incontrato per strada, aveva l'abitudine di camminare a testa bassa e sempre rasente ai muri. Aveva piú di cinquant'anni, una faccia materiale come poche, era basso e massiccio, non portava cappello da prete ma un passamontagna nero e ai piedi scarponi militari. Aveva un modo di guardare da sotto in su che mi disturbava. Ti guardava con un misto di rabbia e di ironia che proprio non mi andava. Debbo dire che sia Ursus che Gabilondo lo trattavano con rispetto. Per pura politica, ma comunque con rispetto. Quando lo incrociavano lo salutavano sempre per primi. Col pugno chiuso, si capisce, ma sempre per primi e sempre con rispetto.

– Ti dimentichi di Anselmino, – avvertí Oscar.

– Non me ne dimentico, – disse Smith. – Anselmino lo tirerò fuori al momento giusto. Viene la domenica e la messa. Una parte dei nostri compagni andava in chiesa e bisogna riconoscere che Gabilondo non fece mai nessun ostacolo. Andavano alle funzioni e in chiesa si comportavano molto meglio dei paesani che non facevano altro che borbottare e sputare ai quattro angoli. Quindi anche sotto questo aspetto il parroco fece malissimo.

– Ma cosa fece? – scattò Gilera.

– Ti dico subito cosa fece. Al momento della predica viene via dall'altare e si fa alla balaustra. Da quelle parti non si predica dal pulpito ma dalla balaustra. E invece di parlare del Cristo e della Madonna, che ti fa? Se la piglia direttamente coi partigiani, sotto forma di predica religiosa ce ne disse di tutti i colori. Disse che aveva una tremenda responsabilità e un tremendo rimorso per avere taciuto per tutta la settimana mentre avrebbe dovuto parlare subito in modo che i suoi fedeli sapessero regolarsi. Invece il suo silenzio aveva confermato i suoi fedeli nell'idea che i partigiani erano buoni, buoni e legali, e che rappresentassero il nuovo e giusto governo d'Italia. E non era affatto vero, era vero tutto il contrario. Il vero governo era sempre quell'altro, quello di Mussolini. Infatti i partigiani non si chiamavano anche ribelli? E ribelli a che cosa se non al governo costituito e legale? Quindi non eravamo che dei sovversivi e dei rivoltosi, dei banditi. Intanto non facessero quella faccia perché quel discorso, anche se non era di stretta religione, era pur sempre fattibile in chiesa perché Gesú Cristo si era occupato anche del governo di questo mondo e «date a Cesare quel che è di Cesare» ecc. ecc.

– Va detto che i primi ad arricciare il naso e a smuovere i piedi, e qualcuno a filarsela, furono proprio i paesani, perché i nostri, per rispetto all'ambiente, non alzarono un dito e non dissero una parola. E quel disgraziato si montò anche di piú e fece peggio. Disse che cosí stando le cose, dimostrato che i partigiani in fondo erano banditi, i paesani dovevano immediatamente ritirare tutto l'aiuto e l'appoggio che ci avevano dato in buona fede sin qui. Non darci piú niente, non prestarci piú niente, nemmeno venderci piú niente. Quindi non darci piú da mangiare, non piú alloggio nelle case e nelle stalle, negarci anche le bestie e i carri per i nostri trasporti e i nostri traini. Inoltre, e soprattutto, non permettere piú che le loro donne si prestassero a lavarci e a rammendarci la roba. E dette tutte queste cosette si asciugò il sudore e si girò a finir messa. Capirai che dei paesani non uno restò fino alla fine della predica. Forse uno o due duri d'orecchio. I nostri invece si fermarono tutti e per rispetto all'ambiente non fecero e non dissero niente. Ma appena fuori corsero al comando a riferire a Gabilondo e trovarono che Anselmino li aveva preceduti.

– Questo Anselmino era di Colforte. Era sui quarant'anni e benché fosse nostro simpatizzante non era niente di buono.

– Cosí va bene, – osservò Oscar.

– Sono io il primo a dirlo. Un niente di buono. Di lavorare non aveva nessuna voglia, si era già mangiato un'eredità e in paese non aveva piú il credito di una lira. Si era innamorato di noi e del comunismo e Gabilondo gli dava corda. Infatti Anselmino era l'unico borghese ammesso ai corsi di comunismo che Gabilondo teneva per noi. Non perdeva una lezione ma era chiaro che non ne capiva un tubo. Però era il nostro piú grande simpatizzante e ce l'avevamo attorno e addosso a tutte le ore. E non potevi scrollartelo malamente per non disgustarti il commissario. Gabilondo ci teneva perché Anselmino era la sua prima conquista e contava su Anselmino per formare una cellula a Colforte. Non ci mollava nemmeno alla sera, veniva tutte le sere all'osteria dove stavamo noi, stretti come acciughe, e ci abbracciava e ci dava pacche e manate e gridava «Benedetti voi ragazzi di città che siete venuti a svegliarci nelle campagne. Svegliateci, anche a schiaffoni, ma svegliateci!»

– Anselmino aveva già riportato a Gabilondo e questi aveva già preso la sua decisione. «Se non contrattacchiamo immediatamente, – disse, – avremo un danno enorme. In questi paesacci arretrati il parroco fa legge e se non diamo una lezione la grande maggioranza farà e penserà come vuole quel sacco di carbone. E io non posso perdere i contadini». Ursus domandò subito se lo si fucilava, ma Gabilondo sbuffò. «Possibile che tu non abbia mai nessuna idea o risorsa che fucilare? Non lo fuciliamo affatto. Non possiamo permetterci di fucilare un prete, non ancora perlomeno. Non lo si fucila, gli si dà una lezioncina che andrà certamente a buon fine». Ciò detto si voltò a parlare stretto con Anselmino e alla fine Anselmino disse al commissario «Torno subito col suonatore. So io dove trovarlo».

– A prelevare il parroco andò Ursus di persona con due guardie. Ursus pensava di prelevare anche le due suore dell'asilo infantile per farle assistere allo spettacolo e raddrizzarsi le idee casomai le avessero storte anche loro, ma Gabilondo e il maresciallo Mario si opposero. Gabilondo disse che erano due povere disgraziate, in fondo erano due proletarie anche loro. Infatti non avevano mai visto la faccia di un dieci lire e mangiavano un giorno sí ed uno no. Il maresciallo poi aveva sempre da fare con loro, erano le suore che ricamavano le stelle rosse per i nostri berretti. Mario le pagava in roba mangiativa, mai in contanti, e diceva che erano tremende nella contabilità, non c'era mezzo di fregarle. Quindi si stabilí di lasciar fuori le due suore.

– La chiesa di Colforte è isolata, proprio sulla punta della collina, mentre la casa canonica si trova nel pieno del paese. Noi ci radunammo ai bordi del sagrato. Era appena la mezza ma l'aria era scura come di sera. C'era mezzo metro di neve gelata e tirava un vento da venti sotto zero. Spuntò Anselmino col suo suonatore, un ragazzo con la fisarmonica spallata e già sbottonata. Poi arrivò il maresciallo Mario con sul braccio una bandiera rossa che era la sorella piú piccola del bandierone del comando. Finalmente arrivò il parroco fra Ursus e le due guardie. Non lo portarono sul sagrato, lo fermarono sotto il portico della sua chiesa. Gli ordinarono di spogliarsi, con le sue proprie mani, e ogni pezzo nero che si toglieva le guardie lo scaraventavano sulla neve. Come lo vide a buon punto, Mario attraversò il sagrato e stette davanti al portico; aveva spiegata la bandiera e la teneva pronta come un accappatoio. E quando fu nudo e lo spinsero sul sagrato Mario gli buttò la bandiera sulle spalle e il prete se la strinse ai fianchi come un manto. «Attacca!» gridò Anselmino, e il ragazzo che era già istruito attaccò Bandiera Rossa. «Balla!» ordinò Gabilondo al prete.

– Non vorrai dirmi che ballò? – disse Gilera.

– E come, – disse Smith, – e come ballò! Ballava slanciato, sul rotondo, senza mai prendere fiato. Nota che era pure scalzo. E ballava come si deve; si sentiva certamente un martire e voleva soffrire fino in fondo. Noi eravamo già stufi e nauseati e lui ballava come al principio. Finché il ragazzo della fisarmonica si disgustò e perse il tempo e non faceva piú vera musica. «Suona!» gli gridò Anselmino; ma il ragazzo tolse le mani dalla tastiera e si mise a piangere.

– Gabilondo gridò che bastava, ma anche senza musica il parroco fece ancora un paio di giri. Poi lo afferrarono in tre o quattro e di peso lo riportarono alla canonica. Aveva una febbre da cavallo ma guarí subito, era robusto come un cannone. E la domenica ricomparve in chiesa per la messa grande e stavolta in chiesa c'era pure Gabilondo. Venne il momento della predica e il parroco si fece alla balaustra. Non sentivi volare una mosca. Bè, si rimangiò tutto. Disse che ci aveva ripensato e si era reso conto dell'errore. Disse che i partigiani erano l'Italia e che il loro governo era quello buono e legale. I fedeli quindi dovevano parteggiare per noi e non dire di no a nessuna delle nostre richieste. L'altro governo aveva fatto il suo tempo, come tutte le cose di questo mondo aveva fatto il suo tempo. Ma a questa frase Gabilondo gli lanciò un'occhiata delle sue e il parroco si corresse. Disse che l'altro governo aveva portato l'Italia alla rovina e quindi doveva giustamente sparire.

– È finita, – disse Oscar della messa.

Si alzarono dalla ripa e salirono verso il portale maggiore per un buon posto all'uscita delle ragazze. Salendo Smith disse: – Gabilondo gli mise alle calcagna uno dei nostri per sorvegliarlo di continuo, che non scendesse in pianura con qualunque mezzo ad avvertire una brigata nera e farla salire a sterminarci. Ma non fece nulla del genere. Ora io capisco che quel parroco era impazzito. E ciò che lo aveva fatto impazzire era il bandierone rosso che sventolava sul suo paese, e le stelle rosse sui nostri berretti, e il saluto col pugno chiuso. Non c'è da sbagliare a spiegarla cosí. Se noi fossimo stati un presidio badogliano, novantanove su cento il parroco di Colforte non avrebbe detto e fatto ciò che disse e fece.

La prigionia di Sceriffo

Era stata un'esperienza spaventosa ed erano passati appena tre mesi ma Sceriffo non ne aveva piú che un ricordo annebbiato ed incompleto. Lo shock permaneva, tutte le volte che ci ripensava o qualcuno gliene accennava gli si ghiacciava il cranio, ma facce e fatti, discorsi ed ambienti erano in grossa parte svaniti dalla sua memoria. Ad esempio, per quanto ricercasse, non ritrovava piú la faccia del tenente dell'ufficio politico che lo aveva interrogato un paio d'ore dopo la sua cattura. Stando alle informazioni dalla città, l'ufficio politico era stato recentemente trasferito nei locali del Collegio Convitto, ma nel mese di marzo era ancora installato in quella casa municipale dove sino al 1943 si erano tenute le visite di leva militare.

L'ufficiale sedeva dietro una scrivania, aveva un basco nero in testa e sulle ginocchia un nerbo di bue. Appoggiato a una parete stava un piantone il quale, quando Sceriffo fu spinto dentro, venne a controllargli la legatura ai polsi. Poi l'aveva squadrato in faccia e gli aveva detto confidenzialmente: – Com'è che ancora non ti hanno raddrizzato il naso?

Il naso di Sceriffo era naturalmente storto per una congenita deviazione del setto e il piantone si stupiva che gli stessi che l'avevano preso non l'avessero lavorato al muso.

L'ufficiale infilò una sigaretta nel bocchino.

– Dove si trova attualmente Lampus?

– Lampus? – aveva fatto Sceriffo. – Ma guardi che io ero uomo di Nord.

– Per me è lo stesso. Dimmi dove si trova Nord.

– Sulle colline si trova.

L'ufficiale era scattato dalla sedia e gli aveva menato col nerbo. Lo colpí sull'orecchio, l'orecchio prese subito a gonfiare. L'ufficiale si era riaccomodato.

– Fai dello spirito? Renditi conto che non hai piú niente da fare. Tanto meno dello spirito.

Poi aveva estratto da un cassetto un foglio battuto a macchina e gliel'aveva messo sotto gli occhi. Sceriffo ci lesse un elenco di persone di Marca, Sceriffo le conosceva bene perché molto in vista. Quasi tutti avvocati.

– Conosci queste persone?

– Di vista.

– Solo di vista?

– Solo di vista perché sono di un'altra categoria che la mia. Ma di vista le conosco bene.

– Dimmi se appartengono al Comitato di Liberazione.

– Questo non lo so, – aveva risposto Sceriffo. – Io non so nemmeno cosa sia il Comitato di Liberazione.

Ricevette un'altra nerbata, stavolta in piena guancia. Poi, dopo un paio di altre domande che Sceriffo ora non rammentava piú, l'ufficiale aveva ordinato al piantone di metterlo fuori. La scorta che aspettava nella strada spense le sigarette e si fece avanti, ma non lo riebbe in consegna perché nell'atrio si aprí un uscio e un nuovo ufficiale fece segno di introdurlo lí.

Era una sala lunga e stretta, in quel tempo serviva di magazzino alle scuole elementari che stavano nella stessa via, quindi metà dello spazio era ingombro di cattedre e banchi accatastati. C'era una quindicina di ufficiali, giovani e meno giovani, tutti in piedi, alcuni in completo grigioverde e altri con giubbetto mimetico, molti col frustino e tutti con la sigaretta in bocca. L'ufficiale sulla soglia gli menò una scudisciata a mezza vita e ridendo lo annunziò ai suoi colleghi: – Ecco il nostro pesce. Sebbene non piú freschissimo.

Col manico del frustino lo spinse verso il centro della sala, e lí lo affrontò uno dei piú giovani, un bellissimo ragazzo con l'accento romano.

– Ti abbiamo pinzato, eh? Hai finito di fucilare. Ora tocca a te. Ti piaceva fucilare, vero? Ti dava una bella libidine.

Ora permetterai che tanto cosí di libidine ce la pigliamo pure noi.

Gli diede un giro intorno, poi gli si ripresentò davanti.

– E come fucilavate? Si può sapere? Vedi che andiamo con le buone. Avanti, racconta, capirai che ci interessa assai. Anche voi badogliani avete la buona, la santa abitudine dei rossi di far scavare la fossa dal condannato medesimo? Oppure avete inventato di meglio? Ho saputo che avete un altro magnifico sistema.

Aveva allungato il collo e stretto gli occhi e Sceriffo tremava perché quello era furioso a freddo.

– Ho saputo, – riprese, – che fate anche in questo altro modo. Fate andare il nostro disgraziato a ritroso verso la fossa e prima gli avete messo in mano una scopa perché andando cancelli le sue proprie orme. Perché sparisca dalla madre terra senza nemmeno lasciarci le sue ultime sporche pedate, vero?

– No no no! – aveva gridato Sceriffo, – questo proprio non l'ho mai visto fare!

– Bastardo, hai ammesso di aver partecipato alla fucilazione di nostri camerati!

– Assistito sí, – gridò Sceriffo, – ma personalmente non ho mai fucilato!

Il sottotenente annaspò e gli menò una frustata che gli arrivò tra mento e collo. Sceriffo stette un attimo senza fiato ma poi gridò piú forte di prima.

– Picchiatemi alla morte ma non mi farete mai dire che ho fucilato.

Il sottotenente replicò col frustino, sempre mirando alla faccia.

– Non ho mai fucilato! – urlò Sceriffo. – Da noi sono quelli della squadra comando a fucilare.

– E chi ci dice che tu non eri della squadra comando? – gridò un altro ufficiale.

– Non lo ero! – urlò Sceriffo. – Ero partigiano semplice, ero l'ultimo degli ultimi. Io non sono un boia!

– Siete tutti boia! – urlò il sottotenente romano e lo riattaccò col frustino, ma non poté colpirlo piú di una volta perché si intromise un tenente anziano.

– Fermo, – gli disse, – basta con le strigliate. Abbiamo un mezzo molto migliore e piú regolare. Lo processiamo seduta stante.

La maggioranza degli ufficiali approvò immediatamente e quello continuò: – L'ambiente si presta magnificamente. C'è una caterva di cattedre e banchi e possiamo metter su una vera e propria aula di tribunale.

I piú giovani erano già corsi alle cataste e lavoravano a disincastrare cattedre e banchi.

– Il capitano tale, – proseguí quel tenente, – assumerà la presidenza. Il tenente tale ed io fungeremo da giudici.

Lo approvavano in pieno e quasi lo applaudivano.

– All'accusa il tenente tale. Avvocato difensore il tenente Rota. Rota è l'unico di noi ad essere laureato in legge e gli affidiamo la difesa. Piú onesti, piú corretti di cosí.

Avevano scaglionato una decina di banchi e quelli che dovevano formare l'uditorio si disponevano a sedercisi e intanto dicevano tutti insieme: – Il tenente tale ha ragione. Possiamo benissimo giudicarlo noi. È perfettamente regolare. Siamo tutti ufficiali, abbiamo tutti un titolo di studio. Se non siamo in grado di giudicarlo noi... È perfettamente legale.

Sceriffo non staccava gli occhi dal suo avvocato difensore. Portava occhiali neri e fumava con affettazione. Aveva lasciato combinare e disporre ma quando finalmente parlò non era per niente d'accordo. – Non è affatto legale come voi pensate. Non ha nemmeno la minima parvenza di legalità ed assolutamente io non posso aderire.

Ci fu un coro di proteste e di brontolii, di lusinghe e di inviti, ma il tenente Rota non si lasciò commuovere. Disse: – A parte tutte le riserve sulla legalità di un simile procedimento, perché dobbiamo disturbarci proprio noi? Lo processeranno domani o al piú tardi posdomani. Lo processeranno in tribunale, con tutte le regole e i crismi, lo processerà una corte regolare espressamente designata dal comando di reggimento. E nessuno avrà piú niente da eccepire sulla sentenza, cosa che, ammetterete, non è prevedibile per la sentenza che avremmo emesso noi.

Poi l'avevano trasferito, con una scorta di sei uomini e per vie secondarie, alla caserma della fanteria. Mancava poco a mezzogiorno e l'immenso cortile brulicava di soldati dopo il rancio. I piú stavano lavando le gavette, gli altri già giocavano a football. Sceriffo si era sentito svenire alla vista di tanti soldati ma per fortuna a metà dell'androne lo infilarono nel corpo di guardia. Lí gli slegarono le mani e mentre Sceriffo era occupato a soffregarsi i polsi un soldato gli tirò un pugno alla bocca dello stomaco e subito un secondo alla mascella.

– Questo per il mio camerata Basevi! – urlò il soldato.

Sceriffo era stramazzato sul pavimento e ci nuotava per ritrovare il respiro.

– Chiedimi almeno chi è! – gridò il soldato misurandogli un calcio fra petto e spalla.

Sceriffo boccheggiava e scrollò la testa a indicare che non poteva chiederglielo.

Il soldato si piegò e gli sferrò un pugno sulla bocca.

– Chi è? – urlò allora Sceriffo con la bocca piena di sangue.

– Ora te lo dico! – urlò il soldato e stava per colpirlo ancora quando un sergente lo tirò via e ordinò a Sceriffo di rimettersi in piedi.

Riuscirono nell'androne e si dirigevano al cortile. Sceriffo puntò i piedi e mugulò «No, no!» riferendosi ai soldati che in libertà affollavano il cortile. Ma lo spinsero avanti rasente la parete dell'androne e poi lo deviarono bruscamente rasente il muro perimetrale della caserma mentre il sergente passava avanti di fretta. I soldati si accorsero finalmente di Sceriffo e Sceriffo sentí un grande ruggito e chiuse gli occhi. Ma erano in ritardo, il sergente aveva già aperto la porta della prigione. Ce lo spinse dentro e giú per una scala e poi diede parecchie mandate di chiave. Prima che Sceriffo arrivasse in fondo l'urlio dei soldati si era già spento.

Era uno stanzone sotterraneo, con un lucernario inferriato in un angolo. Il pavimento era in terra battuta e ai quattro canti c'era uno strato di polvere tritata.

Dopo una o due ore – nel cortile c'era da tempo un grande silenzio – sentí la chiave girare nella toppa. Sceriffo sulla paglia fece fronte alla scala. Scendeva un soldato, uno solo, col moschetto in posizione.

– Ti chiamavi Bosco Andrea nella vita? Sali con me.
– Per dove?
– Non chiedere. Sali e zitto.
Sceriffo prese a salire ma a metà della scala ridomandò dove lo portasse.
– Al corpo di guardia.
– Che mi aspetta al corpo di guardia?
– La puta che t'ha parieu.
– Mia madre! – disse Sceriffo e col fazzoletto si ripulí la faccia come meglio poté.
Rientrarono nel corpo di guardia – ci rimanevano, scalpicciate, le pozze del suo sangue – ma lí non lo trattennero, lo passarono in uno stanzino attiguo tramezzato da un divisore in legno e metallo. Sua madre aspettava in piedi dall'altra parte.
Ora Sceriffo di sua madre in quel momento ricordava solamente che era spettinata e che le sue lacrime erano bollenti.
– Qui c'è il tuo bastardo, – le disse il soldato.
Sua madre aveva scattato in alto la testa.
– Io, l'unica che può dirlo, ti dico che non è un bastardo.
Il soldato non ribatté, si addossò alla parete col moschetto di traverso sulla coscia della gamba flessa.
Sceriffo sporse le mani oltre le sbarre per palpare sua madre.
– Mi è andata male, madre, ma nella disgrazia eri proprio tu che volevo vedere.
– E tuo padre, povero uomo?
– Parla in dialetto.
– E tuo padre, povero uomo? – ripeté lei in dialetto. Poi aveva aspettato un momento per vedere se il soldato la strapazzava per aver parlato in dialetto e se gliene faceva il divieto, ma il soldato non ridisse niente e cosí continuarono in dialetto.
– Tuo padre, povero uomo, è anche piú disperato di me. Dà della testa nei muri. Ma speriamo, speriamo ancora. Cosa ti hanno fatto in faccia, Andrea? Cosa hanno fatto a mio figlio? Per il corpo sei anche conciato cosí come in faccia?
– Non ci pensare, madre, non mi guardare, parlami sen-

za guardarmi. Questo è ancora niente. Si fermassero lí. Però mi hanno assicurato che mi faranno il processo.

– Il processo?

– L'ho sentito dire da uno dei loro ufficiali che è laureato in legge.

– È già qualcosa, – disse lei, – benché il processo, come lo fanno loro, è una cosa spaventosa. Ma pensiamo a quel povero Mario Fea che venne fucilato senza processo. Quindi speriamo anche nel processo, ringraziamo per il processo.

Reggeva sin dal principio un grosso pacco ma non aveva ancora pensato a consegnarglielo.

– Come l'avete saputo a casa?

– È stata la Lucia ad avvertirci. Era in giro per commissioni e ti ha visto mentre entravi in città in mezzo a loro. Ti ha subito riconosciuto, anche perché, mi ha detto, tu allora avevi ancora una bella faccia, è vero?

– Sí, è vero, è stato dopo.

– Quando la Lucia arrivò io stavo finendo il bucato. Senza nemmeno sciogliermi il grembiule sono corsa in fabbrica ad avvisare tuo padre –. Si ricordò del pacco. – Tieni, Andrea, ti ho portato questo da mangiare. È tutta roba buona, comperata dalla Lucia.

– Potevate avanzare, – disse Sceriffo, – non mi passa niente per la gola.

– Prendilo lo stesso e caso mai dividilo con le guardie, che ti trattino un po' meglio. È roba buona che può far gola anche a loro. Io so che mangiano grossolano. Ma una parte mangiala anche tu, magari sforzandoti, in modo da avere un po' di forza per le prove che ti aspettano.

Abbassò la voce e disse che già avevano mosso delle pedine.

– Quali pedine avete mosso?

– Tuo padre è venuto subito a casa di fabbrica. Si è lavato e cambiato e poi è corso in municipio a parlare al Commissario Prefettizio. L'ha lasciato sfogare, gli ha dato tutta la possibile udienza, ma infine gli ha detto che non farà niente, che anzi si guarderà bene dal presentarsi al comando per parlare in tuo favore.

– O bastardo, o porco vigliacco, – bisbigliò Sceriffo.

– Non maledire, Andrea, non imprecare. E soprattutto non bestemmiare il nome di Dio in questo momento.

– Sí, sí, – disse Sceriffo. – E che altro avete potuto fare?

– Capito che in municipio non alzeranno un dito, io ho preso la mia decisione e sono corsa dal parroco di San Giovanni. Questo verso le nove e trenta. Il parroco ha piantato la faccenda che aveva per le mani e insieme siamo andati in Curia dove siamo stati subito introdotti dal Vicario Generale. Il Vicario Generale ha detto che si presenterà lui al comando. Se non ne ha voglia o il coraggio il Commissario Prefettizio, si presenterà lui, e parlerà in maniera che aspettino, che rimandino, proporrà un cambio. E se il reggimento di qui non ha uomini prigionieri, può averne il loro reggimento di Asti. Potresti essere cambiato qui a Marca con uno dei loro soldati di Asti.

– È vero, – disse Sceriffo, – questo può darsi.

– Il Vicario dice che un cambio è cosa difficile, ma non impossibile. Sarebbe quasi impossibile, dice il Vicario, se tu fossi della Stella Rossa, ma grazie a Dio eri nei badogliani.

– Questo è vero. E poi?

– E poi il Vicario Generale andava a chiedere consiglio e permesso a Monsignor Vescovo. Al comando si presenterà oggi stesso, al piú tardi stasera. Farà di tutto per ottenere che per un paio di giorni non ti facciano niente, ti tengano qui e basta. Il Vicario dice che se anche ti assicurano il processo non c'è da fidarsi troppo. Ricordarsi di quel povero Mario Fea. Meglio, dice il Vicario, puntare tutto sul cambio. Tuo padre e tuo zio Aurelio sono già partiti in bicicletta per Mangano per parlare ai tuoi comandanti Perez e Leo.

Sceriffo si torse le mani. – Perez non ha prigionieri, io lo so. Da Nord dovevano andare, direttamente da Nord. I prigionieri, se ce ne sono, sono concentrati presso il comando di divisione.

– Vedrai che se la sbrigano.

– Speriamo, – disse Sceriffo, – speriamo che Perez li indirizzi da Nord, ce li mandi in macchina.

– Speriamo, Andrea.

– E speriamo che Nord abbia almeno un prigioniero disponibile.

– Speriamo.

– E speriamo anche che in questo maledetto giorno non sia stato preso nessun altro dei nostri e Nord decida di salvare lui piuttosto che me.

– Speriamo bene, – disse sua madre.

Il soldato era tornato alla porta a ricevere eventuali ordini. Non ci furono, ma rientrando il soldato avvertí che si sbrigassero a dirsi le ultime cose.

– Andrea, – disse sua madre, – tu intanto stai bravo e rispettoso. Non dar loro nessun motivo di farti del male, non li provocare, che non si arrabbino. Io vado ma tornerò. Domani mattina...

– Domani mattina, – disse Sceriffo. – Io non sono sicuro...

– Ci sarai ancora, figlio mio. Tua madre che se lo sente ti dice che domattina ci sarai ancora.

– Volevo dire, madre, che non sono sicuro che domattina ti rilascino venire.

– Io ne sono sicura invece, – disse lei. – Il nostro parroco conosce bene un maresciallo che mi farà tornare. È uno che lo fa per i soldi, fa pagare i permessi e noi lo pagheremo. Di liquido purtroppo non ne abbiamo, ma ho già pensato a come fare. Ho pianto tanto, Andrea, ma ho anche tanto pensato. A questo maresciallo dei permessi darò la sterlina d'oro che tuo padre porta alla catena dell'orologio. E se tu rimarrai qua dentro un altro po', pur di venirti a vedere il liquido ce lo faremo prestare.

– Sono contento, madre, – disse Sceriffo, – che tu abbia studiato di passare per i preti. I preti sono ancora potenti. Se non mi cavano loro da questo...

A queste parole il soldato voltò la testa verso la porta e poi disse che il colloquio era finito e si separassero senza fargli perdere la pazienza.

Verso le dieci dell'indomani Sceriffo sentí schiavare la porta e pensò delle due l'una: o lo portavano al processo oppure c'era sua madre in parlatorio. Scese un tenente con un soldato della sanità. Il soldato lo pilotò sotto il lucernario e l'ufficiale venne a esaminargli la faccia. Le dita che gli stringevano il mento erano forti come tenaglie.

– Non dico che siano carezze, – concluse poi, – ma non è nemmeno niente di straordinario. È il minimo che potessimo fargli.

– Che c'è di nuovo? – azzardò Sceriffo. Tremava verga a verga, anche perché aveva sofferto molto freddo nella interminabile notte con la sola paglia.

– C'è che io impiccherei tutti i preti della Curia, vescovo in testa.

L'ufficiale era furibondo. – Diglielo tu, – comandò al soldato, – perché io di questa merda non ne voglio mangiare piú, – e risalí pigliando tre scalini alla volta.

Il soldato aspettò che si richiudesse la porta poi ridacchiò. – Te la cavi, – disse, – anzi te la sei già cavata. Ti cambiamo stamattina stessa con uno dei nostri vostro prigioniero. Il cambio è fissato per mezzogiorno, sulla prima collina del vostro settore. Aspettami, torno subito con acqua e sapone. Conviene tu ti dia una risciacquata.

Sceriffo si mise a ballare per la cella e a cantare «Non morirò, non morirò» e ancora ballava quando ridiscese il soldato con un catino d'acqua, niente sapone, e uno straccio per tovaglia.

Il soldato si era acceso una sigaretta e osservava Sceriffo che con le mani sui fianchi dondolava la testa dentro e fuori l'acqua.

– Contala per una, – disse il soldato e Sceriffo annuí con la testa nell'acqua.

– Uno su cento si salva per cambio. E perché di solito il materiale di cambio non c'è, o non coincide, o perché manca dalle due parti la buona volontà.

Sceriffo aveva alzato la testa dall'acqua. – So di poterla contare per una –. Sciorinò l'asciugamani e se lo applicava con cautela sulle parti tumefatte e piagate.

– Fa male?

– Sciocchezze, – rise Sceriffo. – Latte e burro.

Il soldato si accostò. Si era fatto molto serio e concentrato, aveva dimenticato la sigaretta che gli si consumava tra le dita.

– Guarda bene la mia faccia, – disse a Sceriffo, – stampatela bene in mente.

– Perché? – fece Sceriffo. – Non è meglio che me la dimentichi del tutto?

– Niente affatto. Te la devi stampare bene in mente. Cosí alla fine della guerra mi saprai riconoscere e mi salverai la vita.

– Va bene, va bene, – disse in fretta Sceriffo.

– Non mi rispondere vabbene vabbene a quel modo. Non parlare tanto per dire. E parlando guardami negli occhi come io ti guardo. Tra quattro o sei mesi la guerra sarà sicuramente finita e voi partigiani avrete vinto. Non per la vostra propria forza, questo lo sai anche tu, ma perché spingi spingi arriveranno quassú gli alleati. Comunque la vittoria sarà anche vostra e voi farete un macello. Non dire di no, non dire chissà. Sappiamo che sarà cosí, e chi si fa illusioni per me è già cadavere fin d'ora.

– Si vedrà, – disse Sceriffo.

– Che cosa si vedrà? – disse il soldato. – Voi non vivete che per quel giorno. Calerete su Marca, circonderete le caserme e noi dovremo uscir fuori con le mani alte e voi ci falcerete con le mitragliatrici. Posso già veder la scena. Ci fucilerete tutti in un mucchio, senza distinzioni, dal primo all'ultimo. Ufficiali, truppa, ausiliari, muli, tutto ciò che ci sarà. Ecco perché voglio che tu ti stampi bene in mente la mia faccia. Perché quel giorno tu mi possa riconoscere e salvarmi la pelle.

– Sí, sí, – disse Sceriffo.

– Intendimi bene. Io non pretendo di passarla completamente liscia, io so che chi sbaglia parte ha da pagare un prezzo. Ma c'è prezzo e prezzo. Io capisco ed accetto che mi sfasciate il muso, che mi mandiate un mese all'ospedale. Solo non mi pigliate la pelle. Siamo d'accordo?

– Figurati.

– Figurati sí o figurati no?

– Figurati sí.

Il soldato tolse dal taschino un pettine e lo porse a Sceriffo che si pettinasse. – Ti dico anche il mio nome. Mi chiamo Bonacchi, Eros Bonacchi. Il nome ha la sua importanza, siccome saremo tutti in fila in cortile tu potrai chiamarmi forte e farmi uscire dai ranghi. Ma fissati anche sulla fisionomia. Dunque mi hai guardato bene? Mi riconoscerai fra quattro o sei mesi?

– Senz'altro, – assicurò Sceriffo restituendogli il pettine.

– E mi salverai la pelle?

– Sí.

– Non ti sbagli, sai? Voglio dire che sarai a posto anche con la coscienza. Io ho sempre e solo fatto l'infermiere, le uniche armi che ho impugnato sono le siringhe. Sono in divisa per pura formalità. Quindi sarai a posto anche dal lato coscienza.

– Ma certo.

– Del pestaggio già ti ho detto che non m'importa. Anzi, vorrei fossi tu a pestarmi allora.

– Ma che dici? – disse Sceriffo. – Io ti salverò la vita e basta.

Allora il soldato gli infilò in tasca un pacchetto di sigarette, raccattò catino e asciugamani e prese a risalire. A metà della scala si voltò, sporse avanti la testa e ripeté: – Mi raccomando, pigliami bene la foto.

Un quarto d'ora dopo lo chiamarono in cortile. Era deserto, tranne per una mezza dozzina di soldati armati di tutto punto, fissi a un sottotenente che stava calzando i guanti. Anche questo ufficiale lo esaminò in faccia e concluse anche lui che non era niente di straordinario.

– Chissà come avranno conciato il nostro, – disse uno dei soldati.

E un altro: – Ci sarebbe da mangiarsi le mani se ce lo rendessero peggio conciato di questo.

– A me non fanno compassione, – disse l'ufficiale. – Avevano solo da non lasciarsi beccare. Se penso alla fortuna schifosa che hanno avuto mi verrebbe da riempirli ancor piú di pugni.

– A me questa comandata mi puzza, – disse un terzo soldato.

– Perché ti puzza?

– Non mi fido. Queste sono occasioni d'oro per trucchi e tradimenti. Rischiare di crepare da scemi per un paio di scoglionati e culi rotti. Preferisco mille volte uscire in rastrellamento.

– Chi è questo che ci viene reso? Qualcuno lo conosce? Dove s'è perso? Di che compagnia è?

– Non è dei nostri, – rispose un camerata. – È uno del reggimento di Asti.

– Non è nemmeno dei nostri!? – scattò il soldato al quale puzzava la comandata di scambio.

– Ora basta, – disse l'ufficiale e consultato l'orologio al polso schioccò le dita. I sei soldati presero in mezzo Sceriffo e si avviarono per l'androne.

Appena fuori della caserma Sceriffo vide suo padre. Teneva il berretto in mano e sorrideva con gli occhi umidi ma quando lo vide cosí conciato si rabbuiò. Sceriffo invece sorrideva largo e lo salutò con la mano. Passandogli dinnanzi gli disse: – Non è niente, padre. Tutta stanotte ho avuto un mal di denti tremendo. Ma mi hanno curato, mi hanno persino dato un calmante.

Sbirciò l'ufficiale e gli vide fare una smorfia di approvazione. Però suo padre non si allontanava. Si era calcato il berretto in testa e tallonava il drappello marciando anche lui a passo militare. Avevano già superato il cavalcavia e suo padre non si staccava.

I soldati parevano non farci caso ma il sottotenente era irritatissimo. Si affiancò a Sceriffo e gli disse: – Che siamo all'asilo infantile? Digli che smetta di seguirci. Si fermi o cambi strada. Non c'è nessun motivo di paura o di sospetto. Ti portiamo a cambiare. Parola di ufficiale.

Sceriffo si girò e ripeté quelle parole ma suo padre scosse la testa e in dialetto gli rispose: – Voglio controllare. Io di questi non mi fido. Voglio vederti al sicuro fra i tuoi bravi compagni, che non ti facciano fare la fine di Mario Fea.

E non si staccava. L'ufficiale aveva ordinato di accelerare al massimo l'andatura ma il padre di Sceriffo la sosteneva, sebbene con sforzo. Il sottotenente era esasperato ma si frenava perché erano in piena città. Però era esasperato e Sceriffo temette che una volta cambiato lui quel sottotenente se la pigliasse con suo padre e gli facesse del male. Si girò e disse, ordinò a suo padre di fare dietrofront e tornare a casa ad assistere sua moglie. Ma suo padre scrollò ancora la testa ed aumentò il passo per non farsi staccare, era visibilmente deciso a seguirli fino al posto del cambio.

In un tratto deserto del viale di circonvallazione l'ufficiale sbuffò e comandò a un soldato di puntarlo col moschetto. Il soldato eseguí, Sceriffo gridò, suo padre fece un grande scarto ma poi, capito che era solo per intimidazione, riprese l'andatura e li seguiva come un'ombra.

Li accompagnò fino alla porta nord. Lí si fermò, perché l'ufficiale ordinò alla guardia al bunker di bloccarlo e perché era ormai tranquillo. Suo figlio e la scorta avevano imboccato il vialone che saliva in collina e uno dei soldati aveva già inastato al fucile una bandierina bianca.

Qualcosa ci hai perso

7

La ragazza non dava segni di vita, fino a che Milton la sentí tossicchiare e capí che aveva acceso una delle sigarette inglesi che le aveva portato in regalo. Infatti l'aroma del tabacco biondo prese a insinuarsi nell'odore acido dell'amore. La ragazza continuava a fumare e a tossicchiare.

– M'avevi detto che erano dolci, – si lamentò dall'altra stanza.

– E non lo sono?

– Sí, ma fanno tossire. Non mi piacciono, sai?

– Io te le riprendo.

– Ah no! – fece lei.

Milton si rivestiva adagio, con cura, quasi con lezio. Gli pareva cosí d'esser tornato in pace. Si era addossato alla parete e a filo dello spigolo della finestra guardava nella strada. La quale aveva un colore grigio profondo, quasi rispecchiasse il cielo. Erano le quattro e pochi minuti, ma la luce era già crepuscolare.

La ragazza riparlò da di là. – Non andrebbe bene un po' di musica?

Già, era proprio il tipo che teneva la radio accesa da mattina a notte.

– Sí, – brontolò Milton, – accendi la radio.

– Avercela, – rispose, – avercela ancora. Me l'hanno portata via.

– Noi o loro? – domandò lui disinteressato.

– Loro, – rispose lei, ma proprio come se non facesse differenza. – Vennero e presero tutte le radio del borgo. A me la presero per prima.

– Chi erano? – fece Milton sempre a tono.
– Quelli di Alba. E chi vuoi che fossero? Da me entrarono in quattro.
Milton guardò l'uscio e poi abbasso sul pavimento, quasi a rintracciarvi il velo dei loro stivali, mentre un brivido gli correva da fondo a cima della spina dorsale, ma lento e infinito, tanto che Milton per esaurirlo dovette aiutarlo con uno scrollone.
– Uno dei quattro che entrarono da me era un ragazzo bellissimo. Bel-lis-si-mo.
– Spero che sia già crepato, – mormorò Milton.
– Oh no! Era bel-lis-simo.
– Oh sí, – fece Milton.
Non si era ancora infilato un indumento. Li sollevava da terra, li cincischiava e scherzava un po', poi li lasciava ricadere. Poi sollevò insieme la flanella e la camicia cachi, li appaiò e combaciò a mezz'aria, palpandone gli orli. «È tutto questo spessore, – pensò, – tutto questo spessore fra me e una pallottola. E... l'infinito spazio».
– Quanti anni hai? – domandò sempre di là Paola.
– Venti.
Lei venne di fretta sulla soglia.
– Venti? – fece, e aveva un'ombra di rossore sulle guance. E cosí Milton era piú giovane di lei. E lei era il tipo che arrossiva per darsi a un uomo piú giovane di lei.
– Ne dai di piú, – bisbigliò.
– Credo bene.
– Come credo bene?
– La vita che facciamo.
– Non esagerare.
– Non far la stupida.
– In fondo vi divertite. Me l'ha detto Pinto. Tu conosci Pinto?
– E chi non conosce Pinto? – fece Milton come per dire che tutti quelli che conoscevano Pinto ne avrebbero volentieri fatto a meno.
– Lui dice che non s'è mai divertito tanto.
– Appunto, – disse Milton. – Ma è a divertirsi, non lo sai, che ti viene la faccia vecchia.

Paola non s'era infilato altro che una vestaglia. Era una ricca sottoveste, per i tempi che correvano. Non c'era il minimo rilievo sotto la seta, ma solo l'ombra tenue del pube e quella carica, quasi sinistra, dei capezzoli.

– Tu sei un buon partigiano, – domandò lei, ma con appena una punta di interrogazione.

– Cosí cosí, – rispose un po' sordo. Ma poi alzò il capo vivamente e domandò: – Perché? A te te n'importa qualcosa?

– Non che me ne importi... – cominciò lei.

– T'è venuta l'idea, il dubbio, d'esser stata con un vigliacco?

– Ma no... io...

Lui incalzò: – Non mi sembri il tipo di queste recriminazioni, di questi... requisiti. Ma va' tranquilla, credo che tu non debba vergognarti.

– Ma io l'avevo chiesto...

– Finiamola, – disse Milton, – e spostati.

– Come?

– Spostati. Sei in direzione della finestra. Ti possono vedere e capire.

– Chi? La gente di qui? Non mi vede. E se anche mi vedesse me ne frego. Non me ne fregherei se tu fossi un repubblicano.

Milton finí di legarsi le scarpe, inglesi, di pelle di foca, di grande misura, fin dall'origine piegate a barca.

Poi si drizzò, le si avvicinò e le sfiorò con le labbra una spalla. – Non hai freddo?

Non aveva freddo, ma si portò una mano sulla spalla, là dove s'erano posate le labbra di lui, quasi a ritenere, fissare il bacio. Disse poi: – A momenti non litighiamo? E dopo quel che abbiamo fatto.

– È colpa mia, – disse lui in fretta.

– L'abbiamo fatto, Milton, – disse lei adagio.

– L'abbiamo fatto.

– Tu lo sapevi che l'avremmo fatto?

– Ci speravo.

– Solamente?

– Ci speravo moltissimo.

– E non sapevi che l'avremmo fatto?

– E come si fa a saperlo di sicuro. La cosa dipende talmente da voi. Da voi donne.

La sorpassò, andò un attimo di là, aveva lasciato le sigarette sul letto. Tornò con una Craven A accesa e tossicchiava anche lui.

Lei si era accosciata su un divanetto sotto una sbilenca libreria pensile. Lui tirò davanti una sedia e ci si sedette, con le lunghe gambe tese, con le scarpacce inglesi appese al fondo come strumenti di tortura o prigionia o d'ortopedia.

– Sai perché mi sono seduto, – disse poi con una strana smorfia. – Perché so di dovermene andare, e presto.

– Quanto impiegherai a tornare?

– Due ore.

– Forse incontrerai una macchina per la collina.

– Impossibile. Non abbiamo piú benzina. Nemmeno piú un goccio. Nemmeno piú un goccio delle altre cose con cui si combina qualcosa che somiglia alla benzina.

– È un peccato.

– Niente affatto, – disse Milton. – Io ne sono felicissimo. Tu non ci crederai, ma da quando sono partigiano non mi sono mai fatto portare da una macchina nemmeno per un metro.

Lei era molto sorpresa. – Sei il solo. Tutti i partigiani che conosco vanno pazzi per le macchine.

– Appunto. Ma io no. Io non mi fido. Ne ho visti troppi perdersi nelle macchine, nelle trappole delle macchine. Io non mi fido. Ne ho visti troppi lasciarci la pelle per la smania della macchina e per la smania del tabacco e per quella delle donne. Oh, la tua faccia. Io per le macchine non ce la lascerò mai.

– Vuoi dire che hai corso e corri pericoli per venire, per essere da me?

– E chi lo sa? Mica sono ancora uscito. E poi... oggi... mi è andata troppo bene.

Lei non capí. – Vuoi dire che t'è capitato qualcosa mentre scendevi? Che l'hai scampata bella?

– Volevo dire che oggi m'è andata troppo bene con te.

– Davvero?

– Enormemente.

Vide nella penombra che la ragazza era dubbiosa. Come la stragrande maggioranza delle ragazze non credeva nel suo corpo e nella sua capacità. – Enormemente, – ripeté Milton, – Tu sei...

– Sí, dimmi come sono, – disse lei eagerly.

– Nessuno ti ha mai detto come sei? Nessuno di quelli prima di me? Sei calda, sei tenera, non ho mai visto niente di piú accogliente... Sei... stupendamente... praticabile. L'hai fatto molto?

– No, – e era sincera.

– Lo fai da molto?

Esitava.

– Dimmelo. Perché non dirmelo? È un discorso normale.

Allora lei rispose. – Da quando cominciò la guerra. Due o tre settimane, credo, dopo lo scoppio della guerra.

– Era un ufficiale?

– No. Perché un ufficiale?

– Era quasi un monopolio degli ufficiali. Erano su di giri, allora. Non sapevano come sarebbero andati a finire.

Batterono le cinque al campanile del borgo. Dopo che si fu spenta la risonanza dei tocchi tornò un silenzio tale che si sentiva perfettamente il razzolare di lontane galline, il fruscio dell'acqua contro la ruota ferma del vecchio mulino.

Milton si chino e avvicinò a sé dal pavimento il cinturone con la pistola. Ma non se lo cinse, si limitò a avvicinarselo tra i piedi.

– Ora copriti. Devi aver freddo, – le disse.

Lei negò. Non era in condizione di levare un dito, e ne era felice.

Milton guardò intorno, vide il suo soprabito appeso, lo staccò e glielo distese sopra.

– L'abbiamo fatto abbastanza presto, – disse poi lei.

– Due mesi, – disse lui, calcolando la distanza che li separava dal loro incontro a Santo Stefano. Lei era andata per due settimane a Santo Stefano da una sua cugina maestra come lei. Però Paola non insegnava, quella sí.

– L'abbiamo fatto abbastanza presto, – ripeté lei.

– Non abbastanza presto, – disse lui, – in rapporto ai tempi in cui viviamo. – La guardò nella penombra e aggiunse:

– Se mi fosse capitato qualcosa nel frattempo, tu avresti sentito qualcosa?

– Oh sí! – lei fece, ma era stata tanto pronta e accesa a dirlo che dentro doveva essere estremamente incerta e sorpresa.

– Qualcosa, eh? – fece Milton, e sospirò profondamente.

Per esempio, sapeva lei che il ragazzo che aveva accompagnato Milton quella domenica sulla piazza di Santo Stefano e con cui si era intrattenuta prima che Milton lo scaricasse a cercare individualmente la sua fortuna, era già morto? Ma non gliel'avrebbe detto.

– Tu però, – riprese lei, – a Santo Stefano non eri venuto per me.

– E come facevo a venire per te se ancora non sapevo che esistevi?

– Voglio dire che eri venuto per Annamaria.

– È vero, – ammise Milton. – Ma poi andai con te, stetti con te tutto il pomeriggio.

– Riandrai con Annamaria?

– Non lo so proprio. Non so nemmeno se tornerò a Santo Stefano, – rispose, ma dentro di sé aveva già deciso che ci sarebbe tornato domenica. Ora aveva proprio voglia di ristare con Annamaria. L'avrebbe aspettata al termine del rettifilo della stazione. L'avrebbe aspettata a cavalcioni del ponticello sull'affluente del Belbo. Il paese usava essere assolato e nulla in esso era piú assolato del rettifilo. Lei sarebbe partita per la messa, sola come sempre, frammezzo gruppi di altre ragazze, e Milton con il suo occhio acutissimo l'avrebbe riconosciuta, alla statura, e piú al passo, già cinquecento metri prima. Ora gli pareva che baciare Annamaria era almeno tanto importante quanto possedere Paola.

Paola parve leggergli dentro tutto quel confuso programma, perché disse, di colpo: – Uno di questi giorni vado a Alba.

Ah, cosí, andava... in mezzo a loro. Era stupido, ma gli si strinse il cuore.

– E che ci vai a fare, a Alba? – domandò con voce malferma.

– Cosí. Tanto per passare due ore in città. Io in collina ci muoio. Stamattina ero in agonia, prima che venissi tu. Se non fossi venuto tu, avrei combinato una pazzia.

Ci fu, fuori, un latrato di cane, distante e casuale, ma a lui si indurirono gli occhi e palpitarono le orecchie.

– Potrei andare al cinema, – riprese lei. – Sí, penso che andrò al cinema.

– Al cinema, – ripeté lui trasognato. – I cinema... funzionano?

– E come no? E perché dovrebbero aver smesso di funzionare?

Non se ne capacitava. Come, del resto, non si capacitava di tante altre cose: che la posta, pur scassata, funzionasse, che le ore battessero regolarmente ai campanili...

– E che film danno? – domandò.

– Quelli che danno dal principio della guerra. Anche peggiori, se possibile. Films tedeschi e qualche boiata ungherese. Tu quando hai visto l'ultimo film?

Non lo ricordava, per quanto un po' ci si concentrò. Neppure il film ricordava, ma forse c'era *Viviane Romance*.

– Non hai paura? – le domandò. – Mai, nemmeno un briciolo? Già, tu sei una ragazza. E non ti tormentano, non ti scherzano mai?

Paola fece un gesto come a dire che sí, ma quisquiglie.

– E per dove entri? – Era morboso, semplicemente.

– Per lo stradone della collina, di fronte al Vescovado. Sai, dove c'è il posto di blocco?

Milton l'aveva visto spesso, e dal vero e in fotografie.

– E lí ti fermano? E che ti fanno, e che ti dicono?

– Spesso niente, spesso qualche sciocchezza. Perquisiscono anche le donne, ma solo quelle che entrano o escono con borse o sporte. Io apposta non porto mai la borsetta.

È proprio vero che di un nemico t'interessi quanto della donna che ami, e forse piú. Milton era cosí ansioso di sapere, che non sapeva nemmeno che domande fare.

Ma Paola andava avanti da sola. – Al posto di blocco, ma anche dopo nelle vie del centro, ce ne sono di cretini ma anche di seri. Di molto seri, addirittura duri anche con noi, che mostrano con gli occhi che ce l'hanno anche con noi donne e ragazze. Non credere che non lo sappiano che la gente è con voi, che s'illudano. Non s'illudono, ed è per questo che sono cosí tremendi.

Tanto tremendi questi non erano, pensò Milton. Tremendi erano quelli della guarnigione precedente, e tremendissimi sarebbero stati, lui lo intuiva, quelli della guarnigione che li avrebbe rimpiazzati.

– Noi li ammazzeremo tutti, – disse piano, con una sorta di calma felicità. Col medesimo tono si era detto, quella mattina, cominciando a scendere verso la valle e verso Paola «Io l'avrò».

La ragazza fremette sotto il soprabito – non era piú che un'ombra scura contro la parete che sfumava nell'ombra della sera. Fece come se Milton non avesse parlato e continuò lei.

– Sono quasi sempre tutti fuori. Non sono come i soldati di una volta che stavano tutto il giorno chiusi in caserma. Questi sono fuori, sempre e tutti. Le vie ne sono piene.

– E se t'incontrano per via?

– Che cosa?

– Che ti fanno?

– Niente.

– Ti guardano, ti dicono qualcosa?

– Ah questo sí, – disse lei, col tono d'indicare niente che una ragazza non potesse tollerare.

– Se vuoi dei guai, devi andare nelle pasticcerie.

– Perché nelle pasticcerie?

– Sono sempre piene di ufficiali. E gli ufficiali non lasciano in pace una ragazza sola.

– Dobbiamo ammazzarli tutti, – ripeté Milton, ma stavolta gli raschiava nella voce una difficoltà, un presentimento di impossibilità, una estrema durezza di compito.

– Milton, – disse lei. – Posso chiederti una cosa?

– Ma certo.

– Tu... ne hai già ammazzati?

– Non esser scema.

– Ma perché?

– Cose che non si chiedono.

– Ah, non è un discorso normale?

Milton si ravvide. – Scusami. Hai ragione tu. No, non ne

ho mai ammazzati. Non ancora. Ci ho provato. Ci proverò sempre, fino alla fine –. Fissò gli occhi nell'oscurità per carpire l'espressione di lei. – Sei sollevata?

Accennò di no, o meglio accennò che non sapeva dire, che non sentiva niente.

– Sei delusa allora?

– Oh no! – rispose lei vivamente. E poi: – E tu, sei deluso di te stesso?

– No, – disse lui semplicemente. – Uccidere un uomo è un risultato grosso, sai? È difficile, molto piú difficile di quel che si pensa. No, io non sono deluso di me stesso. Ti ho detto che ci ho provato e ci proverò fino alla fine. E se finissi senza avere ucciso non mi sentirei fallito. Sai, ci sono dei ragazzi tra noi che ne hanno uccisi due o tre a testa. Ma io non mi sento inferiore a loro. Io so che mi sono esposto tanto quanto loro.

Si chinò a raccattare il cinturone con la pistola e poi si rizzò per cingerselo.

– Devo proprio andare ora.

Lei restò immobile sul divanetto. – Non lo dire, lo so, – rispose.

Ma lui parlò oltre. – Arriverò già piú tardi del previsto. Bé, la stragrande maggioranza se ne frega. Ma ce n'è un paio che si daranno pensiero.

Paola accennò a alzarsi dal divanetto. – Che cosa hai detto per scendere? Hai chiesto un permesso?

– Ho detto che avevo appuntamento con un mio amico della città che mi doveva dare delle informazioni.

– E ora che farai? Che cosa riferirai?

– Inventerò qualcosa, strada facendo.

– Ma sei matto? Inventare delle informazioni!

– Sta' tranquilla. Nessuno ci dà importanza, nessuno ci fa niente sopra.

Era uscito sulla scaletta interna, che era un breve abisso di tenebra, con qualche filo di livida luce che penetrava dalle fessure della portina.

– Ho guardato dalla finestra, – disse lei seguendolo, – e hai via libera.

Milton scendeva tentoni. A metà scala ebbe la sensazione che la ragazza lacrimasse, proprio la sensazione acustica delle lacrime. Allungò indietro un braccio e di peso la scese sul suo scalino.

– Pensi a domani? – le bisbigliò. – Domani sarai pronta a fare una pazzia. Non farla in Alba, eh? con uno di loro.

– No, no, – lei disse in fretta e senza convinzione.

Erano arrivati al basso. Milton scostò appena la portina e fiutò l'oscurità. Poi si rivolse, le aperse il soprabito, e le passò la mano sulla sottoveste dalla coscia ai seni. La mano era leggera e calma e grata; sí, cosí la ringraziava. Ma la ragazza riarse tutta. Gli si era riaggrappata ferocemente. Lui si liberò con molta pazienza e efficienza. Lei non ci riprovò.

Egli scostò di piú la portina. – Hai pensato, – le bisbigliò per ultimo, – hai pensato, mentre lo facevi, che lo facevi con uno che domani può esser morto? No? E allora qualcosa ci hai perso. Te lo dico io che qualcosa ci hai perso, – e scomparve nella tenebra.

Novembre sulla collina di Treiso

Alla memoria di Gigi Abellonio

Alba la si era persa, nella maniera che tutti sanno, il due di novembre: il rastrellamento mai visto, che per tre settimane ci aveva mulinato come pula, era finito; a tutti i cantoni di Alba era fresco di colla quel tale bando del Colonnello Pieroni che prometteva salvezza a quelli che si consegnavano e distruzione ai partigiani impenitenti.

Fu allora che le nostre donne, le vecchie e le giovani, uscirono di città e rovistarono le colline per cercarci dov'eravamo e notificarci quel bando con tutte le sue garanzie e tutte le sue minacce.

A sua madre, abbandonata su una panca nel pastino di Bellonuovo, sfinita e sporcata da un cammino di due ore per i bricchi, Paul disse di no, che non si consegnava, capiva bene il rischio suo proprio e il crepacuore di lei, ma che sarebbe andato sino in fondo.

Lei era spossata di parole e di strada, disse solo piú: – Rimani. Se te la senti rimani. Ma sappi che tutte le volte che li vedrò passare coi camion e le mitraglie verso queste colline dove sei, sappi che io mi sentirò rompersi il filo che mi regge il cuore.

Paul l'abbracciò, e sua madre nella stretta non poté non sentire contro la sua carne il duro della pistola nella tasca di lui.

Attraversò il pastino e sulla porta il fornaio gli mise una mano nella mano e in tasca un salamotto incartato. Paul gli fu grato anche per questo, ma soprattutto perché poco fa non gli aveva detto di rifletterci bene.

Fuori, la sera stava calando come un coperchio, come fa

di novembre. Lui pestò i piedi per aggiustarseli negli scarponi e partí. Risalita per duecento metri la provinciale, tagliò in un prato in salita e si mise sulla stradetta di San Rocco. Andando, pensava a sua madre che adesso prendeva a tornarsene ad Alba per la lunga strada. In un paio d'ore sarebbe stata nella loro casa in via dei Mille, passando nel corridoio si sporgerebbe a guardare il letto di Paul che chissà quando l'avrebbe avuto a rifare, e poi chiamerebbe suo padre per dirgli come lui aveva deciso di restar su. Dopo cena si sarebbero sentita la radio inglese e se gli alleati non erano avanzati un pochino li prenderebbe la disperazione.

– Dio, i miei li faccio invecchiare d'un anno al giorno, per ognuno di questi giorni.

Entrò nella piazzetta di S. Rocco. C'era, da una banda, un lume, che sembrava avesse paura di stare acceso. L'osteria. L'uscio si aprí prima che lui spingesse, venne fuori l'oste giovane e dentro Paul non ci poté vedere.

– Oh, Paul. Sei che vai su?

– Devo ancora farmi due colline.

– Lo sai che qui c'è capitata la repubblica, oggi?

– Io non ho sentito niente. Quella di Alba? In tanti?

– Io dico che erano cento.

– E possibile che han fatto niente?

– Qualcosa han ben fatto.

Paul fiutò l'aria per coglierci odore di bruciato.

– No, – fece l'oste: – Per bruciare non han bruciato. Ma ti faccio vedere.

S'incamminarono verso il mezzo della piazzetta tritata dai carri, dalla parte della chiesa e della scuola.

– Lasciami andare avanti me, – disse l'oste.

– Io ho mica paura.

– Lo so, ma ci potresti inciampare.

L'oste si fermò e fermò Paul stendendogli un braccio avanti al petto. Paul non ci schiariva niente di niente. L'altro tirò fuori un suo accendino, ma subito non funzionò. Al quarto o quinto colpo si accese, e la fiammella grossa come un pollice oscillò sopra un morto, coperto da una qualche cosa che a Paul non sembrava tutta di un colore.

– Fucilato, – disse l'oste: – Nove ore fa. – E mentre Paul

si chinava a scoprirgli la faccia, aggiunse: – È la bandiera della scuola, ma non lo copre tutto, anche se lui è piccolino.

Il viso era intatto. Paul non se la sentí di guardare se gli avevano dato il colpo di grazia, dietro. E poi la fiammella tradiva.

– Adesso vuoi vederlo nel petto?

Il fuoco mancò. Mentre tentava di riaccendere, l'oste disse: – Si direbbe che anche la macchinetta ha paura.

– Io dico che questo serve a toglierla la paura.

L'altro smise di sollecitare la macchinetta. Era talmente nervoso. – Vuoi che andiamo, Paul?

– Vuoi riaccendere?

Riaccese, ma non si curvò con Paul, a guardare. Disse, a testa eretta: – Un buon caricatore di mitra.

– Gli avete contato i buchi?

– Ho visto coi miei occhi a fucilarlo.

– Spiega.

– Ci hanno obbligati. Tutti quanti abbiamo casa sulla piazza. Anche il parroco e la maestra.

– Dove l'avevano preso?

– In una vigna qui sopra che adesso non puoi vedere. Un giorno che t'incontro di nuovo, ricordati di dirmi d'insegnartela.

– Era armato?

– Aveva uno scacciacani, un pistolino che non so se ce la faceva a sputar la pallottola. L'ho visto in mano a un ufficiale.

– Dimmi quand'è stato.

– Stamattina, che erano le undici.

– E non l'avete tolto di lí. Con tutto il tempo che c'è passato? E con la chiesa a un passo?

– Paul, tu non hai sentito gli ufficiali. Gli ufficiali han detto che guai al paese se lo si tocca prima di ventiquattr'ore. E poi non seppellirlo da cristiano. Questo al parroco.

– Ma non sono mica tornati?

– Ma potevano tornare, e siamo trecento anime qui a S. Rocco. Ricoprilo, va!

Paul lo ricoprí e l'oste soffiò forte sull'accendino.

Tornarono insieme all'osteria ma sull'uscio Paul si tirò indietro.

– Non entri?

Non aveva tempo, diede solo un'occhiata dentro, c'era un vecchio curvo su un tavolo, senza bicchiere né pipa.

– È un tuo cliente?

– È il padre del mugnaio. Quel tuo compagno, domani lo portiamo su al camposanto di Treiso. Fossimo sicuri che quelli là non vengono dalle nostre parti. Gli facciamo un bel funerale se domani piove o fa nebbione. Speriamoci.

Quel vecchio s'era levato, si diede un giro nella mantella e venne all'uscita. Fece a Paul: – Questo qui te l'ha detto che c'ero anch'io stamattina, obbligato a vedere? Non è una guerra onesta, lasciatevelo dire. Quella del quindici, la nostra, quella sí che era una guerra onesta. Di' un po' che non finisce per Natale?

– No, che non finisce.

– Be', avrete un inverno cane. Ciao, patriota, – e se ne andò verso il mulino.

Disse l'oste: – Vuoi da bere caldo?

– No. Voglio andare.

L'altro gli infilò un pacchetto nel taschino.

– Sono solo popolari.

– Ci vediamo.

– Il meno possibile, Paul, per carità.

Non era il primo che vedeva e non sarebbe stato l'ultimo, eppure sull'orlo della piazzetta si voltò, ma niente affiorava dal buio.

– Qui ne trovate dei fiori? – disse forte all'oste laggiú.

– Stai tranquillo per quello, le ragazze delle cascine gli fanno una corona, stanotte.

Si fece la prima collina e spuntò sotto il muretto del camposanto di Treiso. L'han disegnato e fatto troppo grande per il paesello che è Treiso, ma a fare onore a tutto quello spazio ci stavano pensando loro partigiani.

In cima alla seconda collina c'è la cascina dove lui aveva deciso di passar la notte.

Da sull'aia chiamò forte il mezzadro ed aspettò. Poi la porta si schiuse, come da sé.

– Sono Paul. Sono quel ragazzo di Alba.

– Ti conosco. Cosa vuoi?

– Del pane e dormire nella stalla.

La fessura si slargò e se ne sporse un quarto d'uomo a dire: – Il pane vientelo a prendere. Quanto alla stalla, non hai che da spingere la porta. Ma ti chiedo una carità. Che domani mattina sii in piedi per quattr'ore.

Calda che trasudava era la stalla. Coi buoi voltati a guardarlo, mangiò il salamotto del fornaio col pane del mezzadro. Poi ci fumò sopra una sigaretta dell'oste. Tutti davano ai partigiani, loro partigiani mettevano l'arma e la pelle.

S'incassò nella greppia e finché fu sveglio si parava con le mani dal muso dei buoi. Ma poi le bestie poterono annusarlo e scozzonarlo finché vollero, lui dormiva, senza sogni e senza paure.

L'erba brilla al sole

Alla memoria di Dario Scaglione detto Tarzan

Erano una quarantina. Sceriffo che faceva l'andatura marciava agli otto all'ora. Molti già si premevano una mano sulla milza e i portamunizioni dei bren avevano la schiuma alla bocca. Ma Leo non concesse soste, si limitava a segnalare a Sceriffo di rallentare leggermente ogniqualvolta vedeva la fila troppo sgranata.

Finalmente videro biancheggiare a mezzacosta lo stradone per Santo Stefano. Erano le 15,15 all'orologio di Leo e il tratto era all'incirca a metà strada fra Valdivilla e San Maurizio.

Si arrampicarono verso la strada. Proprio sotto la scarpata stava a lavorare un contadino di piú di cinquant'anni. Come li vide alzò appena la schiena e agitò una mano con le dita unite: – Vi è andata bene, – disse.

– Come? – fece Leo.

– Dico che vi è andata bene. Se capitavate venti minuti prima vi sbattevate in loro sulla strada.

Leo annaspò. – I fascisti?

– Sono passati quassú venti minuti fa.

– Ma sei sicuro...?

– Vi sembro ubriaco? – protestò l'uomo. – Non ho straveduto.

– I fascisti di Canelli?

– Già, non potevano essere che di Canelli.

– Quelli che tornavano da Neviglie?

– Questo non lo so.

– Ci siamo scoppiati per niente, – disse Jack.

Disse ancora il contadino: – Nascosto dietro quella siepe

venti camion ho contati. Ma una parte andava a piedi. Gli ultimi venivano a piedi e non mi spiego il perché.

– La retroguardia era a piedi?

– Tu sai come chiamarla. Io ho visto gli ultimi passare a piedi. Erano una cinquantina.

– Una cinquantina? E quando sono passati?

– L'ho già detto, venti minuti fa. Ma adesso i venti minuti sono diventati venticinque.

– Diamo addosso a questi cinquanta! – urlò Smith.

– Addosso! – confermò Leo e gli uomini acclamarono confusamente.

Ma il contadino disse: – Non sognatevi di riprenderli. Hanno troppo vantaggio e camminavano forte. Ridevano e scherzavano tra loro ma camminavano forte.

Leo si era già issato sullo stradone. – Correremo, – gridò di lassú, ma il contadino scrollò la testa e disse piano: – Non li piglierete piú. Quelli arriveranno in caserma prima che voi ne vediate la coda.

Leo ordinò a Sceriffo di tirare come non aveva mai tirato e Sceriffo in cinque falcate fu sul passo degli otto all'ora. Il sole era rovente, le carreggiate dei camions erano nette e profonde nell'alto strato di polvere, la campagna era vuota e silenziosa. Sceriffo abbrivava le curve in velocità e senza precauzioni.

Marciavano cosí da un quarto d'ora e Maté, che veniva terzo, voltandosi vide tra il polverone la fila tutta frazionata e i portamunizioni che boccheggiavano in coda. Continuando cosí, se avessero agganciato quella retroguardia, i bren avrebbero avuto ben poco da masticare. Pensò di avvertire Leo ma la lingua gli si era seccata in bocca. Del resto Leo conosceva la situazione e non se ne preoccupava eccessivamente. Ormai disperava di raggiungerli e inoltre lo sforzo per tallonare Sceriffo lo assorbiva tutto. La strada ora faceva un rettilineo piuttosto lungo in fondo al quale, a sinistra, c'era uno spiazzetto con due case annerite dalle intemperie. Sul lato destro stazionava un camionaccio a gasogeno carico di barili da vino. Di fronte alle due case, sempre a sinistra, la terra si ingobbiva a montagnola, con pochi ciuffi d'erba ingiallita sul nudo tufo. Sceriffo aveva già divorato mezzo il rettilineo. Voltò mezza testa e Leo gli accennò di insistere. Era però deciso a sospendere l'inseguimento all'altezza di quelle due case.

Sceriffo marciava come prima e se possibile anche piú forte. Dalle finestre a pianterreno uscí una raffica lunga e Sceriffo stramazzò fulminato.

Leo aderiva alla strada. Sbavava sulla ghiaia e pensava unicamente che era partito per fare un'imboscata e ora la subiva. Pallottole fischiavano a un palmo sopra la sua testa, si schiacciavano a un palmo dai suoi fianchi. Poi distinse una scarica di bren, intuí che almeno una parte dei suoi uomini aveva preso posizione sulla montagnola e dalla strada rotolò nel fosso. Guardò a destra e vide cinque o sei che si calavano per la scarpata. Fortunatamente c'era Maté con loro, Maté li avrebbe sicuramente portati in linea.

Saltò per arrampicarsi sulla montagnola ma dovette ricadere perché un semiautomatico l'aveva preso sotto tiro. Gli fece tre, quattro colpi, il quarto forse gli strinò i capelli. Poi il semiautomatico mirò altrove e Leo poté inerpicarsi sulla montagnola. Riuscí proprio di fronte alle case, a meno di cinquanta metri.

Il bren di Oscar era in piena azione e crivellava le facciate. Schegge di intonaco e di telai delle finestre schizzavano fino al limite dello spiazzetto.

Leo sollevò la testa e urlò: – Li avremo! Li avremo!

Maté era rimasto con Jack, Gilera e un paio d'altri incollato sulla scarpata, defilato da nemici e compagni. La battaglia fra case e montagnole era in pieno sviluppo e Maté non poteva nemmeno concepire di restarne fuori. Ma come tentò di attraversare la strada gli fu addosso il semiautomatico. Riprovò piú a valle, ma di nuovo lo bloccò il semiautomatico. – Bisogna assolutamente far fuori il ta-pum, – concluse Maté con la faccia nell'erba.

Poi Jack lo toccò nel fianco e Maté scorse un fascista nel prato a destra della strada. Distava un trenta passi dalle case e altrettanti da Maté. Era uscito nel prato per fare i suoi bisogni e lí l'aveva sorpreso l'arrivo dei partigiani. Alla meglio si era tirato su i calzoni e riaffibiato le giberne e acquattato nell'erba stava studiando il terreno e il momento per rientrare.

Finalmente scattò rannicchiato verso il fosso. Maté gli sparò, lo ferí ma non lo stese. Si slanciava nella strada. Dietro Maté sparò Jack e lo inchiodò sulla ghiaia con le braccia in croce. Ci fu un altissimo urlo misto, entrambe le parti avevano visto il fatto.

Leo sparava e urlava: – Li avremo! Li avremo! Si arrenderanno!

Il fuoco era al massimo volume e tanto sparavano tanto sbraitavano. – Traditori! Banditi! Inglesi! – urlavano i soldati, e i partigiani: – Vigliacchi! Assassini! Tedeschi!

– Si arrenderanno! – gridava Leo con la bava alla bocca. – Ora, ora si arrendono!

Maté esaminò un'ultima volta la strada, poi decise di strisciare fino a quel camion, sulla destra delle case.

Riparati dietro i barili, avrebbero sparato in diagonale alle finestre e forse e senza forse il loro fuoco avrebbe fruttato meglio del fuoco frontale di Leo. Presero a strisciare avanti sotto la scarpata che a poco a poco si riduceva.

– Li avremo! – urlava Leo. – Arrendetevi! Ora si arrendono!

Non si arrendevano. Dentro le case urlavano senza tregua, di terrore e di esaltazione insieme, ma non si arrendevano. Il fuoco andava assottigliandosi da entrambe le parti. Leo voltò mezza testa e vide in alto Oscar inginocchiato dietro il suo bren scarico. Teneva le braccia conserte, la testa alta, e insultava i portamunizioni che non potevano sentirlo.

– Esci, Oscar, esci! – gli gridò Leo.

Ora agiva il bren di Pinco, ma non sapeva dosare le raffiche, sarebbe rimasto all'asciutto in un paio di minuti.

Infatti Pinco mandò un'ultima interminabile raffica alle finestre. E si vide uno di loro, un ufficiale, emergere nel vano della finestra, tentennare un poco e poi ripiegarsi sul davanzale, morto, le mani penzolanti sfioravano la terra dell'aia. Dentro le case scoppiò un urlo di dolore e furore, invocavano quell'ufficiale per nome e per grado, poi il semiautomatico riprese a martellare. Leo voltò a caso la testa e vide Smith stecchito al suo posto, la benda azzurra sulla fronte tutta inzuppata di sangue.

– Si arrenderanno! – urlò Leo. – Ora si arrendono!

Maté, Jack e Gilera erano arrivati al camion. Gli altri due si erano fermati a metà strada, là dove la scarpata riparava ancora.

Infilarono le armi nei vuoti fra i barili e aprirono il fuoco contro le finestre. Di sghembo potevano vedere i soldati che sparavano a pelo degli spigoli e si defilavano per ricaricare.

Arrivarono presto le loro pallottole, si conficcavano tutte nei barili, il vino spicciava da dozzine di fori.

– Maté! – urlò Gilera.

Una pallottola bassa gli aveva centrato il piede che spenzolava dalla predella della cabina, come una lama glielo aveva squarciato dalle dita al calcagno.

Maté pensò che il ragazzo urlasse di pura eccitazione e continuò a sparare con la massima concentrazione.

– Maté! Sono ferito!

– Madonna! E dove?

– Guardagli il piede, – gridò Jack.

– Guardami il piede, Maté!

Allora Maté si piegò e prese Gilera sulle spalle.

– Jack? Tu attraversa la strada e mettiti con Leo, per noi non preoccupatevi. Noi ci salviamo nel vallone e vedrete che per stasera siamo a Mango. Non preoccupatevi per noi due.

Sgambò fin dove la scarpata si approfondiva, poi rallentò. Ricordava una stradina che scendeva al vallone e l'imbocco era di poco a valle del punto dove stava il cadavere di Sceriffo. Gilera si era asciugato le lacrime e non ne metteva di nuove. Il piede gli doleva e sanguinava molto, ma sedeva sulle spalle di Maté e stavano uscendo dalla battaglia.

Jack aspettò qualche minuto, poi rinculò alla scarpata e quindi scivolò nel fosso. Studiava l'attimo buono per attraversare verso la montagnola. Sparavano rado, ma quel poco di fuoco in aria era anche piú pauroso. In un istante di pace – qualcuno urlava solamente – guizzò oltre la strada e piombò nell'altro fosso. Si appoggiò col ventre al muro e si inerpicò sull'altura. Alzò gli occhi e vide Leo a pochi passi. – Li avremo, Jack! – gli gridò rauco. – Ora si arrendono. Guai se non si arrendono!

Dalla casa ribatté il semiautomatico e Jack seppellí la faccia nel tufo. Poi si ridistese e strisciava su. Fra lui e Leo si frapponeva il cadavere di Smith, Jack lo aggirò come una formica un macigno.

– Perché non spari? – sbraitò Leo. – Spara! – Jack spianò lo sten ma risentí il semiautomatico e riaffondò la faccia nel tufo. Con la bocca piena di terra gorgogliò: – Arrendetevi!

Poi sentí un rombo di motori e fissò Leo. Aveva sentito anche Leo, si fece bianco sotto la patina di terra e sudore e gli occhi gli schizzavano dalle orbite. Sotto il tiro del semiautomatico balzò in piedi e urlò a tutti di ritirarsi. Jack tardava, si sentiva gli intestini come di piombo, e quello poi era il momento ideale per quel terribile semiautomatico.

Il rombo cresceva, dentro le case i soldati urlavano di salvezza e vittoria, si affacciavano liberamente alle finestre. Gli uomini di Leo arrancavano verso la cresta della montagna per tuffarsi nel vallone retrostante.

Leo piangeva e batteva i denti. Jack sbirciò all'ultima curva e vide sbucarci il primo camion di soccorso, traballante e stracarico di soldati gesticolanti. Un fascista era uscito dal chiuso e correva incontro al camion a braccia tese. Jack ruotò su se stesso e gli fece una raffica, ma senza mira.

– Via! – gridò Leo. Aveva udito il colpo di partenza di un mortaio.

Jack saliva rannicchiato verso la cresta. Leo c'era già arrivato e lo sollecitava. Una mortaiata scoppiò giusta sul ciglione, ma troppo a lato di Leo. Jack ora correva, correva eretto e a tutte gambe, ma gli sembrava di non spostarsi. Era ancora a dieci passi dalla cresta e sullo stradone era arrivata tutta la colonna di soccorso, Jack poteva dirlo dal fragore concentrato dei motori e dall'urlío dei soldati.

– Vieni! – gridò Leo affiorando dal ciglione con la sola testa. Jack sentí un sibilo acutissimo. Non smise di correre ma serrò gli occhi. Una botta nel fianco destro, mille trafitture di scaglie di tufo nella nuca e cadde come morto.

La stradina imboccata da Maté calava all'aia di una cascina a un cento metri a valle della strada dello scontro. Scendendo Maté udiva gli ultimi spari sebbene le coscie di Gilera gli turassero le orecchie. Il piede del ragazzo continuava a sanguinare molto e piú di una volta Maté dovette scostarlo in fuori perché sgocciolasse in terra e non su di lui.

– Sono grave, Maté?

– Ma no!

– È che perdo tanto sangue.

– Non vuol dire. Non sei grave. Ora non farmi piú parlare perché ho il fiato corto.

Poi Maté sentí il fragore dei camions che arrivavano a soccorrere la retroguardia. Capí che per Leo era finita e che a lui conveniva spicciarsi. Scoppiò una prima mortaiata. Dopo sei sventole tacquero anche i mortai. Gilera aveva sentito quanto lui ed anche meglio, ma non sembrava allarmato, non fece commenti. Maté invece pensava che aveva fatto scarsa strada, al massimo si era distanziato di trecento metri da quel maledetto crinale.

Il vallone cominciava a scoprirsi, a non piú di un tiro di pietra da loro, era ombroso e umido. La stradina si faceva sempre piú ripida e Maté aveva fitte alle ginocchia. Per fortuna il casale era vicino, eccone la facciata seminascosta da una spalliera di vite. L'aia era deserta, naturalmente, porte e finestre sprangate. La famiglia era fuggita o si era intanata.

Sulla strada di cresta era esploso un breve ma frenetico clamore, Maté intuí che i salvati e i salvatori si erano applauditi e festeggiati. Per aria non correva piú uno sparo né il brontolio di un solo motore.

– Mi spiace farti fare il mulo, Maté, – disse Gilera.

– Non fa niente. Ora poi ti poso.

– Non mi posare, Maté!

– Ti poso, ma non ti lascio.

– Non posso camminare, Maté.

– E chi ti dice che camminerai? Ti carico su un carretto e io meno la bestia. Per questo andiamo alla cascina. Percorriamo tutto il vallone e per sera siamo a Mango.

– Ci saremo, Maté.

– E ti farò subito visitare dal medico. Per fermare l'infezione, se c'è.

Si calarono nell'aia: nessuno, anche al cane da guardia avevano dato il largo.

Dovevano essere le cinque, il sole era tiepido. Dalla strada di cresta non arrivava rumore. Maté posò Gilera seduto su una striscia di ammattonato e andò al portico. Appena possibile avrebbe riportato o rimandato carro e bestia al padrone. Sotto il portico sbarazzò il carro da attrezzi e fieno e lo trainò in mezzo all'aia. Poi andò alla stalla per prender l'animale ma prima di entrarvi si voltò a sorridere a Gilera. Il ragazzo rabbrividiva per la febbre.

La prima cosa che trovò dentro la stalla fu un mastello pieno raso d'acqua appena sporcata da qualche po' di crusca. Ne prese una boccata, gargarizzò e risputò.

Sulla lettiera stavano un bue e una mezza dozzina di pecore. Mentre sfilava la catena cercava di ricordare come si barda e si attacca un bue. Avrebbe provato e riprovato. Il tempo c'era per provare e riprovare, o non ci sarebbe stato piú per niente.

– Maté! – chiamò Gilera.

Maté stava sculacciando il bue per farlo voltare. La bestia resisteva.

– Maté! – richiamò Gilera.

Lasciò il bue e si fece sull'uscio della stalla.

Erano arrivati sei soldati. Due puntavano il ragazzo accosciato sull'ammattonato, gli altri puntavano lui, uno col mitra.

– Fuori e mani in alto, – disse calmo il sergente col mitra. Maté alzò le mani e il sergente venne a togliergli lo sten. Lo guardò negli occhi, strinse le labbra, scosse la testa e disse: – Dispiace persino a me. Meritavi di farla franca. Ma sulla strada avete lasciato una scia di sangue che era assai meglio di una freccia.

– Avrei dovuto pensarci, – sospirò Maté.

– Ma se gli ufficiali la pensano come me, a te non ti fucilano, – disse il sergente e lo toccò nella schiena per avviarlo in mezzo all'aia. Ai soldati disse: – Due di voi attacchino il bue che voleva attaccare lui.

Due andarono alla stalla tenendo il moschetto sempre in posizione.

– Mi ammazzano, Maté, – bisbigliò Gilera quando lo ebbe vicino.

– Non ti ammazzano. Tu hai solamente quindici anni. Fallo presente che hai appena quindici anni.

Gilera aprí la bocca per farlo subito presente, ma Maté lo prevenne. – Non a questi. Lo dirai agli ufficiali dai quali ci portano.

– Mi ammazzano, – pianse Gilera.

– Non ti ammazzano. Hai solamente quindici anni e per giunta sei ferito. Non possono fartelo. Non piangere, tieniti un po' su. Ti dico che non ti ammazzano. Io al tuo posto non avrei paura.

Il sergente udiva tutto e non diceva nulla.

– E tu, Maté? – domandò Gilera.

– Eh, per me è un po' diverso.

I due soldati avevano attaccato il bue e tutto era pronto per il ritorno sul crinale. Ma quando altri due si avvicinarono a Gilera per caricarlo di peso il ragazzo si mise a urlare e scalciare. Allora Maté se lo prese in braccio lui, lo depose sul carro e gli si inginocchiò accanto. Un soldato tirava il bue per la corda, quattro camminavano ai lati e ultimo veniva il sergente.

– Com'è finita male, Maté, – disse Gilera.

– E siamo appena al principio, – non poté trattenersi dal dire Maté. Esplorava il fondo della strada per individuare le macchie di sangue che li avevano traditi ma ora non gli veniva di ritrovarne una, una sola.

– Allora tu dici che non mi ammazzano, Maté?

– Te lo ripeto.

– Se non mi ammazzano, che mi fanno?

– Ti portano prigioniero a Canelli. Questi vengono da Canelli.

– E a Canelli che mi faranno?

– Non lo so, ma il fatto è che non ti fucilano. E tutto il resto è niente, non ti pare?

Salivano lentissimamente, la strada era assai piú erta di quanto Maté l'avesse giudicata. Il soldato alla cavezza incitava il bue con un accento lombardo.

Maté si rivolse al sergente. – Non è vero che a Canelli gli curerete la ferita?

– E come no?

– Hai sentito, Gilera?

Sboccarono sullo stradone e Maté notò subito che il cadavere di Sceriffo era stato ribaltato nel fosso. Quello di Smith rimaneva sulla montagnola. Il fascista morto sulla strada piú a monte era già stato rimosso. Piú avanti c'era una decina di camions, in parte davanti alle due case e in parte scaglionati sul lato destro della strada. Molti, molti soldati si assiepavano lungo la strada in fondo alla quale stava un gruppetto che certamente era composto di tutti ufficiali, Maté smontò dal carro e si mise al passo coi soldati che l'avevano catturato. La truppa ai lati della strada lo guardava passare, intenta e seria, solo due o tre gli fecero con mano e braccio il gesto del fottuto.

Poi Maté scorse Jack in mezzo ai soldati e se ne stupí molto perché credeva si fosse salvato in tempo con tutti gli altri. Jack aveva sicuramente le mani legate dietro la schiena e la sua faccia era tumefatta. Passando Maté girò l'occhio e alzò il mento verso Jack per ottenerne un qualsiasi segno, ma Jack stette immobile, forse non aveva nemmeno visto Maté, tanto aveva gli occhi pesti.

Venne loro incontro un sottotenente e ordinò al sergente di dirigere il carretto al primo camion e trasbordarci il ferito. – E requisisci un materasso per stendercelo.

– Sentito? – bisbigliò Maté. – Non ti fucilano, ti curano. Ciao, Gilera.

– Tu dove vai? – gemette il ragazzo.

– Questo grande viene con me, – disse il sottotenente. – Vieni con me. Il nostro comandante ti vuole vedere e parlare.

Maté lo seguí; rimontando le file dei soldati inespressivi andarono proprio a quel gruppetto in fondo alla strada. Maté non si era sbagliato a dirlo tutto composto di ufficiali. Erano un maggiore, un capitano in combinazione mimetica e due tenenti. Uno di questi stava bevendo a garganella da una fiaschetta di alluminio. Se la staccò dalla bocca e sorrise a Maté, gli sorrise troppo largo, in un modo che Maté non seppe decifrare.

Il capitano ordinò a Maté di mettersi sull'attenti, lui stese le braccia lungo i fianchi ma non uní i tacchi.

Il sole era ancora alto, stranamente rosato.

Il maggiore avanzò di un passo. – Sono il comandante della colonna e sono spiacente di fare la tua conoscenza in queste circostanze. Molto spiacente. Sei un ragazzo in gamba. Molto.

– Fino ad oggi mi ero aiutato, – rispose Maté.

– Si è visto quello che hai fatto e lo si è apprezzato. Molto. Sei un ragazzo in gamba. Guai a noi se fossero tutti come te.

– Grazie, ma guardi che ce n'è di molto meglio.

– Impossibile! Tu sei un soldato. Cioè molto di piú di un partigiano, infinitamente di piú. Vorrei averne tanti di soldati come te nel mio battaglione.

Maté tacque e senza cambiar tono il maggiore riprese: – Capisci che debbo fucilarti?

Maté allargò le braccia.

– Come dici?

– Dico pazienza.

– Quanti anni hai?

– Ventitre.

– E ti chiami?

– Maté.

– Sul serio come ti chiami?

– Maté.

– Va bene. E che facevi nella vita?

– Ero garzone di farmacia.

Il capitano sbirciò l'orologio al polso e il maggiore fece una smorfia. – Capisci che dobbiamo fucilarti?

– Lei dia i suoi ordini, – rispose Maté.

– Ascoltami, – disse il maggiore. – A me ripugna togliere dal mondo i veri soldati. Sono cosí scarsi ormai, in Italia, i veri soldati. Ci sarebbe una via. Ne ho già parlato coi miei ufficiali. Ascoltami bene. Passa dalla nostra parte, vesti la nostra divisa e la tua vita è salva.

– Non posso farlo, – rispose subito Maté.

– Come dici?

– Che non posso cambiare.

– Oh! – Scattò il maggiore. – Ti consiglio di riflettere. L'altra alternativa, sai qual è. Passa con noi.

– No, – rispose Maté. – Non stiamo nemmeno a parlarne.

– Perché? – sbottò uno dei due tenenti. – Hai paura di impestarti a passare con noi? Cosa credi che sia il nostro esercito? I banditi, i delinquenti siete voi!

Maté non tolse mai gli occhi dal maggiore. – Non posso cambiare, – ripeté.

– Ma tu vuoi farti fucilare! – disse il maggiore. – Bada che tu resterai sulla coscienza a te stesso. Ripeto che mi ripugna. Tutto perché io ti considero piú un soldato che un partigiano. Ascoltami bene. Se tu vesti la nostra divisa, io ti prometto solennemente, sulla mia parola d'ufficiale, che non ti impiegheremo mai contro i tuoi vecchi compagni. Ti prometto solennemente che ti terremo sempre e soltanto in caserma. Fino alla fine.

Maté scosse gentilmente la testa. – Non posso cambiare.

– In questo caso debbo dare ordine di fucilarti.

– Lei dia i suoi ordini.

– Fucilarti immediatamente.

– Ma sí, – disse Maté, – meglio quassú che in città.

Il maggiore sogguardò il capitano e a testa bassa si allontanò seguito dai due tenenti. Intanto il capitano con un cenno aveva convocato un sergente,

– Voglio prima farti vedere una cosa, – disse il capitano, e mentre andavano: – Hai notato, partigiano, che i nostri morti noi li ricuperiamo sempre, mentre voi i vostri li abbandonate sempre?

– Sí, ma questo non significa niente, – disse Maté. – I nostri morti non se la prendono per cosí poco.

Si fermarono dietro un camion. Sul pianale giacevano i loro tre morti: quello sulla strada, il tenente alla finestra e un terzo colpito nell'interno della casa.

– Hai visto? – fece il capitano.

– Ho visto.

– Stasera farete a pugni lassú.

– Maté! – chiamò Gilera dal camion vicino. L'avevano steso su un materasso, ma si era sollevato su un gomito e non badava a un soldato che gli porgeva la borraccia.

– Ciao, Gilera, – disse Maté e bruscamente seguí il capitano.

Glielo facevano contro il muro della seconda casa, a filo della strada, il muro era un muro a secco, tutto cieco tranne per una finestrella impannata con legno e cartone e alta meno di mezzo metro da terra.

Maté domandò l'ora.

– Le sei e dieci, – lesse il capitano al polso.

– Vorrei scrivere a casa.

– Se fai presto.

– Due righe, – assicurò Maté.

Il sergente aveva un mozzicone di matita ma non la carta. Gridò verso la truppa se qualcuno avesse carta da lettere, un qualunque foglietto, ma nessuno ne aveva. Allora il capitano ordinò al sergente di cercarne nella casa.

– Ci avete già preso un materasso, – protestò subito la donna vedendo irrompere il sergente.

– Voglio soltanto un foglio di carta per scrivere.

La donna si volse ai quattro angoli della stanza e per non saper dove mettere le mani se le mise nei capelli.

– In fretta, – disse il sergente.

– Non so dove cercare, non ne teniamo, non abbiamo mai occasione di scrivere.

– Avrete un quaderno dei vostri figli.

– Un quaderno sí, – rispose la donna tirando un cassetto.

– Presto, strappatene un foglio.

– Con quel che costano i quaderni, – disse la donna, ma strappò il foglio.

Da sulla porta il sergente disse: – Ritiratevi, tutti voi della casa, nella stanza piú lontana dalla strada.

– Perché? Cosa va ancora a succedere?

– Niente. Fate quello che ho detto, fatelo subito.

– Fate qualcosa alla casa?

– No, non alla casa.

– A cosa serve quel pezzo di carta? – gridò la donna, ma il sergente era già uscito.

Maté si inginocchiò davanti al davanzale. Scrisse: «Carissimi genitori, carissimo Attilio e carissima Piera». Attilio era suo fratello e Piera sua cognata.

Il davanzale era granuloso e la matita perforava la carta. Comunque finí, si rialzò e consegnò il foglio aperto al capitano.

– Non dubitare, – disse il capitano e tenendo gli occhi distanti lo ripiegò e lo intascò.

Quando echeggiò la raffica Jack ebbe un tale soprassalto che ci vollero tre uomini a immobilizzarlo sebbene avesse le mani legate. Gilera affondò la faccia nel materasso e urlò: – No! Maté no! – Per farlo tacere un soldato percosse col calcio del fucile la sponda del camion. Intanto si erano accesi tutti i motori della colonna.

Racconti del parentado e del paese

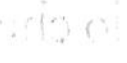

Un giorno di fuoco

Alla fine di giugno Pietro Gallesio diede la parola alla doppietta. Ammazzò suo fratello in cucina, freddò sull'aia il nipote accorso allo sparo, la cognata era sulla sua lista ma gli apparí dietro una grata con la bambina ultima sulle braccia e allora lui non le sparò ma si scaraventò giú alla canonica di Gorzegno. Il parroco stava appunto tornando da visitare un moribondo di là di Bormida e Gallesio lo fulminò per strada, con una palla nella tempia. Fu il piú grande fatto prima della guerra d'Abissinia.

L'indomani della strage di Pietro Gallesio era per me un normale giorno di vacanza a San Benedetto, separato da una sola collina dal paese dove Gallesio era nato e vissuto ed aveva ammazzato. Il fatto l'avevo saputo verso le dieci della sera, già nella mia stanza sottotetto, con l'orecchio applicato a una fessura dell'impiantito, proprio sopra la cucina dove mia zia, mio ziastro ed i vicini dell'ufficio postale stavano parlando, con voci ora soffocate ora tonanti. A sentir loro, la notte non si sarebbe potuto dormire, per il lungo fracasso dei camion dei carabinieri che convergevano su Gorzegno da Alba e da Ceva; in giro si sapeva che il brigadiere di Cravanzana aveva telefonato al superiore comando che per Gallesio ci volevano non meno di cento uomini.

Io invece dormii come ogni altra notte e mi svegliai piú tardi del consueto, e come uscii nel sole mi sorprese veder mio ziastro seduto sul tronco a ridosso del nostro muro, già a ciccar tabacco. Gli domandai subito come mai e lui mi rispose che la zia l'aveva obbligato a fermarsi a casa, per paura che Gallesio latitante battesse i boschi del Gerbazzo e lui alzando a caso la schiena se lo vedesse davanti col fucile spianato. – Pensare, – disse, – che di Gallesio io non ho la piú piccola paura.

Io l'ammirai. – Ti sentiresti di far lotta con Gallesio?

– Non farei la lotta con Gallesio. Voglio dire che son sicuro che a me e a tutti i cristiani come me Gallesio non farebbe un'oncia di male.

– Tu lo conoscevi questo Gallesio?

– L'ho visto una volta alla fiera di Cravanzana.

Gli guardai gli occhi, gli occhi che una volta s'erano riempiti della figura di Gallesio, ma subito dovemmo tutt'e due scattar la testa in alto, che il cielo sopra Gorzegno aveva preso a sbattere come un lenzuolo teso sotto raffiche di vento.

– I carabinieri, – disse mio ziastro, alzandosi. – I carabinieri attaccano a sparare. L'hanno scovato. Chissà dove, chissà in che posto della Bormida –. Era tutto dritto, atletico e sgangherato insieme, e non batteva piú ciglio, e il tabacco gli tingeva gli angoli della bocca.

Da dietro la chiesa sbucò la 501 di Placido e scivolò per qualche metro in folle. Tre, quattro, cinque uomini del paese ci si ficcaron dentro d'assalto, mentre Placido bestemmiava che facessero con garbo e non gli sfasciassero la macchina, già che per quella specialissima corsa a Gorzegno praticava una tariffa che gli salvava sí e no la benzina.

La macchina si avviò sempre in folle e frenò proprio davanti a noi. Placido sporse fuori la testa e disse: – Fresia, ci state ancora. Andiamo a Gorzegno a vederci la battaglia di Gallesio coi carabinieri. Con due lire vi porto e vi riporto.

Dalla voglia mio ziastro ballonzolava tutto, ma subito ci soffiò dentro la voce ghiacciata di mia zia. – Fresia non ci viene, – disse a Placido, – Fresia non le spende due lire per andare a Gorzegno a vedere un fico di niente e magari ricevere nella testa la prima palla spersa.

Disse uno della spedizione: – Ma ci ripariamo dietro gli alberi. Lasciatelo venire il vostro uomo, lui ha fatto la guerra e potrà darci tante spiegazioni.

E un altro: – Sapete, Fresia, chi comanda l'azione? Il capitano di Alba in persona. Se non ci sono cento carabinieri non ce n'è uno.

– Cosa dici cento? Saranno duecento. Ci sono anche tutti i carabinieri di Millesimo.

Ma mia zia disse con la sua voce uguale: – Partite, Placido, non state a perder tempo, perché il mio uomo da San Benedetto non si muove.

Placido, che conosceva mia zia, ingranò la marcia. Mio ziastro staccò le mani dalla capotta e domandò forte: – Ma dove l'hanno scovato Gallesio? Batteva i boschi?

– Macché! – fecero in tempo a rispondergli da dentro. – Era tornato a casa sua. Si è chiuso nel fienile e si difende. Ha cento cartucce, è stato il barbarossa di Feisoglio a vendergli la polvere e le palle.

La macchina partí. Mio ziastro si voltò verso mia zia e le disse: – Bagascia! – con tanta intensità che con la parola gli uscí uno schizzo di saliva tabaccosa. Ma lei non si riscaldò, gli rispose con quella sua calma: – E già, io per risparmiar due lire di corriera me la faccio a piedi fino ad Alba e tu eri pronto a buttarle via per andarti a vedere il teatro di Gallesio.

Rientrò in casa e subito ne rispuntò, con la colazione per me: due tagli di pane ovali e pallidi come pesci, con delle lische di marmellata. Anche a lui diede da mangiare, una pagnotta grande come un cappello e un culettino di salame che egli appoggiò contro il suo enorme pollice orribilmente tagliuzzato. Gli disse: – Dopo mi spacchi la legna e mi tiri l'acqua, – e si ritirò.

Mangiavamo insieme, parandoci a vicenda le mosche, mio ziastro rumoreggiava quanto un bue ed io ci pativo, perché allora ero delicatino, tuttavia quella mattina mio ziastro mi piaceva ed io parteggiavo decisamente per lui. Avevo ancora tutto intero lo scudo d'argento che mia madre mi aveva dato alla partenza; gli avrei fornito volentieri quelle due lire, lui mi avrebbe poi ripagato col racconto dei fatti di Gorzegno, ma non avevo saputo come fare ad offrirgliele. Del resto sembrava ormai rassegnato, anche se ogni tanto spingeva fuori del boccone un suono che somigliava alla solita parolaccia per la zia.

Si sentiva sempre quel flip-flap nel cielo, e dopo un po' mio ziastro disse: – Guarda come si difende, come tiene testa. Gran cacciatore che è stato Gallesio –. E poi si rizzò, perché aveva scorto, sulle radure del Gerbazzo, passare uomini a squadre, e tutti con un gran passo come se avessero gli alemanni al culo, e non c'era dubbio che si affrettavano tutti a vedersi la battaglia di Gorzegno. Lui abbassò le braccia con tanto abbandono che il pane gli scappò di mano in terra.

Come noi si finí di mangiare, laggiú a Gorzegno cessarono di sparare e mio ziastro disse: – Dev'esser già finita. Gallesio era troppo solo. È per questo che non sono andato con Placido. Poteva finire prima che noi fossimo a metà strada.

Veniva verso di noi Scolastica, l'ufficialessa postale; l'annunziava l'odore di orina che sempre si spandeva dalla gran sottana che non cambiava mai. Venne e disse: – Voi Fresia che avete fatto la grande guerra, quelli erano ben spari?

Il sole dalle sue lenti spesse un dito traeva riflessi paurosi.

– Sí, Scolastica, erano gli spari di Gallesio e dei carabinieri.

In quell'attimo le schioppettate tornarono a staffilare il cielo.

– Oh! – si lamentò la vecchia. – Ma la dureranno ancora tanto?

– Spero di sí, – bofonchiò lui.

Ci scoppiò dietro la voce di mia zia. – Ma, o disgraziato, o delinquente anche tu tieni per Gallesio?

– O bagascia frusta, tengo per chi mi pare.

S'intromise Scolastica. – Ma ha ammazzato mezzi i suoi, – disse, – e soprattutto ha ammazzato quel buon parroco.

Gridò mio ziastro: – Di lui mi rincresce molto meno che di tutti gli altri. Questi porci di preti, sempre lí a dirti: «Guarda dietro l'angolo che c'è il babau», e tu gli dai retta e ti sporgi a guardare e loro dietro ne approfittano per rubarti la roba e la donna.

– Sporcaccione! – urlò mia zia. – Non ti permetto di parlar cosí dei preti. Ricordati che tua moglie è la madre di un ragazzo che studia da prete.

Scolastica era già scappata, come un'elefantessa, e mio ziastro le disse dietro: – Si capisce che scappa, lei che era l'amica del parroco vecchio.

Mia zia quasi gli ficcò le dita negli occhi. – Non dare scandalo al bambino! Vammi a spaccar la legna e spaccamene per un po' di giorni, già che per colpa di quell'assassino del tuo Gallesio oggi non ti posso mandare ai campi.

Lui s'incamminò, già sputandosi sulle mani, e poiché io mi disponevo a seguirlo lei mi disse secchissima: – Tu guai se gli vai dietro, o alla fine dell'estate mi torni ad Alba rovinato nell'anima per sempre e tua madre viene su e mi strappa uno per uno tutti i capelli che ho in testa. Va' a trovare Marcelle.

Era la bimba della signora Louisette, una donna di San Benedetto che aveva avuto la rara occasione di sposarsi a Montecarlo: questa era la prima estate che Marcelle passava al paese di sua madre, e ne era subito diventata la graziosa peste, sempre con una vestina cosí corta che le mutandine le passavan sotto di mezzo palmo, finché il parroco aveva fatto osservazione a sua madre, ma da quando viveva a Montecarlo la signora Louisette non dava piú nessun ascolto ai preti. Marcelle era troppo esuberante per me, dovevo continuamente subirla e mi diceva M... e macaroní ogni cinque minuti. Figurarsi la mia voglia di sprecar con lei quella mattinata straordinaria. Andai comunque a cercar di Marcelle, perché mia zia non la si poteva contraddire in niente, ma per fortuna la signora Louisette mi avvisò dalla finestra che la petite non c'era, andata via con suo padre, a Bossolasco, sulla Peugeot, quella macchina che mi faceva tanto ridere con quel suo radiatore puntuto.

Potei cosí tornarmene da mio ziastro, che sentivo darci dentro con la scure, e per paura che mia zia mi intercettasse non passai davanti a casa ma l'aggirai per il ciliegeto del vecchio Braida e prendendo per il gioco da bocce arrivai da mio ziastro. Mi sedetti dirimpetto a lui, a una certa distanza per via delle schegge, ma non cosí lontano che non mi giungesse l'odore pungente del suo sudore. Mi disse: – Per il rumore che faccio non sento bene. A Gorzegno sparano sempre?

– Sempre.

– Che giuraddio è Gallesio, – disse lui fra i denti.

Allora gli domandai perché Gallesio aveva sparato a tutta quella gente.

– Gliel'hanno fatta sporca.
– Come?
– Gli hanno fatto dei torti.
– Anche il parroco?
– Lui piú degli altri.
– Che razza di torti?
– Nell'interesse. Tu sei troppo piccolo, ma i torti nell'interesse sono quelli che ti avvelenano –. Sospese di spaccare, posò un piede sulla toppa e si asciugava la fronte con un fazzoletto color ruggine. – A Gallesio le cose non andavano bene, non gli sono mai andate bene, aveva troppo la malattia della caccia per poter accudire a dovere la sua campagna. E cosí, per far fronte, s'era fatto prestare una certa cifra da suo fratello e gli pagava un interesse che nemmeno un giudeo pretenderebbe. Tant'è vero che Gallesio diceva all'osteria: «Mio fratello dovrebbe smetterla di combinar buoni affari soltanto con me». Sua cognata, una grintaccia, ben sapendo che Gallesio non era in condizione, aizza suo marito a farsi restituire il prestito e in mancanza a strappargli il campo e il prato. L'unica salvezza di Gallesio era di sposarsi al galoppo con una donna di Gorzegno che aveva un po' di roba e per Gallesio una forte inclinazione. Si sposavano, con la roba di lei liquidava suo fratello, liberava la sua campagna e pace. La donna era decisa, ma come ultimo passo pensa di chiedere il parere del parroco: sai, una di quelle donne sole che al prete domandano perfino quanto sale debbono mettere nella minestra. Il parroco cosa fa? Le dà di Gallesio bruttissime informazioni, esagerando al massimo quel poco male che in coscienza si poteva dire di Gallesio, insomma gliene fa un quadro tale da spaventarla, ma tutto perché aveva il suo piano, che la donna restasse da sposare e lasciasse poi i suoi beni alla chiesa. Lei gli ha creduto come vangelo e ha chiuso la porta in faccia a Gallesio. E allora Gallesio ha sparato. A suo fratello, per essersi dimenticato d'esser suo fratello e ricordato soltanto d'essere il marito di una strega. A suo nipote, perché era quello che in definitiva si sarebbe goduta la sua terra. E al parroco, per quella porcheria, quel tradimento delle informazioni false.

Io allora non capii proprio tutto, ma mi sembrò di poter concludere che in fondo Gallesio non era tanto cattivo.

– Un originale sicuramente, ma non cattivo.

– La zia dice che hanno ragione i giornali a chiamarlo il folle di Gorzegno.

Lui rise secco. – Folle, Gallesio? I giornali la raccontino ai cittadini. Un po' vivo, ma non folle.

Io, a questo punto, col mio occhio terribile vidi volar giú per la discesa di Niella il figlio del cantoniere, sulla sua bici da corsa, e intuii che tornava da Gorzegno certamente con qualche gran novità.

A correre, arrivavamo in piazza che Remo si slacciava i cinghietti. E corremmo incuranti che la zia ci vedesse e ci fulminasse dalla finestra, mio ziastro dicendo col fiatone: – Significa che è morto, che l'hanno finito. Infatti, senti, non sparano piú.

Arrivammo in piazza, tra le due chiese, che Remo metteva piede a terra, con tanta gente subito addosso da toglierne il respiro. Disse che Gallesio meno di un'ora fa aveva ammazzato un carabiniere, uno dei tanti che lo assediavano. Una palla in piena fronte, nel suo stile.

– Un napoli, – disse pronto e reciso mio ziastro.

Ma un altro, schiarendosi prima la gola: – Può anche darsi che fosse delle nostre parti.

– No, no, vi dico io che è un napoli, – ripeté mio ziastro.

Ad ogni modo, la notizia fece a tutti quanti un brutto effetto e la gente si sparpagliò lontano, lasciando solo Remo a chiedere invano chi gli pagava una gazosa in cambio della importante notizia.

Tornammo adagio a sederci sugli scalini di casa, ed io domandai a mio ziastro come potesse esser cosí mortalmente sicuro che quel carabiniere era della Bassa Italia. – Nove su dieci, – mi rispose, – nove su dieci è un napoli. Son tutti di loro nei carabinieri –. Ma la sua voce era come invecchiata, e cosí la sua faccia. Si passò le mani sulle mascelle ed era come se pasticciasse nella segatura di ferro.

Ci arrivò dietro la zia, cosí vicina che entrambi sentimmo al fondo della schiena la punta delle sue ciabatte, e disse: – E cosí ha ammazzato anche un carabiniere.

– E con questo? – replicò lui, senza voltarsi e senza foga. – Guerra è guerra. Loro gli sparano a piombo e lui dovrebbe rispondere a sputi?

– Adesso sí che è completamente perso. Ammazzare un carabiniere. Faceva meglio a buttarsi in un gorgo di Bormida o impiccarsi al trave del seccatoio –. E poi: – Manca mezz'ora a pranzo. Intanto ti tagliassi la barba.

– Non è mica sabato sera per tagliarmi la barba.

– Non fossi il mio uomo, credi che m'importerebbe che tu somigli ad un orso? – ma non insistette di piú e tornò in cucina.

Ora io, per collocare un po' meglio questi grandi fatti, avevo bisogno di saper qualcosa del paese di Gallesio, ma non osavo riportar lí il discorso, viste le durezze che a motivo di Gallesio lo ziastro aveva dovuto sopportare da parte della zia. Poteva anche darsi che ora ne avesse abbastanza e che a riaprirgli il discorso mi rispondesse male. Lui invece mi incoraggiò, a un certo punto dicendo come a se stesso: – Tiene testa, tiene sempre testa, – con gli occhi alti al cielo di Gorzegno, dove l'eco degli spari galoppava ancora e sempre.

– Zio, dimmi qualcosa di questo paese Gorzegno.

– Gorzegno io lo conosco bene, perché in gioventú ci andavo sovente con mio padre a caricarci il vino e le castagne. Ho fatto anche un po' di carrettiere, e per questo in guerra m'hanno messo conducente di muli. Dunque, Gorzegno è un po' piú grosso del nostro San Benedetto, ma è un paese sbagliato, perché senza ragione è diviso in due parti, e non c'è poco dall'una all'altra. La parte bassa è in riva a Bormida. Hai mai visto Bormida? Ha l'acqua color del sangue raggrumato, perché porta via i rifiuti delle fabbriche di Cengio e sulle sue rive non cresce piú un filo d'erba. Un'acqua piú porca e avvelenata, che ti mette freddo nel midollo, specie a vederla di notte sotto la luna. E poi c'è il castello, sempre nella parte bassa, che una volta doveva essere anche piú bello di quello di Monesiglio, ma adesso se ne va in briciole e il comune ce lo lascia andare.

A me però Gorzegno interessava principalmente come paese di Gallesio e domandai se conosceva la casa dove Gallesio stava asserragliato. Mi rispose di no, poteva esserci passato davanti le mille volte, ma non poteva dire di conoscerla.

Poi la zia ci chiamò a mangiare. Mio ziastro disse subito, nell'atto di sedersi: – Oggi mi sento piú di bere che di mangiare.

– Il vino è tutto qui, – disse lei, alzando il pintone controluce.

Avevamo davanti una frittata verde e mangiammo in silenzio per dieci minuti, senza guardarci in faccia nel masticare. Poi mio ziastro scattò, che io non me l'aspettavo e forse nemmeno lei. Batté sulla tavola un tal pugno che per il contraccolpo io sentii la scossa elettrica al gomito, e gridò: – Però, o donna, che tu non mi lasci andare a Gorzegno per una spesa di due lire, mentre tutti gli altri mezzi uomini son padroni di andarci senza render conto alle loro donne...

– Soltanto per veder la battaglia di Gallesio? – Non era intimorita nemmeno un po'.

– Sí, solo per quello. Perché? Ti sembra un fatto che non valga la pena? Se lo perdi, lo perdi per sempre. Non è mica la festa del patrono, un fatto come questo di Gallesio.

– E magari prenderti una pallottola da non saper chi ringraziare?

– Non me la sono presa in guerra.

– Appunto, hai avuto fortuna una volta.

– No, non fortuna, – disse lui, acido come non l'avevo mai sentito. – Ero in gamba, ero giovane e in gamba.

– Non vuol dire. Ne son rimasti di piú in gamba di te. Prendi il mio primo uomo.

Allora lo vedemmo drizzarsi, districarsi dalla panca e fare una ginnastica come se volesse saltar sulla tavola a piedi giunti; era in uno stato che poteva da un attimo all'altro ridere e farci ridere o ululare come un lupo e spaventarci a morte.

– Il suo primo uomo! – sbraitò. – Parla del suo primo uomo! Donna, io e Taricco eravamo nello stesso battaglione, quindi di storie a me non ne puoi contare! Ma che pallottola s'è preso il tuo primo uomo? Taricco alla prima cannonata ha avuto una tale rivoluzione nella pancia che abbiamo dovuto portarlo di peso all'ospedale, a Tarcento, ah, non ti è nuovo questo nome di Tarcento! e all'ospedale con la diarrea gli è uscita l'anima. Questo è quanto. Il tuo primo uomo. Non fare confusioni, io sono tutt'un altro uomo, anche se tu m'hai sposato solo perché non sapevi come mandare avanti i campi.

Mia zia era in piedi fin dal principio, mi schiacciò in mano una dozzina di ciliege e mi comandò di ritirarmi a mangiarle sul ballatoio. Uscii, e non so come la finirono, certo vociarono per un bel po'.

Dopo, ritrovai lui davanti a casa, calmo come se non avessero affatto litigato o l'avessero alla fine rappattata benissimo; si stuzzicava i denti con uno zolfanello usato.

In fondo alla strada del camposanto apparí Meca, la vedova: saliva pungolando con una mano la sua capra e con l'altra serrando il gonfiore del suo grembiale arrotolato alla vita. Saliva tutta sbilenca e mio ziastro appena l'ebbe a tiro le disse: – O Meca, con che demonio d'uomo siete stata per camminare cosí storta?

Lei non si offese. – È giusto che scherziate, Fresia, dato che oggi non lavorate –. E additando la langa di Feisoglio: – È Gallesio che combina tutto questo bordello?

– Lui. Lui e i carabinieri.

La vecchia parve riflettere se le convenisse o no parlare, infine si decise e disse: – Ebbene, non dava l'aria d'essere un uomo cosí e che avrebbe fatto questa fine.

Mio ziastro sussultò sul tronco. – Volete dirmi che avete conosciuto Gallesio?

Lei ridacchiò. – Mi fece ballare tre volte di fila sul ballo a palchetto a Feisoglio. Era il pomeriggio dell'Ascensione. Parlo di quarant'anni fa.

– Quarant'anni fa? Ma voi vi confondete. Guardate, Meca, che a Gorzegno di Gallesio ce n'è una mezza dozzina.

– Non mi confondo. Proprio Gallesio Pietro, quello di oggi, – e ci lasciò in fretta, perché la capra si era già troppo distaccata, ma mio ziastro fece ancora in tempo a domandarle dietro che età aveva dunque Gallesio.

– Sessanta passati. Di poco, ma passati.

Io ci rimasi. M'ero figurato Gallesio nel pieno delle forze, per poter sostenere una battaglia simile, qualcosa come mio padre che a quest'ora stava sulla porta del suo macello in Alba, cosí raccolto e nerboruto, che non dovevo pensarci per non patirne la nostalgia, quasi fosse già l'imbrunire.

Mio ziastro mormorò: – Piú di sessanta. Ma allora non è quello che credevo io, non l'uomo di Cravanzana –. Sembrava quasi vergognoso, come se mi avesse dato motivo di togliergli la stima. Riprese: – Ma allora chi è questo Pietro Gallesio? Certo che dev'essere ancora robusto come un cannone.

Spendemmo cinque minuti di muta ammirazione per il vecchio Gallesio, guardandoci negli occhi, e lui sporgeva il suo labbraccio inferiore ed io oscillavo la testa, entrambi con le mani giunte tra i ginocchi.

E a Gorzegno sparavano sempre: pareva il giorno dell'apertura della caccia, quando invadevano le langhe, a torpedoni completi, i cacciatori della Liguria.

Mi toccò il braccio, se sentivo lontano la macchina di Placido di ritorno da Gorzegno. Io ascoltai e poi crollai la testa e lui lasciò subito perdere perché del mio udito ci si poteva fidare. Quindi si addormentò sul tronco, la schiena contro il muro caldo, e ogni tanto sbatteva la testa come una bandieretta di latta sotto la brezza. Io mi feci sotto allo spigolo di casa, a osservare il viavai delle formiche sul muro.

Non so quanto stemmo, lui a dormire ed io a studiar le formiche – della zia nessun segnale – finché ci riscosse entrambi il ruggito della macchina di Placido. La intravvidi mentre sorpassava il pilone dell'Ausiliatrice e corremmo ad aspettarla al peso pubblico.

Inchiodò sulla ghiaia, con un rumore di disastro. Per qualche istante nessuno dei viaggiatori parlò, come se avessero tutti sofferto la macchina o pretendessero che noi li pregassimo in ginocchio. Poi scesero, si sgranchirono le gambe e a gran voce ordinarono la menta glaciale all'osteria.

– Allora? – disse mio ziastro con la voce che gli ballava.

– Ha ammazzato un carabiniere, – sillabò uno della spedizione.

– Un altro?

– Come un altro?

Mio ziastro sogghignò. – Ah, ma voi siete ancora al carabiniere di stamattina, quello che ci ha detto Remo, con la palla in mezzo agli occhi. Ma noi lo sappiamo da quattro ore.

Questo li mortificò, e come per riacquistar prestigio Placido disse in fretta: – Questa però non la sapete: che Gallesio ha ferito il capitano dei carabinieri, quello di Alba. Gli ha scarnificato una tempia. Tanto cosí piú in centro e lo fa secco.

Disse mio ziastro: – L'ha tolto da far lo spiritoso. Credeva d'essere ad Alba alla festa dello Statuto?

La ragazza dell'osteria portò le mente e tra una sorsata e l'altra ci informarono che a Gorzegno si aveva l'impressione di essere al fronte. Gorzegno, e nessun altro paese delle langhe, aveva mai conosciuto un giorno cosí. Dietro ogni albero c'era uno spettatore, e i fortunati provvisti di binocolo giuravano di veder di quando in quando balenar gli occhi di Gallesio tra le fessure dell'assito del fienile, ma non cedevano il binocolo nemmeno a offrirgli uno scudo per pochi minuti di visione. I carabinieri che sparavano e strisciavano affondati nell'erba, quelli si vedevano senza bisogno di binocoli. Da Torino erano arrivate due macchinone di giornalisti e fotografi, coi nomi dei giornali sulle targhe: la «Gazzetta del Popolo», la «Stampa». Gli ufficiali dei carabinieri, ma di quelli con tante lasagne sul berretto, passeggiavano su e giú per lo stradale, nervosi, e rispondevano seccamente anche ai giornalisti, che naturalmente erano i soli che si azzardassero ad interpellarli. Ogni cinque minuti consultavano l'orologio sotto la manica gallonata e poi alzavano gli occhi alla nuvolaccia carboniosa che si era sviluppata da tutti quegli spari, ancorata sopra Gorzegno come un dirigibile. Perché Gallesio desse fondo alle sue munizioni, i carabinieri avevano studiato di alzare allo scoperto i loro berretti in punta a dei bastoni, e sulle prime Gallesio c'era cascato e non ne perdonava uno, ma poi aveva capito il trucco e risparmiava i colpi, ciononostante i carabinieri non riuscivano a serrar sotto di quel tanto che permettesse il lancio delle bombe lacrimogene.

Come conclusione Placido disse: – Gallesio s'è tirato addosso lo Stato. Oggi possiamo dire d'aver visto lo Stato. Madonna, cos'è lo Stato! Noi abituati a veder sempre e solo il nostro parroco e il Podestà di Niella –. E si accingeva a ritirar la macchina, quando si presentarono a dirgli di portarli a Gorzegno altri quattro, due del paese e due ferrovieri di Savona che erano lí in ferie.

Lo vedemmo ripartire, mio ziastro dicendo: – Ma guarda che giornata d'oro fa far Gallesio a Placido.

Adesso andava a tirar l'acqua per la zia e io indugiai sulla piazzetta con una improvvisa voglia di breve solitudine, indeciso se scendere a Belbo per fissar l'acqua dei gorghi e veder fino a che punto resistevo alla sua attrazione oppure entrare nel camposanto e girar per le tombe e segnarmi nomi e date: erano tutt'e due fra i miei giochi solitari.

Quando dal cancello della casa della maestra esce la sua ospite misteriosa e si siede, nell'onda della gonna turchina, sulla panca di pietra sotto il tiglio. Era giovane, ma da non potersi definire se di venti o trent'anni, era bionda come una donna d'altri paesi, gli occhi sempre protetti da occhiali neri per modo che nessuno poteva dire di averglieli visti mai, cosí come pochissimi potevano dire d'aver sentito la sua voce. Secondo mia zia, era una professoressa di Torino ed aveva uno strano male inguaribile.

Come sempre accavallò le gambe, cosí belle ma cosí di cera che io temevo dovessero sciogliersi se le esponeva un po' tanto al sole. Il sole infatti non lo cercava mai, e le rarissime volte che usciva dal paese andava invariabilmente a nascondersi in fondo al bosco degli Agrifogli. Io tremavo quando mi chiamava accanto a lei, e soffrivo lungamente quando non si accorgeva di me o mi lasciava passare senza invitarmi. Qualche volta, verso sera, m'invitò alla panca di pietra: io mi sedevo sull'erba, a tre palmi da quelle sue speciali gambe venate d'azzurro, e lei mi diceva di cantare. Mi trovava una bellissima voce ed un sentimento non normale in un ragazzino, sicché, dopo la seconda volta, mi disse: – Tra qualche anno t'innamorerai, ed avrai certamente un amore tremendo.

Quel giorno si sedette e subito le apparve in mano un libro, segno infallibile che in quel momento non desiderava vicino né me né altri. Difatti io le passai davanti il piú adagio possibile, ma lei non sollevò dal libro il capo biondo.

Per non starmene solo con quella tristezza mi misi alle calcagna di mio ziastro che stava già scendendo, con due secchi a bilancere, alla fontana pubblica.

– È già un po' tardi, ma tua zia vuole che vai a far merenda. Pane e pesche, mandate da tua madre con la corriera.

– Non ne ho voglia –. Con le dita immerse grattavo il verde che tappezzava la vasca. – Che bestie sono, che fanno zzz?

– Sono cicale. Ma non conosci nemmeno le cicale, o cittadino?

– Zio, a Gorzegno non sparano piú.

Strinse le labbra. – Saranno riusciti a lanciargli le bombe lacrimogene e a prenderlo vivo.

– Non è meglio che lo prendano vivo?

Mi si rivoltò da mozzarmi il fiato. – No! No, bambino, no! Quando si fanno certe cose, dopo bisogna morire. Certe cose si fanno proprio perché si è sicuri di aver dopo la forza di morire. Guai se non fosse cosí. Guai a Gallesio!

Si caricò il bilancere e tornammo a casa. Lasciandolo andare a versar l'acqua, vidi per un attimo mia zia – appariva e spariva come uno spirito – e mi disse che per domenica mi avrebbe fatto gli agnolotti e se ero contento. Risposi di sí, anche se tra i suoi agnolotti e quelli di mia madre c'era come dal giorno alla notte.

Finiti i giri per l'acqua, mio ziastro venne a sedersi con me sul tronco e si mise a sceglier tra cicche di toscano la piú adatta per masticare. Calava il sole, lentissimamente, come un vecchio che per scendere tasta scalino dietro scalino, e un'arietta da chissà dove dava nella nostra meliga, con un rumorino di pioggia rada. In quella pace esplose, nel cielo di Gorzegno, una fucileria cosí fitta e furiosa che noi due saltammo in piedi, quasi che il pericolo ora fosse a San Benedetto. E mio ziastro disse: – Gli stanno dando l'attacco. Io lo so. Anche noi in guerra quando sparavamo tanto cosí era perché subito dopo attaccavamo.

Fissammo, come a interrogarle, due nuvolette sospese sopra Gorzegno, poi ci risedemmo adagio, mentre le detonazioni scemavano.

– Bisogna esserci stati per sapere cos'è stare sotto il fuoco. Provare per credere. Tuo padre ti ha mai raccontato?

Dissi di no, mentendo, perché mio padre, quand'era in vena di raccontare, non aveva mai altro argomento che la guerra del quindici, ma mentii perché ora volevo sentirne qualcosa da mio ziastro.

– Una sera o l'altra, tanto ti fermi qui per molto, ti parlerò dell'Ortigara. Tuo padre c'era all'Ortigara?

– Non lo so, ma credo di sí, perché mio padre ha fatto tutto in quella guerra.

– Già, se era negli alpini, all'Ortigara non può esser mancato. Una sera o l'altra te ne parlo.

Allora mi alzai e salii a postarmi sotto l'ippocastano, per avere perfettamente sgombra la visuale del Passo della Bossola. Si avvicinava l'ora della corriera di Alba – madama la corriera di Alba, la chiamava mio ziastro – e, a meno che mi trovassi distante nei boschi, non ne perdevo mai un passaggio, perché a quell'ora sotto vespro avevo sempre una dolorosa voglia di Alba. La sua tromba potentissima faceva alzar la testa a tutti nella conca di San Benedetto, uomini e bestie, e per le strette curve del passo ancheggiava proprio come una matrona, lasciandosi dietro un polverone come un reggimento di cavalleria. Quando l'ultimo atomo di quella polvere era ricaduto, allora abbandonavo la mia specola e mi voltavo, sospirando, al paese già sormontato dalle prime fumate della sera.

Aspettai, con l'orecchio teso alla tromba e l'occhio fisso al nudo passo sul quale, di contro al cielo grigio unito, un carro di fieno avanzava e ondeggiava impercettibilmente. Ma quel giorno mancai il passaggio della corriera di Alba, perché dopo dieci minuti di attesa un rombo di motore e un grido di mio ziastro mi fecero scattare verso la piazza col cuore in bocca. Tornava la macchina di Placido, con gli occupanti a mezzo busto fuori dei finestrini e gesticolanti come ossessi.

Mio ziastro mi raggiunse al peso pubblico dicendo: – Stavolta è finita, – e l'ansia lo faceva balbettare. E mi mise una mano sulla spalla quasi che si trattasse di dover difendermi.

Prima ancora di scendere Placido faceva già con le mani,

ripetutamente, il gesto di chi chiude un sipario. E poi disse, forte come un banditore: – Tutto finito. È morto.

Mio ziastro respirò tre volte e poi domandò semplicemente in che modo l'avevano ammazzato.

– Non l'hanno ammazzato i carabinieri. Si è sparato lui, in bocca. Si era avanzata una cartuccia.

Mio ziastro non chiese altro e cominciò a spingermi verso casa. Io volevo saperne infinitamente di piú, cimentare Placido fino a farmi dire l'ultimo particolare, soprattutto se aveva visto il cadavere di Gallesio, ma mio ziastro premette un po' piú forte sulla mia spalla e dovetti incamminarmi.

– Cosa volevi sapere di piú? È morto, si è ammazzato, non c'è nient'altro da sapere –. E poi: – Bravo Gallesio.

– Perché gli dici bravo?

– Perché è stato al gioco. Tutt'oggi ho vissuto con la paura matta che si arrendesse, che si facesse prendere vivo, ma lui è stato al gioco. Non m'ha fatto pentire. Di Gallesio voglio ricordarmene fin che campo –. Poi si voltò a guardare un'ultima volta il cielo sopra Gorzegno. Anch'io, e sembrava un lago dove fossero finalmente finiti i cerchi provocati dai tonfi di migliaia di pietre.

Sull'uscio mio ziastro chiamò la zia e subito ridiscese gli scalini per lasciarle il posto sulla soglia. Lei comparve in un minuto, stava asciugandosi le mani, con estrema energia, quasi volesse staccarsi le dita.

Le disse: – Tutto è finito. È morto. Ma non gli ha dato la soddisfazione d'ammazzarlo o di prenderlo vivo. Si è sparato lui, in bocca, con l'ultima cartuccia, e naturalmente non s'è sbagliato. Domani mattina torno a lavorare sulla langa di Feisoglio. Sei contenta?

Lei lo fissò con quei suoi occhi neri, insopportabilmente, poi buttò l'asciugamani dentro casa e disse, a me ma per lui: – Tra dieci minuti ceniamo. Tu lavati le mani. Io scappo in chiesa a pregare per le anime delle vittime di Gallesio ed anche per l'anima sua. E chiederò al Signore che ci perdoni tutti e ci illumini, perché tutto il male che capita su queste langhe la causa è la forte ignoranza che abbiamo.

La sposa bambina*

Catinina del Freddo era di quella razza che da noi si marchia col nome di mezzi zingari perché mezza la loro vita la passano sotto l'ala del mercato.

Proprio sotto l'ala si trovava, a tredici anni giusti, a giocare coi maschi a tocco e spanna, quando sua madre le fece una chiamata straordinaria.

– Lasciami solo piú giocare queste due bilie! – le gridò Catinina, ma sua madre fece la mossa di avventarsi e Catinina andò, con ben piú di due bilie nella tasca del grembiale.

A casa c'era suo padre e sua sorella maggiore, tra i quali vennero a mettersi lei e sua madre, e cosí tutt'insieme fronteggiavano un vecchio che Catinina conosceva solo di vista, con baffi che gli coprivano la bocca e nei panni un cattivo odore un po' come quello dell'acciugaio. I suoi di Catinina stavano come sospesi davanti al vecchio, e Catinina cominciò a dubitare che fosse venuto per farsi rendere ad ogni costo del denaro imprestato e i suoi l'avessero chiamata perché il vecchio la vedesse e li compatisse.

Invece il vecchio era venuto per chiedere la mano di Catinina per un suo nipote che aveva diciotto anni e già un commercio suo proprio.

Sua madre si piegò e disse a Catinina: – Neh che sei contenta di sposare il nipote di questo signore?

Catinina scrollò le spalle e torse la testa. Sua madre la rimise in posizione: – Neh che sei contenta, Catinina? Ti faremo una bella veste nuova, se lo sposi.

* Sentita da Francesco Callèri, sposo di Carmelina Fenoglio.

Allora Catinina disse subito che lo sposava e vide il vecchio calar pesantemente le palpebre sugli occhi. – Però la veste me la fate rossa, – aggiunse Catinina.

– Ma rossa non può andare in chiesa e per sposalizio. Perché ti faremo una gran festa in chiesa. Avrai una veste bianca, oppure celeste.

A Catinina la gran festa in chiesa diceva poco o niente, quella veste non rossa già le cambiava l'idea, per lo scoramento si lasciò piombare una mano in tasca e fece suonare le bilie.

Allora la sorella maggiore disse che le avrebbero portato tanti confetti; a sentir questo Catinina passò sopra alla veste non rossa e disse di sí su tutto. Anche se quei confetti non finivano in bocca a lei.

Si sposarono alla vicaria di Murazzano, neanche un mese dopo. Lo sposo dava alla vista meno anni dei suoi diciotto dichiarati, aveva una corona di pustole sulla fronte, piú schiena che petto, e certi occhi grigi duretti.

Fecero al Leon d'Oro il pranzo di nozze, pagato dal vecchio, e dopo vespro partirono. C'era tutto il paese a salutar Catinina, e perfino i signori ai loro davanzali.

Lo sposo, che era padrone di mula e carretto, aveva giusto da andare fino a Savona a caricar stracci, che era il suo commercio, e ne approfittava per fare il viaggio di nozze con Catinina.

Alla sposa venne da piangere quando, salita sul carretto, dominò di lassú tutta quella gente che rideva, ma le levò quel groppo un cartoccio di mentini che le offrí una donna anche lei della razza dei mezzi zingari.

Alla fine partirono, ma ancora a San Bernardo avevano il tormento di quei bastardini che fino a ieri giocavano alle bilie con la sposa. Quantunque lo sposo non tardasse a girare la frusta.

Viaggiavano sulla pedaggera e ne avevano già ben macinata di ghiaia, e Catinina non aveva ancora aperto bocca se non per infilarci quei mentini uno dopo succhiato l'altro, e lo sposo le sue quattro parole le aveva dette alla mula.

Ma passato Montezemolo lo sposo si voltò e le disse: – Voi adesso la smettete di mangiare quei gommini verdi, –

e Catinina smise, ma principalmente per lo stupore che lo sposo le aveva dato del voi.

Veniva su la luna, e dopo un po' fu un mostro di vicinanza, di rotondità e giallore, navigava nel cielo caldo a filo del greppo della langa, come li volesse accompagnare fino in Liguria.

Catinina toccò il suo sposo e gli disse: – Guarda solo un momento che luna.

Ma quello le si rivoltò e quasi le urlò: – Voi avete a darmi del voi, come io lo do a voi!

Catinina non rifiatò, molto piú avanti disse semplicemente che il listello di legno l'aveva tutta indolorita dietro, dopo ore che ci stava seduta. E allora lui le parlò con una voce buona, le disse che al ritorno sarebbe stata piú comoda, lui l'avrebbe aggiustata sugli stracci.

Arrivarono a Savona verso mezzogiorno.

Lo sposo disse: – Quello lí davanti è il mare, – che Catinina già ci aveva affogati gli occhi.

– Che bestione, – diceva Catinina del mare, – che bestione!

Tutte le volte che pascolava le pecore degli altri in qualche prato sotto la strada del mare e sentiva d'un tratto sonagliere, si arrampicava sempre sull'orlo della strada e da lí guardava venire, passare e lontanarsi i carrettieri e le loro bestie in cammino verso il mare con grandi carichi di vino e di farine. Qualche volta li vedeva anche al ritorno, coi carri adesso pieni di vetri di Carcare e di Altare e di stoviglie d'Albisola, e si appostava per fissare i carrettieri negli occhi, se ritenevano l'immagine del mare.

Ora se lo stava godendo da due passi il mare, ma lo sposo le calò una mano sulla spalla e si fece accompagnare a stallare la bestia. Ma poi le fece vedere un po' di porto e poi prendere un caffellatte con le paste di meliga. Dopodiché andarono a trovare un parente di lui.

Questo parente stava dalla parte di Savona verso il monte e a Catinina rincresceva il sangue del cuore distanziarsi dal mare fino a non avercene nemmeno piú una goccia sotto gli occhi.

Ce ne volle, ma alla fine trovarono quel parente. Era un

uomo vecchiotto ma ancora galante, e quando si vide alla porta i due ragazzi sposati fece subito venire vino bianco e paste alla crema ed anche dei vicini, ridicoli come lui.

Mangiarono, bevettero e cantarono, Catinina in quel buonumore prese a snodarsi e a rider di gola e ad ammiccare come una donna fatta, e teneva bene testa al parente galante ed ai suoi soci; lo sposo le era uscito di mente ed anche dagli occhi, non lo vedeva, seduto immobile, che pativa a bocca stretta e col bicchiere sempre pieno posato in terra fra i due piedi.

Quando si ritirarono per la notte in una stanza trovata dal parente, allora riempí di schiaffi la faccia a Catinina. E nient'altro, tanto Catinina non era ancora sviluppata.

Al mattino Catinina aveva per tutto il viso delle macchie gialle con un'ombra di nero, lo sposo venne a sfiorargliele con le dita e poi scoppiò a piangere. Proprio niente disse o fece Catinina per sollevarlo, gli disse solo che voleva tornare a Murazzano. E sí che si sarebbe fermata un altro giorno tanto volentieri per via di quel parente cosí ridicolo, ma ora sapeva cosa le costava il buonumore, e poi il mare le diceva molto meno.

Lo sposo caricò in fretta i suoi stracci, la fece sedere sul molle e tornarono.

La mattina dopo, il panettiere di Murazzano, che si levava sempre il primo di tutto il paese, uscito in strada a veder com'era il cielo di quel nuovo giorno, trovò Catinina seduta sul selciato e con le spalle contro il muro tiepido del suo forno.

– Ma sei Catinina? Sei proprio Catinina. E cosa fai lí, a quest'ora della mattina?

Lei gli scrollò le spalle.

– Cosa fai lí, Catinina? E non scrollarmi le spalle. Perché non sei col tuo uomo?

– Me no di sicuro!

– Perché te no?

Allora Catinina alzò la voce. – Io non ci voglio piú stare con quello là che mi dà del voi!

– Ma come non ci vuoi piú stare? Invece devi stargli insieme, e per sempre. È la legge.

– Che legge?

– O Madonna bella e buona, la legge del matrimonio!

Catinina scrollò un'altra volta le spalle, ma capiva anche lei che scrollar le spalle non bastava piú, e allora disse: – Io non ci voglio piú stare con quello là che mi dà sempre del voi. E poi che casa mi ha preparata che io c'entrassi da sposa? Una casa senza lume a petrolio e senza il poggiolo!

L'uomo sospirò, la fece entrare nel suo forno, disse piano al suo garzone: – Attento che non scappi, ma non beneficiartene altrimenti il mestiere vai a impararlo da un'altra parte, – e uscí.

Quando tornò, c'era con lui l'uomo di Catinina. Col panettiere testimone, le promise il lume a petrolio per subito e di farle il poggiolo, tempo sei mesi.

Catinina il lume a petrolio l'ebbe subito, e poi anche il poggiolo, ma dopo un anno buono, che lei aveva già un bambino sulle braccia. Perché Catinina non era la donna che per aver la grazia dei figli deve andarsi a sedere sulla santa pietra alla Madonna del Deserto e pregare tanto.

Questo primo figlio, dei nove che ne comprò nella sua stagione, l'addormentava alla meglio in una cesta e poi subito correva sotto l'ala a giocare a tocco e spanna con quei maschi di prima. Dopo un po' il bambino si svegliava e strillava da farsi saltare tutte le vene, finché una vicina si faceva sull'uscio e urlava a Catinina: – O disgraziata, non senti la tua creatura che piange? Vieni a cunarlo, o mezza zingara!

Da sotto l'ala Catinina alzava una mano con una bilia tra il pollice e l'indice e rispondeva gridando:

– Lasciatemi solo piú giocare questa bilia!

Ma il mio amore è Paco

Era propriamente un cugino secondo di mio padre, ma io lo chiamavo convintamente zio. Mio padre aveva un debole per Paco, nessuno dei suoi parenti rimasti sulle langhe gli andava a sangue quanto lui. Mia madre invece: – È un Fenoglio integrale, – diceva, – e fa il negoziante di bestiame. Mescolate la razza col mestiere e ne avrete una mistura da far rizzare i capelli in testa.

Mia madre veniva dal piú clericale dei clericali paesi dell'Oltretanaro, da una gente che aveva per bandiera proprio quello che i Fenoglio, secondo lei, si mettevano facilmente sotto i piedi: il timor di Dio e l'onore del mondo. E con questa opinione doveva ora consentire che io andassi in vacanza dallo zio Paco per un mese intero. Ricordo che si passò una mano davanti agli occhi, forse per cancellare l'apparizione di Paco nella sua tenuta ordinaria per mercati e fiere: in camicia a disegni di fiori e frutta, corpetto grigioferro, squadrato e con tanti taschini incolonnati da somigliare a un mobiletto per ufficio, calzoni rosso mattone e scarpe polacchine della medesima tinta. I calzoni erano talmente attillati allo stinco che mio padre giurava che Paco ogni notte per svestirli doveva necessariamente svitarsi i piedi.

Mio padre ridacchiò polemico. – Il ragazzino, – disse di me, – è un Fenoglio spaccato. Ti piaccia o no, è tutto dei miei. Piglialo negli occhi, piglialo nel naso.

E mia madre: – Che di fuori sia dei tuoi è un fatto lampante e in fondo non ne sono scontenta perché belli non siete ma avete tante particolarità che piacciono. Di dentro però, nell'anima, non è ancor detto che sia dei tuoi, e io spero e prego che no. Ma se noi a ogni estate continuiamo a mandarlo sulle langhe, per forza finirà col farsi un'anima Fenoglio, anche se alla nascita non ce l'aveva.

Quanto a me, debbo dire che quella miscela di sangue di langa e di pianura mi faceva già da allora battaglia nelle vene, e se rispettavo altamente i miei parenti materni, i paterni li amavo con passione, e, quando a scuola ci accostavamo a parole come «atavismo» e «ancestrale» il cuore e la mente mi volavano subito e invariabilmente ai cimiteri sulle langhe.

Mia madre già l'aveva intuito e nel suo intimo si era già rassegnata a quella mia pericolosa vacanza presso lo zio Paco, facendo affidamento, per l'immunizzazione, su quelle gocce di sangue suo che circolavano un po' sperdute nelle mie vene. Ma anche quando la mia vacanza era irrevocabilmente decisa, non perse occasione di criticare Paco. – Basti vedere i torti che fa a sua moglie Giulia –. Ribatteva mio padre che bisognava metter sulla bilancia anche le scarse soddisfazioni che Giulia gli aveva dato; non aver saputo regalargli un figlio, uno solo, fosse pure una femminuccia...

Una delle mie prime sere nella loro casa di Feisoglio – l'ultima uscendo dal paese verso Niella, affacciata sullo stradone con un muro senza vuoti, simile al mendicante cieco appostato sulla via alla fiera – li sentii litigare proprio su questo argomento.

Con la sua voce sempre uguale ma sostenuta diceva la zia Giulia: – Resta sempre a vedere se il difetto è in te o in me.

– Guardami bene, Giulia, – sbuffava lo zio, – e poi guardati bene te, nello specchio o in quell'ingrandimento che ti ha fatto il fotografo di Cortemilia. Il difetto è in te, un cieco vedrebbe che il difetto è in te. Io ho tanta sostanza che tu avresti fatto tini e tini d'uva se non fossi, come sei, una vite secca.

– E io dico che il difetto è in te. E si faccia una buona volta quello che non abbiamo voluto fare in sedici anni. Portami a Alba o a Mondoví, fammi visitare dal primo medico di laggiú e verrà finalmente in chiaro...

– Mai e poi mai, – l'interruppe Paco: – io non ti porterò mai a Alba o a Mondoví, per non far vedere a un grand'uomo com'è mal fatta mia moglie. Io ho ancora questa goccia di orgoglio.

– Non uscirmi con l'orgoglio, Paco. Voialtri Fenoglio avete solamente vanagloria. Io invece, io dei Saglietti, ne ho di orgoglio, di quello vero e genuino, anche se tu le hai studiate tutte per farmelo svanire. Ne ho di orgoglio, e credi pure che non mi va per niente di mostrare come son dentro. Ma per convincerti passo sopra all'orgoglio e son prontissima a sopportare l'eventuale dolore.

– Tu sei matta, – sospirò Paco, – e io dovrei ricordarmi piú spesso che tuo nonno si buttò nel pozzo.

– Sei un feroce, Paco, un malvagio feroce a tirare in ballo il mio nonno disgraziato. Restiamo al difetto. Il quale è in te. E non è che tu ci sia nato, ma ti è venuto dopo, poco a poco, a forza di smidollarti con tutte le sudice delle langhe alte e basse.

A questo punto zio Paco sputò il sigaro, con un pugno si calcò il cappello in testa e andò all'osteria. La padrona era amica sua e ogniqualvolta arrivava Paco o un ruffianello glielo dava per strada, piantava clienti, tavoli e fornelli e correva sopra a cambiarsi le calze, di cotone in seta. Era sempre un paio nuovo di scatola, ma dopo una strizzata di Paco diventavano un pugnetto di rovine e l'ostessa le gettava sul letamaio o le ficcava nella stufa accesa, se d'inverno.

Ne aveva una per paese, o piú esattamente una per ogni cantone d'ogni paese. Le riceveva nella stalla dove aveva ritirato i bovini trattati nella giornata o addirittura nel suo furgone stazionato sotto le stelle. Era anche l'amico di una maestra, sui trent'anni, che insegnava in una borgata tra Niella e Mombarcaro e si era messa con Paco perché lo trovava l'unico uomo passabile che battesse i dintorni. Il pievano forse era anche meglio di lui, ma con un prete quella maestra non voleva assolutamente farsela. La zia Giulia sapeva di questa maestra, e le bruciava piú di ogni altra, non potendo in coscienza considerare una maestra con tanto di patentino alla stessa stregua di una lurida qualunque che facesse per finta la maglierista o la pettinatrice. Tanto piú le bruciava in quanto, per certe affinità, le rinnovava l'angoscia che le aveva causato sedici anni prima Jeanna, che adesso era la moglie del Podestà. Jeanna, Paco oggi non l'avrebbe piú toccata nemmeno col suo pungolo: dopo quattro figli era invecchiata e imbruttita da far senso, l'occhio lacrimoso, sdentata, ciondolante, e le gambe che aveva avute bellissime o, come diceva Paco, da premio, le si erano rinsecchite al punto che la calza la piú aderente le faceva ragnatela intorno al polpaccio. Ma per causa di Jeanna, in gioventú, Giulia aveva perduto il sonno e quasi la ragione. Jeanna era bella almeno quanto lei, sul medesimo tipo e con in piú un tocco di Francia (era nata a Tolone) e fino all'ultimo le aveva disputato il giovanotto che era mio zio. Poi Paco si decise per Giulia Saglietti e un mese dopo il parroco leggeva dal pulpito l'annunzio di Jeanna e Adolfo Cerrato, che sarebbe poi diventato Podestà. Ma il mattino delle nozze – e questo a Feisoglio lo risapevano anche le bambine – alle amiche che le acconciavano il velo Jeanna, bianca e molle come cera, aveva detto: – Sposo Alfredo, ma il mio amore è Paco.

Zia Giulia però molto probabilmente non sapeva l'ultima, che io invece conoscevo dal figlio del cantoniere-sacrestano, un perticone di quasi vent'anni che parlava con me di certe cose e con una tale brutalità quasi che io fossi, come lui, maturo per andar soldato. A sentir lui, proprio in quell'anno della mia vacanza a Feisoglio (1934), Paco aveva preso a lavorarsi Gemma, la figlia della privativa, una ragazza di non ancora vent'anni, bionda e paffuta, beffarda e lucida, di cui si diceva che Paco avesse detto: – Dev'esser piú bella lei nuda e cruda che io vestito da fiera grande con la catena d'oro sul panciotto –. Questa Gemma si era già fissata di non sprecarsi in riva a Belbo con coetanei, sbarbatelli furiosi, malpratici e spiantati che magari ti mettevano al primo colpo nella condizione di farti poi sbrogliare, a suon di bigliettoni, dalla levatrice di Murazzano o di Dogliani. Meglio farlo, già che non ci resisteva e era convinta che l'anima non ci andasse di mezzo, meglio farlo con un uomo maturo e esperto, di presenza di prestigio e di finanze tal quale mio zio Paco. Pare rimanessero su questa intesa. L'agosto prossimo Gemma andava ai bagni, per la prima volta in vita sua, al mare di Savona. Paco le fece credere che il mare di Savona era brutto e vile per via del porto e che l'andarci per i bagni equivaleva ad appendersi al collo un cartello con sopra scritto «cafona e miserabile». Al che Gemma aveva subito bocciato Savona, o meglio ci sarebbe passata solo per trovare mio zio davanti alla stazione su una bella macchina di noleggio. Avrebbero fatto con comodo la Riviera e forse una puntata a Montecarlo.

Una sera di luglio, nell'ultima settimana della mia vacanza, Paco partí per Rocchetta nella bassa langa per compерarvi l'indomani una coppia di manzi. Partí con diversi biglietti da mille e sulla sua 501 furgonata che, specie in salita, mandava un rombo che andava a bussare a tutte le porte dell'orizzonte. A Rocchetta mio zio aveva un corrispondente o simile, certo Maggiorino Negro, che Paco nominava abbastanza spesso nei suoi discorsi a casa.

Juccia, la moglie di Maggiorino, voleva dargli da cena, lagnandosi solo che non avesse preavvisato, ma Paco aveva già cenato per strada e benissimo.

Disse Juccia: – E come sta Giulia? Come si diventa mai! Quattro colline appena ci separano e finiamo col vederci una volta ogni morte di vescovo.

Paco rispose che la zia stava bene, solo stava imbiancando di capelli, e Juccia se ne stupí perché ricordava Giulia mora come una zingara, e mio zio, addentando il sigaro, brontolò: – È appunto lo scherzo che ti giocano le brunacce.

Poi Maggiorino aveva sviato il discorso sapendo che Paco non lo gradiva.

– E che fate la sera a Rocchetta?

– Stasera giocano da Madama, – rispose Maggiorino con aria di disapprovazione.

– Vapore? Tu giochi?

– Dio scampi! – disse Juccia per suo marito.

– Io no, io non gioco mai, – riprese Maggiorino. – A parte ogni altra considerazione, io sono dell'avviso che il gioco non è per noi negozianti. Il gioco è per i proprietari e i lazzaroni.

– È cosí, – disse Juccia, che si piccava di intendersi di commercio quanto i piú furbi uomini sulla piazza. – Se perdi ti sparisce il liquido. Ora i proprietari, dei lazzaroni nemmeno voglio parlare, i proprietari per un po' possono fare a meno del liquido, mentre noi negozianti...

Mio zio non la sentiva. Stava fissandosi sul gioco, stava meditando che in un paio d'ore e con un pizzico di fortuna avrebbe potuto spesarsi della Riviera con Gemma.

– Giocano forte?

– Sempre sostenuto e qualche volta da far spavento. Questa, per esempio, mi pare una sera che qualcuno ne uscirà scuoiato come San Bartolomeo. L'ultima volta, un proprietario di Prunetto...

Con una ondata di fortuna poteva offrire a Gemma il doppio, il triplo del preventivato, abbagliarla col lusso e cosí legarsela anche per l'autunno e l'inverno. Aveva molte probabilità di vincere, anzi avrebbe vinto senza fallo. Non giocava, sul serio, da almeno una decina d'anni, era come se si fosse rifatto una verginità, e chi gioca per la prima volta vince invariabilmente.

– Maggio? Andiamo a bere il caffè da Madama.

Juccia, quando seppe che andavano e lei non poteva impedirlo senza sfigurare, disse a suo marito: – Ma non cosí. Sali a metterti la giacca, la giacca nuova di alpaga.

– Fa caldo, – protestò Maggiorino. – Vedi Paco com'è sbracciato.

– Paco non è mio. Tu sei mio e voglio che ti metti la giacca.

Si scusarono per un minuto e salirono in camera da letto.

– Ti voglio parlare, – disse lei aprendo l'armadio.

– L'ho capito, ma parla sottovoce, – e Maggiorino indicò le fessure dell'impiantito.

– Paco giocherà.

– Non è detto.

– Paco giocherà.

– Questa mi fai mettere? – si lagnò forte Maggiorino. – È pesante. D'alpaga o d'altro, è pesante.

– È bellissima, è di-stin-ta. Infila, non fare storie –. E poi: – E se perde?

– Affar suo.

– Non ti chiederà un imprestito?

– Non Paco. Paco non si è mai fatto prestare da nessuno. Se perde, perde i suoi e veniamo a dormire.

– Comincia col darmi il mille lire che tieni per sfoggio nel portafogli.

– Nossignora, me lo tengo.

– Dammelo, ti levo la tentazione.

– Non c'è tentazione per me. Il gioco mi fa solo schifo e spavento.

– Maggiorino, consegnami quella carta da mille.

– No, stavolta non la spunti. E se insisti mi fai capire che non ti fidi.

– Mi fido e non mi fido. Mi fiderei se ci andassi solo.

– Tu non conosci Paco.

– Paco non è mio. Maggiorino, ridammi.

– Niente affatto, me lo tengo. Del resto sei tu che vuoi che io giri sempre con una carta da mille nel portafogli.

– Certo, – disse Juccia, – perché desidero che tu faccia sempre una figurona. Quando cerchi gli spiccioli, allarghi bene il soffietto e la gente può vedere che ci tieni una carta da mille come se niente fosse.

– Se però osassi solamente cambiarlo, tu mi caveresti gli occhi.

– Ci puoi giurare.

– Bene, – disse Maggiorino, – stasera, pagando il caffè da Madama, tutti vedranno il tuo uomo con una carta da mille nel portafogli come se niente fosse. Ma ora lasciami andare, Juccia, o Paco si offende. E Paco per me è troppo importante.

– Va', ma ricordati del cugino Gelindo.

Lui si arrestò netto, come raggiunto da una pallottola. Torse sopra la spalla la faccia torva e: – A me non farlo il discorso di Gelindo! – sibilò.

– Te lo ricordo semplicemente, – disse lei imperterrita. – Suo padre tuo zio gli aveva lasciato la piú grossa cascina su questa riva di Belbo. Per il gioco finí vestito degli stracci del prossimo e tirò le cuoia in un fosso. E, ti ricordi? sbrigarsi a sotterrarlo o i pidocchi lo divoravano prima.

– Non farlo a me il discorso di Gelindo, – ripeté lui, meno brutto, e finalmente scese.

L'osteria di Madama era la casa meglio illuminata di tutto il paese, davanti alle sue finestre ingrigliate vorticava puzzando il grosso delle falene di Belbo.

E un bel dí ero nel tempio
Del Signor, oh del Signor,
E la si sentiva una voce armonica
Oh che mi dava la vita al cuor!...

Mio zio si aggrottò. – Da Madama fanno i cori. Com'è possibile che si giochi con una cagnara simile?

– Come il gioco comincia Madama li fa smettere, – lo rassicurò Maggiorino.

Il locale era zeppo, di gente che non dava il passaggio nemmeno a sfondarle la schiena. La tavolata del coro stava nell'angolo piú oscuro. Cantavano alla cima della voce e del sentimento, perdutamente, abbrancandosi al tavolo, strabuzzando gli occhi, musando come buoi tra le bottiglie e le lattine dei biscotti. Cantavano e sembrava che chiedessero una enorme vendetta o protestassero la loro innocenza davanti a un tribunale capitale.

– Mezzadri della langa di Bòsia, – disse Maggiorino, – pidocchi canterini. Quando avranno pagato a Madama quel poco vino e quei vafers stantii resteranno senza un soldo fino alla vendemmia, – e alzando la voce ordinò due caffè con schizzo di persico.

Bevendo il caffè mio zio cercava con gli occhi l'accesso al locale da gioco e Maggiorino gli spiegò che si giocava al piano superiore e si passava per il cortile.

– Posso presentarti Madama?

– Mai rifiutato di conoscere una signora, – scherzò Paco ben sapendo che Madama era maschio.

– A che ora parte il vapore, Madama?

– Fischia tra dieci minuti. Se vi interessa, vi accompagno subito alla stazione, – e Madama fece strada nel cortile.

Nel chiaro della lampada dello stallaggio stava una 509 con sopra seduto un giovanotto pallido e affilato, con un'aria di chierico scappato di seminario. La vettura, mormorò Madama, apparteneva al giocatore Racca e il giovanotto era il suo segretario personale.

– Che sia un professionista si sa, – disse mio zio, – ma del segretario che se ne fa? Lo fa giocare al suo posto, si fa dare il cambio?

Madama spiegò che il giovanotto gli teneva esclusivamente la contabilità, perché Racca era analfabeta e in piú confondeva le banconote.

Si giocava in una sala stretta e lunga, bene spruzzata di liquido moschicida, con due finestre accecate da pesanti tendaggi, in centro il tavolo verde (tavolo operatorio lo chiamava Paco) e su di esso un vassoio di argentone col doppio mazzo di carte. Sei posti erano già occupati e molti curiosi, col beneplacito di Madama, tappezzavano le pareti.

Mio zio si sedette e infilata una mano nel corpetto sganciò la catenella che assicurava il portafogli. Maggiorino gli si era collocato alle spalle, sfiorava con la testa il ritratto della vecchia Madama.

Madama figlio sparí per un attimo e il coro al piano di sotto ammutolí.

Cominciò il giro. I grossi erano, oltre il professionista Racca, un vecchio asciutto, con capelli e pizzetto bianchi come neve, che tutti chiamavano colonnello, e un proprietario di Valdivilla, grosso e acceso, il quale a ogni giocata faceva commenti spiritosi e perdeva con gusto. Gli spettatori ridevano a ogni sua battuta, mentre stavano in soggezione del colonnello e letteralmente incantati davanti al Racca. Questi era un vecchietto anchilosato e barbogio, cosí piccolo che Madama gli aveva impilato sulla sedia due cuscini come si fa per un bambino ammesso alla tavola dei grandi. Oltre a questi e a Paco c'erano tre altri giocatori, ma pidocchietti, che giocavano al minuto.

Ci fu un paio di smazzate. Paco perdeva, malgrado la sua capacità di calcolo Maggiorino non poteva dir quanto, e perché è sovrumano seguire il gioco in tutti i suoi alti e bassi e perché mio zio teneva non sul tavolo ma in grembo il suo mucchio di denaro.

Finalmente il banco gli diede tre colpi buoni. Il colonnello glielo batté, solo ed intero. Paco ebbe paura e lo passò, voltandosi colse negli occhi di Maggiorino un lampo di approvazione. Racca offrí per il banco e se lo aggiudicò. Vinse ancora e mio zio bestemmiò grosso. Ma non aveva fede in quel banco e gli puntò contro un terzo della vincita che gli aveva procurato. Vinse ancora il banco. Paco gli ripuntò contro il doppio e riperse. Ripuntò mille lire e quel banco infernale diede il sesto colpo favorevole. Il colonnello crollava impercettibilmente la testa in direzione di mio zio, il quale: «Sto rovinandomi contro il mio banco buono! – urlava dentro di sé. – Un banco che bastava per Gemma e... e quel deficiente cornuto di Maggio che m'ha approvato!»

Madama controllò che rimanesse un'ultima mano nel mazzo agonizzante. Paco ripuntò le sue ultime duecento lire e riperse. Le orecchie gli ronzavano, ma senza impedirgli di cogliere i commenti di certi spettatori.

– Cosa significa, – diceva uno, – non dar credito a un banco.

– In ogni caso, – bisbigliava un altro, – lui che lo aveva passato doveva starsene buono. Mai andare contro il proprio banco. Non c'è niente di piú vendicativo.

Finché Madama, accortosi che i commenti arrivavano all'orecchio dell'interessato, li troncò con una sguardata.

Ora Madama ricomponeva il mazzo. Paco lasciò un sigaro a segnare il suo posto, afferrò Maggiorino per un braccio e uscirono sul ballatoio. Respirarono la brezza notturna, videro una stella cadere proprio dietro la collina di Cravanzana, ascoltarono un cavallo insonne zampare nella scuderia.

– Le carte... – cominciò Maggio.

Silenzio di mio zio.

– ... son peggio delle donne...

Ancora niente da Paco.

– ... e non è tutto dire?

– Maggio, – disse finalmente mio zio. – Hai soldi appresso?

– Io...

– Ti spiace correre a casa a prenderne?

– Paco, se fosse per il commercio...

– Ehi! Forse che la parola di Paco è diversa per il gioco che per il commercio?

– Non dir cosí, Paco, aspetta.

– Tu aspetterai me, Maggio, ma avrai un bell'aspettarmi.

– Ma chi ti ha detto di no?

– Allora che aspetti a correre a casa?

– Ho mille lire appresso.

Paco snodò le dita cosí ferocemente che Maggiorino si affrettò a placarle col bigliettone.

Ricominciarono. Nuovi curiosi salivano dal cortile, ma la

sala era ormai intasata e i primi arrivati si degnavano di soffiare a quelli pigiati sulla scala o sul ballatoio notizie sull'andamento generale del gioco. Racca vinceva, il colonnello forse era in pari, tutti gli altri perdevano: Paco secondo nella graduatoria dei perdenti, a ruota del proprietario di Valdivilla. Questi motteggiava come se nulla fosse, chiamava Racca Lucifero, ogniqualvolta gli batteva banco annunziava che andava a visitar Lucifero a casa sua.

Dopo un lungo intervallo il banco ridiede a Paco tre colpi favorevoli. Era non piú di un brodino per un ammalato grave ma, per poco che durasse, poteva diventare panacea. I pidocchietti avevano già avanzato puntatine contrarie, poi il colonnello tamburellò con le dita e chiese banco solo.

– Stavolta non mi spaventi, stavolta non mi faccio soffiare una miniera per la fifa, – e mio zio distribuí le carte.

Il colonnello incrociò le sue carte, Paco stette con sei, il colonnello gli scoprí un bel sette. – Subisco, – rantolò mio zio passandosi una mano sugli occhi.

Riportò Maggiorino sul ballatoio, stavolta fu molto piú faticoso che stallare un vitello recalcitrante. Gli spettatori indietreggiarono, che si parlassero in libertà.

– Maggio.

– Son qui.

– Non hai altri soldi appresso?

– Ma per chi m'hai preso? Per il banchiere di Murazzano?

– Allora corri a casa a rifornirti.

Maggio chinò la testa sul petto e Paco lo afferrò per le spalle.

– Hai sentito? Corri, vola a casa a rifornirti!

– Ma tu non conosci Juccia!

– Juccia! ? Io non conosco piú te!

– La metti subito cosí?

– Già. E di' alla tua Juccia che un appoggio come Paco non lo trovi mai piú.

– Sí, Paco.

– Vuoi che ti firmi una carta? – ansimò mio zio.

– Mai al mondo!

– Una carta non per te ma per Juccia?

– Mai al mondo!
– Allora va'. E quanto mi porti?
– Mille, – balbettò Maggiorino.
– Non farmi ridere, sai!
– Duemila?
– Avrei fatto tutte queste parole per duemila lire? Tu sai che io non parlo tanto in tre mercati.
– Allora dimmi tu.
– Io non posso dire, perché non so il liquido che tieni in casa.
– Tremila.
– Non fare lo schifoso bugiardo! – disse Paco colpendolo sulla spalla. – Tu hai tremila lire in casa, tu che fai anche l'usura?
– Parla piano, – implorò Maggio. – Non dicevo in casa, dicevo di portarti tremila.
– Eh, – grugní mio zio.
– Quattromila. Son tante, Paco, quattromila.
– Lascia giudicare a me se son tante o poche. Sentimi bene... ed era cosí stravolto che Maggiorino protese le mani a pararsi.
– Paco, – gemette, – Paco, mi colga un fulmine se in casa teniamo piú di diecimila.
– Portamele tutte.

Maggiorino si mosse e Paco lo incalzò fino alla scala. – Ma sbrigati, ché voglio sotterrare Racca e il colonnello. Li sotterrerò. E, Maggio? c'è qui a Rocchetta un negozietto che venda qualcosa di fino? Se vinco, domattina faccio un regalino a Juccia.

I giocatori si rilassavano, mentre Madama sparpagliava le carte con le sue mani giallognole. A fianco di Racca era comparso il segretario, il vecchietto gli passava mazzi di banconote, il giovanotto li avvolgeva con un elastico e li infilava in una borsa da legale. Il colonnello osservava e sorrideva finemente, mai restando di lisciarsi il pizzetto. Il proprietario di Valdivilla diceva a uno spettatore: – Che riescano da quella borsa? È piú facile che risusciti mio padre morto della spagnola, – e rideva di cuore.

Maggiorino arrivò a casa. Entrando nella stanza da letto

annusò l'aria e bisbigliò verso la moglie: – Dio come puzzi, creatura.

Lei balzò seduta sul letto.

– Non dormivi?

– Non ci riesco, con voi due nella bisca di Madama in questa notte segnata.

– Storie. Accendimi la luce.

– Ci sono le zanzare.

– Accendi, debbo vedere.

– Che cosa? – e premette la peretta della luce.

– Dentro l'armadio. Prendo diecimila, – disse lui d'un fiato.

– Quanto?

– Zitta!

– Per Paco?

– Non per me di sicuro.

– Perde?

– Che grande intelligenza!

– E quanto?

– Affari suoi, conti suoi. Svelta la chiave.

– No.

– Cristo!

– Cristo o non Cristo, la chiave non te la do.

– Donna, non farti mettere le mani al collo.

– Mettimele, ma lascia star la chiave.

Maggiorino prese a unghiarsi la giacca. – Tu, tu, – diceva rauco, – tu per l'interesse vai contro l'interesse. Passi per donna furba e sei una cretina. Io solo lo so. Tutti mi dicono uomo fortunato perché ho sposato una donna con tanto cervello, ma tu, a conoscerti, sei una cretina, una cretina senza fondo. Il primo che mi rifà le tue lodi...

– Furba o cretina, la chiave non te la do.

– Sentimi bene, cretina. Io di Paco non posso fare a meno. Se non gli faccio questo favore Paco mi volta le spalle per sempre e io sull'alta langa non traffico piú. E ti piaceva, no? vedermi arrivare tutti i mercoledí sera da Feisoglio col mio bel profitto. Dio se ti piaceva! Eri cosí soddisfatta che dopo i conti volevi far l'amore. Un cosí bel profitto bisognava festeggiarlo. Cretina e pervertita.

– Che Dio ti perdoni, – mormorò la donna.

– Fuori la chiave!
– Hai mille lire appresso. Fa' con quelle.
– Già fatto.
– E già le ha perse?
– Non t'interessa. Interessa a Paco. Fuori la chiave.
– E prenderesti diecimila? Ma è una cifra spaventosa! Con diecimila lire noi ci riempiamo la stalla, con diecimila...
– Sentimi bene, donna cretina. Diecimila lire sono certo un capitale, ma tu non ne hai idea di chi è Paco. Tu perderesti Paco per non prestargli diecimila lire. Ma tu non hai idea del colosso che è Paco. Sulla piazza di Feisoglio mi riderebbero dietro anche i cani se sapessero che ho perduto Paco per non fargli riparo di diecimila lire. Cristo, Juccia, se non mi dai quella chiave...

La donna sbruffò di spregio e di sfida e Maggiorino si avventò. La ribaltò sul letto e dal letto sul pavimento. Poi scostò il materasso e scoprí l'astuccio che conteneva la chiave del forziere. Juccia con la camicia arrovesciata sul viso, mugolava e scalciava, imbrattandosi la carne bianca sull'impiantito oliato.

Spalancò l'armadio, scartò di furia la biancheria e quant'altro mascherava il forziere, lo aprí e ci affondò le mani.

– Bada che so quanto c'è! – gridò Juccia abbrancandosi all'orlo del letto. – Fino all'ultima lira!

– Diecimila ho preso! Venti carte da cinquecento! – a riprova smazzava e sventolava le banconote. Poi le intascò convulsamente, ribadendole giú coi pugni chiusi, come se fosse materia viva ribelle e spregevole. A quella vista insopportabile Juccia serrò gli occhi e torse la testa.

Lui si chinò sopra e l'abbracciò a fascio, sebbene lei schifasse e resistesse la sollevò e la ripiombò sul letto. Poi la coprí col lenzuolo, abbastanza delicatamente, ma lei si riscoprí come una forsennata.

– Non ti perdonerò mai!
– Mi perdonerai, – sogghignò Maggiorino.
– E quando morirai, non verrò a vederti nella cassa.
– Mi perdonerai, mi perdonerai sí. La sera stessa che tornerò da Feisoglio col rimborso e il solito profitto, mi perdonerai. E vorrai fare quello.

Mentre aspettava il ritorno e il rinforzo di Maggiorino mio zio aveva fatto una serie di scaramanzie. Era uscito a orinare la sfortuna, aveva cambiato seggiola e, soprattutto, si era imposto di non pensare piú a Gemma. Se voleva rifarsi, doveva pensare esclusivamente alla zia Giulia. Aveva perso perché pensava ai lussi che vincendo avrebbe potuto offrire a Gemma. Ora si sarebbe rifatto perché avrebbe pensato alle strettezze in cui perdendo ancora avrebbe messo Giulia, la sua cara moglie.

Il colonnello mormorò qualcosa all'orecchio di Madama che annuí. Si rivolse agli spettatori e li pregò di uscire. Stava per battere la mezzanotte, la platea nicchiava, Madama insistette: – Sapete che non ho licenza per intrattenere la gente oltre mezzanotte. Non mettetemi nei pasticci.

Strascicando i piedi sgomberavano, ma uno disse: – Per quelli al tavolo la licenza ce l'hai.

Madama sprizzò fuoco dagli occhi, ma si contenne.

– Questi signori sono tutti regolarmente iscritti nel registro della locanda, questi signori hanno tutti una camera prenotata.

Quello fece dell'ironia e allora Madama ringhiò: – Fuori, ignorante! – e l'altro per poco non ruzzolava le scale.

– Maggio rimane, – disse mio zio.

– Maggio non si discute.

Il segretario di Racca si era impiantato nella sala. Sedeva a un tavolino d'angolo con la borsa tra le mani e sogguardava il principale che ora beveva da un bicchiere di acqua sintetica in cui aveva disciolto una pastiglia. Il colonnello sorseggiava cognac. Il proprietario di Valdivilla gongolava. – Questi luciferi mi hanno pappata mezza la prossima vendemmia. Guai se non mi rifaccio domani sera a Murazzano.

– Domani sera c'è partita a Murazzano? – domandò fievolmente Racca.

Il proprietario rise. – Questo ingenuo lucifero di Racca chiede se domani sera c'è partita a Murazzano. E il primo di noi che ci arriverà ce lo troverà già seduto, con le medicine il segretario la borsa e tutto l'altro suo maledetto armamentario.

– Casa del veterinario? – bisbigliò il colonnello e Racca annuí impercettibilmente.

Verso le tre mio zio rimaneva con poco piú di mille lire. Il proprietario si era fatto portare acciughe e olive in un piattino al quale attingeva con la stessa mano con cui toccava le carte. Queste si ungevano e colavano, il colonnello schifava, Racca e Paco non ci facevano caso.

Racca godeva di un banco di millequattrocento lire. Mio zio e il colonnello glielo batterono, metà e metà. Paco si allungò verso le carte ma il colonnello osservò che toccava a lui far gioco, essendo il primo alla mano.

Paco si offese. – Se fa gioco lei io mi ritiro.

– Lei è padrone, – rispose il colonnello. – Vuol dire che batterò da solo.

Mio zio pescò un'oliva dal piattino del proprietario e l'ingollò. – È amara come tossico. E va bene, non mi ritiro, faccia pure gioco lei. Se era capace di comandare un reggimento sarà pure capace di fare un punto di piú di questo vecchio rachitico che ha un piede nella tomba.

Ebbero due figure. Due figure si scoprí anche Racca. Il colonnello volle carte e Racca gli voltò un dieci. Per sé girò l'asso di picche e vinse.

– Signore, prendimi! – mugolò Paco, poi si tuffò sul tavolo, pescò quell'asso di picche e lo sbranò coi denti.

Maggiorino aveva voltato la faccia verso il muro, Racca scrutava Paco con quei suoi occhietti quasi senza iride.

– Sono pelato, – annunziò mio zio.

Tacquero tutti.

– Sono pelato! – gridò.

Allora il proprietario ridacchiò. – Io perdo piú di trentamila.

E Paco: – Però ne avete ancora un bel mucchio.

Quello si fece bruscamente serio e chinò la testa sul mucchio quasi a proteggerlo.

Mio zio batté i pugni sul tavolo. – Io voglio continuare. Ho il diritto di continuare, di cercare di medicarmi. Allora? Chi mi viene incontro? Chi mi presta? Io sono Paco di Feisoglio, uno dei piú grossi negozianti di bestiame dell'alta langa.

Madama disse che Maggiorino Negro poteva dare informazioni di lui, ma parlò con voce opaca e sbirciando il soffitto.

– Maggio! – ordinò Paco. – Fatti avanti e spiega chi sono io e che giro ho di commercio.

Maggiorino avanzò di un passo. – È vero. Lo conosco da trent'anni. Trattavo già con suo padre e posso dire...

– Non dite piú niente, – gli fece Racca, e a Paco: – Accomodatevi dal mio segretario.

– Mi accomodo sí, – disse mio zio e urtando in tutti gli spigoli andò al tavolino d'angolo. Gli pareva tanto un confessionale, anche per l'aspetto ecclesiastico del segretario. Questi aveva già carta e penna pronte.

– Favorisca sedersi. Son cose da trattarsi con calma.

– Sapete, – gli disse mio zio, – che voi avete molto piú garbo del cassiere della banca di Murazzano?

Il giovanotto sorrise a denti stretti.

– Ve lo dichiaro io, – insistette Paco. – Quell'altro al vostro confronto è uno zappaterra. Dunque, quanto mi date?

– Chieda lei.

– Posso chiedere io?

– Fino a un limite massimo di diecimila.

– Diecimila? – s'incantò Paco.

– Fissato dal mio principale.

– E quando vi siete parlati? Ah, non vi occorrono parole. Certo che di pratica dovete averne... – e in quel momento, dietro una speciale guardata di Racca, il giovanotto raddoppiò.

– Ecco un altro miracolo, – disse mio zio. – Va bene ventimila. Datemi presto da firmare. Quanto alla scadenza...

– Quarantott'ore.

Paco annaspò. – Dopodomani!?

– È la regola, nei prestiti di questo genere. Verrò io in macchina, posdomani, alla sua casa di Feisoglio.

– Provati a fare una cosa simile! – gli gridò in faccia Paco. Poi si rizzò e parlò a tutta la sala. – Qui non ci siamo, questo è un punto che assolutamente non va. Dopodomani io non posso. Io sono sincero, non voglio ingannare nessuno. Io son Paco di Feisoglio, con una reputazione su tutti i mercati, con l'entrata libera e gradita in tutte le stalle delle langhe. Io ve li rendo l'indomani della fiera grande di Cravanzana. La fiera di Cravanzana cade il primo settembre.

Maggio, conferma quel che dico della fiera grande di Cravanzana.

Senza dar retta a Maggiorino che confermava, il segretario chiese scusa e si avvicinò a Racca.

– Sí, sí, io scuso, – diceva Paco al tavolino, – ma se dico l'indomani della fiera di Cravanzana...

Il segretario tornò. – Siamo d'accordo, ma in questo caso corrono gli interessi.

– Gli interessi io li accetto, li capisco e li accetto. Se non me li applicavate, vi ricordavo io stesso di applicarmeli. Per dire come li capisco e li accetto. Il sei, il sette per cento. Lo capisco e l'accetto.

– Il quindici per cento, – mormorò il segretario.

– Che cosa? Scusami tu adesso, scusami tu. Ho capito bene? Il quindici per cento? Perché tu, scusa, hai una voce da mezza donna...

– Il quindici per cento, – ripeté il giovanotto che era arrossito fino ai capelli.

– Ma questo è...!

Il segretario lo prevenne con la mano alzata, bianchissima, senza pelo né vena. – Prego. Lei deve considerare la natura del prestito. Che cosa fa in sostanza il Racca? Rimette in pericolo del denaro che è già al sicuro nella sua borsa. Mi spiego? Il Racca le offre, all'interesse del quindici per cento, la possibilità di rifarsi, eventualmente proprio contro di lui. Mi spiego?

Durante tutto questo discorso il vecchio Racca era rimasto immoto come una statua, fisso nel vuoto, vivo solo nei sopraccigli.

– Capisco, – sospirò mio zio, – ho capito, – e snodò le dita per ricevere il denaro.

Tornava al tavolo, traballando, portava il denaro sulle palme come se fosse una mezza dozzina d'uova. Passando davanti a Maggiorino gli strizzò l'occhio, gli fece: – Va' pure, a dormire, Maggio, mi sembri un morto in piedi.

– Madama, – disse poi ariosamente, – fatemi portare un caffè. Ma forte, fortissimo.

– Mi spiace, Paco, ma son piú di tre ore che abbiamo tolto la pressione alla macchina.

– Allora un cognac, ma che sia della marca che beve il colonnello.

Erano le cinque e la prima luce vellicava i pesanti tendaggi delle finestre. I galli ricantavano, un cavallo nitriva. Maggiorino se l'era già filata da un pezzo. Anche Racca se n'era andato, con le medicine la borsa e il segretario, la 509 era partita silenziosa come una slitta sulla neve. Il colonnello stava compartendosi il pizzetto con un pettinino e modulava un'aria d'operetta. Eppure aveva perduto secco anche lui. Il proprietario di Valdivilla ronfava coi gomiti spianati sul tavolo, al suo posto jellato, con davanti a sé solo piú una colonnina di scudi d'argento. Madama stava sulla porta, si era sfilato giacca e camicia e si soffregava il collo con un asciugamani. Paco mulinò le braccia per abolirlo dal passaggio e scese a tentoni la scala.

La luce cresceva, ma si diffondeva cauta e sparpagliata come se temesse un ultimo agguato della notte. Lo stradone era deserto, ancora sprangate le porte e le finestre.

– Beati quelli che stanotte hanno dormito, – disse ad alta voce mio zio, – perché si godranno il sole di oggi.

Avanzava tenendo tutto lo stradone, ubriaco di carte e di rovina. Si accorgeva di sbandare ed era sempre in grado di rimettersi in carreggiata, ma non si correggeva, anzi per disperazione consentiva allo sbandamento e l'aggravava. Cosí a un bel momento andò a cozzar di testa nella serranda del ciclista. Il metallo si ammaccò e grugní, ma mio zio procedette oltre nemmeno un po' piú rintronato di prima.

Il portone di Maggiorino Negro era diligentemente accostato. Paco mirò alla giuntura e poi sferrò un gran pugno. I battenti si spalancarono con un rimbombo e, di sopra, Maggiorino avviluppò Juccia nelle sue braccia.

Livido, livido era il cielo che si inquadrò nel vano del portone, oltre l'aia nuda. Guardando a quel cielo Paco gridò: – Signore, perché non mi hai preso, o Signore?

Andò al porticato, dal suo furgone. Gli tese le mani, gli parlò come a una creatura. – Ti ho perduto, sai? Dieci volte, venti volte ti ho perduto. Ti ho perduto con venti manzi sopra. E manzi belli, intendiamoci, manzi da premio.

La zia Giulia non lo sentí arrivare, e perché la notte dormiva a spizzichi e di prima mattina era assopita di piombo, e perché quella mattina la macchina di Paco non mandava il solito rumore di prepotenza.

Il furgone svoltò nell'aia decliva e puntò al portico, dove si fermò col radiatore immerso nel fieno, come il muso di un bue affamato. Il sole era già piú alto della collina dirimpetto e l'aria nella valle veniva riempiendosi di felici brusii.

A testa bassa mio zio avanzava verso il pozzo. Ci arrivò, ci si ripiegò sul ventre e spenzolò la testa nel vuoto. Farfugliava qualcosa e l'eco dentro il pozzo tumultuava. Chiamava la zia in quell'imbuto.

– Giu-u-lia! Giu-u-u-u-liaaaa!

Come lei non sentiva, con uno sforzo enorme indurí il collo e sollevò la testa all'orlo del pozzo e richiamava.

Finalmente le gelosie cricchiarono e la zia si affacciò alla finestra, stringendosi al collo la sua fine camicia.

– Cosa fai al pozzo? Paco, cosa fai? Vieni subito via!

– Addio, Giulia, – disse semplicemente mio zio.

– Ma che fai? Non vorrai...?

Accennò di sí con la testa e prese a farsi pesar giú.

– Aspetta! – urlò lei. – Ma perché?

– Mi sono rovinato.

– In che modo. T'hanno truffato?

– Ho giocato. Tutta stanotte, a Rocchetta, maledetto paese.

– E quanto hai perso?

– Siamo rovinati, – rispose lui sempre piú spenzolandosi.

– Aspetta, Paco! Siamo proprio buoni per l'ospizio?

Dondolava la testa nel vuoto, per dir di sí, proprio cosí. – Fa' conto, Giulia, – gorgogliava, – che la casa ti sparisca d'intorno come per magia...

La zia gemette.

– ... e con la casa la stalla e il portico e la tua terra lungo Belbo e il mio pezzo su Monte Càrpine. E anche il furgone che mi costò tanti soldi a Cuneo.

La zia si era presa le guance tra le mani e tremava come una foglia.

– E non basta, Giulia. Fa' conto che anche la camicia ti scivoli via d'addosso e ti lasci nuda come quando sei nata.

Ecco a che punto siamo, Giulia. E io non posso ripartire da zero. Ho cinquantacinque anni ormai.

– Ne hai solo quarantaquattro, se non è che per quello.

– Piglio la strada di tuo nonno, – disse Paco, e sventolò la mano per ultimo saluto.

– Paco! – urlò lei e poi raccolse il fiato per chiamar gente in aiuto.

Paco se ne accorse e disse: – Non chiamar gente o io mi butto anche piú presto e buttandomi sfilo la catena.

– Aspetta Paco! Per amore dei nostri figli non nati aspetta! Ma perché, perché hai giocato?

– Per Gemma. Per portarla al mare nel mese d'agosto. Per Gemma della privativa.

– Maiale! – fece allora mia zia, con la voce fredda e tesa come tramontana. – Hai rovinato me per portare quella lurida al mare. E me non mi hai mai portata fino a Torino a veder Po. Buttati pure. Se è cosí, buttati.

– Mi sarei già buttato, Giulia, se tu non mi avessi fatto parlar tanto. Allora siamo d'accordo. Allora addio, Giulia.

– Un momento, – disse lei, non piú atterrita, solamente acida e stanca. – Hai già preso il caffè?

– No, Giulia, stamattina sono ancora digiuno di caffè.

– E allora vieni in casa. Lascia il pozzo e entra in casa a prendere il caffè. Quando mai, o Paco, hai fatto una qualunque cosa senza aver preso il tuo caffè della mattina?

L'acqua del pozzo sciabordò sotto la risata di mio zio. Sempre ridendo saltò via dal pozzo e venne verso casa.

Superino

Sebbene l'amicizia non sia mai stata il mio forte, nella seconda estate che passai a San Benedetto mi legai a Superino.

Era figlio di Filippo e di Teresa e abitavano in una casetta seminuova dirimpetto alla canonica, sullo sperone che dirupa sul mulino di Belbo.

Filippo era un uomo minuto, coi pomelli infuocati, gli occhi di un azzurro stinto e i capelli rossi come la saggina in fiore. Passava per il piú furbo del paese e in proposito io non avevo dubbi: doveva per forza essere piú furbo degli altri se questi, faticando sulla terra da restarne deformati e anneriti, non riuscivano a campar bene quanto lui che si vedeva ozioso e vagabondo (sempre però nel giro del paese) a tutte le ore. Per quella intera estate io lo notai quasi ogni minuto, in questo o in quell'angolo, che tormentava le donne al lavatoio o discorreva del piú e del meno con l'ufficiale postale al suo sportello o nella privativa con Placido mentre questi conteggiava la levata dei tabacchi e del sale. Anche sulla piazzetta lo vedevo spessissimo, solitario, con una festuca di paglia tra i denti guasti e l'occhio celeste che spaziava per tutte le colline per avvistare il polverone delle corriere.

La moglie Teresa invece era, dopo la vecchia maestra, la meno visibile delle donne. Non ricordo di averla incontrata una volta per il paese, non potrei dire come fosse fatta dalle spalle in giú. Solamente a sera, quando montava da Belbo la solita nebbietta, allora si affacciava alla sua finestrella, sporgendo di poco sopra il davanzale con la testina ancor piú rimpicciolita dalla enorme crocchia di capelli. Non si riusciva a vederla a figura intera anche perché Teresa era l'unica fra le donne che non andasse in chiesa, mai, in nessunissima occasione. Tutti sapevano che faceva le sue devozioni in casa; a un suo momento contraeva terribilmente la faccia, poi la girava verso una parete e muoveva le labbra senza emettere il minimo suono. Pare che allo stesso modo si confessasse, in un canto qualsiasi, curva e con le mani imprigionate fra le ginocchia, «direttamente col Supremo», come diceva suo marito Filippo. Si raccontava pure che in certe notti di luna uscisse, dopo la mezzanotte, sullo sperone su cui era casa sua e, sulle punte dei piedi come una ballerina, nella camicia da notte che si dissolveva nel lume di luna, cosí si offrisse al cielo.

Superino aveva un anno piú di me che allora andavo per i dodici. Aveva i capelli rossi di suo padre, la fronte talmente convessa da fare un po' di senso, era di una media statura che non prometteva di slanciarsi e cosí tarchiato come forse nessun altro ragazzo di quell'età in tutto il mondo, con la carne estremamente compatta, schioccante e aggressiva. Io ero il suo opposto esatto, alto e smilzo, legnoso eppur delicatissimo nelle giunture, e già da allora sapevo che in nessun momento della vita sarei stato favorito nella carne.

Superino con me fu sempre abbastanza calmo e mai irragionevole, mentre con gli altri ragazzi era violento, dispotico e sprezzante. E bisognava sentirlo discutere e litigare, da pari a pari, con gli anziani, con quelli che potevano essergli non solo fratelli maggiori, ma padri e nonni. Arrivava a certi estremi che io mi aspettavo di vederlo una volta o l'altra scacciato o picchiato a sangue, ma non lo vidi mai fatto, nemmeno dagli uomini piú insofferenti e brutali del paese. È che, immagino adesso, se sapevano bene quanto era infiammabile e irriducibile, non conoscevano con certezza i limiti della sua forza fisica. E cosí, giocando a carte nelle due osterie o a pallone nella lizza tra la chiesa e il forno, se a un certo momento si riteneva beffato o truffato, si rivoltava e litigava e insultava come un uomo fatto. A tredici anni conosceva tutti i giochi alle carte e a pallone era cosí forte che molti tutt'altro che deboli rinunciavano alla partita festiva pur di non averlo avversario. In piú, accostava e trattava le donne, le ragazze e le giovani spose, con un piglio e una materialità che mi lasciavano di stucco. E non era mai l'ultimo né il piú moderato fra gli uomini che all'osteria sparlavano dei preti in generale e del parroco del paese in particolare.

Potrei raccontare un'infinità di cose capitate a me e Superino in quella lunghissima estate (doppia, tripla di quelle che vennero poi), ma voglio limitarmi ai due fatti che, fra tutti, hanno una piú precisa e diretta connessione con quello che doveva essere il destino di lui, da me appreso un anno dopo che esso si era compiuto.

Un giorno verso la fine di luglio partimmo per la riva di Belbo. A metà discesa incontrammo il cantoniere, che risaliva con tutti i suoi rastrelli.

– Di nuovo a sparar la potassa? – ci disse. – Badate che stavolta io telefono ai carabinieri di Bossolasco. Quelli arrivano con la macchina e vi colgono ancora col fumo sotto le scarpe.

– Ma se non sai nemmeno come si fa a telefonare! – lo derise Superino e riprendemmo la corsa. Dopo il cantoniere non incontrammo altri, né uomo né bestia, sulle stoppie non c'era che le biche, ci stavano come segni totemici. Poi a me saltò la fibbia di un sandalo e arrivai al torrente dopo di lui. Superino era già proteso, angolato sull'acqua, le mani puntate sui ginocchi massicci, sul filo della sponda, al limite estremo dell'equilibrio.

– Questo è quello che noi chiamiamo un gorgo, – mi bisbigliò.

– Lo so, – dissi io in un soffio, e guardavo di traverso l'acqua profonda, variegata come la pelle dei serpenti. Era perfettamente immobile, come raggelata, ma le radici e i rami sommersi si agitavano come anime del purgatorio.

– In questo gorgo, due anni fa, – riprese Superino adagio, quasi sillabando, – si è annegato Pietro Cogno, accusato di aver ingravidato la povera scema dei Moretti. E un anno prima, in questo stesso gorgo, si era annegato Ugo Fazzone, quando il suo vecchio gli rifiutò i soldi per entrar socio nel mulino della Verna. Tu hai paura?

– Dell'acqua? – feci, eludendo la domanda. – Devi sapere che in Alba io nuoto sotto il ponte del Tanaro. E sai quant'è profonda sotto il ponte? Quasi tre metri. Vieni a studiare in Alba e ti porterò a nuotare sotto il ponte. Se è vero che i tuoi, come dicono, ti faranno studiare da maestro.

Finalmente si ritirò dalla sponda. – È vero sí che studierò da maestro. È deciso fin dalla mia nascita. I miei hanno già da parte i soldi in tanti buoni del tesoro.

– Cerca di farti mandare a scuola in Alba.

– Credo che mi spediranno a Mondoví.

– Perché questa preferenza per Mondoví?

– È il parroco che vuole Mondoví. Per la scuola i miei stanno alla detta del parroco. Ed è strano, perché mio padre ogni volta che parla del prete lo scortica.

Io riflettei un attimo e poi dissi: – Ma perché solamente maestro? Non ti piacerebbe diventare professore? Fatti iscrivere al ginnasio.

– Ginnasio? – fece Superino. – I miei nemmeno sanno che esista una cosa come il ginnasio. Ma a me non importa. Io darò pane per il lievito che loro metteranno.

Cavò di tasca la pastiglia di potassa e mi indicò un rialzo a sinistra. Prima di salirci mi comandò di trovargli due pietre lisce. Io le cercai invano nel verde, non mi spuntava sotto gli occhi nemmeno un sassolino buono per schiacciare una formica. Superino pestava i piedi e poi mi disse: – Tu non troveresti acqua in Tanaro. Eppure non hai che da voltarti –. Infatti, voltatomi alla riva, scopersi un bel metro quadro di pietre lasciate in secco dalla magra d'estate.

Su una pietra sbriciolò la pastiglia, miscelò un pizzico di zolfo e coperchiò il tutto con l'altra pietra. Poi ci salí su, tendendo le braccia come un equilibrista. Io già trattenevo il respiro, non tanto per l'attesa dello scoppio quanto perché quella scena mi dava ogni volta una stranissima idea di autoesecuzione.

Superino allargò una gamba, poi l'abbatté come una falciata contro le due pietre sovrapposte. La potassa detonò. Superino già si guardava sotto il sandalo, se c'era rimasto il grigio della combustione, io stavo ancora attento a come la valle propagava il rumore, quando ci sentimmo addosso la mole del parroco, sbucato da un fitto di felci.

Era cosí grande e grosso che sarebbe stato sprecato anche

nell'artiglieria da montagna, aveva gli occhi piccoli e rossigni come quelli del topo, la carne che scoppiava, le mani grosse e informi come gnocconi di argilla. Portava a spallarm un parasole di cotone giallo, in testa una berretta sbiadita dalla polvere di infinite estati e attraverso la sbottonatura gli si scopriva il petto nudo e fradicio di sudore. La sua tonaca era tutta un rammendo e su ogni rammendo stava ingrappolato un nugolo di mosche dal dorso azzurro, come se uscisse allora da una lunga sosta in una stalla.

Prima soffiò interminabilmente, poi disse: – Superino, sei stato tu a sparare la potassa?

Gli rispose di sí, ma come se gli avesse chiesto se a mezzogiorno aveva pranzato.

Il prete stravolse la faccia, tanto che io dovetti distogliere gli occhi da quel furore sproporzionato. Scaraventò il parasole nel fosso e disse: – Il meglio che sai fare è sparare la potassa? – Superino non rifiatò, ma gli tenne gli occhi negli occhi, se era confuso lo era unicamente per la sortita del prete.

– Non vuoi proprio distinguerti dagli altri? Distinguerti in bene? – E per l'ira staccò tre passi smisurati. – Sei proprio come tutta l'altra marmaglia di langa?

– E come dovrei essere? – sbottò Superino. – Che differenza c'è tra me e loro?

– La differenza c'è! – urlò il prete. – La sostanza ce l'hai. Ti dico che la sostanza c'è.

Ci diede un attimo di tregua: aveva infilato nella sbottonatura una manaccia, probabilmente per arrestare sul petto nudo i rivoli di sudore, sentimmo infatti uno sciaguattio. Poi si riattaccò a Superino, ma stavolta col tono della dottrina.

– Hai l'occasione rara di stare per due mesi con un ragazzo cittadino. Cerca dunque di far frutto di questa compagnia, imitalo in quello che fa e dice, seguilo invece di importi tu a lui. Insomma cerca di ingentilirti, di incivilirti. Come ti ho detto, la sostanza ce l'hai.

Sospirando si tolse la berretta e poi il fazzoletto accoccato sulle tempie. Molli di sudore, i suoi capelli rossi e crespi balenarono al sole. Si asciugò lungamente il cranio e vi ricalcò la berretta. Il fazzoletto lo intascò dopo averlo strizzato. Visto che, a giudicare dall'espressione di Superino, il tono della dottrina non era servito, fece crocchiare i denti e avviandosi a recuperare il parasole disse: – Fra due mesi sarai in collegio a Mondoví. Là ti raddrizzeranno, – e se ne partí lungo Belbo.

Superino si agitò, come se volesse raggiungerlo e fermarlo. – Ma che aveva sullo stomaco? – disse poi. – Ma cosa mai gli ho fatto io? – Quindi, a voce ben piú alta, tanto che io temetti che il prete, per quanto già lontano, udisse ancora: – Prete sporcaccione, io so per cosa vai. Vai per le ragazze al pascolo, per approfittartene di una con la tua autorità e nella solitudine.

L'altro episodio riguarda la vecchia maestra. Come ho detto, in fatto di segregazione batteva la stessa madre di Superino. La sua casa era l'unica del paese nella quale non fossi ancora penetrato e, a parte la padrona, sarebbe bastata la sua stramba architettura e il suo incredibile stato di collasso a rendermela di gran lunga la piú interessante di tutte. Gli spigoli erano storti e smangiati, i muri maestri rigonfi come se soffrissero d'idropisia. Una parte del tetto aveva ceduto sotto il peso della neve e non era stata racconciata, quel vuoto appariva come una oscena piaga che mettesse a nudo il cervello stesso, corrotto e pazzo, della casa. I due piloncini dell'ingresso erano sbrecciati e pencolanti, alla mercé della prima raffica di vento. Ma il portone era nuovo e robusto, dipinto di un nero superbo e ostile, cosí come nuova, lucente e bene tesa era la rete metallica che recingeva il praticello dove vivevano i conigli della maestra, di cui si diceva che lei se ne cucinasse e mangiasse uno al giorno. Sebbene fosse magnificamente esposta a mezzogiorno, dalla casa emanava un puzzo di muffa e topi di cui non ho piú annusato l'uguale, e che si spingeva ordinato e consistente per circa cinque metri da ogni parte, quasi a costruire intorno alla casa uno scatolone di fetore.

Della padrona avevo sentito parlare piú d'ogni altra persona del luogo, ma non l'avevo mai nemmeno intravvista, benché mi fossi molte volte messo alla posta e avessi pazientemente spiato in direzione delle due finestre e della loggia. Sapevo che usciva di tanto in tanto, ma sempre a ore per me impossibili, sempre e soltanto per andare in chiesa sul far del giorno. Mi ero a poco a poco convinto che se fossi arrivato a gettar lo sguardo nell'interno della casa sarebbe stato come se avessi comodamente visto in faccia la proprietaria. Avrei potuto cogliere un particolare momento dell'ora morta del dopopranzo, spingere cautamente il portone e inoltrarmi in punta di piedi nel recinto. Avevo già spiato alla fessura e scorto un viottolo in parte lastricato che si spingeva, attraverso erbacce alte al ginocchio e sotto i rami rachitici di un disgraziato melo selvatico, fino all'ingresso tenebroso da dove il puzzo di muffa e topi usciva a zaffate continue. Conclusi che sarebbe bastato far capolino in quella galleria repellente e fascinosa per scoprire tutto il mistero della casa, ma debbo ammettere che non ne trovai mai il coraggio.

La vecchia maestra, dunque, usciva sempre all'alba e sempre e unicamente per andare in chiesa: la primissima messa ogni festa, tutti i primi venerdí del mese e infine tutti i sabati per una certa pratica religiosa poco ordinaria della quale mia zia non seppe dirmi nulla se non che garantiva in ogni caso la morte in grazia di Dio. Ma, osservava mia zia, riguardo alla morte in grazia di Dio la maestra poteva levarsi ogni illusione perché in paese era risaputo che faceva tutte le sue comunioni senza mai confessarsi, il che è sacrilegio sacrosanto.

Della maestra però conoscevo la voce. Quando l'afa l'obbligava a tenere spalancate le finestre sullo stradone e io capitavo a passarci sotto, sentivo ogni volta caderne il ronzio delle sue incessanti preghiere. Bastava però che io rastrellassi con un bastoncino la sua rete metallica o mi attardassi un po' troppo a osservare i suoi conigli che guizzavano nell'erba alta perché lei interrompesse di pregare e mi rovesciasse addosso un secchio di improperi con la piú rauca voce che sia mai uscita da bocca di donna. Ma affacciarsi non si affacciava mai.

Ma un giorno la vidi, sia pure parzialmente e per non piú di mezzo minuto, e fu per merito, o colpa, di Superino. Andavamo per acqua alla fontana e passammo davanti alla casa della maestra. Ricordo che respiravamo dal naso tenendo ben compresse le labbra perché quel puzzo incredibile conveniva di piú fiutarlo che ingollarlo come un gnocco d'immondizia. Ma improvvisamente Superino si arrabbiò e, puzzo o non puzzo, spalancò la bocca e disse: – Potessi farle spurgare un centesimo di quello che mi ha fatto patire nei due anni che l'ho avuta maestra. Non mi poteva vedere e tutto ciò che facevo era male. Fortuna che poi sono passato sotto il cappellano giovane e fu tutt'un'altra musica –. E nel ricordo di quelle ingiustizie e di quel tormento prese a scalciare contro la rete metallica e a far volare pietre verso i conigli. Fu allora che vidi la maestra. Sporgeva per metà dallo spigolo della finestra e mostrava una banda di capelli di colore indefinibile, un occhio straordinariamente vivo e cattivo, una guancia con peli ed escrescenze. Rattratta su un seno teneva una mano dalla quale pendevano attorcigliati tre rosari. Quel suo occhio era cosí ardente e fisso su Superino che io gli diedi del gomito, quasi temessi che potesse restarne incenerito. Lui si riscosse, guardò su con un sobbalzo e allora la maestra gli fece: – Via, va' via, testaccia rossa! – accompagnando il grido con uno scatto della mano che stringeva i rosari. Non parlò dello sfregio alla sua rete metallica, del tentativo di ammazzarle i conigli a sassate, ma solamente, sfigurata e sibilante come una pazza, urlò di nuovo: – Via, maledetta testaccia rossa! – E mi impressionò anche di piú notare come Superino, che avevo visto tener testa ai piú violenti uomini della valle, non solo non reagí, ma chinò subito la testa e fuggí col secchio che orribilmente cigolava, senza curarsi di me che lo rincorrevo senza connettere. E riempito in silenzio il secchio, tornammo sempre in silenzio, ma non piú per lo stradone, passammo al largo della casa della maestra di cui risentimmo, anche da quella distanza, le rapide e rauche preghiere.

La mia vacanza finí e Superino assistette alla mia partenza, ma mi salutò in maniera tanto sbrigativa che nell'attimo in cui mi issai sul carro di Emilio Canonica e mi rigirai verso Superino lui era già sparito. Ci rimasi piuttosto male e stavo ancora rimasticando quell'amarezza quando Emilio mi depositò sul passo della Bossola dov'era la fermata della corriera per Alba. Ero arrivato con un quarto d'ora d'anticipo e l'aspettai solo, coi bagagli ai miei piedi. La strada aveva l'aria d'esser deserta per miglia e miglia. Soffiava un vento leggerissimo che spolverava i lastroni di tufo e cavava dai pinastri un rumorino che non mi impediva di udire i belati di greggi invisibili su lontani versanti e il macinio delle ruote di Emilio che ridiscendeva al paese. Il cielo da ogni parte, ma soprattutto sopra il crinale di Mombarcaro, preparava pioggia per la notte, una pioggia lunga ma pacifica. Mi fissai a contemplare San Benedetto nella conca sottostante. Scuriva, dalle case già si levavano le prime fumate azzurrine, fra poco la campana avrebbe dato l'ultimo rintocco di quel giorno e il messo comunale avrebbe acceso l'unica lampada pubblica sulla piazzetta, si sarebbero messi a stormire lamentosamente, come per una penitenza collettiva a durare fino all'alba, i mille e mille pioppi lungo Belbo. Allora capii che ancora per quella sera non potevo fare assolutamente a meno di tutte quelle cose e che il tornare a casa mia era tal quale l'andare in esilio. Quando sentii la corriera di Alba infilare stridendo e strombettando le ultime curve prima del passo. Ci salii come un prigioniero sul cellulare e dal finestrino guardai un'ultima volta San Benedetto mai piú immaginando che non ci sarei piú tornato prima di tre anni.

Infatti, per nuove intese parentali, nelle tre successive estati venni mandato in vacanza a Murazzano e Superino lo perdetti completamente di vista e anche un po' di memoria.

A San Benedetto tornai, dalla mattina al pomeriggio, ai primi del novembre 1937, per la sepoltura di mio ziastro. Non m'illudevo di trovare Superino in paese: non poteva esserci, se non in vacanza per malattia; si trovava, me ne ricordavo benissimo, in collegio a Mondoví, piú che a metà della strada per diventare maestro.

Per le dieci mio ziastro era sepolto e tornammo dal cimitero tallonati dalla nebbia che saliva dalla bassa di Belbo. Sulla stradina lo sterco dei buoi si dissolveva in rigagnoli giallastri. Mi soffermai sotto la finestra di mia zia e attraverso i vetri appannati sentii la sua voce, diretta alle donne che le avevano tenuto compagnia mentre noi eravamo in chiesa e poi al camposanto. Diceva: – Sento scalpicciare vicina la gente. Significa che lui è già sotto terra. Era un bell'uomo? Mai stato, nemmeno nel piú favorevole giorno della sua gioventú. Era almeno un pulito? No, normalmente era piú sporco e unto di un maiale. Era buono? Cattivo non era, ma la bontà è tutt'un'altra cosa. Eppure, donne, prendete nota di quello che vi dico nel primo giorno della mia vedovanza. Vostro marito, bello o brutto, buono o cattivo, sano o malato, tenetevelo bene da conto.

Non mi sentivo di entrare e immettermi in quel gruppo di donne, cosí mi addentrai nel paese, con la mente sempre rivolta a Superino. Avrei potuto bussare alla porta di Filippo e Teresa e chiedere del loro figlio, ma non ero mai stato in confidenza con quei due, con l'uomo per via della sua sornioneria, con la donna a causa della sua selvaggia stranezza.

La nebbia penetrava nel paese a lingue e a veli, ma presto si sarebbe ispessita e fissata, e in quella previsione gli uccelli annidati nei due ippocastani già pigolavano con un senso di oppressione. Tutta la gente stata al funerale era già svanita, chi rientrato nella sua casa in paese, chi in marcia per i sentieri ai casali isolati. Quando tra quei veli oscillanti di nebbia intravvidi il vecchio Menemio Canonica che raccoglieva qualcosa davanti alla porta della sua osteria. Lo raggiunsi nel momento in cui stava per rientrare e: – Menemio, – lo pregai, – ditemi qualcosa di Superino.

– Superino? – mi fece, un po' stranito.

– Ma sí, Superino che fu il mio compagno nell'estate di tre anni fa.

– Superino, – ripeté, ora con l'ombra di un sorriso. – Ma entriamo, prima che la nebbia ci ingorghi i polmoni.

Lo stanzone sarebbe stato buio come a notte non fosse stato di una luce grigia che entrava per la finestra rivolta a Cadilú, e distinsi a stento la moglie di Menemio che ripassava l'impiantito con l'olio bruciato. Menemio si lasciò cadere su una panca e le mormorò: – Il ragazzo di Alba mi ha chiesto di Superino.

La donna sollevò appena la schiena, poi la riabbassò e strofinava con piú lena.

– Ma non l'hai visto? – mi domandò allora Menemio.

– Quando?

– Stamattina.

– E dove? Al funerale?

– Be', – fece Menemio, – se non alla sepoltura, al cimitero. Ma proprio non l'hai visto?

– No!

– Eppure gli sei passato vicinissimo. È a due tombe di distanza dalla fossa in cui abbiamo calato tuo zio.

E la vecchia: – È laggiú, povero Superino, dall'altro settembre.

– Già, – confermò Menemio, – capitò la penultima domenica di settembre. E per me non è stato un sollievo che sia capitato nell'osteria di Placido invece che nella mia.

– Qui non sarebbe successo, – negò la donna. – Tu non avresti lasciato che le cose andassero tanto avanti.

Ma Menemio scosse la testa. – Era un destino scritto. Per esempio, non fu un porco destino che quel pomeriggio fosse di pioggia e vento?

– E pensare, – disse lei, – che per tutta la mattina c'era stato un bellissimo sole. Anche un po' di vento, ma di quello che non disturba, anzi rallegra. Poi, di colpo, mentre si stava finendo di pranzare, il cielo si annerí e il sole fu ingoiato. Spinte dal vento marino c'erano arrivate tra capo e collo, come sempre dalla parte di Mombarcaro, certe nubi nere come l'anima di Giuda. Col primo tuono venne giú l'acquazzone.

– Comprendi il destino? – mi disse Menemio. – Venne giú per poco, per non piú di venti minuti, ma infradiciò tutta la terra, senza rimedio, anche perché dopo non rispuntò il sole.

– Sí, – feci io, – ma che c'entra tutto questo con la fine di Superino?

– Aspetta. Il temporale, come infradiciò tutto, inzuppò anche il campo del pallone. Quello era un pomeriggio destinato alle partite a pallone. Mi ricordo che i giovanotti, ce n'era per formare sette o otto squadre, non si rassegnarono, prima spazzarono via l'acqua con le scope del panettiere, poi, visto che non asciugava, andarono a prender la ghiaia dalla strada, benché il cantoniere gridasse che li denunciava tutti alla Provincia. Ma nemmeno con la ghiaia si asciugò e rassodò e allora dovettero rinunciare al pallone e darsi alle carte. E qui sta il porco destino. Perché senza il temporale Superino avrebbe giocato a pallone fino a sera e non avrebbe avuto a fare col guardiacaccia della Lunetta, perché costui non ha mai praticato il pallone, nemmeno quando aveva vent'anni. Il guaio fu che Superino per ammazzare quel pomeriggio rovinato dovette ripiegare sulle carte e non trovando altra partita si sedette col guardiacaccia per una serie di partite testa a testa. Te lo ricordi questo guardiacaccia?

Lo ricordavo chiaramente, sebbene l'avessi visto pochissime volte e fossero trascorsi tre anni. Era sui cinquant'anni, piccolo e secco, la testa fortemente ossuta, con rari capelli ritti e spiritati, l'occhio vivo ma sempre torto, il naso perennemente escoriato e sotto le narici tenebrose uno sputino di baffo. Aveva le gambe corte e molto arcuate. Indossava d'ogni stagione una giacca di velluto che aveva perso le coste per l'usura e lo sporco e perso ogni forma a furia d'insaccarci pacchi di sale, pacchetti di tabacco e la posta per la sua frazione della Lunetta. Ai piedi portava degli scarponcini rinsecchiti, sboccati sulla noce del piede e sempre senza lacci. Di questo guardiacaccia mia zia giurava che la sua cattiveria era pari alla bruttezza e ricordo che mio ziastro si lamentò una volta che certe donne le quali potevano sceglier-si amanti piú belli e piú buoni si ostinavano ad andare con lui proprio perché le attirava irresistibilmente questo misto perfetto di brutto e di cattivo.

– Questa mia donna, – disse solennemente Menemio, – non è mai stata un fenomeno d'intelligenza. Ma debbo riconoscere che il guardiacaccia della Lunetta lo ha misurato e pesato subito. E mai una volta che, proprio da questa finestra, l'abbia visto scendere da Cadilú e risalire al paese e non m'abbia detto: «Vedo arrivare il guardiacaccia della Lunetta. Mio Dio, Menemio, che brutta giornata!»

Nell'osteria di Placido Superino si mise a giocare alle carte col guardiacaccia. La posta, disse Menemio, era una miseria: Superino si giocava una dozzina di caramelle e l'altro una fetta di formaggio. A un certo punto litigarono. Col guardiacaccia non poteva non succedere e anche Superino si accendeva in un niente e aveva la fiammata lunga. Superino lo accusò di aver rinnegato, il guardiacaccia naturalmente negò e in un attimo si trovarono presi per i denti. Qualcuno cercò di metter pace, suggerí di annullare quella mano e rifarla, ma senza troppo impegno, d'altronde i due non erano tipi da accettare i consigli di terzi. Superino insistette sul rinnego e il guardiacaccia per meglio difendersi disse che quel dannato ragazzo dai capelli rossi lo truffava nei punti approfittando della sua maggior confidenza con le cifre. Superino lo smentí e tornò a battere sul rinnego. Pretese, giustamente, che l'altro scoprisse le sue mani fatte, ché il rinnego sarebbe uscito lampante. Il guardiacaccia si rifiutò, dicendo che si trattava di una mossa di Superino per rivedere le mani fatte e sapersi cosí regolare nel giocare le carte restanti. A questo punto Superino si buttò attraverso il tavolo per arraffargli il mazzetto e di forza scoprirgli la mano falsa, ma con un ringhio il guardiacaccia lo prevenne. Presero a insultarsi, a pause, prendendo tempo per cercare i nomi piú pesanti e dirli a voce piena. Ma, come mi raccontò Menemio, c'era una certa inspiegabile diversità per cui gli improperi piú terribili del guardiacaccia cadevano come cacca di rondine e i piú leggeri di Superino erano tante sassate in fronte. E cosí il guardiacaccia, vistosi perso anche negli insulti, gli buttò in faccia: – Figlio del prete!

Non si sentí piú volare una mosca, molti ai tavoli si rizzarono, pallidi e silenziosi, anche le ragazze di Placido nella cucina smisero di chiamarsi e di macinare il caffè. Superino era arrossito e poi sbiancato. La bocca gli tremava, ma per un principio di riso isterico.

– Che mi hai detto? – gli domandò, come se l'altro gli avesse detto che era un uccello o un pesce.

E il guardiacaccia: – Che sei della piú sporca razza al mondo. Che sei figlio del prete.

– Ma tu sei matto! – balbettò Superino. – Ma questo è matto! Prendetelo, legatelo!

Ma nessuno fiatò, nessuno si mosse, tutti annichiliti dall'azione del guardiacaccia che, quasi un forestiero e per una discussione sul gioco, non si era peritato di sputare quello che essi, compaesani di Superino, si tenevano in gola da piú di quindici anni. Il guardiacaccia intanto si era riseduto e dal basso guardava Superino con occhi che dalle orbite sembravano essersi trapiantati alla radice dei capelli. – Figlio del prete, – ridisse piano e scuotendo la testa.

Superino sporse le mani verso di lui, ma amichevolmente, ognuno vedeva che voleva lisciarlo e poi ragionarlo, toglierlo con delicatezza e pazienza da quell'errore pazzesco, da quella folle confusione. – Ma guarda, – gli diceva trepido e carezzevole, – che io sono figlio di Filippo e Teresa. Di Filippo e Teresa.

Ma il guardiacaccia, senza piú furore, solo con repugnanza, schiaffeggiò quelle mani che gli sfioravano il petto e le spalle. – Guarda, – disse, – che tu sei figlio di questo parroco e della maestra vecchia, – e poi emise un lunghissimo sospiro come se esalasse l'anima.

Allora Superino scoppiò, i capelli ritti e fiammeggianti come saette, gli occhi fuori delle orbite, le braccia tese incordate. – Ma tu sei matto! – urlò. – È matto! E vuol fare impazzire anche me! È matto, vi dico! Che cosa aspettiamo a prenderlo e legarlo?

Ma passando in rivista tutte quelle facce pecorine, quegli occhi bassi o vaganti, quelle braccia penzoloni, capí che il guardiacaccia aveva detto la verità, una verità nota a tutti, non solo ai vecchi ma anche ai suoi coetanei. Tanto bene lo capí che non perse tempo a chiedere conferme, né singole né collettive. In un attimo cambiò vari colori, gemette, sparò un calcio al tavolo che si rovesciò addosso al guardiacaccia, poi con uno strido si avventò all'uscita, mentre Placido si riscuoteva e battendo le mani per risvegliare anche gli altri gridava: – Prendiamolo! Fermiamolo!

– In quel momento, – riprese Menemio, – io mi ero fatto sulla porta per vedere come si metteva il tempo. Mi affacciai giusto per vedere Superino uscire dall'altra osteria sparato come una pallottola. Sotto gli ippocastani frenò e scambiettò come un vitello che sia riuscito a slegarsi ma si veda tutte le strade bloccate dal macellaio e dai suoi garzoni. «Che ti piglia?» gli gridai, ma alla mia voce il ragazzo sembrò orientarsi, partí di volata dietro la chiesa e un attimo dopo sbucò nella strada che porta a casa sua e alla canonica. Sai com'è sassosa, e ti garantisco che Superino ci correva sopra col rimbombo di un cavallo al galoppo. Dietro gli era uscito

Placido, e con l'affanno mi chiese che strada avesse preso Superino. Io gli domandai che era successo e Placido mi disse: «Quel demonio del guardiacaccia gli ha detto che è nato dal prete e dalla maestra».

Io m'informai: – Ma non era in paese Filippo, non c'era suo padre?

– Destino vuole che fosse partito la mattina, invitato a un matrimonio a Gorzegno, e a quell'ora se ne stava con le gambe sotto la tavola.

– E sua madre? Teresa, voglio dire.

– Per quel che contasse Teresa! Ma aspetta. Si fermò proprio tra casa sua e la canonica, e io immaginai che ora entrava a chieder conferma o a sua madre non buona o al parroco che era il suo padre vero. Stetti attento a dove avrebbe finito per rivolgersi, ma in quel momento Superino ripartí di scatto, sorpassò sia casa sua che la canonica e si buttò per la discesa al mulino e a Belbo. Avrà pensato che non c'era bisogno di una conferma o forse non volle lasciarsi raggiungere circondare e ragionare da quelli che gli erano usciti dietro da Placido. Io mi misi a gridare, a quelli che sapevo i piú veloci gridai: «Rincorretelo, fermatelo, ché non vada a fare una pazzia in Belbo! Rincorretelo, prendetelo, perché è il tipo da farla!» Scattarono in otto o dieci, ma quel vecchio scemo di Bernardo Porro mi afferrò per un braccio e mi disse: «Ma cosa vai a pensare, perché la fai tanto grave? Figuriamoci se quel ragazzo va a cercare il gorgo. Quasi quasi ti direi di vergognarti». Intanto questa mia donna si era fatta al mio fianco difendendomi diceva: «Si faccia come dice il mio Menemio, che è tremendo per prevedere le disgrazie. Fate come dice Menemio, che in fatto di disgrazie è una civetta tale e quale».

Corsero tutti, anche gli anziani, al ciglione. I piú giovani stavano già volando abbasso sulle peste di Superino. Non c'era da sperare che lo raggiungessero perché era il piú veloce di tutti e saltava di terrazza in terrazza come un camoscio, ma perlomeno l'avrebbero avvicinato di quel tanto da non lasciargli fare quel che temeva Menemio. La valle era piena del nome di Superino, gridato a squarciagola.

Lo riavvistarono sullo stradone e trattennero il respiro

perché ormai era all'altezza del sentiero che scende a Belbo. Ma lo sorpassò, attraversò anche il ponte, poi tagliò a sinistra infilandosi nei boschi ai piedi della collina. Tutti respirarono, tranne Menemio il quale sospettava che Superino si fosse sviato apposta per far perdere le sue tracce e ridiscendere poi alla sponda sinistra in qualche posto fuori mano. Non cosí la pensavano gli inseguitori, che si erano fermati e adunati sul ponte. Infatti, dopo qualche minuto, lo riavvistarono in una radura della mezzacosta, che correva sull'erta come sul piano piú invitante, e poco dopo in un'altra radura piú a monte, sotto il passo della Bossola. Allora segnalarono a quelli sul ponte che potevano risalire e presero a ritirarsi dal ciglione. E mentre tornavano in paese Bernardo Porro volle prendersi la sua soddisfazione e domandò a Menemio se era finalmente persuaso di avere esagerato, che il ragazzo era andato verso Murazzano, da una parte dove non esistono torrenti né rogge, e che sarebbe tornato a buio dopo essersi ben sfogato in quei posti estranei. Menemio non reagí, ma fino a notte stette appartato e balordo, sebbene nell'osteria il lavoro bollisse.

Io domandai se a notte Filippo non era ancora tornato da Gorzegno.

Mi rispose di no. – A quel pranzo di nozze si ubriacò dalla testa ai piedi e a sera non era in condizioni di ripartire. Gli trovarono un letto e l'indomani lo portarono col cavallo fino a Madonna dei Piani. Da lassú scese a piedi, ma quando arrivò era mattino alto e il fatto era già scoperto da parecchie ore.

Alle prime luci un contadino dei Moretti che aveva portato le sue pecore a lavare alla chiusa a monte del ponticello vide galleggiare qualcosa di grosso, che dava dolcemente del capo nella serranda. Superino l'aveva fatto di notte, certo non resistendo alla vergogna di esser figlio del prete e di quella maestra, per non sopportarsi piú addosso quella carne e quel fiato, per castigare a suo modo quella impunita unione schifosa.

La vecchia si rigirò sulla porta della cucina, con le mani sui fianchi. – Sono le undici e mezzo, – disse. – Tuo zio l'abbiamo sepolto, la storia di Superino è raccontata, ma a me resta da far pranzo. Vecchio, dimmi svelto che cosa vuoi.

E Menemio, prontissimo, come l'avesse già stabilito da ore: – Aprimi una scatola di sardine e riscaldami quei buoni ceci di ieri sera.

Io ero rimasto talmente preso e scosso dal racconto della fine di Superino che non mi venne affatto in mente di porre la piú naturale delle domande, e cioè come Superino fosse potuto passare per figlio di Filippo e Teresa. Perduta quell'occasione, dovetti pazientare circa due anni per conoscere il complemento, o meglio l'antefatto, della storia.

Dopo che la maestra ebbe rivelato al prete che cosa avevano combinato insieme e dichiarato che mai e poi mai avrebbe corso i rischi dell'aborto, il parroco poté studiare per qualche mese il da farsi e finalmente si appuntò su Filippo. Dovendo far figurare un altro uomo, scelse Filippo per vari motivi: di tutti i paesani era il piú intelligente e il piú venale; correva la cavallina e se ne vantava pubblicamente; era rosso di capelli come lui; aveva una moglie che sarebbe morta asfissiata solo che Filippo le avesse detto di trattenere il respiro; in piú, Teresa era sterile e ultimamente Filippo aveva detto in giro che un giorno o l'altro si sarebbe fatto assegnare un trovatello dall'ospedale. Una sera il prete segnalò al suo dirimpettaio Filippo di passare in canonica, si chiusero a chiave nella stanza da letto e parlarono fin oltre la mezzanotte. Da quel conciliabolo Filippo uscí padre, carnale e putativo insieme, del figlio della maestra. (Abbastanza stranamente non presero nemmeno in considerazione la possibilità che nascesse una femmina, erano entrambi certi che sarebbe uscito maschio e sul maschio fondarono tutti i loro piani e le loro clausole).

Ecco ciò che Filippo ottenne in cambio: cinquecento lire in contanti; altre cinquecento in cambiali; il prato a monte del cimitero, che apparteneva di famiglia al prete ed era il piú bel prato di San Benedetto.

Il parroco si impegnava ad accantonare, in tanti buoni del tesoro, la somma necessaria a mantenere a suo tempo il ragazzo alle scuole superiori. Circa l'istruzione, il prete aveva accennato che gli sarebbe stato comodo iscriverlo al seminario di Mondoví, ma Filippo, che lo voleva maestro o geometra, rifiutò seccamente la tonaca per suo figlio. Il parroco si rassegnò e si impegnò per i fondi necessari a quegli altri studi.

Filippo non si fermò lí. Aveva una sorella minore, Virginia, la quale si comportava all'opposto del suo nome e gli procurava un sacco di fastidi e ormai appariva non piú sistemabile per nessun verso. Per soprammercato la rifilò come perpetua al parroco e quando questi protestò che assolutamente non poteva, per legge canonica, prendersela in casa perché Virginia aveva poco piú di trent'anni, Filippo gli sghignazzò in faccia. Il prete si arrese anche su questo punto e nel giro di un mese licenziò la vecchia domestica e assunse Virginia.

Infine, Filippo la spuntò anche sul nome: quali che fossero le preferenze del parroco e della maestra, il bambino si sarebbe chiamato Superino, che era il nome sul quale egli si era fissato da tempo e che avrebbe imposto a un suo proprio figlio se mai l'avesse avuto.

Poco dopo questa intesa la maestra chiese l'aspettativa e assai prima che la scuola finisse andò per una lunga vacanza nelle vicinanze di Cuneo. La cosa stupí, perché poteva spiegarsi unicamente con lo stato di salute e in tutti quegli anni la maestra non aveva mai perduto un giorno di scuola. Qualche uomo sulla piazzetta o all'osteria cominciò a buttar là qualche parola e qualche ombra, bisbigliò che la sua donna aveva notato che la maestra ultimamente era strana e presentava certi segni alla vita, sotto gli occhi e in altri punti ancora. Filippo ascoltava e taceva, sempre sorridendo da saputo e misterioso e soffregandosi ironicamente il mento, per ora limitandosi a riprendere l'argomento quando gli altri lo lasciavano cadere. Poi, come le chiacchiere crescevano e si precisavano, entrò in campo anche lui. Incoraggiò tutte le indiscrezioni e le supposizioni nel senso giusto, aggiunse di suo idee e indizi e con quel suo sorriso scherniva quei pochi che ancora non ci volevano credere. Finché un bel giorno, con l'ambiente ormai preparato, un bel giorno sulla piazzetta dopo la messa grande rivelò che sí, ormai era innegabile che la maestra aspettava un bambino, che lui era stato il fortunato mortale e che col consenso di quella santa donna di

Teresa il bambino lo avrebbe ritirato lui. Tutti sogghignarono, alcuni gli biascicarono del furbo e del fortunato, altri gli diedero pacche sulla schiena. E il prete, che spiava da una feritoia del campanile, capí che il gioco era fatto: cioè che i paesani non avevano mai ignorato che il padre era lui il prete e avevano presto capito che Filippo si accollava quella paternità per interesse, ciononostante da quel momento il nascituro era da tutti accettato come figlio di Filippo e di Teresa.

Pioggia e la sposa

Fu la peggiore alzata di tutti i secoli della mia infanzia. Quando la zia salí alla mia camera sottotetto e mi svegliò, io mi sentivo come se avessi chiuso gli occhi solo un attimo prima, e non c'è risveglio peggiore di questo per un bambino che non abbia davanti a sé una sua festa o un bel viaggio promesso.

La pioggia scrosciava sul nostro tetto e sul fogliame degli alberi vicini, la mia stanza era scura come all'alba del giorno.

Abbasso, mio cugino stava abbottonandosi la tonaca sul buffo costume che i preti portano sotto la veste nera e la sua faccia era tale che ancora oggi è la prima cosa che mi viene in mente quando debbo pensare a nausea maligna. Mia zia, lei stava sull'uscio, con le mani sui fianchi, a guardar fuori, ora al cielo ora in terra. Andai semivestito dietro di lei a guardar fuori anch'io e vidi, in terra, acqua bruna lambire il primo scalino della nostra porta e in cielo, dietro la pioggia, nubi nere e gonfie come dirigibili ormeggiati agli alberi sulla cresta della collina dirimpetto. Mi ritirai con le mani sulle spalle e la zia venne ad aiutarmi a vestirmi con movimenti decisi. Ricordo che non mi fece lavare la faccia.

Adesso mio cugino prete stava rigirandosi tra le mani il suo cappello e dava fuori sguardate furtive, si sarebbe detto che non voleva che sua madre lo sorprendesse a guardar fuori in quel modo. Ma lei ce lo sorprese e gli disse con la sua voce per me indimenticabile: – Mettiti pure il cappello, ché andiamo. Credi che per un po' d'acqua voglio perdere un pranzo di nozze?

– Madre, questo non è un po' d'acqua, questo è tutta l'acqua che il cielo può versare in una volta. Non vorrei che l'acqua c'entrasse in casa con tutti i danni che può fare mentre noi siamo seduti a un pranzo di nozze.

– Chiuderò bene, – disse lei.

– Non vale chiuder bene con l'acqua, o madre!

– Non è l'acqua che mi fa paura e non è per lei che voglio chiuder bene. Chiuderò bene perché ci sono gli zingari fermi coi loro cavalli sotto il portico del Santuario. E anche per qualcun altro che zingaro non è, ma cristiano.

Allora il prete con tutt'e due le mani si calcò in testa il suo cappello nero. Nemmeno lui, nemmeno stavolta, l'aveva spuntata con sua madre, mia zia. Era una piccolissima donna, tutta nera, di capelli d'occhi e di vesti, ma io debbo ancora incontrare nel mondo il suo eguale in fatto di forza d'imperio e di immutabile coscienza del maggior valore dei propri pensieri e sentimenti a confronto di quelli altrui. Figurarsi che con lei io, un bambino di allora sette anni, avevo presto perduto il senso di quel diritto all'indulgenza di cui fanno tanto e quasi sempre impunito uso tutti i bambini.

Non si aveva ombrelli, ce n'era forse uno di ombrelli in tutto il paese. La zia mi prese per un polso e mi calò giú per i gradini fino a che mi trovai nell'acqua fangosa alta alle caviglie, e lí mi lasciò per risalire a chiuder bene. La pioggia battente mi costringeva a testa in giú e mi prese una vertigine per tutta quell'acqua che mi passava grassa e pur rapida tra le gambe. Guardai su a mio cugino e verso lui tesi una mano perché mi sostenesse. Ma lui la fissò come se la mia mano fosse una cosa fenomenale, poi parve riscuotersi e cominciò ad armeggiare per tenersi la tonaca alta sull'acqua con una sola mano e reggermi con l'altra, ma prima che ci fosse riuscito la zia era già scesa a riprendermi. Poi anche il prete strinse un mio polso e cosí mi trainavano avanti. A volte mi sollevavano con uno sforzo concorde e mi facevano trascorrere sull'acqua per un breve tratto, e io questo non lo capivo: fosse stato per depositarmi finalmente all'asciutto, ma mi lasciavano ricadere sempre nell'acqua, spruzzando io cosí piú fanghiglia e piú alta sulle loro vesti nere.

Mio cugino parlò a sua madre sopra la mia testa: – Il bambino, forse era meglio averlo lasciato a casa.

– E perché? Io lo porto per fargli un regalo. Il bambino non deve avercela con me perché l'ho uscito con quest'acqua, perché io lo porto a star bene, lo porto a un pranzo di nozze. E un pranzo di nozze deve piacergli, anche se lui viene dalla città –. E poi, a me: – Non è vero che sei contento di andarci anche con l'acqua? – ed io assentii chinando il capo.

Piú avanti – la pioggia rinforzava ma non poteva far piú danno a noi e ai nostri vestiti di quanto non n'avesse già fatto – io domandai cauto alla zia dov'era la casa di questa sposa che ci offriva il pranzo. – Cadilú, – rispose breve la zia, e io trovai barbaro il nome di quel posto sconosciuto come cosí barbari piú non ho trovato i nomi d'altri posti barbaramente chiamati.

La zia aveva poi detto: – Prendiamo per i boschi.

Scoccò il primo fulmine, detonando cosí immediato e secco che noi tre ristemmo come davanti a un improvviso atto di guerra. – Comincia proprio sulle nostre teste, – disse il prete rincamminandosi col mento sul petto.

Dal margine del bosco guardando giú alla valle si vedeva Belbo straripare, l'acqua scavalcava la proda come serpenti l'orlo del loro cesto. Lassú i lampi si erano infittiti, in quel fulminio noi arrancavamo per un lucido sentiero scivoloso. Per quanto bambino, io sapevo per sentito dire da mio padre che il fulmine è piú pericoloso per chi sta o si muove sotto gli alberi, cosí cominciai a tremare a ogni saetta, finii col tremare senza sosta e i miei parenti non potevano non accorgersene attraverso i polsi che sempre mi tenevano.

Dopo un tuono, la zia comandò a suo figlio: – Su, di' una preghiera per il tempo, una che tenga il fulmine lontano dalle nostre teste.

Io mi spaventai quando il prete le rispose gridando: – E che vuoi che serva la preghiera! – mettendosi poi a correr su per il sentiero, come scappando da noi.

– Figlio! – urlò la zia fermandosi e fermandomi. – Adesso sí che il fulmine cadrà su di noi! Io lo aspetto, guardami, e sarai stato tu...!

– Nooo, madre, io la dirò! – gridò lui ridiscendendo a salti da noi, – la dirò con tutto il cuore e con la piú ferma intenzione. E mentre io la dico tu aiutami con tutto lo sforzo dell'anima tua. Ma... – balbettava, – io non so che preghiera dire, che si confaccia.

Lei serrò gli occhi, alzò il viso alla pioggia e a bassa voce disse: – Il Signore mi castigherà, il Signore mi darà l'inferno per l'ambizione che ho avuto di metter mio figlio al suo servizio e il figlio che gli ho dato è un indegno senza fede che non crede nella preghiera e cosí nemmeno sa le preghiere necessarie –. Poi gli gridò: – Recita un pezzo delle rogazioni! – e si mosse trascinandomi.

Il prete ci seguiva con le mani giunte e pregando forte in latino, ma nemmeno io credevo al buon effetto della sua preghiera, perché la sua voce era piena soltanto di paura, paura unicamente di sua madre. E lei alla fine gli disse: – Se il fulmine non ci ha presi è perché di lassú il Signore ha visto tra noi due questo innocente, – e suo figlio chinò la testa e le mani disintrecciate andarono a sbattergli contro i fianchi.

Eravamo usciti dal bosco e andavamo incontro alle colline, ma il mio cuore non si era fatto meno greve perché quelle colline hanno un aspetto cattivo anche nei giorni di sole. Da un po' di tempo la zia mi fissava la testa, ora io me la sentivo come pungere dal suo sguardo insistente. Non reggendoci piú, alzai il viso al viso di mia zia, e vidi che gli occhi di lei insieme con la sua mano sfioravano i miei capelli fradici, e la sua mano era distesa tenera stavolta come sempre la mano di mia madre, e pure gli occhi mi apparivano straordinariamente buoni per me e meno neri. Allora mi sentii dentro un po' di calore e insieme una voglia di piangere. Un po' piansi, in silenzio, da grande, dovevo solo badare a non uscire in singhiozzi, per il resto l'acqua mi irrorava la faccia.

La zia disse a suo figlio: – Togliti il cappello e daglielo a questo povero bambino, mettiglielo tu bene in testa.

Era chiaro che lui non voleva, e nemmeno io volevo, ma la zia disse ancora: – Passagli il tuo cappello, la sua testa è piú debole e ho paura che l'acqua arrivi a toccargli il cervello –. Doveva ancora finir di parlare che io vidi tutto nero, perché il cappello mi era sceso fin sulle orecchie, per la larghezza e il gesto maligno del prete. Me lo rialzai sulla fronte e mi misi a sogguardare mio cugino: si ostinava a ravviarsi i capelli che la pioggia continuamente gli scomponeva, poi l'acqua dovette dargli un particolare fastidio sul nudo della chierica perché trasportò là una mano e ce la tenne.

Diceva: – A quanto vedo, siamo noi soli per la strada. Non vorrei che lassú trovassimo che noi soli ci siamo mossi in quest'acqua per il pranzo, e la famiglia della sposa andasse poi a dire in giro che il prete e sua madre hanno una fame da sfidare il diluvio.

E la zia, calma: – Siamo soli per questa strada perché del paese hanno invitato noi soli. Gli altri vanno a Cadilú dalle loro case sulla langa. Ricordati che dovrai benedire il cibo.

Gli ultimi lampi, io li avvertivo per il riflesso giallo che si accendeva prima che altrove sotto l'ala nera del cappello del prete, ma erano lampi ormai lontani e li seguiva un tuono come un borborigmo del cielo. La pioggia invece durava forte.

Poi la zia disse che c'eravamo, che là era Cadilú, e io guardai alzando gli occhi e il cappello. Vidi una sola casa su tutta la nuda collina. Bassa e sbilenca, era di pietre annerite dalle intemperie, coi tetti di lavagna caricati di sassi perché non li strappi via il vento delle alte colline, con un angolo guastato da un antico incendio, con un'unica finestra e da quella spioveva foraggio. Ma chi era l'uomo che di là dentro traeva la sua sposa? E quale poteva essere il pranzo nuziale che avremmo consumato tra quelle mura?

Ci avvicinavamo e alla porta si fece una bambina a osservar meglio chi arrivava per dare poi dentro l'avviso; stava all'asciutto e rise forte quando vide il bambino di città arrivare con in testa il cappello da prete. Fu la prima e la piú cocente vergogna della mia vita quella che provai per la risata della bambina di Cadilú, e mi strappai di testa il cappello, anche se cosí facendo scoprivo intero il mio rossore, e malamente lo restituii al prete.

Pioggia e la sposa: non altro che questo mi risorse dalla memoria il giorno ormai lontano in cui sapemmo che mio cugino, il vescovo avendolo destinato a una chiesa in pianura e sua madre non potendovelo seguire, una volta solo e lontano dagli occhi di lei si era spretato e lassú in collina mia zia era morta per lo sdegno.

La novella dell'apprendista esattore

Finalmente, a circa un anno dalla mia rispettosa domanda, il signor esattore di Bossolasco mi mandò a dire che mi assumeva, in prova, come messo. Stufo e vergognoso di dipendere ancora da mia madre vedova, io* ballai per la gioia. Mia madre invece, tutt'altro che felice e sollevata, strinse la bocca e scrollò la testa alla sua eterna maniera. Secondo lei, suo figlio si metteva in un lavoro «per niente cristiano». Questo succedeva l'undici luglio. Il dodici presi servizio e già il tredici l'esattore mi mandò a esigere in quel di San Benedetto.

Avevo – me lo scorderò mai? – avevo una bolletta intestata a Davide Cora, residente in frazione Mimberghe, moroso. Io ero cosí digiuno del mestiere che, giuro, ignoravo il significato di moroso.

Mimberghe è un crocchio pericolante di casupole annerite dalle intemperie, di molto alle spalle di San Benedetto, di poco sotto il crinale di Mombarcaro. La casa di questo Cora non era nemmeno nella borgata ma sorgeva isolata sul davanti di un bosco. Era bassa e storta come se si fosse ricevuta sul tetto una tremenda manata e non si fosse mai piú riassestata, aveva certe finestrelle sghembe e slabbrate e un ballatoio di legno fradicio e rattoppato con pezzi di latte da petrolio. L'unico sorriso lo mandava, quella casa, dalla parte di tetto rimessa a nuovo, ma faceva senso, come un garofano rosso infilato nei capelli di una vecchia megera.

Alle nove di quel tredici luglio ero sull'aia di Davide Co-

* Valerio Fenoglio, mio lontano cugino.

ra. Non ho mai capito come fece a riconoscermi, forse gli avrà parlato chiaro quella bolletta che il vento mi sbandierava in mano. Fatto sta che subito mi sparò con la doppietta, da una finestrella a pianterreno, da una ventina di passi. Mi forò in piú punti il camiciotto nuovo. Io buttai all'aria le scartoffie e, senza nemmeno tastarmi, corsi via. Ricordo confusamente che mi precipitai per un pendio infinito, attraversai un bosco senza distinguere i tronchi, guadai un torrente, risalii una interminabile scala di pietra... corsi fin dentro l'osteria di Placido. Lí svenni. Piú che il Fernet, mi rianimò il peso e l'odore delle poppe della donna di Placido. Ero illeso. Gente mi si accalcava intorno. Poi mi caricarono su un calessino e al piccolo trotto mi riportarono a Bossolasco. Il mio padrone era già partito sulla sua 509 per San Benedetto. Qualcuno, forse un nemico di Davide Cora, l'aveva informato dal posto pubblico di San Benedetto e lui a sua volta, prima di partire, aveva telefonato al maresciallo dei carabinieri di Monesiglio.

Un paio d'anni dopo – ero già segretario ai mulini di Dogliani – ritornai in privato a San Benedetto. Tutti mi ricordavano e nessuno ce l'aveva amara con me. Con le mie buone maniere, offrendo una bottiglia qui e tabacco là, raccolsi abbastanza notizie e rivelazioni da poter ricomporre quel fatto che mi aveva riguardato per un attimo solo ma tanto da vicino.

Ciò che risultò in primo luogo e inequivocabilmente fu che Davide Cora, il quale sapeva che era giorno di esazione e stava all'erta, aveva creduto che io, personaggio assolutamente nuovo, venissi col mandato di pignoramento.

La giornata, grosso modo, andò cosí.

Cinque minuti dopo che io avevo ripreso i sensi nell'osteria di Placido, il messo comunale Carlino e Umberto, l'ufficiale postale, arrivarono di corsa davanti alla casa parrocchiale. Umberto era invalido di guerra: una pallottola austriaca gli aveva asportato intera una mascella; ci aveva guadagnato pensione e impiego alla posta.

Dovettero scampanellare, bussare e gridare, per avere la perpetua alla finestra. Si affacciò. Aveva poco piú di trent'anni e pesava ottanta chili. Il messo Carlino notò con acre soddisfazione che la verruca che le deturpava una guancia prosperava.

– Ginia, – disse duramente Umberto, – chiamaci subito il parroco.

– Sí, – disse lei senza muoversi.

– Chiamacelo, Ginia!

– Ora ve lo chiamo, – rispose voltandosi appena verso l'interno.

– È importante, – incalzò il messo. – Può essere questione di vita o di morte.

– Che sono stati quei due spari mezz'ora fa? – domandò Virginia piú indolente che mai.

– Veniamo appunto per questo, – disse Carlino.

– Ah sí? – e finalmente si ritirò.

– Prestituta! – sbuffò Umberto.

– Che brutte ore ci sono nella vita degli uomini, – osservò sottovoce il messo guardando in terra.

– Che volete? – chiese forte il prete dalla finestra. Era in flanella color ruggine e aveva la faccia grondante d'acqua. – Che cos'erano quei due colpi?

– Veniamo appunto per questo, – ripeté Carlino.

E Umberto: – A Cora, a Davide Cora, ha dato di volta il cervello.

– Quello? – fece il parroco. – Ma quello è nato coi vermi nel cervello. Che ha combinato?

Glielo spiegò Umberto e aggiunse: – Sono stati quei due colpi che abbiamo sentito tutti. L'ha mancato non si sa come. Fra poco arriveranno i carabinieri da Monesiglio.

Il prete accennò che entrassero. Entrarono e si fermarono ai piedi della scala di legno. Ne scese il prete, indossava quella flanella, calzoni rigati alla zuava e sandali neri.

– Io credo, – riprese Umberto, – che Cora si sia barricato in casa e sia pronto a sparare anche sulla forza.

Lo credeva anche il messo.

– E io, – disse il parroco, – io che posso farci? Dovrei aspettare i carabinieri sulla strada, fermarli e rimandarli indietro? Umberto, tu sai che io non ho questa autorità.

– Non dico questo, parroco. Dico che lei dovrebbe venire con noi sull'aia di Cora e parlargli e ragionarlo. Che esca, butti l'arma e non si rovini. Una volta uscito e disarmato, noi suoi amici lo afferriamo per le braccia e...

Il parroco crollava la testa. Virginia, di sopra, scalpicciava, canterellava e friggeva qualcosa.

Il prete non finiva di scuoter la testa, ora dimenava anche l'indice. – Questi sono fatti, per cosí dire, civili. Io non ci posso entrare. Ma avete il vostro Podestà.

– Non c'è, – avvertí Carlino. – A quest'ora è a Cuneo, in Prefettura.

– E io come potevo saperlo? – sbottò il prete.

– Vede che può farlo solo lei? – insinuò Umberto.

– No e no! Cora con me ce l'ha. Ce l'ha con la Chiesa in generale e con me in particolare. Con me ce l'ha in modo particolare e fortissimo. Oh, è inutile che ora fingiate di non sapere, di non ricordare. Ce l'ha a morte da quella volta che lo svergognai dal pulpito per le sue porcherie nei boschi con Anna degli Scaroni.

I due abbassarono gli occhi.

– Quindi con me ce l'ha. E io sulla sua aia non mi presento. Quello non crederebbe ai suoi occhi se io mi presentassi davanti alle sue canne. E Davide Cora me non mi manca. Sono grosso come un monumento, io.

Ficcò i pollici sotto la cintura e quando li estrasse la cintura schioccò sulla carne compatta.

– Questa è una faccenda, – riprese, – che dovete sbrigar voi, suoi amici da sempre. Voialtri la dovete sbrigare. Andategli sull'aia in tre o quattro e parlategli tutt'insieme o uno alla volta.

Carlino sospirò, ma Umberto tentò ancora. – Lei capisce che quello non è normale, e nessuno di noi ignoranti sa le parole da usare nelle situazioni non normali. Lei certo mi capisce, parroco.

– Ti capisco, ma ti dico che tu fai torto alla tua lingua. Voi la sapete usare la lingua, eccome. Avete tutti una lingua di ferro. Aspettate. Questo può essere un buon consiglio. Presentatevi tutti sull'aia ma fate parlare Amedeo. Amedeo è o non è il primissimo amico di Davide?

– Lo è, – ammise Carlino.

E Umberto: – Certo, Amedeo è il primo amico di Davide, purché Davide senta ancora l'amicizia.

– Si prova, – disse il prete. – Dunque trovate Amedeo, trovatelo in fretta.

– Trovarlo è una parola, – disse Umberto. – Quello sempre si muove. Per quanto non sia la sua stagione di lavoro. (Amedeo era il norcino).

– Io mi sento di trovarlo, – assicurò Carlino.

– Se non ti senti tu, che sei il messo, – brontolò il prete. Il messo partí alla ricerca di Amedeo e Umberto passò all'osteria a prelevare Menemio Canonica.

Menemio si calcò in testa un berrettino bianco da ciclista e si avvicinò alla madia trasformata in ghiacciaia.

La moglie non voleva lasciarlo andare. – Hai settant'anni, – diceva a mani giunte.

Ma Menemio: – Questo è un fatto di uomini e io voglio trovarmici.

– Ma ti ricordi che hai settant'anni?

– E questo che c'entra con essere o non essere un uomo? Non mi sentirei piú uomo, ecco, se non ci andassi –. E Menemio aprí la ghiacciaia.

La moglie accennò con gli occhi a Umberto, che gli badasse, che lo frenasse, poi disse a Menemio: – Promettimi almeno che ti riparerai dietro gli alberi.

– Questo te lo posso promettere. Ma non è detto che Davide spari ancora.

– Certo che sí! – esclamò lei. – Quello sparerà fin che ne avrà! È pazzo!

– Macché pazzo! – grugní Menemio e si ficcò due birrini nelle tasche anteriori e un'aranciata nella tasca posteriore. Era pronto per seguire Umberto nel bosco davanti alla casa di quel disgraziato di Davide Cora. Ci sarebbero arrivati in mezz'ora, per le scorciatoie.

– Dietro gli alberi, Menemio, mi raccomando, – disse ancora la vecchia. – Ho un brutto presentimento, proprio. Tu sai come siamo fatte noi donne...

– Oh sí, – disse Menemio scostando la tenda antimosche. – Lo sapevo molto prima d'incontrare te.

Il mio principale era già arrivato sul posto. Aveva lasciato la 509 in una radura e a piedi si era spinto a vedere, riparato da una catasta di pertiche, l'aia e la stamberga di Davide Cora. Aveva in tasca la sua pistola a tamburo, fumava il sigaro, sbirciava l'orologio e la casa, aspettava i carabinieri da Monesiglio.

Gente stava penetrando nel bosco. L'esattore riconobbe tra i primi l'ufficiale postale di San Benedetto, l'oste Menemio Canonica e Giulio il carradore.

Umberto per prima cosa domandò all'esattore se Davide aveva risparato e l'esattore accennò di no.

– Meno male, – fece Giulio.

– Bastano e avanzano quei due colpi, – disse secco l'esattore.

E Menemio: – Ma non la fate tanto grossa per due colpi. Non l'ha nemmeno graffiato.

– Sentitelo! – scattò l'esattore. – Non c'era mica lui sotto le canne! Mica lui ha rischiato d'esser fatto secco! Dillo tu, Umberto: c'era o non c'era motivo di chiamare i carabinieri?

Umberto non volle pronunciarsi e Menemio disse: – Rovinare cosí un uomo!

– Si è rovinato da sé, – rispose l'esattore. – Non paga le taglie, gli si usa pazienza, lui continua a non pagare e minacciare e insultare, gli toccherebbe il pignoramento e noi si ritarda a eseguirglielo e lui tira a far secco chi si presenta, per suo onorato mestiere, a esigere. Tu, Umberto, lo capisci, no?

Menemio si offese. – Per vostra norma, noi qui capiamo tanto quanto voi e Umberto.

L'esattore si contenne e disse il piú liscio possibile: – Non impicciatevi, Canonica.

– Io invece m'impiccio! M'impiccio sempre quando c'è di mezzo un uomo. Mi sputerei in un occhio se non m'impicciassi!

– Di mezzo c'è la legge, – disse l'esattore. – Non v'impicciate.

– E io m'impiccio anche con la legge!

– Sta' buono, Menemio, – mormorò Giulio.

L'esattore aveva preso a passeggiare in tondo, con una mano in tasca e le labbra compresse.

Menemio guardava torvo.

– Che per una bolletta un uomo debba andare alla morte o al manicomio criminale? Perché io purtroppo so come vanno a finire queste cose.

– Non v'impicciate, Menemio, – ripeté l'esattore senza arrestarsi.

– Quanto mi pare! – gridò Menemio scagliando a terra il suo berrettino. – Sentite poi il tono con cui mi dice di non impicciarmi. Da uomo che sa la vita a bambino che se la fa ancora addosso. Ma io ho settant'anni, oh!

– Calma, Menemio, – bisbigliò Umberto.

– Macché calma! Non tollero che questo stupido di appena cinquant'anni insegni a vivere a me che ne ho settanta. Io avevo già fatto il permanente quando questo stupido era ancora su a sporcare la luna.

L'esattore ruotò su se stesso, ma poi sospirò e riprese a camminare in tondo. – Canonica, – diceva girando, – bevetevi il birrino che tenete in tasca, fortunato voi. Bevetevi il birrino senza impicciarvi.

Umberto e Giulio avevano trascinato Menemio lontano, lo fecero sedere al piede di un castagno.

– Sta' calmo, Menemio, e speriamo che Amedeo non tardi.

Arrivava nuova gente e silenziosamente si distribuiva nel bosco, alla ricerca dei migliori osservatori.

Molti erano dell'altra valle e Umberto se ne risentí, ma Menemio disse: – È nel loro diritto, non li possiamo cacciar via.

E Giulio: – Ci penseranno i carabinieri a cacciarli, quando arriveranno.

Giunse un soffio di vento, che diede nelle cime dei castagni e rianimò tutti, forse anche Davide Cora asserragliato nella sua bicocca. Ma cadde subito e si sentí chiaro nella strada sottana il rumore di una automobile e la frenata. Non potevano essere altri che i carabinieri, in grande anticipo, e l'esattore corse alla strada. Gli altri rimasero col fiato sospeso e Menemio mormorò: – Ci sei, Davide Cora, ora ci sei.

Ma erano solamente cinque scioperati di Feisoglio che avevano saputo chissà come del fatto di Mimberghe e avevano noleggiato una macchina. Ora entravano nel folto del bosco, si avvicinavano a sbalzi e in ordine sparso, come alle manovre.

– Ci fosse il mezzo, – disse Giulio, – di far sapere a Davide che non si tratta ancora dei carabinieri, ma appena di cinque lazzaroni di Feisoglio.

– Niente da fare, – disse Umberto.

– Allora, – disse Giulio, – Davide approfittasse di questo po' di tempo per lasciare la casa e darsi ai boschi.

– No, no, – disse Umberto, – sarebbe molto peggio. Io non me ne intendo, ma dev'essere un'aggravante.

– Già, – convenne subito Giulio, – e poi non ha piú l'età per darsi ai boschi. D'altronde, non c'è piú boschi che tengano oggigiorno. Contro la forza i boschi andavano ancora bene vent'anni fa, ma oggigiorno...

– No, no, – disse Menemio che aveva scolato il primo birrino. – Non ha piú l'età e poi non è mai stato un robustone. E ricordiamoci che ha un ginocchio molto malandato.

– Il sinistro, – disse Giulio.

– Il destro, – corresse Menemio.

– Il sinistro o il destro? – fece Umberto con stanchezza.

– Io avrei detto il sinistro.

– Ti dico che è il destro, – ribadí Menemio. – È il destro che si rovinò quella volta contro lo spigolo della letamaia nuova di Braida.

Arrivò Carlino con Amedeo.

– Ha fatto dell'altro? – s'informò subito Carlino.

– Nient'altro, – gli risposero. – Aspetta, come aspettiamo noi. Dove l'hai trovato Amedeo?

– Ero lungo Belbo, andavo dai Ceva, – disse Amedeo, fisso alla casa di Davide. Era un uomo altissimo, legnoso, con una testa non piú grossa di un pugno, con una voglia di vino tra guancia e collo.

Menemio domandò che diavolo faceva laggiú.

– Devo pur guadagnarmi la giornata in attesa dell'inverno, – rispose Amedeo. – I porci si ammazzano una volta sola all'anno.

– Questo lo so bene, – disse Menemio. – Ora sbrigati, va a parlare a quel disgraziato.

Ma Amedeo si lasciò cadere sull'erba e si passò una mano sugli occhi.

– Che fai? Ti siedi?

– Amedeo, – sollecitò Umberto, – non c'è tempo da perdere. I carabinieri sono per strada.

– Penso un momento al discorso da fargli.

– È giusto.

– Potresti dirgli... – cominciò a suggerire Giulio.

Ma Menemio lo interruppe. – È lui che va. Lascia meditare lui.

Amedeo meditava.

– Che ore sono? – domandò Giulio in giro.

– Venti alle undici, – rispose l'esattore senza voltarsi.

Finalmente Amedeo si rizzò e si aggiustò i pantaloni alla vita.

– Hai riflettuto? – gli domandò Menemio da terra.

– Sí.

– E hai trovato?

– Niente. Non troverei niente, stessi qui fino a buio. Ragion per cui vado subito a provare.

– Sí, bravo, prova subito.

– A te non sparerà, – disse Giulio. – Metto la mano sul fuoco.

– La metterei anch'io, – disse Amedeo passandosi una mano sui capelli aridi.

Gli si avvicinò Umberto. – Hai un po' di paura?

– No.

– Se l'hai, a me puoi dirlo. Guardami la mascella. Io lo so, che conviene aver paura.

– No, no, – fece Amedeo. – A me non dovrebbe sparare. Vado.

– Amedeo va, – annunziò Umberto agli altri tre. Amedeo uscí dal bosco nel sole. Camminava un po' legato sulle sue gambe a stecco. Raccontò poi che andando non riusciva piú, stranamente, a ricordare che faccia avesse il suo vecchio amico e compagno Davide Cora, e se ne spaventò. Ma poi gli si ripresentò netta e precisa in mente: quella logora faccia cavallina, coi denti tutti guasti e la banda di capelli grigiastri incurvata sull'occhio sinistro.

Appena oltre il cancelletto si fermò. Era a venti passi dalla finestra alla quale Davide era certamente appostato. La lacera tendina a scacchetti bianchi e rossi palpitava, senza che vi fosse una bava di vento.

Amedeo si schiarí la gola e chiamò: – Davide? Mi senti, Davide? Come va, Davide?

Cora non rispose.

– Davide? Sono Amedeo, Davide.

Finalmente parlò. – Ti vedo e ti conosco. Che diavolo vuoi, Amedeo?

– Fare due parole con te, Davide.

– Abbiamo ancora tempo?

– Penso di sí, Davide.

– E allora facciamole.

– Mi... mi fai entrare, Davide?

– No, non me lo chiedere, – rispose Cora con gentilezza.

– Posso almeno avvicinarmi? Non vorrei dover gridare e che la gente sentisse tutto il nostro discorso.

– Ce n'è di gente, eh, Amedeo?

– Ce n'è sí. Riesci a vedere?

– Tutto vedo, da tutte le parti. Mi sono sistemato con la massima intelligenza. Come un generale.

– Allora, Davide, mi posso avvicinare?

– Fa' dieci passi avanti.

– Non di piú?

– Non uno di piú, Amedeo. Per me sarebbe una debolezza.

– Una debolezza?

– So io, – disse Cora. – Fatti questi dieci passi avanti. E contali giusti perché anch'io li conto.

– Li conto giusti, – disse Amedeo e contando avanzò di dieci passi.

– Allora? – fece poi Davide Cora.

– Io... io non ti vedo, Davide.

– E che importa? Io ti sento e tu mi senti. Allora?

– Mica mi tieni puntato, Davide?

– Che vuoi sapere? Chiedilo a Parigi.

– Il cane è dentro con te?

– E con chi ha da essere? Allora?

– Adesso non so piú cosa dirti, Davide.

– Forse non avevi niente da dirmi.

– No, no, Davide, ne ho, oh se ne ho! Ma questo sole mi spacca la testa e mi secca la lingua.

– Allora? – rifece Davide Cora.
– Allora, Davide, si può sapere cos'hai visto?
– Ne ho abbastanza, Amedeo.
– Non dir cosí, non far cosí!
– Ti ripeto che ne ho abbastanza.
– Ma perché hai sparato a quel poveraccio di messo?
– Proprio perché ne ho abbastanza.
– Le taglie...
– Le taglie, Amedeo, c'entrano e non c'entrano.
– Noi si potrebbe aiutarti a pagarle. Io, Menemio, Umberto...
– Ti dico che le taglie c'entrano e non c'entrano. Ora ti dico che non c'entrano affatto.
– Ma cos'hai visto, Davide?
– Ne ho abbastanza.
– Non dir cosí, non far cosí.
– Se tu ne avessi abbastanza quanto me, diresti e faresti anche tu cosí, Amedeo.
– Ma ora ti arrivano i carabinieri, Davide.
– I carabinieri? Ah, so dove vuoi parare. Ma a me non mi fanno nessuna specie. Io non li vedo nemmeno come uomini. Sono la medesima cosa della puleggia che ha tirato il povero Remo sotto la macina. Mi spiego? La medesima cosa del gorgo di Belbo che ha annegato il povero Fedele.

Fatalità volle che proprio a questo punto, quando il discorso vero e proprio era appena avviato, si sentisse vicino e violento il rumore della macchina dei carabinieri. E Amedeo ebbe paura. Paura che aprissero subito il fuoco e lui restasse preso in mezzo, paura che i carabinieri lo ritenessero un sostenitore di Cora, paura che Davide pensasse che lui era stato mandato per distrarlo e tradirlo e lo stecchisse per primo. Ebbe tutte queste paure in una e mugolando balzò all'indietro e fuggí, aspettandosi i pallettoni di Cora nella schiena. Ma Davide non gli sparò e Amedeo scampò nel bosco.

Finí prono nell'erba, e non si rigirava. Qualcuno, un amico, maneggiava per rivoltarlo, ma lui resisteva. Quando finalmente si girò di sua volontà, aveva la faccia grigia e gli occhi lacrimosi.

– Hai sete? – domandò Menemio.
– Da morire, – rispose Amedeo senza sollevarsi.
– Tienilo, bevilo tutto, – disse Menemio porgendogli l'ultimo birrino.
Disse Giulio, con le mani sugli occhi: – Non resterebbe che pregare, se ne fossimo capaci.
– Pregare chi? – sbottò Menemio.
– Lo faranno le nostre donne che son rimaste a casa.
– Pregare chi? – ripeté Menemio. – Di là non c'è nessuno.
– Tu non lo sai, – disse Giulio.
E Menemio, con una sorta di tenerezza: – Giulio, di là non c'è nessuno. Noi terminiamo nell'erba, noi forniamo il nutrimento all'erba.
Il maresciallo di Monesiglio parlottò con l'esattore, poi avanzò verso il margine del bosco. Era un uomo grigio e tozzo, certamente vicinissimo alla pensione. Aveva le mascelle cascanti, gli occhi spenti e l'uniforme intrisa di sudore.
I suoi uomini stavano prendendo posizione, con l'arma già pronta.
– Mi sembrano tutti dei nostri, – disse Giulio osservandoli.
Ma Umberto disse: – Mi faceva strano che non ci fosse almeno un africano, – e indicò l'ultimo carabiniere. Era il piú giovane di tutti, un meridionale piccolo e snodato, con una testina oblunga e scura come un'oliva. Portava un paio di baffettini che parevano verniciati sulla pelle.
Il maresciallo guardò posatamente all'intorno e ordinò alla gente di retrocedere di almeno cinquanta passi. – Indietro, piú indietro, – diceva. – Siete ancora passibili di pallottole perdute.
I carabinieri spingevano indietro la gente riluttante.
– Un momento, – disse forte il maresciallo. – Qualcuno di voi per caso ha parlato con lui?
– Amedeo, – dissero in tanti.
– Io, maresciallo, – sospirò Amedeo.
Il maresciallo gli accennò di accostarsi. – E che impressione vi ha fatto?
– Non so dire. Non ho potuto capir bene.

– Deciso a tutto?
– Forse.
– Anche contro di noi?
– Chissà, maresciallo.
– Allora è pazzo, – concluse il maresciallo. – Lo è sempre stato?
– È sempre stato... speciale, – disse Amedeo.
– Pazzi in famiglia? – proseguí il maresciallo. – Risultano consanguinei ricoverati nel tempo in manicomio?
– No, che io sappia no.
– No, no, – confermarono risentiti alcuni dei piú vicini.
– Si chiama Davide Cora, vero?
– Sí, maresciallo. Fu Vincenzo.

Il maresciallo accennò ai suoi uomini che lo lasciassero agire da solo e andò ad appostarsi dietro il tronco del primo castagno. Gli avrebbe parlato da lí, parlato in dialetto.

Aspirò profondamente e poi gridò: – Davide Cora!

Tutti aspettarono, fissi alla casa che sbianchiva nel sole, ma Cora non rispose.

– Davide Cora! – ripeté il maresciallo già rauco.

Non si fece vivo.

– Non importa, – disse il maresciallo. – Io so che hai sentito, Cora. Continua ad ascoltare. Chi ti parla è il maresciallo Cugnasco della stazione di Monesiglio –. E sporse la testa dal tronco perché Cora eventualmente lo vedesse.

– Dunque ascoltami. Quello che hai fatto nelle prime ore di stamane non è poco. Anzi è grave, ma non irreparabile. Forse già sai che il messo non l'hai colpito. Quindi puoi ancora rappezzarla abbastanza a buon mercato.

– Che dice? – domandò, con le dita a mazzetto, il carabiniere meridionale a Umberto.

– Non capite?
– Solo qualche parola qua e là. Troppo poco.

Umberto gli fece da interprete.

– Davide Cora, – riprese il maresciallo, – noi siamo numerosi e rappresentiamo la legge. Se ci garba, possiamo aspettarti fino alla fine del mese. Prenderti per fame e per sete, se ci garba. Non hai nessunissima probabilità. Mi senti bene, Cora? Allora segui il consiglio che ti dà, da amico, il vecchio maresciallo di Monesiglio. Costituisciti, presentati subito a pagare il tuo debito con la legge. Io non ti illudo. Il debito c'è, l'hai contratto con quello sparo di stamattina. Ma è un debito piccolo, lo pagherai senza troppa difficoltà. Rispondimi, Cora!

Cora rimase zitto, ma il cane Parigi latrò brevemente.

– Davide Cora! – gridò il maresciallo. – Segui il mio consiglio. Esci sull'aia senza la doppietta. Io ti verrò incontro. Ma non far trucchi o i miei carabinieri ti fulminano. Rispondimi che eseguisci, Cora!

Zitto.

– Rispondimi! Rispondimi qualcosa, Cora! Anche negativamente, ma rispondimi!

Taceva e allora il maresciallo si arrabbiò. – Ah sí? Cosí fai? Ma io son capace di venirti a prendere con le mie proprie mani!

E lasciato il riparo saltellò allo scoperto, ma Davide Cora sparò verso il bosco.

Sparavano da mezz'ora. Si poteva calcolare un colpo di Cora per ogni dieci dei carabinieri. Si vedeva l'intonaco della casa fare i fuochi artificiali sotto le pallottole.

– Statemi coperti, – raccomandava il maresciallo ai carabinieri. – Vi voglio tutti alla cena del mio congedo.

L'appuntato Sartirana osservò che il delinquente sparava troppo poco. – Dobbiamo farlo sparare di piú, maresciallo, farlo sprecare. Bisogna proprio che ci scopriamo un po' di piú, maresciallo.

– No, no, – disse il maresciallo. – Facciamo cosí, Sartirana. Due di voi taglino un ramo a testa, ci appendano il berretto e ogni tanto lo agitino sopra i cespugli. Mai nello stesso posto però.

Due carabinieri andarono per i rami.

Il meridionale, Aquino si chiamava, si avvicinò al gruppo di Menemio. Voleva un'informazione, sapere cosa c'era dietro la casa.

– Vattelo a vedere da te, – brontolò Menemio in dialetto strettissimo.

– Avanti, rispondete, – intimò il meridionale.

– Che cosa volete sapere? – s'interessò Umberto.

– Com'è esattamente il terreno dietro la casa.

– Non saprei, – rispose Umberto. – Non lo vedo da vent'anni.

Poi capí che il carabiniere si irritava e chiamò il vecchio Fortunato, che era di Mimberghe. Fortunato venne, masticava tabacco e portava un cappello che uno spaventapasseri avrebbe rifiutato.

– Che vuoi, Umberto?

– Tu sei piú pratico, Fortunato. Rispondi alle domande di questo carabiniere.

– Che cosa vuol sapere? Io risponderò per quel che so.

– Ditemi com'è il terreno dietro la casa, – ordinò il carabiniere Aquino.

– Dunque, – fece Fortunato, e chiuse gli occhi per meglio vedere e descrivere. – Dietro la casa c'è un campo a meliga. Un campetto.

– Piccolo campo di granturco. Poi che ci sta?

– Una striscia di gerbido.

– Di che? – strillò il meridionale.

– Terreno non coltivato.

– Bene. E poi?

– Poi c'è subito il rittano.

– Ma che è un rittano?

– Un rittano. Credo proprio che si dica cosí anche in italiano.

– Mai sentito.

– Quello è un rittano, – disse allora Fortunato additandogli un rittano a sinistra.

– Ho capito. Valloncello. Grazie –. E si diresse dal maresciallo, ripetendo mentalmente. – Piccolo campo di granturco, striscia di selvatico e valloncello.

Sparavano. I carabinieri non avevano guadagnato dieci metri verso l'aia di Cora. Questi aveva dapprima abboccato al trucco dei berretti appesi ai rami, ma aveva presto mangiato la foglia. Ora sparava rado ma tempestivo ed efficace.

Nel bosco, Umberto disse: – Il terrone è andato per prenderlo di dietro.

– Chiaro come il fango, – disse Giulio.

– Vedrete che fallirà, – disse Amedeo, ricordando che Davide gli aveva assicurato d'essersi sistemato a difesa come un generale.

Ma Menemio si era rabbuiato. – Alle volte, – disse, – alle volte le cose difficili riescono lisce come scherzetti.

– Però, – osservò Giulio, – il grigioverde funziona veramente come mimetico. Il grigioverde di noi soldati.

– Figurati come funziona, – disse Umberto tra i denti. – Io li distinguo benissimo, anche se stanno piú piatti delle lucertole.

– Li vedi perché non stacchi gli occhi un momento. Ma prova a staccar gli occhi e poi dimmi se subito li ritrovi.

Umberto non provò. – Fammi il piacere, – disse a Giulio. – Guardami la mascella, per capire quant'è mimetico il grigioverde di noi soldati.

Era l'una.

Il carabiniere meridionale passò il rittano e riuscí nel gerbido. Dall'altra parte sparavano furiosamente, Aquino non poteva sapere che Cora aveva giusto fulminato il suo commilitone veneto Coromer.

Rannicchiato si avvicinò al limite della meliga ed esaminò il retro della casa. Era annerito dal fumaccio dei sarmenti e aveva due aperture. L'una, sottotetto, voleva essere una porta-finestra ed era accecata da un assito con parecchie fenditure. L'altra, a un metro e mezzo da terra, era una finestrella ovale, con inferriata.

Con la mano libera Aquino scosse quattro o cinque steli di meliga. Crocchiarono forte. Un'altra scossa, un'altra.

Aquino non scrollava piú, aveva raccattato un sasso.

Davide Cora si appressò alla finestrella, ma si teneva troppo bene defilato. Aquino non gli vedeva altro che un occhio, pieno di furia e di terrore da scoppiare. Non poteva sparare ad un occhio. Allora il carabiniere lanciò la pietra, bassa, di lato, nel piú fitto della meliga, che ondeggiò e crocchiò straordinariamente.

Davide Cora si inquadrò tutto nella finestrella, ora spianava la doppietta al fitto della meliga, a dieci passi a sinistra di Aquino, il quale sparò di stocco. La pallottola carambolò su una sbarra della grata e si piantò nella fronte di Cora.

Aquino brandí alto il moschetto e urlò.

Quell'antica ragazza*

Quel giorno Marziano tornando dal forno vide sull'aia del Nano una ragazza mai vista prima, vestita come una signorina di città, e che quando si fu accorta di lui lo fissò con tali occhi che Marziano si guardò la terra sotto i piedi e allungò il passo per casa, convinto che fosse la figlia del padrone del Nano salita da Alba.

– Raccontami com'era vestita, – gli domandò sua madre a casa, e sentito che aveva una veste turchina e le calze bianche disse che non era affatto la figlia del padrone del Nano ma semplicemente la nipote del mezzadro, e che era alle Rosine di Torino dove l'aveva fatta ricoverare la pietà del padrone dopo che i suoi erano morti sotto il carro ribaltato. Si chiamava Argentina e doveva esser venuta al Nano in licenza.

In casa non se ne parlò piú, ma uno alla volta i ragazzi salivano al bricchetto che dominava il Nano e di lassú spiavano a lungo nell'aia.

Una sera andavo per mio conto sul sentiero al margine del castagneto, quando mi si para di traverso questa Argentina, vestita come aveva detto Marziano. Era entrata giusto nel filo del vento e sollevò un braccio per raccogliersi i capelli sulla nuca. Io pensai di saltar nel bosco per nascondermi ma lei si girò un attimo prima e mi guardò con occhi neri da sotto il braccio ripiegato ed io restai come legato mani e piedi.

* Raccontata, a una festa di parenti in Murazzano, da Teobaldo Fenoglio, l'unico dei nostri che sia stato a servizio. Io l'ascoltai di straforo.

Senza muoversi mi domandò chi fossi.

Io zitto.

– Stai da queste parti?

Abbassai gli occhi, ma anche cosí le vedevo la punta di una scarpina nera da città, e li abbassai di piú.

– Sei un disgraziato muto?

– Ti sbagli! – gridai.

Rise e mi scese incontro d'un passo. – Allora chi sei?

– Sono il servitore di quella cascina laggiú.

– Cosí stai da Matteo. Però sei ben superbo per essere un servitore.

– Tu sei meglio di me?

– Lo sai chi sono io?

– Sei la nipote di quelli del Nano.

– Come fai a saperlo?

– Dalla mia padrona.

Scese d'un altro passo. – Dove te ne andavi?

– Per mio conto.

– Come per tuo conto? Un servitore che va per suo conto in un'ora di luce. Sei scappato da Matteo? A me puoi dirlo.

– Non sono scappato, ma per oggi ho finito e vado per mio conto.

Argentina sbirciò verso il castagneto. – Entri nel bosco?

– Se mi va.

– Entra nel bosco. Io ti vengo dietro.

– Io vado per mio conto.

– Ma perché non vuoi venire con me?

Guardai alto alla langa, ma lei mi cercò gli occhi, finché li ebbe e me li tenne. – Non ti piacerebbe girare il bosco con me?

– Non capisco perché vuoi venire nel bosco con me.

– Perché è pieno di nidi. Tu li cerchi e mi cogli gli uccelli appena nati.

– Cosa ne fai?

– Mi cerco un bastoncino e ce li infilo uno dopo l'altro man mano che tu li trovi e me li passi.

– Chi te l'ha insegnato?

– L'ho imparato da me, da piccola. E ho sempre trovato i ragazzi che mi cercavano apposta i nidi.

– Me non mi trovi, – le gridai, e le voltai le spalle.

Mi disse dietro: – Starai bene con me nel bosco.

Senza girarmi le feci segno di no, e già correvo, anche per la ripidità del sentiero.

– Stupido! – mi gridò dietro Argentina. – Stupido, me lo faranno i figli di Matteo!

Glielo fecero sí, a cominciare da Eugenio. E io sentii un male misterioso la notte che cercai invano Eugenio per tutta la casa. Uscii sull'aia, mi riempii gli occhi di buio e le orecchie di vento marino, ed ero certo che in qualche punto di quel buio Argentina se ne stava con Eugenio, senza piú la veste turchina e le calze bianche. Andai a coricarmi nella stalla, ma non dormii, vegliai dimenandomi sulla paglia finché sentii Eugenio di ritorno, che cincischiava all'uscio come un cieco o un ubriaco.

E poi toccò a Marziano. I ragazzi parlarono e si seppe che altri vicini si facevano avanti per andare nel buio con Argentina.

L'indomani della notte di Marziano ci patii a lavorare come mai prima. Non vedevo l'ora che tramontasse e se alzavo gli occhi dalla terra il sole era sempre inchiodato al medesimo punto del cielo. È che avevo deciso che quella sera stessa il mio corpo sarebbe stato per Argentina quel che la zappa era per la terra. Ma intanto il corpo mi si tendeva fino a dolorire e mi sopravveniva poi una debolezza per cui le ginocchia erano lí lí per cedermi. Il vecchio Matteo, sebbene io manovrassi per dargli sempre le spalle, vedeva benissimo che quel giorno non rendevo.

Calò finalmente il sole e dopo cena aggirai la casa e andai a sedermi sul tronco a ridosso del muro che dava sulla terra. Lí aspettai che annerisse, poi mi alzai e mi mossi quel tanto che bastava per arrivare a vedere una finestra illuminata del Nano. Ma tornai quasi subito indietro, per una paura, una disperazione. Mi rimisi a sedere sul tronco, finché con la coda dell'occhio afferrai un movimento che poteva essere un'ombra, un'illusione qualsiasi ed era invece Argentina.

Andammo al bosco in silenzio, io tenendola stretta per un braccio come se ad ogni momento dovesse scapparmi nel buio e dal buio ridermi.

Dopo lei mi disse: – Potevi essere il primo se non eri tanto stupido e superbo.

– Io sono contento anche cosí, Argentina.

– Te non so nemmeno come ti chiami.

– Baldo, Baldino.

– Come?

– Baldino.

Ma si allargò e si infittí la diceria e i ragazzi, anche i lontani fino al settivio del Pilone e i marmocchi come Tommasino della Serra, salivano ogni sera sul bricchetto sopra il Nano e di lassú la chiamavano a piú voci; e siccome lei non si affacciava, si diedero a urlare e sghignazzare, finché suo zio uscí col fucile e sparò un colpo a mezz'aria.

Disse Matteo: – È stato un buono sfogo per i nostri maschi.

– Ma ora hanno preso il vizio, – osservò la mezzadra, – e chi glielo mantiene?

– Cominciare dovevano pur cominciare, – rispose Matteo, e a sua figlia Domenica che si muoveva tutta nervosa disse: – Tu tieni il sangue fermo, ché presto ti maritiamo ed avrai anche tu quel che ti spetta. Ma di buon giusto.

La mezzadra si domandava: – Non gliel'hanno certo insegnato alle Rosine. Ma da dove è uscita questa ragazza infernata?

Lo seppe dalla mezzadra del Nano. Alla nipote, dopo averla legata alla tavola e cinghiata ben bene, aveva chiesto che cosa le era saltato in mente, e Argentina piangendo aveva risposto che lei credeva che le ragazze che non stavano in collegio lo facessero tutte e sempre.

La mattina dopo suo zio la caricò sul carro, la portava ad Alba a farle prendere il treno per Torino. Sulla testa e sulle spalle le avevano buttato, a nasconderla, una veste nera di sua zia. Ma dove il carro passava, tutti gli uomini sulla terra alzavano la schiena.

L'acqua verde

Era venuto al fiume nell'ora di mezzogiorno, e non c'era nessuno sul fiume, nemmeno il martin pescatore. Aveva attraversato il ponte perché pensava che era meglio succedesse sulla sponda opposta alla città e poi aveva continuato ad allontanarsi per un sentiero che andava a perdersi nel sabbione. Da dove si era fermato e seduto poteva vedere il ponte, lontano come se fosse incollato all'orizzonte, e gli uomini e i carri che ci passavan sopra gli apparivano formiche e giocattoli.

Era già un pezzo che stava lí seduto sotto il pioppo, con in grembo l'ombra dell'albero e le gambe stese al sole. Perché non l'aveva già fatto?

Si era lasciato distrarre a lungo da un uccellino venuto a posarsi su una lingua di terra ghiaiosa e sterposa che rompeva l'acqua proprio di fronte a lui. L'uccellino si era messo a esplorare quella terra saltellando a zampe giunte tra gli sterpi e storcendo la testa a destra e a sinistra come avesse nel collo un meccanismo. Era grazioso, col dorso color tabacco e una fettuccia turchina intorno al collo bianchissimo. L'aveva preso una incredibile curiosità di saperne la razza, si disse persino che se fosse tornato in città avrebbe potuto descriverlo al suo compaesano Vittorio che se ne intendeva e cosí saperne il nome. Ma lui in città non ci tornava. Addio, Vittorio. Ti farà effetto, lo so.

Per un lungo tempo non misurato seguí con gli occhi l'uccellino, e per tutto quel tempo ebbe sulla bocca un gentile e pieno sorriso che quando si accorse di averlo gli lasciò dentro un profondo stupore. Sbatté un poco le palpebre e dopo non riuscí piú a rintracciare l'uccellino.

Sparito l'uccellino, aveva abbassato lo sguardo sul quadrato di sabbia davanti ai suoi piedi, cosí pura e distesa che poteva seguirci l'ombra del volo di insetti minutissimi.

Poi si sentí sete e con gli occhi cercò fra l'erbaccia, dove le aveva gettate, le due bottigliette di aranciata. Si disse che aveva fatto male a berle tutt'e due subito, ma ritardando l'aranciata si sarebbe fatta calda e disgustosa, e poi lui non credeva che ci avrebbe messo tanto a far la cosa.

«Perché mi preoccupo tanto della sete? Non sono venuto qui per l'acqua? Perché la faccio tanto lunga?» e si alzò.

Uscí dall'ombra dell'albero e camminò nel sole verso l'acqua. Si guardò tutt'attorno per vedere se c'erano pescatori vicini o lontani: nessuno, non una canna che oscillasse sopra il verde o che sporgesse dalle curve dell'argine.

Decise di studiare il fiume, ma prima volle accendersi una sigaretta. Se n'era comprato di quelle di lusso, mai comprate in vita sua, ma oggi era diverso. Trovava però che quelle sigarette da signori gli impastavano la lingua e gli irritavano con la loro troppa dolcezza la gola. Dopo quattro o cinque boccate gettò la sigaretta. Faceva da terra un fumo straordinariamente azzurro e denso, che si spiralava vistosamente nell'aria dorata. Poteva esser notato da lontano, cosí colorato e lento a svanire, far da richiamo. Andò a soffocarlo accuratamente col piede.

Poi, a filo dell'acqua, esaminò il fiume.

Ne prese e tenne sott'occhio una lunghezza di trenta passi, il tratto dove lui sapeva che l'avrebbe finita, e si stupí di come l'acqua variava di colore. Le correnti erano grigioferro e gli specchi d'acqua fonda color verde. Studiò la corrente piú vicina e lo specchio in cui essa si seppelliva. Raccolse una pietra, mulinò tre volte il braccio e la mandò a cadere a piombo sullo specchio. Fece un gran tonfo e un alto spruzzo, con le spalle raggricciate lui guardò farsi i cerchi e poi si disse, ridistendendosi: «Non sono pratico del fiume, ma deve essercene d'avanzo».

Si chinò sulle ginocchia e pensava: «È semplice. Entro nella corrente, mi ci lascio prendere e lei mi porta da sola nell'acqua alta. Sarà come andarci in macchina. Sono contento che non so nuotare. Da ragazzo e da giovanotto mi dispiaceva, ma ora sono contento di non aver mai imparato. Cosí, una volta nella corrente, piú niente dipenderà da me».

Restando accosciato e trascinando avanti una gamba e poi l'altra scese nell'acqua e ci immerse una mano. Era calda, piú in là lo sarebbe stata di meno, ma non tanto. Erano con lui sulla riva sei o sette strane mosche col dorso che mandava lampi azzurri, scalavano i ciottoli e i detriti, passeggiavano la sabbia e parevano non aver paura di lui.

Con le mani sulle ginocchia guardava il pelo dell'acqua e si lasciava riempir le orecchie del suo rumore. Levando gli occhi dall'acqua, vide come se la terra scappasse contro corrente. «La terra parte». Si sentiva una vertigine nel cervello e pensò che quella vertigine gli veniva buona per fare la cosa. Ma come si rizzò, già gli era passata.

Nella tasca il pacchetto delle sigarette gli faceva borsa sulla coscia. Lo estrasse e fece per lanciarlo nel fiume. Ma frenò la mano, cercò una pietra prominente all'asciutto e andò a posarci il pacchetto. «È ancora quasi pieno, a qualcuno farà piacere trovarlo, lo troverà uno di quei disgraziati che vengono qui per legna marcia».

Raccoglieva pietre e una dopo l'altra se le cacciava in seno. Per quel peso ora non poteva piú star bene eretto sulla schiena. Levò gli occhi al cielo, il sole glieli chiuse, e disse: – Padre e madre, dove che siete, non so se mi vedete, ma se mi vedete non copritevi gli occhi. Non è colpa vostra, ve lo dico io, non è colpa vostra! Non è colpa di nessuno.

Camminava già nell'acqua alla coscia e avanzando raccoglieva ancora pietre sott'acqua e se le cacciava in seno grondanti. Arrivò tutto curvo dove piú forte era la corrente che portava all'acqua verde*.

* Si tratta di Eugenio Tarulla, che fu aiutante di mio zio Paco nel suo commercio di bestiame. Nel 1936 scese da Feisoglio ad Alba con l'apparente intenzione di cercarvi un lavoro fisso. Ricordo che mio padre gli diede informazioni e consigli. Ma dopo appena una settimana si annegò in Tanaro, pare alla terza rotonda a monte del ponte. Venne ripescato due giorni dopo al traghetto di Barbaresco e lo zio Paco venne a prenderlo e lo riportò sulle langhe sul suo furgone per le bestie.

L'addio

Dopo la terza elementare suo padre lo tolse da scuola, inutilmente il vecchio maestro Alliani venne su fino alla Collera per dire a suo padre che era un peccato, che a continuare le scuole quel suo figlio poteva riuscire maestro, o veterinario o speziale. Poteva avere tutto quel pane nelle mani, ma suo padre non poteva dargli il lievito per cominciarlo. Disse al maestro Alliani che sapeva far la firma, scrivere una lettera ai parenti se in casa fosse mancato qualcuno, e per contare sapeva contare fino a una cifra che non avrebbe mai avuta in soldi. E poi gli disse: – Come volete che lo tenga agli studi, se non posso nemmeno passarvi il caffè a voi che per l'interessamento avete montata una collina, alla vostra età!

Suo padre aveva in testa di metterlo subito da servitore su una qualche langa, e dové ringraziare una pleurite che gli venne nell'autunno se il servizio venne procrastinato. Durante la malattia sua madre fece una pratica per farlo entrare nel seminario di Mondoví, padrone poi lui di prendere la veste o di tornare nella vita con un'istruzione. Ma avevano da offrire troppo poco per venire in qualcosa almeno pari e del seminario non si parlò piú. Mentre si aspettava che lui si rimettesse dalla pleurite, faceva le solite cose di quando andava a scuola: tagliar legna, tirar l'acqua al pozzo e soprattutto pascolare.

Pascolare gli piaceva, a differenza degli altri ragazzi che ci pativano tra bestie, erba e nuvole, e passavano il tempo pensando alle mattinate di festa che potevano giocare al pallone ai tetti od alle sere nelle stalle che potevano giocare a carte, con la posta di bottoni, ai pericolosi giochi dei padri.

Gli altri ragazzi si chiamavano, da bricco a bricco, con grida selvagge, col solo nome facevano tutto un discorso. Lui, il ragazzo della Collera, non chiamava mai, non sentiva il bisogno di discorrere con nessuno. Il suo stroppo era il piú piccolo di tutti, e le pecore erano disciplinate da non richiedere nemmeno una guardata di tanto in tanto, e lui da quando veniva a quando sentiva l'Ave al campanile di Murazzano pensava e girava gli occhi tutt'intorno. Guardava su a Mombarcaro e giú a San Benedetto, e poi Niella e Bossolasco e la punta del campanile di Serravalle, guardando lungo e profondo nella valle di Belbo, arrivava con gli occhi fin dove per la lontananza le ultime colline non eran piú che una nuvola d'incenso in chiesa. E gli faceva effetto pensare che andar da servitore voleva dire anzitutto lasciar questi posti e tutti i giorni se li imprimeva bene negli occhi, era arrivato al punto che chiudeva gli occhi e puntava il dito e riaperti gli occhi il dito era puntato sul campanile del paese fissato per il gioco. E c'era sempre un silenzio che lui poteva sentire l'uggiolo del suo cane dalla Collera lontana, legato alla catena trecentosessantacinque giorni dell'anno.

A un ragazzo al pascolo non succede mai niente, ma lui non ne soffriva perché proprio mentre era al pascolo si faceva succedere nella testa tutto quel che voleva.

Ma un giorno, successe proprio qualcosa. Per la strada della langa, dritto sul suo prato, vennero un cinque o sei ragazze delle cascine tutt'intorno a Murazzano, che lui conosceva solo di vista. Andavano certo per funghi e portavano arrotolato alla vita il gran grembiale delle loro madri, come per una raccolta mai vista. Lui s'era appiattito sull'erba, come aveva visto spuntar le loro teste per l'erta, ma le ragazze si fermarono proprio sul fosso del suo prato e una gli mandò una voce. Una forza oscura lo teneva contro la terra e per alzarsi fece uno sforzo che anche a lui diede la sensazione di quanto era stato goffo. Venne incontro al fosso, ma non poteva sopportare lo sguardo fisso di quelle cinque ragazze, e pensò bene di girarsi un paio di volte a guardare indietro le sue bestie.

– Tu sei il ragazzo della Collera, – gli fece una di quelle.

– Son proprio io, – disse lui con la voce che gli mancava.

– Tu che sei pratico di questi posti piú alti dei nostri, dicci dove vengono meglio i funghi.

Lui parlò, checchezzando, dei boschi sotto Costalunga, e mostrò loro la strada.

Le ragazze accennarono della testa, ma non si muovevano. Forse volevano solo prender fiato dopo l'erta di Monte Berico, ma lui perse la testa e senza fare o dire scappò giú per il suo prato, oltre le bestie, fino in fondo e si intanò nel castagneto. Gli arrivò dietro una sola alta e lunga risata da una di quelle ragazze, e quando lui sentí i loro passi lontanare alzò la testa e tornò sul prato.

Era spaventato e umiliato come se gli fosse capitato qualcosa di vergognoso e che purtroppo non sarebbe finito lí, si rimise giú a sedere col petto premuto da un qualcosa. Di quelle cinque ragazze lui ne aveva notata, pur col suo sguardo spaventato, una: aveva i capelli biondi e quando girò la testa per seguire il suo dito che segnava Costalunga lui vide che li aveva riuniti dietro in un'unica treccia. Le altre avevano le calze di lana nera, lei invece era a gambe nude, e le sue gambe erano dritte e sottili, quasi senza ginocchio, come quelle dei capretti. Ripensandoci, trovò che le aveva preso anche gli occhi, o forse era solo una sua invenzione di dopo, e che erano piú profondi e piú vecchi di quelli delle altre ragazze. Non doveva mangiare piú di quel che mangiava lui.

Cominciò a pensarla, da quello stesso giorno, e tutti i giorni aggiungeva un pezzo alla figura di lei: non poteva pensare piú a nient'altro, e questo nuovo motivo gli faceva piú ricca e curiosa la vita, lo faceva svegliar piú presto ed addormentarsi piú tardi.

Seppe chi era e il suo nome la domenica dopo: lei era in chiesa e passò poi con le altre alla dottrina. Chiedere gli costò molto, ma il ragazzo di cui si fidò gli disse tutto quel che voleva sapere: si chiamava Nella ed era detta Nella della Mellea perché i suoi avevano in mezzadria la cascina della Mellea, che era la piú povera di tutto il territorio di Murazzano. Ed era sorella di quattro fratelli. Due dei piú giovani erano suoi compagni della dottrina. Ebbene, quei due ragazzi, che prima gli erano lontani come se vivessero dieci colline distante, adesso gli apparivano importanti, perché spartivano con Nella la vita di tutti i giorni e la vedevano fare e la sentivano dire tutto quello che faceva e diceva. Adesso lui si sentiva di difenderli contro Emiliano del Fado, che era il piú forte di loro ragazzi, cosí forte che i vecchi gli pronosticavano un avvenire famoso per sfide e vittorie. Ebbene lui per loro sarebbe andato contro ad Emiliano del Fado che poteva abbatterlo con un dito.

Lungo le settimane lui la pensava tanto che non gli sembrava impossibile che un giorno o l'altro lei gli comparisse davanti, chiamata, portata via da dove stava da quella stessa forza che gliela faceva pensare. Seduto sul prato, gli occhi fissi all'orizzonte ma senza veder niente, aveva la facoltà e la felicità di chiamar Nella e di vederla subito comparire dove lui sceglieva, uscire dal folto del castagneto se lui voleva riceverla immobile, oppure profilarsi sulla strada se lui voleva voltarsi. Nella si muoveva, parlava, stava, tutto come voleva lui, salutava arrivando e partendo proprio come voleva lui, con gesti e parole che lui aveva preparato per lei, fatti e dette nella misura e col tono che lui voleva. Diceva lei poche parole, ma davano il via a lunghi discorsi di lui che lei ascoltava in un modo che mai nessun uomo ebbe una ragazza a pendergli dalle labbra cosí e nessun uomo guardato con occhi piú stregati di Nella.

In quel tempo suo padre lo portò con sé alla fiera di Carrú e cosí lui comprò per Nella un boccettino, spendendoci tutti i suoi dieci soldi, e lo teneva a casa sotto il pagliericcio, aspettando il giorno che avrebbe potuto darglielo e potevano correrci degli anni.

Tutte le domeniche la vedeva alla messa, sempre alla stessa distanza, ma a lui bastava che ci fosse, e vedendola si convinceva che gli bastava, che non avesse il bisogno di parlarle. Solo una cosa gli bruciava di sapere, se era stata lei a ridere quella prima volta dei funghi. Era l'unico suo brutto pensiero, e se ci si fermava sopra allora finiva col dirsi che Nella l'aveva già perduta quel primo giorno.

Venne, a rinforzargli in testa quella disperazione, la festa di San Lorenzo, una festa nella quale egli avrebbe voluto essere sottoterra. Avevano impiantato in piazza i giochi e c'era intorno tutta la gente e ci vide tra i suoi fratelli Nella. C'erano le pignatte e l'albero della salsiccia, e in piú un gioco nuovo, quello di prender con la lingua uno scudo d'argento appiccicato al fondo sporco di una casseruola sospesa ad un filo: era sporco di fuliggine e di sterco di gallina. Già alcuni ragazzi ci avevano provato, ma la monetina era sempre là incollata, e quelli se ne erano andati tra la gente che rideva con bestemmie da grandi e sputando e togliendosi lo sporco dalla bocca. Era tremendamente difficile poi, ad ogni leccata la pentola oscillava e tornava in faccia al ragazzo, che l'aspettava inginocchiato su una sedia come uno che fosse da giustiziare.

Lui si atterrí quando suo padre lo mandò a provarcisi. Lui gridò di no. – Perché tu no? Ci si sono provati dei ragazzi che i loro padri possono accecar di soldi il tuo di padre, – disse suo padre. Lui ripeté di no, per Nella, solo per lei, parlava forte mentre suo padre parlava basso perché la gente intorno non sentisse che lui lo sforzava. Lui disse che provava alle pignatte, c'erano dentro salami e uova. Ma suo padre gli disse: – Vai alla moneta, val piú lo scudo che tutte le pignatte –. E si mise a gridare per chiedere il passo alla gente, rideva e diceva che suo figlio ce l'avrebbe fatta. Lui passò davanti a Nella, sentendola senza vederla, si inginocchiò davanti alla sedia chiamando dentro sua madre come avrebbe fatto in punto di morte e quando fu pronto dettero l'andi alla pentola.

Gli diedero piú tempo che agli altri, ma lui per il piangere non vedeva nemmeno la moneta, fuggí rovesciando la sedia, e inghiottendo lo sporco fuggí verso la chiesa. Sentiva dietro di sé la corsa pesante di suo padre e quando fu per essere raggiunto deviò verso il muro della chiesa e ci rimase lí come schiacciato contro da un carro, che piangeva disperato, sporco in faccia e con in bocca quel sapore. Suo padre lo pulí bene col fazzoletto, s'era messo ginocchioni sul selciato per farlo, si guardava in giro e poi gli disse: – Non dirlo a tua madre. Adesso ti porto a casa, ma tu non dirlo a tua madre.

Ma per lui non contava sua madre, contava la figura con Nella che se aggiunta a quella risata l'aveva persa una volta per tutte.

Ad ogni modo pensava sempre a Nella, e se la sognava persino di notte, ed al mattino se ne ricordava subito e bene, dimodoché passava la giornata con indosso un senso di destino.

Un giorno non poté piú star lontano e lasciando le pecore da loro che se i suoi venivano a saperlo l'ammazzavano, calò verso la Mellea. Non voleva incontrar Nella, moriva di paura a pensarci, ma voleva veder da vicino il suo tetto e le piante che ci crescevano intorno e sentir l'aria che lei respirava. Ci stette chissà quanto, senza che sentisse un rumore nella casa, o che uno della famiglia uscisse sull'aia. Alzando gli occhi lesse l'ora nel colore dell'aria e spaventato scappò su al suo bricco.

Poi venne a sapere per un discorso che fece a casa suo padre che quel disperato del padre di Nella emigrava in Francia per non crepare a Murazzano di fame e sotto i debiti. Ne aveva parlato all'osteria e aveva già detto quel che avrebbero fatto una volta in Francia, con un po' di fortuna. Lui avrebbe fatto il vinattiere, i figli da servitori nelle campagne e Nella la filandiera. Aveva venduto tutto il cavià per fare il viaggio.

Lui seppe la mattina che partivano e uscí dal letto e da casa come un topo. Andò a nascondersi dietro una gaggia, prima dell'ultima curva della pedaggera al mare. Aspettò lí e vide poi venir su il carro pieno di masserizie e le persone aggrappate a quelle. Gli passarono davanti e lui vide bene un'ultima volta la treccia unica ed il profondo sguardo di lei. Andò dietro per un tratto, avanzando curvo dietro la gaggia. Sul carro erano tutti silenziosi e nessuno si voltava indietro. Prima di voltare nell'ultima curva della pedaggera, il padre fermò il cavallo e disse ai figli: – Figlioli, voltatevi e guardate bene Murazzano perché è l'ultima volta che lo vedete –. Tutti si voltarono in silenzio e lui poté veder bene Nella. Poi si rivoltarono e l'uomo ridiede al cavallo e se ne andarono. Lui non seguí oltre, perché l'aveva vista bene Nella e poi l'ultima curva della pedaggera era per lui la fine del mondo.

Se ne tornò a casa, cosí pronto e disposto, adesso, ad andar lontano da servitore.

Il gorgo

Nostro padre si decise per il gorgo, e in tutta la nostra grossa famiglia soltanto io lo capii, che avevo nove anni ed ero l'ultimo.

In quel tempo stavamo ancora tutti insieme, salvo Eugenio che era via a far la guerra d'Abissinia.

Quando nostra sorella penultima si ammala. Mandammo per il medico di Niella e alla seconda visita disse che non ce ne capiva niente; chiamammo il medico di Murazzano ed anche lui non le conosceva il male; venne quello di Feisoglio e tutt'e tre dissero che la malattia era al di sopra della loro scienza.

Deperivamo anche noi accanto a lei, e la sua febbre ci scaldava come un braciere, quando ci chinavamo su di lei per cercar di capire a che punto era. Fra quello che soffriva e le spese, nostra madre arrivò a comandarci di pregare il Signore che ce la portasse via; ma lei durava, solo piú grossa un dito e lamentandosi sempre come un'agnella.

Come se non bastasse, si aggiunse il batticuore per Eugenio, dal quale non ricevevamo piú posta. Tutte le mattine correvo in canonica a farmi dire dal parroco cosa c'era sulla prima pagina del giornale, e tornavo a casa a raccontare che erano in corso coi mori le piú grandi battaglie. Cominciammo a recitare il rosario anche per lui, tutte le sere, con la testa tra le mani.

Uno di quei giorni, nostro padre si leva da tavola e dice con la sua voce ordinaria: – Scendo fino al Belbo, a voltare quelle fascine che m'hanno preso la pioggia.

Non so come, ma io capii a volo che andava a finirsi

nell'acqua, e mi atterrí, guardando in giro, vedere che nessun altro aveva avuto la mia ispirazione: nemmeno nostra madre fece il piú piccolo gesto, seguitò a pulire il paiolo, e sí che conosceva il suo uomo come se fosse il primo dei suoi figli.

Eppure non diedi l'allarme, come se sapessi che lo avrei salvato solo se facessi tutto da me.

Gli uscii dietro che lui, pigliato il forcone, cominciava a scender dall'aia. Mi misi per il suo sentiero, ma mi staccava a solo camminare, e cosí dovetti buttarmi a una mezza corsa. Mi sentí, mi riconobbe dal peso del passo, ma non si voltò e mi disse di tornarmene a casa, con una voce rauca ma di scarso comando. Non gli ubbidii. Allora, venti passi piú sotto, mi ripeté di tornarmene su, ma stavolta con la voce che metteva coi miei fratelli piú grandi, quando si azzardavano a contraddirlo in qualcosa.

Mi spaventò, ma non mi fermai. Lui si lasciò raggiungere e quando mi sentí al suo fianco con una mano mi fece girare come una trottola e poi mi sparò un calcio dietro che mi sbatté tre passi su.

Mi rialzai e di nuovo dietro. Ma adesso ero piú sicuro che ce l'avrei fatta ad impedirglielo, e mi venne da urlare verso casa, ma ne eravamo già troppo lontani. Avessi visto un uomo lí intorno, mi sarei lasciato andare a pregarlo: «Voi, per carità, parlate a mio padre. Ditegli qualcosa», ma non vedevo una testa d'uomo, in tutta la conca.

Eravamo quasi in piano, dove si sentiva già chiara l'acqua di Belbo correre tra le canne. A questo punto lui si voltò, si scese il forcone dalla spalla e cominciò a mostrarmelo come si fa con le bestie feroci. Non posso dire che faccia avesse, perché guardavo solo i denti del forcone che mi ballavano a tre dita dal petto, e sopratutto perché non mi sentivo di alzargli gli occhi in faccia, per la vergogna di vederlo come nudo.

Ma arrivammo insieme alle nostre fascine. Il gorgo era subito lí, dietro un fitto di felci, e la sua acqua ferma sembrava la pelle d'un serpente. Mio padre, la sua testa era protesa, i suoi occhi puntati al gorgo ed allora allargai il petto per urlare. In quell'attimo lui ficcò il forcone nella prima fascina. E le voltò tutte, ma con una lentezza infinita, come se sognasse. E quando l'ebbe voltate tutte, tirò un sospiro tale che si allungò d'un palmo. Poi si girò. Stavolta lo guardai, e gli vidi la faccia che aveva tutte le volte che rincasava da in festa con una sbronza fina.

Tornammo su, con lui che si sforzava di salire adagio per non perdermi d'un passo, e mi teneva sulla spalla la mano libera dal forcone ed ogni tanto mi grattava col pollice, ma leggero come una formica, tra i due nervi che abbiamo dietro il collo.

L'esattore

Mancata Apollonia, Adolfo Manera non se la sentiva piú di far locanda: era brusco coi clienti buoni e i mezzi mezzi, come carrettieri e mietitori, la minima che gli combinassero, li sbatteva fuori, perché, se era bassotto, era però uomo d'un nervo speciale. Ad ogni modo tirò avanti per altri quattro anni, finché Filippo Alliani venne a proporgli di cedergli il Leon d'Oro e di fargli l'ultimo prezzo. Manera glielo tirò nelle gambe per diciassettemila lire.

Avrebbe potuto collocare subito e bene i suoi soldi perché suo cognato Pagliano, che non gli aveva tolta un'oncia d'affezione dopo la morte d'Apollonia, gli offrí di mettersi alla pari con lui nella vinicola che gestiva oltre fare il veterinario, ma Manera gli disse grazie e di no, perché aveva il suo colpo in mente.

L'ultimo appaltatore dell'esattoria di Murazzano, Marsaglia e Igliano aveva fatto fallita e l'esattoria era vacante. Per di piú, andava giusto allora all'incanto la casa del banchiere Franchiggio che aveva mangiato a Montecarlo i soldi dei clienti e s'era poi sparato nello stanzino della cassaforte. Manera la comprò il giorno dopo che vinse l'appalto dell'esattoria.

Era una madama di casa, la piú bella dopo quelle dei veri signori di Murazzano, e grande anche piú delle loro, con tante stanze da letto da aggiustarci comoda tutta la sua parentela di San Benedetto quando la invitava a Murazzano per San Lorenzo. E dove Franchiggio aveva tenuto banca lui fece l'esattoria, ché c'era già tutto: gli scaffali, la cassaforte, gli scrittoi e le tramezze con gli sportelli. Era rimasto nel muro il botto della pistolettata che Franchiggio ci si era ammazzato, lui lo fece tappare a calce, ma intorno ci pitturò un cerchietto rosso, come a volersi sempre ricordare di non giocare mai i soldi degli altri.

Di taglie e di esazioni non s'intendeva niente, aveva la seconda elementare e prima di far locanda aveva sempre e soltanto zappato i piedi della collina di Mombarcaro. Mandò allora a chiamare un certo Durando di Dogliani, un maestrino che non aveva voglia di far scuola ed era stato ufficiale esattoriale a Bossolasco ma aveva poi litigato col padrone. In due mesi con Durando si impratichí di tutta la faccenda e ricompensò Durando nominandolo suo ufficiale esattoriale. Ma dopo un anno dovette dargli licenza perché Durando era troppo fiscale e da Murazzano a Igliano era dappertutto un lamento.

Manera, lui, fiscale non era, e a un'assemblea di tutti gli esattori a Cuneo gli altri lo rimproverarono di essere molle. Da quel giorno Manera cambiò, diventò d'una fiscalità tale che al confronto Durando era una benedizione, arrivò alla mira che per una lira d'arretrato faceva ai morosi la figuraccia in piazza all'ora della messa grande. Non era solo l'effetto di quella partaccia in piena assemblea, era che Manera andava pian piano rendendosi conto di che pozzo poteva essere quello per il suo secchio.

Ma, cambiato lui, cambiarono gli altri. Adesso tutti lo salutavano per strada e alla finestra, ma qualcuno gli augurava del male, ed anche quelli che avevano preso parte al suo dolore per Apollonia trovavano adesso che un castigo gli ci voleva. A tutti era venuta una memoria di ferro, e si ricordavano che era salito a Murazzano da San Benedetto col letame ancora attaccato agli zoccoli e che ai primi tempi al Leon d'Oro si faceva in quattro per il piú disperato dei carrettieri di passaggio.

Ma lui badava solo a che gli altri non gli mancassero il saluto e che non gli dicessero niente in faccia. Lui cominciava ad essere un signore, tutti i Manera insieme non facevano la sua posizione, con davanti ancora mezza vita per ingrandirla era già un signore, di quelli che ogni notte prima di andare a dormire puntellano ben bene la porta di casa.

A tutto il resto non dava da mente, anche per via del gran lavoro: ora che era senza ufficiale esattoriale, curava lui tutta la zona, sempre via a cavallo, di qualunque stagione, Murazzano Marsaglia e Igliano, tornava il piú delle volte a notte fatta, e mangiava sempre freddo o riscaldato, peggio che fosse un medico.

La prima dimostrazione della sua ricchezza la diede con quel che fece per la sua Apollonia, non le volle una tomba come tutti gli altri e come la pietra che le aveva messo quando la seppellirono che lui era ancora fermo al Leon d'Oro; le fece fare a Ceva una gran statua di graniglia e scagliola che ad Apollonia non somigliava in niente ma portava in grembo, in un liscio della veste, nome e cognome e le date, e la domenica che la scoprirono c'era tutto Murazzano al camposanto, quasi che fosse il due di novembre.

Dei due che Apollonia aveva fatto in tempo a fargli, il figlio, che era un bel ragazzo, bello come un Pagliano, aveva finito le scuole basse a Murazzano e adesso studiava ad Alba per diventare maestro. Suo zio Pagliano era dell'idea che pigliasse il brevetto da veterinario, lasciando l'esattoria a sua sorella che appunto per questo avrebbe dovuto al suo tempo studiare da maestra. Ma Manera aveva come il presentimento che quella sua figlia non sarebbe durata e pensò quindi di assicurare l'esattoria alla sua famiglia facendo studiare il figlio da maestro perché potesse poi far bene, meglio di suo padre, l'esattore.

Quando Melina finí le sue scuole basse a Murazzano, e le finí con tre anni di ritardo perché suo padre la faceva restare a casa un mese per un raffreddore e quella pigliava sovente qualcosa di piú di un raffreddore, la maestra e il vicario tanto si mossero e fecero che persuasero Manera a mandarla a studiar da maestra dalle suore a Mondoví: anche se non prendeva il diploma, avrebbe in ogni modo ricevuto un'istruzione che ne avrebbe fatta una damigella che chissà qual matrimonio avrebbe potuto poi fare, considerati insieme i beni di suo padre. Manera si decise d'agosto e Melina partí d'ottobre, sulla domatrice tra suo padre e suo zio il veterinario.

Manera aveva già mandato avanti tre bauli, col carro di

Fazzone che andava a Mondoví tutte le settimane a ritirare la roba di privativa per Murazzano. Tre bauli, le aveva, fatto un corredo che nessuna sposa, cosí dissero le vicine che Manera invitò a vedere il corredo, ma poi, con le mani giunte sotto il mento, fecero tanti complimenti e cerimonie che Manera le mandò fuori in tronco, da brusco come l'aceto che era diventato con le donne.

Manera doveva confessarsi che ricevere posta da Melina da Mondoví gli faceva tutto un altro effetto che da Alfredo da Alba. Lei gli scriveva due volte al mese e dapprincipio le sue lettere cominciavano «Caro papà», ma piú avanti scriveva «Papà mio carissimo» e Manera chiudeva un momento gli occhi e pensava alla grande istruzione che le davano quelle suore.

Ma un giorno, che sua figlia stava in collegio da tre mesi, gliene arrivò una di lettere che appena finito di leggerla andò dritto in vicaria, e non era un'ora canonica, e da quella volta lui e il vicario quando s'incontravano si salutavano solo piú con la testa. Insomma, Melina non stava niente bene dalle suore, con quella retta da nobili non stava niente bene, e non era per la sola malinconia. E se non l'aveva detto prima era perché sperava di abituarcisi, ma adesso non ce la faceva proprio piú. Prima di tutto aveva finito d'ammalarsi di paura, perché ogni sera le suore le conducevano in fila in uno stanzone immenso e tutto buio salvo per un lumino acceso ai piedi d'un Cristo e lí le facevano inginocchiare sul pavimento gelato e recitare la preghiera della buona morte. E poi non mangiava piú, da quando aveva saputo che per la minestra della sera le suore approfittavano della sciacquatura dei piatti del mezzogiorno.

Allora Manera ogni settimana col corriere del sale e del tabacco le mandava delle borsate di roba buona, polli arrosto freddi e scatole di sardine. Cosí Melina mangiò tutto freddo e si guastò lo stomaco una volta per tutte. Le suore la portarono dal medico, ma lei non si rimetteva, la superiora scrisse a Manera, ma siccome aveva paura di perdere l'educanda fece la cosa piccola, e non fosse stato della coscienza del medico che scrisse direttamente a Manera, questi non avrebbe mai saputo come stavano le cose.

Andò lui a ritirarla dal collegio e giurò davanti alla madre direttrice che sua figlia mai piú in nessun collegio e nemmeno in nessuna scuola. Tanto Melina non aveva bisogno dell'istruzione, avrebbero letto e scritto per lei i beni che lui le avrebbe lasciato, anche senza sapere una parola di francese sarebbe stata lo stesso la regina delle langhe.

Ma Melina non era piú lei: pensiamo che non sopportava piú l'aria delle langhe, quell'aria che le aveva fatto da levatrice, e se ne stava eternamente in casa, che le pareva grande come tutto il paese, cosí grande che dalla prima all'ultima stanza sembrava d'andare in un altro paese. Dapprincipio Manera, a costo di sforzarla, aveva cercato di riabituarla al vento e la portava apposta sulla spianata della vicaria che è uno dei posti piú battuti, ma lei alla prima folata gemeva e poi come il vento rinforzava e faceva crosciare i fichidindia urlava in una maniera che una volta la gente uscí di casa a vedere se scannavano un bambino dietro la chiesa. Dopo quelle due o tre prove non uscí piú, se ne stava in casa come una vecchia gatta mezza cieca, a quindici anni.

Da dove fosse uscita quella figlia: non era né Manera né Pagliano, era piccola e minuta al punto che suo padre diceva che era una miniatura, ma tutti gli altri dicevano che era uno scherzo di natura, e suo zio il veterinario tutte le volte che la guardava s'intristiva negli occhi e perdeva il filo del discorso. Le donne sapevano dalla serva che alla sua età non aveva ancora le sue ministrazioni e i maschi dicevano che non l'avrebbero presa nemmeno se Manera gliela porgeva su un piatto d'oro.

Pur stando sempre in casa, si faceva un vestito al mese: si vestiva da bambola, dando i disegni a una sarta di Mondoví che serviva tutte le dame della città.

Tutto il resto andava bene per Manera. Ora da un pittore girovago s'era fatto fare il ritratto ad olio, con un libro in mano. E poi aveva comprato il suo primo pezzo di terra, un prato con una bell'ombra di noci e di peri, dove i suoi figli potessero andare a merendare quando Alfredo fosse stato in vacanza, che non dovessero abbassarsi ad andare sul bene degli altri. Nelle vacanze Melina e Alfredo ci andavano, merendavano insieme, parlando sempre d'amore e d'accordo, litigando solo quando si trattava di stabilire se come città era piú bella Alba o Mondoví. Poi Melina stava ad ammirare suo fratello che scendeva a esplorare il rittano di Rea.

Anno per anno, pezzo per pezzo, Manera diventò padrone di tutta la terra che dalla Riva giunge al rittano di Rea. E per non dar profitto a gente comune, la diede a lavorare a Francesco d'Anna, che era l'ebete di Murazzano, ma era lavoratore e solo bisognava stargli un po' appresso se no lui senza alzar mai la testa andava a vangare nel bene degli altri a spese di Manera.

Naturalmente tutto questo bene non gli veniva sempre liscio: un giorno che andava a riscuotere a Marsaglia gli passò ben vicina una schioppettata. Lui si gettò nel fosso e col muso contro la terra pensò che non era un cacciatore che avesse sbagliato la lepre, ma si ricordò immediatamente d'un certo Albino di Sant'Antonio che il bimestre prima lui gli era andato in casa con due carabinieri a sequestrargli il vitello della coscia. Ad ogni modo non disse niente di ciò al maresciallo di Murazzano, ma il giorno dopo calò a Ceva e si comprò una rivoltella e per molto tempo appresso tutte le volte che usciva per le langhe si toccava in tasca per vedere se aveva la rivoltella prima che il fazzoletto.

Ma questo fu niente a petto della morte di Alfredo, di suo figlio Alfredo. Aveva diciassette anni e l'anno dopo sarebbe stato maestro. Venne su per le vacanze di Pasqua e il giorno della merendina si costipò. Cosa successe nei suoi polmoni il medico Odello non lo seppe mai dire, fatto sta che morí otto giorni dopo, il giorno medesino che dal collegio di Alba arrivava una lettera a domandare come mai Alfredo non tornava giú.

Tutto Murazzano ci restò secco, e quantunque Manera nella sua disperazione gridasse che gli era morto perché gli era attaccata una maledizione fatta a suo padre da gente di Murazzano, la gente di Murazzano gli fece una sepoltura senza uguali a memoria d'uomo e avevano le lacrime agli occhi non solo le donne.

Per Manera, lui si dimenticò addirittura della rata d'aprile, ammattí, tra l'altro, per non sapere che genere di tomba fare a suo figlio, e il macellaio disse in giro che in quella casa non si toccava piú la carne.

Ma Manera pian piano ritirò su testa, e adesso che gli era venuto a mancare il successore all'esattoria e Melina per il colpo del fratello era diventata anche piú inconsistente di cervello, si mise all'opera per assicurare l'esattoria a Melina, cercandole un uomo che potesse fare la parte di Alfredo, quando lui non ci fosse piú stato. Perché s'era persuaso che anche a sposare un duca, sua figlia avrebbe avuto la vita sicura soltanto conservando l'esattoria di Murazzano.

Cominciò la processione dei baccellieri, e venivano da tutti i paesi immaginabili, perché Manera aveva subito detto chiaro ed una volta per tutte che un genero di Murazzano lui non lo voleva.

La prima trattativa fu coi Lagnasco, una delle meglio famiglie di Carrú e padrona d'una fornace, ma tutto finí quando fu chiaro che i Lagnasco volevano la sposa a Carrú e la sua dote per ingrandire la fornace.

La stessa fine cogli Occelli di Farigliano: avevano un ragazzo che era quasi medico e una volta laureato voleva aprire uno studio a Mondoví con la dote della sposa Manera.

Manera era furibondo, credeva di aver a che fare con gente piú istruita di lui, eppure tutti dimostravano di non capire cosa lui voleva da loro. Sembrò che ci si arrivasse con un Donadei di Clavesana. Aveva studiato ragioneria a Moncalieri, pur senza aver finito, ed era ben contento di stabilirsi a Murazzano a farci l'esattore tutta la vita. Ma quando venne su con suo padre, questi volle sapere tante cose, vedere tante carte e persino che Manera gli aprisse i cassetti che Manera dovette sforzarsi bene per non rimetterli a calci sulla strada di Clavesana.

Manera non aveva piú nessuna fiducia né speranza, licenziò tutti i baccellieri e ci si mise da solo. E a forza di pensare notte e giorno, si decise per Durando. Durando aveva insegnato a lui stesso a far l'esattore, per le rogne e i morosi aveva una mano speciale, anche se aveva diciannove anni piú di Melina.

Cosí attaccò il cavallo e andò a cercare Durando. Lo trovò che faceva il maestro in una frazione di Dogliani, ed era molto giú di corpo. Durando gli disse che si manteneva con un uovo ed un pintone di vino al giorno, ma non gli disse che risparmiava tanto sul mangiare per avanzare i soldi per il gioco e che avendo sempre la sfortuna in favore perdeva sempre. Manera non si spaventò dell'aspetto, sapeva che in un mese di buona tavola Durando sarebbe tornato quello di prima e per ciò lasciò dei soldi al macellaio ed ai commestibili di Dogliani.

Cosí fu, e quando Durando ebbe ripigliato peso e colore, si sposarono alla vicaria di Murazzano. La maestra Alliani fece e disse la poesia e Manera poté constatare che c'erano dentro tante belle cose come in quelle che aveva scritto per le nozze dei signori Gabetti ed Adami. E i fiori erano tanti che quando poi Melina li fece tutti portare sulla tomba di suo fratello ne fu coperto mezzo camposanto. Ottanta erano gli invitati nello stanzone dell'esattoria e se ne ricordarono e ne parlarono per tutta la vita. Poi gli sposi andarono a prendere il treno a Ceva con un seguito che non ebbe nemmeno il parroco alla sua entrata, e Melina aveva dietro una valigia di medicine. Si fermò a casa la madre di Durando, per aiutare, disse, a preparar tutto per il ritorno degli sposi, ma non ne uscí piú che coi piedi avanti otto anni dopo.

Gli sposi tornarono da Montecarlo, e Melina non era cambiata né in meglio né in peggio, certo Durando l'aveva trattata con molta cognizione.

Ora Manera faceva l'ufficio e Durando l'ufficiale esattoriale e dapprincipio Manera si lodava della sua decisione. Ma poi, nelle mattine d'inverno, Durando si alzava all'alba delle dieci perché tutte le notti stava a giocare al nove in casa del medico Odello, e Manera non poteva dirgli niente perché attorno a quella tavola c'erano tutte le meglio persone, pretore compreso, di Murazzano e Durando non perdeva mai. Peggio era quando non rincasava dai suoi giri di zona, ma pernottava a Marsaglia o a Igliano, per il fatto che, come Manera venne presto a sapere, s'era fatto delle amanti in quei due paesi e poi anche nelle frazioni. Non gli bastava averne una a Murazzano, a tre passi da Melina, ma quella era solo la principale, quella che tutti chiamavano la Bella Creatura, ed era lei stessa che metteva tutt'e due in piazza e diceva come se niente fosse che Durando le dava uno scudo d'argento per volta.

Alla bella stagione i due uomini si davano il cambio: Durando in ufficio ed il vecchio a girare. Cosí Melina si poteva godere un pochino di piú il suo uomo e Manera si toglieva da vicino alla madre di Durando. Dopo un principio di buona condotta, la vecchia aveva tirato fuori il suo vizio, che era quello di bere, alla mira che la vecchia Pagliano era una temperata, e bisognava farsi mandare per lei il vino chinato da Alba a fustini. Poi quando il chinato diventò per lei come l'acqua, pigliò a bere anice come i soldati e finí poi col fernet. Quando ne aveva la testa piena ed era sempre prima del mezzodí, cominciava a cianciare con Melina ed a parlar male di suo padre e se Melina voleva dopo un po' togliersela e far qualcosa da un po' concentrata doveva dire: «Deus, in adiutorium meum intende», e la vecchia allora attaccava il rosario perché le era venuta tardi la mania della chiesa e lasciava stare Melina tranquilla. Quanti rosari le fece dire Melina e come la frodò nei misteri, perché la vecchia non ricordava sempre bene i misteri e domandava a Melina che la rimandava sempre avanti d'un paio.

Finché venne fuori che Melina era gravida e fin dal primo annunzio Manera si mise in moto per far sí che al momento buono le fossero intorno i due piú grandi medici di Mondoví. Non certamente quel bevitore e giocatore di Odello e tanto meno quella strega nera della levatrice Fracchia che era stata attorno ad Apollonia, Intanto la genia di Murazzano faceva i pronostici e chi diceva che Melina avrebbe sfornato un osso di pesca e chi un rattino bianco. Ma le donne dicevano che poteva morirci.

La sera del miracolo venne giú una tal pioggia che a mettersi per la strada di Mondoví c'era da restarci annegati come in Tanaro e quindi benedetti Odello e la Fracchia. Spinsero tutti insieme e verso l'alba venne fuori una femminuccia assolutamente normale e graziosa come se l'avesse fatta la Bella Creatura.

I dieci giorni prima del battesimo furono tutti pieni della lite per il nome. Manera la voleva a tutti i costi Apollonia e Melina era timidamente d'accordo con lui, ma Durando voleva darle il nome di sua madre che era Margherita e la vecchia naturalmente stava col figlio. Al colmo della lite Durando gridò che solo lui doveva decidere il nome perché solo lui aveva potuto far far l'uva a quella vite secca di Melina. Manera ribatteva Apollonia picchiando il pugno sulla tavola non potendo picchiarlo sulla faccia del genero, la vecchia Durando disse che se non era Margherita non sarebbe stata nemmeno Apollonia e si mise a sfogliare il calendario alla ricerca d'un nome da signora. Poi mise avanti Isabella e Vittoria, a scegliere.

Poi Manera ebbe l'idea di regalare alla vecchia una cedola da cento lire e allora la bimba fu Apollonia. Ma bisognava sentire come la Durando pronunziava quel nome quando si indirizzava alla bambina in culla.

Per Apollonia, Manera ci fece una passione che ancor oggi torna in tutti i discorsi che i grandi di Murazzano fanno intorno ai bambini. Non potendo sopportare di starle anche un poco lontano, stette sempre lui in ufficio e spesso piantava a mezzo un contribuente lasciandolo convinto che uscisse per un bisogno e lui andava a godersi un dieci minuti Apollonia, addormentata o sveglia. E se faceva la cacchina, nessuno poteva portarla via subito, che Manera doveva piú volte chinarcisi sopra e fiutarla e poi dire che era profumo d'angelo. Perché avesse piú sole, fece abbattere il muro sulla strada della vicaria e cosí il giardino ed Apollonia che dentro ci giocava erano alla vista di tutti. E se qualcuno passava senza fare un complimento alla bambina, Manera s'indignava e gli dava dietro del vergnacco. E siccome Apollonia faceva le mossette che fan tutte le bambine, Manera giurava che era una grande donna di teatro e che appena un po' piú alta le avrebbe pagato una recita all'asilo tutta per lei.

In casa era una discussione continua su quando e come doveva mangiare, uno le offriva una cosa e l'altro subito gliela strappava di bocca gridando all'incoscienza o addirittura all'avvelenamento, solo Melina che era sua madre non poteva metterci parola.

Come bruciava a Manera che Apollonia fosse attaccata a suo padre con tutto che fosse quasi sempre lontano, e che gusto ci pigliava Durando a dire forte per Manera che ovunque andasse Apollonia lo seguiva. Questo quando la bambina prese a camminare e Durando era a casa. Intanto in paese si diceva che l'esattore sarebbe andato chissà dove a prendere il latte d'oca se sua nipote lo desiderava e presto fu tutto un ridere.

Ma Manera da vero innamorato non s'accorgeva di niente. Saputo che uno di Monchiero andava in Sardegna a comperare fave, lui l'incaricò di comprargli un asinello sardegnolo e lo regalò ad Apollonia che cosí faceva i suoi giri in carrozzella come solo la marchesa ai suoi bei tempi. Era arrivato a farsi un corredo, per essere sempre elegante e vario, che Apollonia non sfigurasse ad averlo come cavaliere, quando usciva a passeggio con la borsetta piena sul serio di scudi d'argento.

Suo cognato Pagliano prese coraggio e gli disse delle voci in paese e che cosí facendo quella bambina la rovinava e che anzi era già rovinata. Manera la ruppe con suo cognato Pagliano.

Di notte si svegliava per lo spavento che la bambina avesse qualcosa e allora doveva entrare come un ladro nella stanza degli sposi per sicurarsi che avesse il respiro buono. Una notte svegliò Durando che gli parlò secco e lo mandò via parlandogli come a un servitore. E quando la bambina aveva qualcosa, e l'aveva sovente per via dei vizi e del non negarle mai niente, allora davano tutta la colpa a Manera, che doveva far strada e spendere oro per i migliori medici. E se era qualcosa di speciale, la si portava a Torino del re, con tutta la famiglia dietro, compresa la vecchia Durando che a Torino ci andava solo per vederne i palazzi.

Intanto Apollonia era arrivata all'età di scuola, ma incominciò a perdere un anno perché Manera volle che si aspettasse la fine della scuola nuova, Apollonia non doveva andare come tutte le altre in quella grotta della scuola vecchia di Murazzano. Era disposto a far venire su da Mondoví una professoressa e tenerla in casa come una serva, costasse quel che costasse. Apollonia non sarebbe andata a scuola come le altre, e men che meno sarebbe entrata in collegio e, diceva Manera, non si sarebbe nemmeno mai sposata perché non c'era nessun uomo in terra che si meritasse Apollonia.

Poi Apollonia fece una tremenda indigestione di prugne selvatiche e, Odello o primo medico di Mondoví, ne guarí ma come conseguenza le restarono gli occhi storti. La portarono a Torino e ci si fermarono due settimane, ma dovettero riportarsela a Murazzano strabica come prima. Manera voleva buttarsi nella cisterna, Melina voleva seguirlo, i Durando figlio e madre li accusavano minuto per minuto, gli sventolavano i pugni in faccia. In paese ragazzi e ragazze, ammaestrati dai genitori, dicevano in coro che la principessa Apollonia aveva un occhio che guardava a merenda. D'accordo Manera e Durando, Apollonia perse un altro anno di scuola, per non metterla in stato d'essere sbeffeggiata. Manera si teneva sempre una mano sul cuore come se ce l'avesse aperto, le faceva un regalo al giorno, ma niente serviva. Nemmeno andare in chiesa a pregare per ore, come una maestra Nova, e spendere ogni giorno in ceri quel che una famiglia ci mangiava una settimana.

Il peggio accadde una sera d'autunno, che erano tutti a casa, compreso Durando perché da Odello si cominciava a giocare solo verso Natale. Dopo le castagne arrostite, Manera giocava con Apollonia, stava inginocchiato e con le palme levate come un prete davanti al sacramento davanti ad Apollonia che cantava e ballava da sola. A un certo punto parve a Manera che la vecchia Durando che era già bevuta facesse gli occhi storti apposta per schernire Apollonia. Urlando alla vergogna si drizzò e si rovesciò sulla vecchia. E l'avrebbe strozzata se non si fosse messo in mezzo Durando che chiamandolo assassino lo strappò dalla madre e lo portò a lottare in mezzo alla stanza. Tra le strida delle tre donne, si lottarono per un bel po', che Manera era ancora tanto forte quanto suo genero. Poi Manera volò con la schiena contro la mensola del camino e dietro gli cadde la bottiglia dell'acqua santa di Lourdes che la vecchia Apollonia aveva portato dalla Francia quando, sposa fresca, era andata a Lourdes a pregar fortuna per la sua nuova famiglia. Melina pianse alla morte perché quello si poteva dire l'unico ricordo di sua madre e Manera in un attimo invecchiò di dieci anni a vedere quell'acqua partire e perdersi nel palchetto. Scappò e tutta la notte girò la langa, alla mattina andò a mettersi a pensione nella sua vecchia locanda. Ci stette tre giorni chiuso in camera e il quarto, avvisati da Filippo Alliani, vennero a riprenderlo Melina e Durando. Melina gli si buttò al collo piangendo e Durando gli strinse la mano dicendogli però che s'era comportato da bambino e che per lui loro avevano tenuto la porta aperta tre notti, col pericolo dei ladri.

La vecchia Durando ora stava sempre in poltrona, le era cresciuta dentro la mania di chiesa e tutti i giorni della settimana si faceva ripetere dalla serva la predica che il vicario aveva fatto la domenica prima. E beveva di meno, e tossiva. Un giorno che la tosse era forte, si chiamò Odello e si venne a sapere che aveva fatto la polmonite da in piedi. E quando Manera venne a temere che quella vecchia strega avrebbe sotterrato tutti, la Durando morí, a mezzogiorno giusto, Melina che s'era alzata apposta da tavola arrivò in tempo a vederla fare una smorfia e uno scatto come per cacciarsi una mosca da sotto il naso e star lí. Era morta di niente, per non poterne piú.

Chiusa la porta dopo passata la cassa, fu come se non ci fosse mai vissuta in quella casa, salvo per le domande di Apollonia che non aveva piú la nonna da tormentare.

Ora Apollonia andava a scuola, ma non riusciva meglio delle ultime e tutti i giorni la si mandava a ripetizione dalla maestra Alliani. E tutti i giorni portava qualcosa alla maestra perché questa non la picchiasse o non la facesse inginocchiare per castigo sulla meliga sgranata come faceva con le altre. Manera andava a portarla ed a riprenderla e subito le chiedeva se la maestra le aveva fatto del male.

Poi fu la volta di Manera che nessuno se l'aspettava. Si era sotto la rata di ottobre e Durando e Melina vennero invitati al battesimo dell'ultima figlia dell'esattore di Bossolasco. Presero il cavallo e la domatrice e Manera che doveva andare a Cuneo a fate il versamento ci andò a piedi. Non si fece imprestare cavallo e vettura per non essere poi in debito con nessuno ed anche per tornare una volta alle sue abitudini di gioventú. Con la borsa dei soldi e la rivoltella andò a piedi sino a Farigliano e lí prese il treno per Cuneo. Alla provincia fece il suo versamento e poi andò a comprare una trancia di parmigiano, i pesci bianchetti che piacevano tanto a Melina e i bonboni per Apollonia. Tornò in treno a Farigliano e poi a piedi verso casa.

Veniva su a oncie per la scorciatoia dei Corradini, con la borsa che incredibilmente gli pesava, quando tutta la carne mangiata e il vino bevuto in vita sua gli si rivoltarono contro e Manera cadde con gli occhi rovesciati e la bocca storta. Un vignolante che passava di lí e notò prima la borsa abbandonata, non poté far di piú che portarlo a morire alla sosta d'un chiabotto.

Ferragosto

Finalmente la corriera per Rodello. Era una corriera delle prime, tutta spigoli e con la portiera sul didietro, e l'autista era poco meglio d'un carrettiere. Con Toni si conoscevano perché si parlarono da mezzi amici, mentre quello da sulla predella forava i biglietti. Loro due erano gli unici passeggeri.

La donna si scelse un seggiolino verso la metà e subito si accese una sigaretta. Toni, a testa bassa per non urtare nel tetto, si era invece sfilata la giacca: in maniche di camicia sembrava un tronco d'albero, e lei si ricordò che a toccarlo sulle costole faceva proprio l'effetto di passar la mano su corteccia. S'era chinato al finestrino e guardava la prima campagna fuori di Alba. «La campagna lo interessa ancora, – pensò lei, – anche se ormai il suo destino è tutto in città».

Guardando avanti, sorprese l'autista che la scrutava nello specchietto, e non c'era desiderio nei suoi occhi, ma soltanto sospetto, l'unico ed il solito di tutti gli uomini la prima volta che la vedevano. Fosse stato semplice desiderio, non se la sarebbe presa, ma quell'esame la irritava al punto che le venne una voglia matta di denunciarlo forte a Toni, e allora sarebbe andata a fuoco la corriera. Stava cedendo a quella voglia, quando la distrasse un movimento di Toni. Dal finestrino andò alle spalle dell'autista, a guardar la strada dal posto di guida, e l'altro cominciò a domandargli di Torino, del gran Torino, e Toni a rispondergli minutamente, da competente, ma senza vanto, come se nell'essere arrivato ad avere la residenza a Torino non ci trovasse piú merito che nell'esserci stato sbattuto a fare il soldato. Del resto, l'aveva sempre detto:

escluso fermarsi al paese a far la morte del pidocchio, piú che a Torino sarebbe stato contento di fissarsi ad Alba, l'avessero solo ammesso a quel concorso della ferrovia.

L'autista: – Lo sai che anche Valerio, il figlio di Ninina, lavora a Torino?

– No che non lo sapevo. E da quando?

– Da parecchio. Lavora alla Fiat. Tu non sei mica alla Fiat?

Toni lo piantò, imbruttito, niente che lo imbruttisse di piú che sentire che uno delle sue parti finito a Torino era entrato alla Fiat.

Mentre andava da lei, la vide prepararsi ad accendere un'altra sigaretta. – Basta fumare. Dài nell'occhio.

– A chi?

– A lui. È del paese.

Lei stritolò la sigaretta tra le dita e buttò dal finestrino il rimasuglio.

– Cristo! – disse lui tra i denti.

– Cristo! – gli fece l'eco lei. Ma poi gli disse con garbo: – Non ce l'ho con te, ce l'ho col tuo paese.

Lui si sporse a guardare come per rendersi conto e non vide altro che una noiosa cortina di gaggie pesantemente impolverate. – Qui non hai torto, ma vedrai lassú. Invece di fumare, succhiati una caramella, apri il sacchetto che hai comprato per mia nipotina, – ma lei non era dell'idea.

Entrarono in una borgata, con messa grande che era finita in quel momento e le donne ne uscivano ripiegando i loro veli. La corriera si fermò un attimo, il tempo di buttar fuori il sacco della posta, poi svoltò per un ponticello e attaccò la salita.

Nel rumore del motore che stentava Toni quasi gridò all'autista: – E mio fratello?

– Non si vede mica mai in paese. Vediamo lei, tua cognata, la domenica mattina.

Toni pensò a sua cognata: l'aveva sempre rispettata ed ora s'immaginava la sua domenica. – Piglia messa, compra il sale, il carburo, poi si informa del prezzo delle uova e delle robiole, e la sua festa è già bell'e finita –. Si riscosse per qualche parola di lei: – Cosa m'hai detto?

– Che ho voglia d'acqua.

– Tra dieci minuti bevi.

– No, non da bere, ma per buttarmici tutta dentro. Vorrei che fossimo in riva al Po, come domenica l'altra.

– Senti, – le disse lui un po' stanco, – una volta o l'altra dovevi ben farlo questo viaggio. Al paese del tuo uomo. No?

Lei sorrise appena e prese a sollevarsi ritmicamente, due tre volte, per liberar la gonna che le si era incollata al seggiolino. Toni la osservò in tutto quel movimento e poi le disse che andava proprio bene com'era vestita.

– Io direi che m'hai vestita tu.

Era vero: la vigilia le aveva raccomandato di vestirsi semplice semplice, e di far la massima economia di rossetto, non non darsene altrimenti esagerava nel contrario, e non metter su tutte le cose d'oro che aveva. Oggi lei aveva cosí una bocca da ragazzina, un vestito fiorato che la rinfrescava tutta, e al polso due cerchietti d'oro sottilissimi.

– Tutto per far buona impressione... – ma lui la zittí con una smorfia furiosa. – Perché? – e Toni segnandole con la testa l'autista, – ma non parlavo mica che lui potesse sentirmi!

– Sstt! Ancora adesso parli troppo forte. Due cose ti porti sempre dietro da là dentro. Il fumar troppo ed il parlar sempre che tutti ti sentano.

Lei chinò la testa, ma come se di colpo il collo le si fosse ridotto a un filo.

– Ci siamo! – gridò l'autista, e Toni: – Lo so che ci siamo.

– Ma io l'ho detto per la signorina.

Aiutandola a scendere le bisbigliò se le era passata.

– E a te?

– A me non mi doveva neanche venire. Sono un vigliacco a ricordarti sempre quello, sono un aguzzino.

– Invece fai bene. Mi metti alla prova. Se non ti volessi piú che bene, non me la starei a pigliare tutte le volte cosí.

Il paese di Toni sta in una mano, e la piazzetta sembrava andar bene per un teatro dei burattini. Ma dal lato aperto di quella piazzetta l'occhio sprofondava in una vallata lunghissima, ornata dei piú bei colori dell'estate e chiusa in fondo da una città che non poteva essere che Alba, con la sua massa di tetti rossi che, per la lontananza ed il calore, bulicava come ceralacca al fuoco.

La donna dovette scansarsi, per la corriera che manovrava verso un portico che serviva da rimessa, e nel nuovo punto Toni s'intromise tra lei e il paesaggio.

S'era rimesso la giacca ed aggiustato il fazzoletto sotto il colletto, contro il sudore. E pensava ad Agnello, e che ogni uomo è proprio sempre nelle mani degli altri. Uno viene a sapere per caso delle cose importantissime, dalle quali pende tutta la vita d'un uomo, e che a tacerle non gliene viene nessun danno, e invece va a dirle in giro, cosí, per far la bella figura del bene informato, di chi sa anche le cose che succedono lontano. Ci voleva Agnello. Ma Toni aveva dentro piú amarezza che rabbia: la fatalità.

Lei gli vide la faccia combattuta e per sollevarlo gli domandò: – E adesso che tram si prende?

Le venne vicino e le disse, gravemente: – Senti, tu non conosci ancora mio fratello. Non è tirchio, cioè lo è, ma per necessità, non di natura. Noi due gli staremo in casa un paio di giorni e gli mangeremo quattro pasti. Io direi di far cosí: avanziamogli un pasto, pranziamo qui a Rodello, combiniamo una cosetta un po' come su a Chieri l'altra estate.

Lei fu subito d'accordo, la spaventava far strada in collina sotto mezzogiorno, e volentieri seguí Toni verso l'osteria. Ma la trovarono sprangata porta e finestre: sull'insegna, a cancellarla, avevano inchiodato due liste di legno. Lei ridacchiò: – Ma non facevano piú presto a tirarle sopra una riga di catrame?

Lui non le rispose, tutto intrigato dalla novità di quella chiusura, stava domandandosi con impegno come e quando i Bonino avessero cessato e che fine facessero. Andarono all'altra, all'osteria Montecarlo.

Entrarono, scostando una tenda pesante come piombo, entrarono in una specie di crottino. Scapparono due bambini ed un volo di mosche, e tornarono solo le mosche. Si presentò la padrona, non riconobbe Toni e Toni non fece nulla per darsi a conoscere, si mise anzi a comandare in un modo che stupí la sua compagna; ma poi lo capí, a Torino aveva sempre e solo da obbedire. Prima d'uscire la padrona si scusò per le mosche, aveva dato la razzia mezz'ora prima, ma non c'era niente da fare con quelle maledette.

Si sedettero a un tavolo a muro, sotto un quadro del Moro di Venezia e un quadratino di carta smerigliata per sfregarci i fiammiferi. Dalla privativa attigua veniva un odore pungente, ma non antipatico.

La padrona preparò ben pulito, loro due bevevano a bicchieri acqua di pozzo, in silenzio e ciascuno coi suoi pensieri e con una voglia di non metterli in comune. Lei stava cercando di figurarsi il fratello di Toni, dicendosi che era tempo di fermarci un po' sopra la mente. Di questo fratello Toni sembrava avere una soggezione particolare, dove però il rispetto c'entrava poco. Fece per domandargliene, ma in quel momento la padrona portò salame e burro.

Mangiando – lei trovava tutto molto buono e genuino – gli domandò: – È grande e grosso questo tuo fratello?

– Perché?

– Cosí, per farmene un'idea ancor prima di vederlo.

– Mi dà alla spalla.

– Soltanto? Ed è forte?

– Ha la sua parte di forza. Ma noi di campagna abbiamo tutti una certa forza, a meno di nascer disgraziati.

– Ed è molto piú vecchio di te?

– Pietro è del dodici.

Lei s'interruppe, perché un uomo entrato per tabacco si sporgeva dentro per veder bene i due forestieri. Ritiratosi l'uomo, lei riattaccò: – E, scusa, avete dei conti in sospeso?

– Sí, ma lui con me. Mi deve ancora quarantacinquemila lire sulla mia parte. Io però non l'ho mai pressato.

– E vi volete bene?

– Sangue è sangue, si capisce. Però ho l'impressione che adesso abbia qualcosa di traverso con me, che mi invidi. E sai per cosa?

– No.

– Perché sono diventato torinese.

Lei fece un gesto come se per quello non si potesse crepar d'invidia, ma Toni senza badarle disse con calore, come a se stesso: – Però lui non tiene mica conto del coraggio che mi ci è voluto.

– E di me sa qualcosa? – domandò lei dopo un po', sventolando una mano contro le mosche.

– Per forza, gliene ho parlato io.

– Quando?

– Quest'autunno. Te lo dissi, mi sembra.

– E cosa gli hai detto?

– Cosa gli ho detto? Che sei una brava ragazza e che di te mi fido in tutto e per tutto, gli ho detto.

Non era vero, e non per l'intoppo delle tagliatelle Toni bevve un bicchiere tutto d'un fiato, ma per mandar giú qualcosa di ben altro, il ricordo preciso di quel giorno d'autunno. Era tornato al paese, solo, per il giorno dei morti. E dopo il camposanto Pietro gli aveva parlato di lei, all'improvviso, facendo sbiancar Toni. Pietro sapeva tutto di lei e della sua vita. Gli aveva detto: – Nessuno piú contento di me che tu ti sposi e ti faccia una famiglia. Ma c'è proprio bisogno che tu vada a cercarti la donna nel fango? E nel fango piú fango che ci sia? – Lui s'era subito infiammato, non era neppur stato lí a fingere di cascar dalle nuvole, s'era subito messo a urlare, lontano da Torino gli pareva di poterla difendere, e come la difese, finendo col dire che Pietro non poteva misurare da Rodello com'è la vita a Torino. Ma Pietro: – Non cercare di confondermi, perché sono piú vecchio di te e so che una donna appestata è una donna appestata qui a Rodello come a Torino come a Roma...

Donna appestata!

E Pietro avanti, con quella sua calma che ti metteva da ammazzarlo: – Dimmi che non lo è, se puoi, dimmi che è una donna differente, una donna pressappoco come la mia Rina.

Era proprio differente, anche se erano venuti a riferirgli il contrario, sapeva chi gli aveva cantato tutto e Agnello stesse attento. Ma Pietro: – E vuoi ammazzarlo Agnello, perché in coscienza s'è fatto un dovere di avvisarmi, io che son tuo fratello?

Agnello era del paese, il commerciante piú sveglio del paese, e trafficava con Torino dove andava col furgoncino due volte la settimana: e andava sempre a mangiare al Cervo, proprio dove lei, prima di conoscer Toni, andava con gli uomini, quando restava fuori da qualche quindicina.

– Fortuna che nostra madre è morta e sotterrata dove l'abbiamo vista oggi, lei che era delle umiliate, – aveva detto ancora Pietro, e allora Toni era scappato. Per non far correre il sangue e non far svenire sua cognata, che se ne stava in un angolo tremante come una coniglia, a mani giunte.

Arrivò da fuori, ma da basso e lontano, uno scoppio di motori e poi il martellare dei pistoni. Lui alzò vivamente la testa e alla padrona che era lí a cambiare i piatti domandò: – Dov'è che battono?

– Ai Cornati. È da stanotte che la fanno andare.

Lui le spiegò: – Trebbiano il grano. È stato anche il mio mestiere. Due campagne ho fatto dietro la macchina di Protto di Bossolasco. Mi mettevano sempre alle balle di paglia e io portavo un bavaglio che sembravo un bandito.

– Portavi il bavaglio?

– Contro la polvere, no?

– Ne hai fatti di mestieri, – disse lei sorridendo di tristezza.

Lui fu sull'orlo di dirle: – N'avessi fatti altrettanti tu, meno quello, – ma si tenne stavolta, e per quello stesso sacrificio si intenerí, le disse: – Adesso sei bella.

– Eh?

– Stamattina, in treno e poi in corriera, non eri bella cosí. Avevi la faccia stanca, ce l'avevi come impolverata.

Uscirono dall'osteria che saranno state le due e, riattraversato il paese, presero per un sentiero tra la meliga, nella quale dava un venticello che ne traeva un suono di pioggia rada. Ma il calore era potente, e a lei in un niente la polvere aveva velato i piedi fino alla caviglia, per non parlar di Toni con le sue scarpe nere di vernice da passeggiata festiva in via Roma.

Lei gli camminava leggermente avanti, voltandosi ogni tanto a chiedergli i nomi dei paesi che le si scoprivano sulle colline: teneva con due mani la borsetta dietro la schiena, e la borsetta ad ogni passo le batteva dietro, come a una scolara. Lui si fermò da un moreto e le domandò se voleva delle more. – No, vienimi accanto e dimmi cosa pensi.

Lui aveva il pensiero di suo fratello, ma le disse: – A tutte le volte che ho fatto questa strada. Specie la festa, quando tornavo da Rodello da veder giocare al pallone. Ma era sempre molto piú tardi, coi grilli che la cominciavano.

La natura s'inaspriva, terra crepata, banchi di tufo affioravano sul sentiero, e i primi boschetti di pinastri ingialliti dal gran sole.

Al secondo boschetto lui le si girò addosso, lei intuí subito e subito gli gridò di no, no, ma non ci fu verso, dicendo: – Sulla mia terra, una volta sulla mia terra, – la portò di peso tra i pinastri, si fermò subito dove il declivio toglieva la vista dalla strada e la stese sulla sua terra, senza nemmeno ripulirla dalle pigne.

L'ombra non mancava, ma dopo colavano di sudore e spesso si inarcavano per ricevere uno striscio di vento, lei lo faceva anche per sollevare la schiena, che le doleva in piú punti per la pressione sulle pigne. Gli domandò che bestie erano, che facevano zzz! zzz!

– Sono cicale, ma non conosci nemmeno le cicale?

Si alzarono e si aggiustarono che erano quasi le quattro e Toni disse che aveva paura che a quell'ora non fosse rimasto nessuno in casa, tutti a benedizione. Lei avrebbe pagato per non doversi muovere da quel boschetto, ma dovette incamminarsi e ai primi passi gli domandò come li avrebbe sistemati a dormire.

– Tu dormi con mia cognata e la bambina.

Lei gridò per il disagio.

– Non arrivi mica all'hotel.

– E tu?

– Io dormo sul fienile.

– Sei matto sul fienile?

– E bene che ci starò. Ci godrò a dormire una volta sul fienile, dopo tanto.

In dieci minuti arrivarono in vista d'una borgata, graziosa agli occhi di lei perché aveva buona parte dei muri imbiancati di fresco e un ago di campanile. Senza domandare, s'era già fissata che la casa di Toni fosse tra quelle, sicché l'affannò il tocco con cui lui la deviò verso un sentiero chiuso tra le gaggie, che si calava dirittamente in un vallone grigio, un posto che sfidava perfino la primavera a farlo sorridere solo un po'.

Alla prima svolta si fermarono, e la casa era proprio lí, nel bel mezzo d'un prato che si attaccava al sentiero.

Era bassa e sbilenca come se si fosse ricevuta sul tetto una tremenda manata e non si fosse mai piú riassestata: grigia del medesimo grigio delle rocche del vallone, con finestrelle slabbrate e quasi tutte accecate da assiti infraciditi per l'intemperie, con un ballatoio di legno anch'esso corrotto e rattoppato con latte da petrolio: il portichetto era mezzo diroccato e le macerie ammucchiate intorno al tronco d'un fico selvatico; l'unico sorriso lo faceva, quella casa, dalla parte dei tetti rimessa a nuovo, ma faceva senso, come un garofano infilato nei capelli di una vecchia megera.

La donna era sbalordita, boccheggiava, al punto da non poter dire, come voleva: – Oh, Toni, Toni, come hai potuto nascerci?

Ma lui capí lo stesso. – Non vorrai dirmi che le baracche lungo Po sono meglio? – E poi: – L'ha fatta mio bisnonno, con le idee che avevano allora –. Alzò gli occhi al fienile, lo vide traboccare di foraggio e disse, ma come a se stesso: – Annata d'erba, annata di merda.

S'erano fermati in metà dell'aia ben spazzata. Lei teneva il braccio di Toni, per abitudine, per presentazione e per paura. La casa era muta, non c'era altro rumore che quello del vento nei rami del noce che sovrastava la casa. Lei fissava la porta e la finestrella accanto, con la sua tendina a quadri bianchi e rossi.

Toni chiamò forte suo fratello. Stava per richiamare quando venne da dentro il cigolio d'una sedia vuotata. L'uscio si aprí adagio e adagio ne uscí l'uomo.

Era il contrario di Toni, e vecchio come se fosse suo padre. Sebbene fosse vestito a tanti pezzi, sembrava tutto grigio, come le pietre della sua casa e del vallone. Aveva il berretto sulle sopracciglia, ma incastrato nella pelle come se lo portasse dalla nascita, e la cinghia dei calzoni stretta ben sotto l'ombelico.

Guardò la donna di striscio e a Toni fece un segno con la testa per tutto saluto.

Disse Toni: – Siamo qui. E Rina? E Anna piccola?

– Sono a benedizione.

– Potevi andarci anche tu, vedendo che tardavamo.
– Sapevo che arrivavi.
– Guarda che siamo in due.
Allora Pietro respirò lungo e poi disse: – Ben contento sono che Rina e Anna siano a vespro. E gli ho detto di passar da mia suocera, dopo. Hai finito per portarla.
Lei sentí il braccio di Toni gonfiarsi come una camera d'aria. E Toni disse, con la voce che già gli fischiava: – Sí che l'ho portata, a vedere la casa dei miei vecchi, – e fece con lei un passo verso la casa. Ma Pietro li fermò, dicendo: – D'accordo, questa è la casa dei tuoi vecchi, e tu c'entri e ci stai come un padrone. Ma lei resti sull'aia.
– Lei entra con me. Lei se non è ancora mia moglie tu considerala tale, perché ci sposiamo appena possiamo.
Pietro rinculò verso la porta. – Tu sí e lei no. Lei, la porcheria della gran città. Resti sull'aia, che è già tanto.
Intanto s'era voltato ed ora si tirava l'uscio dietro, ma adagio, come se si fidasse dell'immobilità di Toni. Invece Toni scattò, volò alla porta mentre l'altro la richiudeva e ci diede dentro con tutto il corpo come una trave. La donna cominciò a gridare, ma Toni non la sentiva, premeva con la faccia rovesciata all'infuori e con gli occhi serrati, e suo fratello dentro un po' cedeva, ma quasi di niente, ma intanto non poteva tirare il paletto.
Lei aveva paura di correr da Toni ed aggrapparglisi alle spalle, e cosí gli gridava da lontano: – Lascia, Toni, vieni via, per me fa niente, torniamo subito al nostro Torino! – ma Toni urlava anche lui, per poterla sentire.
Urlava: – Apri, bastardo, aprimi che è anche casa mia e la mia donna la deve vedere. Apri! – E Pietro di dentro a urlare di no, che non avrebbe mai ceduto, finché gridò: – Basta, ritirati! Non spingere piú, perché se m'entri di forza t'ammazzo!
– Ah, m'ammazzi! Se sei cosí sicuro d'ammazzarmi, perché non mi fai entrare? O bastardo, con una porta in mezzo non mi puoi mica ammazzare.
Tutt'e due rantolavano già, finché Toni spinse il suo massimo e l'altro da dentro dovette cedere di schianto, perché mancò il consentimento e Toni volò dentro come una palla

di cannone. L'uscio si ricevette un colpo tale che dalla parete non si ristaccò d'un dito, e cosí lei da in mezzo all'aia poté veder tutto, come Toni per l'impeto non s'era ancora fermato e suo fratello gli arrivò dietro con un'accetta e da dietro gliela calò sulla testa spaccandogliela come una noce.

Il paese

1.

Il medico Durante entrò rapido nell'osteria. Si curvò sulla tavolata tra le grosse teste di bevitori e infilò l'indice in un bicchiere pieno raso. – Questo è per me, non è vero? – disse con la sua voce agra.

Il capotavolata sospirò e waved all'ostessa per un bicchiere nuovo. – Come stiamo a malati nella zona, medico? – inquirí uno dei bevitori.

– Due in tutto. Uno a Niella e l'altro alle case di Luca. Anche troppi per la mia voglia.

– E che hanno di male preciso?

– Tutt'e due malati nella testa, – rispose il medico e avanzandosi per una nuova bevuta smarrí l'astuccio del termometro.

Il mercante di buoi glielo raccattò: – Attento, medico, al tuo badile.

– Grazie, Paco, ma è meno importante di quel che pensi. A fare il medico da queste parti l'indispensabile è una scaletta.

Tutt'intorno gaped. – Per che farci con la scaletta?

– Per arrivare alla testa del paziente, Paco. Dalle nostre parti sono tutti e unicamente malati nella testa. Nessuno tira fuori da fumare?

Paco sospirò ed estrasse il pacchetto delle sigarette. Il medico fumbled con le dita apposta per estrarne una ed un'altra farne cadere. Paco bisbigliò: – E pensare, medico, che quindici anni fa sei stato a un pelo dallo sposare mia sorella, diventare mio cognato.

Il medico rise gutturalmente e nient'altro, poi aspirò la

prima boccata. – Maledetto Placido, – disse subito dopo, – non ti dà una sigaretta fumabile. E si capisce. Tiene il tabacco in bottega sotto lo scanno del sale, il sale trasuda e va a infettare il tabacco. Questa è chimica pura, signori.

Disse il messo comunale: – Dottore, perdonategli il tabacco infettato per compensa di quel che gli fate alla moglie.

Il medico scattò in piedi: – Che dici, che vai anfanando, scimmione? Dichiaro e giuro che non ho mai vista Gemma. Lo dichiaro e giuro. A parte le visite mediche.

Ci fu un moderato chuckling, la maggior componente di esso provenendo dalla bocca grassa e parca di Paco.

Disse il messo comunale: – È mica difficile per un dottore far confusione fra le visite mediche e quelle altre.

– Turati la bocca, analfabeta, – disse semplicemente il medico.

L'altro scattò come punto da una vipera. – Dottore lei mi dica quello che vuole eccetto analfabeta. Io so leggere e scrivere quasi quanto lei. Domandi al Podestà. Del resto sono messo comunale, e s'è mai visto un messo comunale analfabeta.

– Ora piantatela, – disse Paco e gridò verso il retro per un'altra bottiglia.

– Ho sentito ordinare un'altra bottiglia, – disse rapido il medico. – Chi la paga?

– Chi l'ha comandata, no? – fece Paco: – Io, quello che ha corso il rischio di diventar tuo cognato.

Venne la proprietaria in persona, a sturare e mescere. – Ginna, – le disse il falegname: – sapevi che ti amavo, ma mi hai preferito Fresco.

– E ben contenta che sono, – disse l'ostessa, malgrado l'età scartando agilmente la mano del falegname che le insidiava il deretano. – Tocca tua moglie, Gino. La tocchi troppo poco, Gino, e c'è rischio che si faccia toccare da altri.

They all chuckled e Gino disse: – Me ne frego, è ormai arrivata all'età che possiamo fare tutt'e due i comunisti.

– Tieni la bocca chiusa, Gino, – disse Paco con molta attenzione.

– Del resto, dici e non pensi, – aggiunse il medico.

– Dico e penso, invece, – fece Gino arrovellandosi col bicchiere.

– Ah sí, – fece il medico, alzandosi a metà: – e allora permetti che vada immantinente a farle una visita. Medica, s'intende?

– Stia giú, dottore, – disse Gino, sobered. – Sapesse fare piuttosto qualcosa per rimettermela in sesto di corpo. Dio mio, dove le sono arrivati i seni. All'altezza dell'ombelico, non esagero, e quand'è vestita le danno l'aspetto d'avere un salvagente a mezza vita.

They all chuckled e il medico disse: – Se mi mescete un altro bicchiere, vi faccio una lezione su come una donna è fatta dentro.

– E piantala, – disse Paco, – non ci diresti niente che la punta del nostro cazzo già non sappia per suo conto.

Cadde un silenzio, nel quale s'inserí un rumore ventoso, fra lo stridere dei bicchieri smossi sul tavolo.

– Già la corriera, – disse il falegname, dopo aver ascoltato.

– Non può essere, – disse Paco, sbirciando al suo orologio d'argento. – Mancano quindici alle due, – e furono tutti d'accordo che era un vento nuovo che arrivava a dare nelle cime dei castagni.

– Non poteva essere, – disse Gino, – a meno che Eugenio non sia impazzito e prenda la discesa senza le curve.

Ci fu un altro silenzio, col vento subsiding outside. – Però Eugenio, – disse Gino: – soltanto due anni fa non era meglio che il peggiore di noi, ingolfato nel letame fino alle ascelle. Poi, un bel giorno, e senza nemmeno aver sofferto d'insonnia la notte, si sveglia con l'idea di prender la patente, la prende, si raccomanda un po' in giro e infine diventa autista della linea. Guida la corriera, Eugenio. Suo figlio potrà sempre dire che suo padre guidava la corriera. Mica capita a tanti qui di poter dire che suo padre non aveva a che fare con la sporca terra.

– Io mi rifiuto di riconoscere che Eugenio è un po' piú furbo e nobile del piú a terra di noi, – disse il messo, piuttosto torvamente rimirando il bicchiere alla luce.

– Il meglio riuscito che io conosca è Paco qui, – disse Gino il falegname. Paco si limitò a sbruffare dalle labbra carnose. Il dottore cominciò il suo riso gutturale.

– Non posso dire, – disse Paco, – che tu hai fatto una riuscita, medico.

– Chi s'è mai fregato della riuscita, – disse leggermente il medico: – Chi t'ha messo in testa che un uomo nasce e vive per riuscire, Paco? A me nessuno, e nemmeno mi insorge in testa nei miei ragionamenti. L'importante è vivere.

– Vivere! ? Dimmi una volta che tu abbia vinto, vivendo?

– Sei duro, Paco. E chi ti dice che importi vincere o perdere, vivendo? Che effetto ha avuto sulla mia vita perdere con tua sorella?

– Vergognati, – disse Paco, pacatamente: – Medico, laureato. Perché è laureato, uomini. Se gli entrate in casa, e pochi ci sono entrati perché non lascia in genere, c'è al muro la laurea inquadrata.

– Certo che c'è, – disse calmo il medico, – e se tu fossi un po' piú istruito, vedresti che mi sono laureato con 105 su 110. Mica poco, se non fossi troppo ignorante da discernere.

– Vergognati, – insisté Paco, senza cambiar tono: – Medico, con laurea vera. Dovrebbero ritirartela, secondo me.

– E come si fa? Chi? – lo provocò il dottore.

– Chi te l'ha data. Il governo, te l'ha data, no? Allora il governo dovrebbe ritirartela.

– E su che motivo, Paco? Mica faccio le porcate che fa la levatrice di Murazzano, che fa seimila mensili extra con gli aborti.

– Dovrebbero togliertela lo stesso.

– Per che motivo, Paco?

– Perché non ti comporti all'altezza della tua laurea perché vivi nell'indegnità di essa.

Il medico alzò le spalle, ma non troppo convinto, ed uno dei bevitori tossicchiò per disagio. Ma il messo era tutto per Paco, – Paco può parlare cosí, – disse, – Paco per me è l'unico che può giudicare. È il primo uomo di Feisoglio, autorità a parte, e la sua voce suona per mezze le colline. Paco è l'uomo che ha fatto la meglio riuscita. Sento parlare di lui su tutti i mercati, e come ne parlano. Paco ha fatto la meglio riuscita...

– No, – disse Paco piú duro col messo che mai con nessuno prima: – Non sono affatto riuscito, semmai sto per strada per riuscire. Sono riuscito a non toccar piú la terra, ma non per questo mi sento riuscito completamente. Sarò riuscito quando sarò arrivato a non trattar piú, per vivere, nemmeno i prodotti della terra. Capite, quando non tratterò piú vacche né formaggi né legname...

– Ma che vorrai fare, che altro saprai fare, Paco? – chiese il messo, angosciato egli stesso per l'oscurità del destino di Paco. Il quale batté un pugno sul tavolo e disse: – Vedi tu stesso quanto sono ancora lontano dall'arrivare. Nemmeno io so piú di te che cosa potrò fare. L'idea meno lontana è un'esattoria in qualche paese su qualche collina piú bassa.

– Un'esattoria!? – gaped and stared il messo.

– Ma vedi anche tu che è un'idea lontanissima, – fece Paco con violenza. – E fuori di quella lontanissima, di idee altre non ne ho. Vedi come sono riuscito? E sentirmi dire che sono riuscito!

Gino aspirò schifiltosamente un paio di volte sopra il bicchiere. – Jeanne! – gridò verso il retro, – proprio stamattina dovevi dare al pavimento questo sporco olio?

L'ostessa balenò coi suoi capelli tutti bianchi all'usciolo. – Aspetti adesso a lamentarti, non lo senti dall'ora che sei qui?

– Me ne lamento quando mi pare, e lo sento quando mi pare, mam'selle, – fece Gino.

– Debbo bene oliare il pavimento per lo sporco che ci portate e strusciate voi porci della campagna! – disse la donna. – Terra e letame mica me lo lasciate all'ingresso.

– Ahò, ahò, – fece Gino, – adesso non montare in superbia. Sai che cosa ti ha rovinato a te? L'esser stata quaranta anni fa da serva a Nizza mare.

– Ta gueule, tais-toi, toi vieux cochon, toi! – fece la donna al riparo dell'uscio.

Questa era indubitabilmente la corriera. – Infila adesso il rettilineo prima del ponte, – indovinò il falegname.

– Senti come tromba, e la strada deserta come un camposanto, – aggiunse il messo, spregiosamente.

Le trombate aggredivano la collina del paese come artigli salienti. Essi, e Paco too, mossero fuori per vederla arrivare. Fuori sullo spiazzo tra le due chiese sostava il furgone di Paco, con le due vitelle acquistate la mattina al mercato di Murazzano. Dal finestrino occhieggiava la faccia bestiale, animalmente fedele del garzone di Paco, seduto in modo da nemmeno sfiorare il sacro volante di Paco. Il messo si avvicinò alle griglie, esaminò i musi delle bestie, poi disse che erano belle.

– Se le belle bestie fossero come quelle, – disse stancamente Paco. – Come vuoi giudicare una bestia dalla testa?

– Non sono belle? – disse il messo, mortificato e incredulo.

– Sono acerbe, sono, – disse Paco: – Ma erano le meglio sullo schifoso mercato.

– Mi dispiace per te.

– Che ti dispiace? E mi pensi tanto stupido da caricarmi di legna verde senza avere chi scaricarla. Intorno non c'è gente che vuol cambiar mestiere e destino, e si vede parecchio nel mercato delle bestie. Ho già i miei polli per queste due disgraziate.

Il messo chuckled, il garzone chuckled, e nell'istante la corriera sbucò, polverosissima, dall'ultima curva, sollevando un polverone che investí i tronchi degli ippocastani di fronte alla privativa di Placido. Si fermò solitamente davanti all'osteria, e ne scese Eugenio l'autista, con la testa rasa e l'immenso torace fasciato da una flanella sporca.

– Ho due giornali ancora, – disse, e il medico tese la mano. Come ebbe il foglio in mano, prese a brancicare nei taschini. – Non mi dica, medico, che non ha gli spiccioli, – disse Eugenio con un allegro grin.

– Ho paura, ho paura, ho paura, – diceva il medico, fumbling on.

– Guardi che io non ho piú di due minuti di sosta, – avvertí Eugenio piú seriamente.

Allora Paco tastò a colpo sicuro nel suo di taschino e buttò il ventino nella manaccia di Eugenio. Il quale sorrise e agilmente, malgrado la mole, si roteò dentro la corriera. Ma ancora non partiva. Si sporse con un pacchetto molto bene confezionato e solido. – Le rincresce sporgerlo al parroco? – disse a Jeanne che s'era fatta fuori per un glimpse alla corriera.

– Che è?

– Libri, credo, – disse Eugenio.

– Libri! ? – ironizzò il falegname. – Preservativi sono, se per il parroco. Credete a me, una grossa di preservativi –. E si schivò per non riceversi lo schiaffo di Jeanne.

– E perché dunque non vai mai a confessarti da lui? – obiettò Gino.

– È perché non ho peccati, – disse Jeanne, col pacco in mano.

– Peccati ne hai, se ti fai una volta al mese due colline per andarti a confessare da quel di San Rocco.

– Avrà un battocchio piú grosso, – disse a messo, senza troppo calcare.

– Manica di malparlanti, – disse Jeanne avviandosi, – stupidoni che crediate che noi donne siamo al mondo solo per quello, – disse con tristezza.

– E perché altro, Mam'selle, per che altro? – la inseguí dentro la voce del mezzadro.

E anche la voce di Eugenio: – Mi sporge una cazza d'acqua?

– Una gazosa? – fece la voce di Jeanne.

– No, una cazza d'acqua, pagando il disturbo.

– Che disturbo, che disturbo, – ronfò dentro la donna, e si sentí subito il mestolo affondare nel paiolo.

Sulla corriera stavano seduti, interiti ed aggrappati al ferro come se si trovassero al centro della piú ciclonica andata due soli passeggeri, gente di oltre Niella, e una quantità di pacchi e cestoni e casse.

– Questa linea dev'essere di una passività enorme, – disse il messo.

– Tu non te ne preoccupare, – disse Eugenio, sollevando il viso dalla cazza.

– Perché te la prendi? Non posso fare un'osservazione puramente commerciale? Non se la prenderebbero nemmeno i padroni della linea, scommetto.

– Non ti preoccupare di niente, né della linea, né dei padroni né di me. Avanti, si parte, – gridò forte. Ma nessuno si mosse alla portiera. – Dico per lei, dottore, – disse Eugenio, – si parte.

Il dottore alzò il viso dal giornale e fece segno di no con la testa.

– Ma che altro mezzo ha per tornare a casa di stasera? Non vorrà farsela a piedi?

Rifece segno di no, poi accennò del capo al furgone di Paco. – Va bene, – disse Paco, – io ti porto a casa, ma non pensare che sloggi da davanti il mio garzone per far posto a te. A casa ti porto, ma sali sul furgone con le bestie –. Il medico sorrise: – E chi dice di no. Tu portami solo a casa io con le bestie ci starò benissimo.

– D'accordo allora, – disse Paco.

– Salute a tutti, – disse Eugenio tra i denti e si curvò sulle marce come se volesse svellerle. La corriera partí, scomparve alla curva del pilone. Il messo propose di rientrare all'osteria, per non stare all'aperto a mangiare la polvere di Eugenio.

Come rientrarono, c'era qualcosa in aria nel retro, e precisamente la vecchia Jeanne che se la prendeva con suo marito, di un tono tra il flebile e lo sdegnato. – Ti sei alzato alle otto, io alle quattro. Mi hai fatto colazione per due, a pranzo hai mangiato per quattro ed hai preteso la torta di zucchini, sapendo lo straordinario lavoro che mi dà. Tra stamattina e adesso hai fumato venti sigarette minime, hai bevuto due birre e quattro gazose, hai sgranocchiato un etto di caramelle, e adesso mi rivuoi della birra. Se non ti arrivavo alle croste, già l'avevi grattata.

Paco rise, e il messo scosse la testa. Arrivò la voce del marito, le dava nomi, ma d'un tono sordo, affogato dallo stesso eccesso di mantenimento.

Gino fece crocchiare i denti e disse forte: – Eppure l'hai preferito a me, Jeanne, ai tempi buoni. L'hai voluto ed ora mantienitelo –. Rise, ma la donna fece irata: – Sai, Gino? che cos'è che mi fa onore? Che tu non mi hai mai vista.

– Aspetta a dirlo quando sarai stesa nella tomba.

– Io sono sicura del fatto mio, Gino, – rispose la donna: – Anzi, all'età in cui sono, penso che se mi facessi vedere da te, non sarebbe altro che per aumentarti lo sfregio.

– Questo lascia giudicare a me, – disse l'uomo; – certo, quando uno ti ricorda com'eri a vent'anni, e nessuno, nemmeno quello di là, si ricorda di te allora tanto bene quanto me, non vale nemmeno piú la pena che io ti parli. Ma ricordati di una cosa, Jeanne, che la ragazza che eri è morta, è morta anche in te e per te, e sarà definitivamente crepata il giorno in cui io morirò.

– Fresco! – chiamò il messo verso il retro: – Gino sta abbindolandovi a parole la moglie! – ma dal retro non venne piú e meglio di un grugnito.

– Però è certo, – continuò Gino, – che dovrai rendere conto al Supremo. Tu credi nel Supremo, Jeanne, o almeno ci credevi.

– Ci credo, stanne certo, posso ben dirlo, in tutta umiltà. Solo voi uomini pensate che le donne non pensino al Supremo per via che hanno il cervello sempre pieno di quello.

– Ebbene, Jeanne, dovrai rendere conto al Supremo...

– Questo lo so, di dovergli rendere i conti...

– Capiscimi, ragazza. Dovrai rendergli conto di aver scelto un uomo piuttosto che un altro –. La donna alzò le spalle. – Sicuro, ragazza, non penserai mica che il Supremo non ci interroghi e giudichi su queste cose? Sta' certa che il Supremo ti chiederà ragione del perché hai preferito a me quel mangia e caga...

La donna sollevò una mano per colpirlo sulla bocca, ma poi riabbassò la mano e disse: – Ora piantala, Gino. Un fatto è che non ti ho mai sentito parlar tanto del Supremo. Vai di piú a messa e accudisci la tua povera Anna.

– Anna è accudita ed appunto perché ho il Supremo sempre in testa che non mi vedi mai in chiesa.

La donna alzò le spalle ed il messo richiamò l'attenzione del marito invisibile. – Ma sí, – rispose poi questo, – se la pigli, se ha sempre quella vecchia fantasia. Pigliatela, Gino, poi verrai a dirmi. Una donna che mi rifiuta un'aranciata, ed io a settant'anni che faccio il mio bravo dovere ogni giorno.

– Tais-toi, tais-toi, vieux galup, – disse la donna verso l'interno.

Paco diede del gomito al messo, guardasse il medico. Al riparo del giornale spiegato stava scolando il vino nei bicchieri mezzi. Poi il medico, senza troppo scomporsi anzi col suo solito grin, si rilassò sulla sedia e disse: – Farei volentieri una partita al pallone. Con dei giovani s'intende. Io batterei e basta.

Disse Gino: – Sarà difficile che oggi si combini la partita. Ho visto Placido andare al suo prato e Sergio con la posta a Bossolasco, e senza quei due di buone partite non se ne combinano.

– Bada che tra un quarto d'ora venti minuti io parto. Con o senza te. Ora tu mi esci fuori con la voglia del pallone.

– Non ti preoccupare, Paco.

– Io non mi preoccupo affatto, sia chiaro.

– Volevo dire, io posso anche incamminarmi a piedi, e per strada c'è sempre caso che qualcuno mi rilevi col carro o camioncino. Farei volentieri una partita al pallone. Ma una partita forte.

– Come vuoi che sia forte con te in mezzo?

– Io batterei soltanto, ho detto, poi mi ritirerei ben bene nel vuoto della porta del fornaio. Tirano certi palloni al volo cosí forti che se ti beccano nel ventre ti fanno secco. Ma mi piace troppo. Mi piace e mi spaventa insieme. Specie il ricaccio di Sergio. Ricaccia il pallone come se volesse vendicarsi di un torto, un torto grave. Io mi caccerei nell'uscio e a pallone passato mi sporgerei a indicare ai miei compagni il rimbalzo del pallone.

– Se rimbalza. Ma coi palloni di Sergio ne rimbalza uno su cento, tutti gli altri rasoterra che nemmeno si vedono. Non hai tempo di postare il braccio che Sergio ti ha già fatto il punto.

– Ma io mica mi metto contro Sergio della posta, – precisò il medico. – Non voglio mica perdere, chi perde si carica di mezza dozzina di birrette.

– Volevo ben dire, – disse Paco: – Ma possibile che la gente non si stanchi di farti vincere, di pagare per te? Io il bel primo?

Si erano riseduti al solito tavolo, sotto le vedute scolorite di Monaco e Nizza e Cannes. – Ci hai fatto un bel discorso prima, Gino, con questo tuo Supremo, – disse il messo, rotolandosi una sigaretta.

Gino accennò del capo, meditabondo. – Sai chi mi ha dato questa eredità del Supremo. Mio padre. E posso ben chiamarla eredità, perché d'altra non me ne lasciò.

– Tuo padre? – si stupí Paco: – Per quel che mi ricordo, tuo padre era il re dei bestemmiatori.

– È vero, – disse Gino: – Bestemmiava come nessun altro, e non le solite bestemmie, anzi era grande perché ne inventava. C'è ancora gente in giro per qui che bestemmia alla maniera di mio padre. Io drizzo le orecchie tutte le volte che sento. Ebbene, mio padre bestemmiava perché credeva nel Supremo. Tutte le volte che lo nominava, in discorso o in bestemmia, alzava la testa verso il cielo. La alzava appena, a vero dire, perché se lo sentiva quasi coi piedi a radergli la testa, come un penduto.

Il messo leccò la cartina. – Quando è mancato tuo padre, Gino? So che fu d'inverno, ma non ricordo l'anno.

– Morí del '24, ed era proprio inverno.

– Il mio morí tre anni dopo. Lo sotterrammo il giorno dell'Assunta. Col parroco vecchio.

Disse Paco: – Mio padre è mancato anche lui del '27.

– Di che cosa? – inquisí il medico, senza la minima curiosità.

– Mai saputo, impossibile a sapersi. Un giorno noi figli rientriamo dal lavoro e nostra madre ci avvisa che il vecchio si era coricato. Qualcosa per la vita, ci disse nostra madre. Noi saliamo uno per uno a vederlo. Al mio turno, io mi avvicino al letto e gli dico scherzosamente «Prova adesso a picchiare i pugni e alzar la voce». Lui mi guardò né bene né male, poi fece col labbro e il naso una smorfia come a scacciare una mosca e restò.

– Ah, – fece il messo: – cosí è morto tuo padre. Che cosa può aver visto, dottore?

– Aneurisma, embolo... – elencò il medico. Speriamo che abbia capito che quelle cose gliele avevi dette per scherzo.

– Speriamo, – disse Paco.

Poi disse: – È una fortuna che il mio garzone sia rimasto fuori e non si sia trovato all'argomento. Sapete, suo padre lo trovarono impiccato al trave del seccatoio delle castagne.

– Che fatto è stato questo? – indagò Gino. E il messo: – Aspettate, questo fatto non mi è nuovo. Viene per caso dalla collina oltre Cravanzana?

Paco annuí: – È un Tarulla. Tarulla Remo.

– Allora il fatto mi sovviene, – disse il messo: – A voce lo seppi, non dai giornali. Avete notato che sui giornali non riportano piú fatti del genere?

– Chissà che gli è passato per il cranio? – disse Gino.

Paco disse: – Era proprio il suo destino, – disse Paco: – Appena mi è entrato nella confidenza e ha capito che ero un buon padrone, il ragazzo mi ha raccontato un precedente. Il fatto del gorgo –. Poi Paco si alzò, dicendo: – Per far discorsi del genere è assai meglio che alziamo i tacchi –. Si alzò, e gli altri lo imitarono.

– Io ho tutto pagato, padrona? – disse Paco forte verso l'interno.

– Sí, Paco, tutto, figuriamoci, – disse la donna.

– Anche quello che avete servito fuori al mio ragazzo?

– Certo, – disse la donna. – Ha un buon morso, sapete?

– Paco sorrise: – È in piedi dalle tre di stanotte.

II messo disse: – E tu da che ora sei in piedi, Paco?

– Dalle tre. Allora vieni, medico?

Durante scosse la testa. – No, non vengo. Spero di combinare una partita al pallone. Qualche mezzo troverò qui o piú su per strada per arrivare a casa.

Il piú slothful era anche il falegname. Jeanne se ne avvide e gli disse: – Possibile che tu non abbia una stanga da riparare o un assale da rinforzare, Gino? – Allora l'uomo accennò disciplinatamente di sí col capo e seguí gli altri nell'andito stretto e buio. – E dovrai usare il trapano? – domandò la donna.

– Già, – disse Gino e la donna si mise le mani nei capelli in anticipazione del rumore e dell'emicrania.

Fuori, il messo guardò il garzone di Paco con un nuovo interesse: il ragazzo gli sorrise, poi di fronte a quell'interesse insistito strinse gli occhi di un acquosissimo azzurro. Passò Gino diretto al suo shed. – Arrivederci, Paco. La prossima volta lascia pagare a me.

Un vitello nella biga di Paco muggí lievemente. – A proposito, – disse Paco, rivolgendosi al messo: – Vedi il tuo Podestà?

– Dovrei vederlo domattina, deve venire per una quantità di firme che gli ha preparato il segretario comunale.

Paco sospirò: – Saprai che mi sta sgonfiando perché gli comperi una buona volta un vitello.

– Ah sí?

– Sí, ma quello che vuole vendermi è un verdone disgraziato. Io non ho nessunissima voglia di far l'affare, anche se mi converrebbe accontentare una volta il vostro Podestà.

– Se non ti conviene, tu non farlo, Paco. Del resto, mi pare che ci sia sotto un macellaio di Dogliani per un vitello del nostro Podestà.

– Speriamo sia per quello, – si augurò Paco. – Ad ogni modo salutamelo –. Si voltò verso l'uscio dell'osteria, dove stava il medico, giornale abbandonato, a vederlo partire. – Allora non vieni?

– No.

– Se passando per Niella vedo tua moglie alla finestra, che debbo dirle?

– Niente.

Il ragazzo gli aprí lo sportello dall'interno. Paco si sistemò, avviò il motore e partí, con le bestie squassate dietro.

Il medico aspettò che sparisse alla curva, poi rientrò, ma intanto la tenda trattienimosche gli si era impigliata intorno al corpo e per entrare dovette fumble un bel po'. Jeanne non aveva ancora sparecchiato, cosí andò al tavolo, versò in un solo bicchiere i fondi degli altri, ne ottenne piú di mezzo bicchiere e andò a berselo con calma seduto su una sedia a ridosso della credenza.

Gino era già al lavoro, si alzava allora nell'aria ferma il rumore della sua sega circolare, doveva lavorare con legno stagionatissimo, perché il rumore era semplicemente angoscioso, come lo svolgimento di una lotta mortale tra due fiere.

Entrò dal retro il marito di Jeanne. Era molto vecchio, con ciabatte, calzoni altissimi e bretelle cortissime annodate appena sotto le scapole. Aveva una sigaretta all'angolo della bocca e l'accese con un accendino dalla grossa fiamma. Poi si calcò in testa un berretto di tela bianca.

– Uscite, Fresco?

– Sí, medico, – disse Fresco ed alzò il tono perché anche la moglie sentisse l'itinerario. – Passo a dare un'occhiata ai conigli ed alla meliga. Poi taglio per l'orto e spicco un paio di peperoni, a patto che li veda perfettamente maturi. Tu mi prepareresti una salsa fredda, Jeanne?

– Sí, mon vieux, sembra che io tenga osteria soltanto per te –. Sortí dal retro e lo accompagnò verso l'uscita. Prima di uscire Fresco le bisbigliò: – Non ti farai mica convincere a farlo bevere gratis?

– Voyons, je ne suis pas dupe.

Quando fu perfettamente solo, il dottor Durante sospirò di sollievo ed estrasse la sigaretta seconda che Paco gli aveva offerta e che egli aveva sin lí preservata. L'accese accuratamente e prese a tirarne boccate brevi e puntuali, mai ripetendole fin quando non s'era del tutto dissolto nell'aria il fumo della precedente. Il suo corpo minuto era tutto ben composto sulla sedia, i piedi sul traversino, le scarpe cosí coperte, impregnate della polvere della strada da averne una seconda e non piú alterabile tinta. I suoi occhi straordinariamente chiari inseguivano le volute del fumo contro il fondo scuro della stanza, mentre le sue mani pallide e senza calli passavano e ripassavano spesso sui capelli brizzolati sulla cocolla della testa. Jeanne era rientrata e passata direttamente nel retro, la poteva sentire bisbigliare a se stessa in francese.

Paco, quello che aveva corso il rischio di diventar suo cognato; ne parlava come se fosse stato il massimo rischio della sua vita. «E allora, Paco, io ti dico che hai condotto fin qui una miserabile vita». C'era andato vicino ad avverare quel rischio, tanto vicino che oggi, a tanti anni di distanza non sapeva sceverare il motivo per cui il matrimonio era andato a monte. Evelina aveva poi sposato il medico siciliano capitato da chissà dove; evidentemente, il suo destino era con un medico. Il suo destino, a partire dalla verginità, però. Paco sapeva questa cosa? Che la sua gran sorella Evelina era stata l'amante del prete di Niella? Il suo primo uomo, certo, il prete di Niella, quello che celebrò poi il suo matrimonio col medico siciliano. Lui non aveva constatato de visu il fatto, gli era stato riportato dal figlio del sacrestano, e questi non aveva proprio nessun motivo di mentirgli. Si erano visti tre o quattro volte, a sentire il ragazzo, ma visti nel senso pieno della parola. Si incontravano in cantoria, nel cantuccio dell'organo, ed una volta il ragazzo gli fece vedere i quattro o sei cuscini che il prete aveva ammucchiati nell'angolo per la comodità sua e di Evelina. Lui li aveva persino presi in mano quei cuscini ed esaminati da presso per... per una visita scientifica, diciamo. Ma non ne era sicuro al cento per cento, non aveva visto coi suoi proprii occhi. Il ragazzo però non aveva nessun motivo di mentire, gli era cosí grato da quando l'aveva salvato dall'inferriata dove s'era conficcato col braccio. Però sapeva, ma non poteva giurare.

Considerò metà della sigaretta consumata contro il fondo della stanza. Un uomo non può uscir di vita col dubbio contro queste cose. Un uomo dovrebbe sapere queste cose nel momento in cui gli è privata la vita. L'aldilà serve forse a questo: è una visione completa, ma non di Dio e degli angeli e compagnia bella, si disse, ma la chiarificazione di ciò che ti importava e che nella vita ti è rimasto oscuro: quanti uomini amò la ragazza che tu amavi, e come e quando, se tuo padre rovinò qualcuno del suo prossimo, se tua madre... Passata Evelina, si era presto accordato con Sabina, la figlia del macellaio, con quattro anni di studi magistrali a Mondoví. Quanti anni aveva? Ventotto, ricordò: strano, non poteva dire che tipo d'uomo fosse fisicamente, allora, mentre ancora oggi poteva ricordare senza sforzo e con tutta completezza il suo paesaggio morale. Sabina era l'amante di Saglietti, che era il primo dei due osti di Niella. Ma lui ancora non lo sapeva, non lo sapeva neppur quando cominciò a farsi amante della moglie di Saglietti. Saglietti sapeva che il medico amava la moglie, ma non aveva mai fatto niente per sorprenderli e castigarli; evidentemente non gli importava piú della moglie e gli importava invece sempre piú di continuare ad esser l'amante di Sabina e che il medico, già fidanzato con lei, non avesse sospetti di sorta. Ma poi si tradí, si scoprí netto, quando apparvero le pubblicazioni. Ora correva il rischio di perderla Sabina, per l'esclusività nuziale, e fece quanto poté per far fallire il matrimonio. Istruí i suoi amici di parlare con una certa libertà dei suoi rapporti con Sabina, mentre giocavano a tressette d'inverno o d'estate pigliavano il vento marino all'aperto, passava su e giú avanti alla finestra della stanza dove lui vegliava pazientemente con la taciturna fidanzata, arrivò, passando, ad emettere il fischio loro d'intesa. Lui s'era scocciato in fretta e quando Saglietti si ritirava nell'osteria, si congedava da Sabina e andava a sua volta a passeggiare davanti all'osteria, sotto la camera loro nuziale, tra i due fichi sterili, a imitare quel fischio. L'oste Saglietti non sapeva – o sapeva? – che sua moglie per ricevere il medico si infilava ogni volta calze nuove di seta e dopo l'affare, per il tanto brancicamento, se le sfilava, le accartocciava a pugnello e le buttava nella stufa accesa. Intanto la voce sui rapporti di Sabina con Saglietti si diffondeva – la voce, non la conoscenza, perché tutti ne erano a conoscenza, in quel paese, della sua maledetta condotta, non eri in grado di infilarti un dito nel retto per saggiarti la prostata che tutti lo venivano a sapere, – ed il medico si era stufato anche di Sabina, e quanto gli venivano a taglio i suoi peccati con Saglietti. Un giorno tagliò corto e glielo disse, la ragazza non batté ciglio e disse parola, scese in cucina e lo disse a suo padre. Il macellaio salí col figlio, il figlio aveva la doppietta, disse che se non la sposava, lo sparavano lí, anzi il padre non se ne sarebbe contentato, lo avrebbe poi fatto in quarti col mannarino. – Tra voi c'è stato tutto quello che doveva esserci, – disse. – Anche con Saglietti, – arrischiò lui. – Ammesso che ci sia stato anche con Saglietti, – disse il macellaio: – guarda un po', me ne frego di quel che mia figlia può aver fatto con Saglietti, ma per quel che ha fatto con te son pronto a sfidar l'ergastolo –. La data delle nozze venne fissata in quella medesima seduta. Il tragico si fu che anche Saglietti voleva spararlo, lo disse piano e forte e nell'osteria e nella piazza, spararlo perché non dividesse vita natural durante il letto con Sabina. Ma intanto lui aveva preparato la sua brava domanda per l'ufficialato medico in colonia e l'aveva fatta appoggiare da chi questi villani nemmeno sospettavano lui potesse goderne l'aderenza. La partenza era fissata per la mattina in cui dovevano sposarsi. Si sposarono in chiesa alle quattro e mezzo di mattina, lui già in uniforme, ed alle cinque scarse lui partí per la stazione di Ceva sull'auto pubblica di Pierino.

– Jeanne! – chiamò, e la donna gli rispose. – Vi lascio il buon giorno, – le disse. – Vado a vedere se si combina una partita al pallone. Caso diverso me la prendo a piedi per Niella, sperando che mi sopravanzi una macchina o un carro.

– Va bene, – disse la donna: – ma oggi non si gioca. Non c'è un'anima in piazza e il vento rinforza e presto toglierà a tutti la voglia d'esser fuori.

Infatti la piazza era deserta, ed il vento prendeva a sollevar piccole trombe d'aria, dove passava non restava che il grigioferro nudo della cilindrata. Il gioco era perfettamente deserto, salvo per i giochi dei conigli di Placido. Era chiuso a valle dalla fiancata della chiesa, a sinistra dalla casa del messo e a destra dal forno di Placido. A monte era aperto verso il dirupare della collina, per cui tanti palloni andavano perduti, al costo di lire cinque caduno. Il vento cominciava a farla da padrone anche nel gioco, mulinellava la polvere spessa a metà della lizza e faceva dondolare il pannello col divieto del Podestà a giocare durante lo svolgimento delle funzioni religiose.

Gli arrivò il puzzo dello straccione con bastone nella conca d'acqua all'angolo del forno di Placido, per pulire la pietra del forno.

Oggi non si gioca, oggi non si gioca, pensava e si rammaricava – oh quanto acutamente – di non aver usufruito del passaggio di Paco. Ma che avrebbe fatto a Niella? In casa no di sicuro per non godersi la moglie, e nemmeno in piazza avrebbe potuto girellare, perché la moglie stava sempre alla finestra, con quel suo occhio nero e muto e fisso.

Oggi non si gioca, comunque finse di battere un pallone e fece tutte le mosse necessarie e tutte bene. Si strinse alla vita la giacchetta, cambiò piede d'appoggio, bilanciò in mano l'immaginario pallone, fece cinque passi, sempre piú corti e rapidi, mirò alla pantalera e liberò il pallone; vibrato e radente. Poi si rilassò la giacchetta e disse a media voce: – Sarebbe stata una battuta di prim'ordine. Il pallone sarebbe svirgolato fra i due asticini, preso effetto e volato raso al muro, vicinissimo agli strappi del reticolato, che nessuno avrebbe potuto ricacciare. Nemmeno Sergio.

Il nipote-garzone di Placido si sporse dal forno per il panniccio.

– Oggi non si gioca, dottore, – disse.

– Chi sa, – fece lui piú acidamente che credesse. Non si poteva mai dire, in paese, che cosa si potesse o non si potesse fare. Quante volte, per il richiamo di una partita, aveva visto uomini abbandonare qualunque cosa avessero in mano pur d'esserci. Li vedevi comparire da un momento all'altro, rattenuti ingiuriati e criticati dalle mogli, ma invano, venivano con le scarpe di corda e la fettuccia per fasciarsi il pugno. Però oggi non era quel giorno. Il campanile batté le quattro.

Jeanne nel retro sentí uno scalpiccio sull'uscio dell'osteria. Scostò la tenda e vide sulla soglia Maria di Cora, sua coetanea. Sembrava però sua madre, e Jeanne ringraziò ancora una volta quegli anni sulla Costa Azzurra che tante cose le avevano insegnato in fatto di igiene e mantenimento.

– Da dove arrivi, Maria?

– Dal... – disse l'altra scendendo il primo scalino e Jeanne quasi fischiò per la distanza. – Sono stata a trovare mio fratello.

– Che mi dici di tuo fratello?

– È alla fine, non c'è piú niente da fare.

– Jesus-Marie!

– Non c'è nemmeno bisogno che lo dica il medico Durante che è alla fine. Se ne accorgono perfino i suoi nipotini. Come arrivo sull'aia, mi viene incontro il piú piccolo e mi dice «Sai, zia, che lo zio è moribondo?»

– Dicono poi i bambini, – fece Jeanne, – ma scendi, scendi. La compagna era ancora al penultimo gradino. – Mi dispiace parecchio per tuo fratello, Maria.

– Figurati a me, Jeanne. Posso dire che è l'unico uomo che mi ha usato delle cortesie in vita mia. Per Filippo ero qualcosa di piú che una sorella. O forse, Jeanne, io ero la sorella come dovrebbe essere la sorella per il fratello. Non andiamo troppo a fondo noi a queste cose grosse che sono fratello e sorella.

– Ma poi vengono i momenti che ce ne accorgiamo, Maria, e questi purtroppo sono i momenti tristi. Ma vieni avanti, vieni avanti.

– Vengo, Jeanne, perché ti dirò: vengo da te come cliente, – e rise con le sue labbra risucchiate.

– Ah bien, bien! – disse Jeanne.

– Vorrei tu mi dessi un tamarindo, Jeanne. È un anno che non ne bevo ed è un anno che ne ho desiderio. Oggi poi ne ho una voglia che mi pare di essere incinta della mia prima, – e rise ancora.

– Bene, siediti lí ed io ti preparo un tamarindo meraviglioso.

– Se non ti spiace, – disse Maria, – io mi accomoderei nel tuo retro. Potrebbe entrare qualcuno a vedermi e poi riferirlo al mio uomo. La scena che mi farebbe. Io nei campi, direbbe, a sudar l'anima, e la signora a bere consumazioni come una villeggiante.

Allora Jeanne la introdusse nel retro e la fece sedere sulla sedia riservata a Fresco. – L'hai abituato male il tuo uomo, lascia che te lo dica, Maria. Ti ha sempre fatto tremare dal primo giorno all'ultimo. Per quanto ognuna di noi ha abituato male il suo, chi per un verso chi per un altro. Ma ora stai seduta e stammi a vedere mentre ti preparo il tamarindo –. Passò nello stanzone e ne tornò con la bottiglia dell'essenza e un bicchierone per l'acqua magnesiaca. – L'acqua sarà freschissima, me l'ha tirata Fresco prima di uscire.

Maria si era seduta accanto alla vecchia madia adattata a ghiacciaia. – Guarda, Maria, quanto sciroppo ti ho messo, – disse Jeanne ponendo il bicchierone contro luce.

– Sei brava, Jeanne, grazie, grazie, – disse Maria, e poi: – Sempre a proposito di mio fratello Filippo, per dirti la differenza con mio fratello Edoardo. Erano bene in guerra tutt'e due, ma Filippo era veramente e propriamente in trincea, mentre l'altro faceva il conducente nelle retrovie e, io lo sapevo dal mio uomo che era nello stesso battaglione, si faceva un po' di soldi grattando sui viveri e sui generi di conforto. Per dirti, Jeanne: io tutte le sere pregavo per questi miei due fratelli. Ma per Edoardo che sapevo far la guerra per finta dicevo una preghiera per finta, mentre per Filippo dicevo la preghiera con tutto il mio cuore.

Jeanne finí di rimestare l'acqua aggiunta, poi lo passò a Maria invitandola a sentire quant'era buono.

–È proprio buono, – disse Maria dopo un primo sorso.

– È questione di marca, – disse Jeanne. – Ma io sono esigente in fatto di marche, sai. E debbo dire che Fresco lo è ancora piú di me –. S'era seduta di fronte alla ghiacciaia, con le mani in grembo.

– Non c'è niente che abbia il sapore del tamarindo quando è buono, per il mio gusto, disse Maria.

– Soltanto il caffè. Ma che sia vero Moka, – disse Jeanne.

La cliente stumbled col bicchiere in mano. – Veramente, Jeanne, sono passata anche per parlarti d'altro. D'affari, quasi direi.

– Dimmi pure, – disse Jeanne.

– Per parlarti della mia Candida.

– Parlami pure di Candida, – disse Jeanne.

– Io trovo che la mia Candida ha bel doito.

– Sicuro che ne ha la tua Candida, forse è quella del paese che ne ha piú di tutte, fuori del tipo di Anna di Gemma.

– Non ha la figura di Anna di Gemma, ma come doit ne ha forse di piú, – disse umilmente Maria.

– Ma la figura non durerà molto ad Anna di Gemma. Passato il rigoglio dei vent'anni, alla prima gravidanza, avrà la figura di sua madre, – disse Jeanne: – Io la vedo con una facilità enorme. Alle vene varicose certamente non scampa. Be', che mi dicevi di Candida?

– Di Candida dicevo che in famiglia, col tipo di uomo che ci troviamo, non ha nessuna possibilità di farsi qualcosa di bello, com'è naturale e giusto alla sua età. Una scarpina, voglio dire, una sciarpa e roba del genere. Proprio nel momento in cui ne ha piú bisogno. A parte l'età, ha incominciato a metter l'occhio su un giovane.

– Ah sí? – fece Jeanne. L'altra sorrise con le sue labbra risucchiate.

– A te posso perfino dirlo. Ha messo gli occhi sul figlio secondo del cantoniere.

– Hm, – approvò Jeanne.

– Beniteso niente di fisso, anzi lui non solo non s'è dichiarato, ma non ne è nemmeno al corrente. Del resto la ragazza è ancora tanto giovane. Ma è una cosa che si potrebbe fare ed io non trovo niente di male che Candida cominci a farsene una fissazione.

– Una douce fixe, – disse Jeanne.

– Del resto, il ragazzo non è affatto fuori della portata della mia Candida.

– Dovrebbe leccarsene le dita, – disse Jeanne: – Finisci la bibita, prima che ti si scaldi –. L'altra obbedí, con un gran succhio finale, poi non volle che Jeanne si scomodasse a ritirarle il bicchiere e lei si alzò a riporlo sulla madia.

Si risedette: – Quanto ti debbo, Jeanne?

Dopo, fece segno la padrona.

– Io avevo pensato, Jeanne, per procurarle qualche lira per le sue robette, – disse Maria: – a te ed al bisogno di serventi che hai nei tre giorni della festa.

– Sí, sí... – cominciò Jeanne, dondolando la testa.

– Candida ha bel doit.

– Ne ha, – ammise Jeanne.

– Sa sturare e mescere, vedessi come sa. E potresti anche affidarle i soldi, magari un milione. È sicura, e col resto non sbaglia.

– Sí, sí, – fece Jeanne.

– E per quanto sia seria, pure è brillante. Voglio dire che può allettare gli uomini a bere. Anche se non c'è bisogno di allettarli nei tre giorni della festa.

– O no non c'è bisogno, – disse Jeanne.

– E come ti potrebbe aiutare in cucina.

– Lo so, lo so...

– Altro credo non aver bisogno di dirti.

– No, no. Naturalmente io voglio parlarne con Fresco. Lui approva tutto quello che faccio, ma guai a non parlargliene prima.

– Si capisce, si capisce. Quanto ti debbo, Jeanne?

Contò i soldi e li mise sulla ghiacciaia. – Ora me ne vado. Jeanne, ti rincresce veder fuori se non c'è nessuno in piazza? Non vorrei mi vedessero uscir di qui, come una villeggiante, e qualcuno, senza intenzione, lo dicesse a mio marito. E poi mio marito potrebbe non esser lontano, mi disse che forse passava da Giulio.

Sospirando Jeanne andò all'uscio, poi fece segno di via libera. – Non c'è che il vento, se non hai paura del vento.

Si fermò prima della tenda. – Allora mi fai sapere qualcosa? Io potrei passare domenica dopo la prima messa.

– Sí, Maria. Basta però che ti dia la risposta la domenica prima della festa.

– Io comincio a ringraziarti per me ed anche per la Candida.

Appena uscita Maria, tornava all'osteria il medico Durante. Aveva perso tutte le speranze in una partita al pallone, calcolava che Paco era rientrato da piú d'un'ora a Niella e almanaccava chi mai potesse di sua conoscenza passar di lí per Niella. In difetto, si srotolava per la mente tutta la strada da lí a Niella, da farsi a piedi, e mentalmente la divideva in quattro tratti, uno piú lungo e noioso dell'altro: da lí a Casa del Re, al ponte sul Giano, alla segheria e indi fine.

Il cielo si era fatto tutto grigio, e per tutta la sua estensione c'era in volo una sola rondine, e abbastanza preoccupata pareva. Il vento ora investiva in pieno la valle e per quel che egli poteva vederne dal poggiolo davanti alla privativa sollevava trombe d'aria alte quasi quanto i pioppi. Sentiva gridare, e con un accento insolito, ma pensò si trattasse di qualche ragazzo a pascolo che credesse imminente un temporale e arringasse piú forte che mai le bestie. Questi cristi di marmocchi, pensò, hanno un modo di urlare che ti gela il sangue addosso. O forse sono io che sono decisamente vecchio. Per sfuggire a quei gridi nella valle accelerò verso l'osteria di Fresco, pur pensando che faceva male a rinchiudercisi, in quel modo non avrebbe colto il passaggio di una macchina per Niella. Quei gridi continuavano, e crescevano, portati e sdruciti dal vento, e non doveva esser solo una sua impressione, se anche la moglie di Giulio si faceva alla finestra sottana per rendersi ragione di tutto quel gridare.

Entrò nell'osteria, Jeanne comparve a veder chi veniva e saw the doctor seated in the darkest coin. Era appena seduto, che la porta si spalancò come un colpo di vento (Jeanne era andata a ritirare la tenda e accostare l'uscio) ed entrò un ragazzo della valle, con in mano il bastone del pascolo. – È qui il medico Durante?

Fresco era entrato dietro di lui. – Chi t'ha insegnato ad entrare come un selvaggio? – Ma il ragazzo non si spaventò affatto: – C'è qui il medico Durante?

Il medico si era alzato, impallidito e tremebondo come se

rispondesse ad una chiamata di carabinieri. Allora il ragazzo disse: – Il mugnaio di Belbo è rimasto preso nell'ingranaggio del palmento. Chiedono scendiate.

– Jesus-Marie! – fece Jeanne.

Fresco disse: – Non ho mai visto salvarsi uno preso negli ingranaggi del palmento.

– Tais-toi, tais-toi, uccello del malaugurio, – gli disse la moglie.

Il medico si era riafflosciato sulla sedia. – Allora che fate? – disse il ragazzo. Anche a Fresco tremavano le labbra.

– Tu l'hai visto? Sei entrato nel mulino?

– Io no, – disse il ragazzo: – me ne sono preso guardia. Hanno mandato me su perché correvo piú forte di quanti erano laggiú –. Poi aggiunse: – Il cantoniere ha fatto per entrare, ma l'ho visto svenire sulla porta.

Fresco batté i denti, poi ciabattò verso il retro e lo si sentí aprire un portello e stappare una bottiglia, certo qualcosa di forte.

– Allora che fate? – ripeté il ragazzo.

– Dottore? – disse Jeanne.

Il dottore disse: – Dev'esserci intorno un lago di sangue.

– L'ho sentito dire, – disse il ragazzo: – Il sangue ha mezzo riempita la vaschetta. L'ho sentito dal figlio di Alfredo Scarone, che è quello che è entrato ed ha fermato la puleggia.

– Il figlio di Alfredo Scarone, – disse Jeanne: – ha poco piú di tredici anni. Quello dimostra già adesso l'uomo che diventerà.

– Allora che fate? – disse il ragazzo.

Il medico prese a scrollar la testa, utmostly miserable. – Io non mi sento di far niente. Non resisto alla vista del sangue.

– Che medico siete? – disse il ragazzo.

Rientrò Fresco con un bicchierino per il medico. – Mandate giú questo. Io l'ho già fatto. Vedete com'è diventato grigio –. Il medico ingollò il liquore.

– Che medico siete? – insisté il ragazzo.

– Davanti al sangue io non sono piú medico, – disse Durante.

– Bisogna andare, – gli disse Jeanne.

– Fosse già morto... – disse il medico, senza lasciar intendere se esprimeva un dubbio o una speranza.

– Ebbene, voi siete l'unico che possa dire che è morto. Bisogna andare, medico, – disse Jeanne.

– Non era ancora morto, – disse il ragazzo: – Da dentro il figlio di Alfredo gridava fuori le cose come stavano. Ma sarà morto se ancora tardiamo.

Il dottore era in piedi, asciugandosi col fazzoletto il sudor freddo. – Bisogna andare, – disse.

– Era ora, – disse il ragazzo, making for the door.

– Che cosa gli farete, dottore, se è ancora vivo? – disse Jeanne.

– Non lo so. Qualche iniezione, se è ancora vivo –. Ma si irrigidí. – Io non mi sento di accostarmigli tanto da fargli l'iniezione.

Jeanne si mise una mano sulla bocca.

– Jeanne, – la pregò il medico: – voi siete capace a far le iniezioni...

– Non voglio tu ci vada, capito? – disse Fresco.

– Tais-toi, – disse lei.

– Voi fate quasi tutte le iniezioni nel paese e avete il necessario.

Fresco disse: – Non voglio tu ci vada. T'impressioni e poi io ti porterò in braccio per una settimana.

Ma Jeanne era già sparita sopra a prendere il necessario.

– Che medico siete? – gridò Fresco: – se avete bisogno di una donna per fare il vostro mestiere?

– Dammene un altro, Fresco, – disse il medico.

Piú presto che poté Fresco andò nel retro e tornò con un altro cicchetto. – Vi darei la bottiglia intera se faceste a meno di mia moglie, – disse, ma il medico scosse la testa.

– Che cosa combiniamo? – gridò il ragazzo dall'uscio. Poi cominciò a singhiozzare. C'erano almeno venti minuti, a camminar forte, per arrivare al mulino sul Belbo.

Scese Jeanne con una scatola e uno scialle contro il vento.

– E vacci, – disse Fresco: – Io qui ti preparo qualcosa di forte per quando ritorni.

– Qualcuno attaccasse un cavallo, – cominciò il dottore.

– Prima che sia uscito dalla stalla e attaccato, noi già siamo al mulino, – disse il ragazzo, incamminandosi di corsa.

Partirono, il medico at a minor pass than Jeanne's e Jeanne lo teneva a braccetto, a sostenerlo. – Io bene potevo prendere il passaggio di Paco, – disse il medico, – o prendermela a piedi...

– N'avez vous pas d'honte? – disse Jeanne, ma in tono di commiserare un ragazzo. Il ragazzo era già sparito di vista, ben oltre la fontana pubblica all'inizio del paese.

Uomini e donne si facevano agli usci o alle finestre delle case sparse, e qualche uomo si incolonnava dietro i due, altri guardavano interrogativamente le mogli, qualcun altro faceva per accodarsi, ma poi ripensandoci tornava alla sua soglia. – Jeanne? – gridò una donna dall'ultima finestra: – Nemmeno il parroco hanno trovato. Dev'essere in giro per la campagna o i boschi.

Erano allo sperone alto sulla valle. Il vento continuava, ma non alzava piú polvere, era alto alle cime dei pioppi, le quali vorticavano forte. Del mulino potevano vedere le chiazze grige che occhieggiavano tra i pioppi. – La ruota è ferma, – disse Jeanne, dopo aver ben considerato.

C'era sulla strada parallela una linea di gente in attesa, e al limite dell'aia un'altra linea, piú esigua; l'essere vivente piú vicino al mulino era un cavallo attaccato a un carro con sacchi, di deriva alla porta principale. Il ragazzo Jeanne lo vedeva precipitarsi giú per l'ultimo declivio.

Ora i due erano in piena vista, perché la prima fila di gente si voltò tutta verso loro, ma nessuno fece segno di sollecito.

– È passato, – disse Jeanne.

– Sí, dev'essere passato, – disse il medico.

– Lo capisco anche dal fatto che il figlio di Alfredo Scarone è fuori con tutta l'altra gente.

– Avete una vista portentosa, signora, – disse il medico con la leggerezza del sollievo.

Entrarono a contatto con la gente, e gli uomini che erano seduti sul greppo, anch'essi si alzarono, spazzolandosi il sedere. Il figlio di Alfredo veniva rapidamente per il prato. Jeanne si trovò con la faccia umida di pianto.

– Non se la prenda, Jeanne, – disse il ragazzo: – Non se

la prenda, medico. Cento medici non avrebbero potuto farci niente. Ora però deve entrare a constatare la morte, non sbaglio? Io l'accompagno.

Andarono, e Jeanne si sedette sul greppo e posò a lato la sua scatola. Accanto venne a sedersele l'altro Scarone e si grattò la testa, facendo spargere polvere e fili di fieno e tocchi di legno. – Quando lo saprà suo padre, – disse: – Suo padre è mugnaio a Cravanzana bassa.

– Questo, lo so, – disse Jeanne.

– Quanto gli rincrescerà d'esser stato duro con lui.

– È stato duro? – disse Jeanne.

– Duro... Lo teneva con sé e lo faceva lavorare a bacchetta. Lui per quello se n'è andato. Voleva la sua parte di libertà e di responsabilità e suo padre non gliela voleva dare fin che era vivo. E questo non voleva aspettare l'indipendenza dalla morte del padre, perché voleva sí l'indipendenza ma anche che suo padre campasse cent'anni. E allora fece debiti e rilevò questo nostro mulino.

Si accostò un altro uomo e parlò a loro dandogli in faccia i ginocchi. – Io credo che proprio la differenza del sistema l'abbia perduto. Il suo mulino di casa è piú moderno, ha il sistema a vapore. Lui a questo era abituato e non tanto ammanato con la puleggia. E la puleggia l'ha tradito.

– Se le cose stanno cosí, – disse Jeanne: – e se suo padre è uomo con un minimo di cuore, non tarderà a seguirlo. Attento, – disse poi a un uomo che si avvicinava, – o mi pesti la scatola delle siringhe.

Il vento si era sospeso, i pioppi stavano immobili ma pronti al nuovo soffio, si sentiva a tratti il rumore del torrente, il cavallo abbandonato alla stanga nitrí per richiamo. Uno dei ragazzi gli lanciò una pietra tra le gambe. A momenti prendeva il medico che usciva col figlio di Alfredo. Venne direttamente da Jeanne. – È terribile, – disse e si sedette. Si tastò il panciotto e chiese poi se qualcuno gli dava una sigaretta. L'uomo che aveva parlato per ultimo disse che poteva torchiargliene una e il medico aspettò che facesse.

– Che cosa siamo, – disse un altro uomo, chinandosi con le mani sui ginocchi. – Un'ora fa quell'uomo poteva smuovere con una mano un sacco d'un quintale...

– Era un buon uomo, abbastanza abile sul lavoro e completamente onesto. Oh con lui non c'era pericolo che ti cambiasse la farina. Però, dev'essere proprio cosí, non era troppo ammanato con la puleggia.

E disse un altro: – E con noi stava bene. Gli piaceva qui da noi. Me lo disse all'ultima macinata che fece per me. Il lavoro gli rendeva poco poco, ma lui era contento lo stesso. Bisognava cominciare, mi disse. Solo mi fece cenno che pativa un po' la solitudine.

– Lo capisco, – disse Jeanne, – solo in mezzo a una valle che non era la sua, e con a cinquanta passi questo porco torrente che di notte non ti lascia dormire.

– A chi lo dici, – disse Alfredo di Scarone: – tu sai che io prima ci abitavo lungo il torrente. Mia moglie tanto ha fatto che mi ha fatto cambiare con la mezza costa. Si risentiva del rumore, la notte, le pareva che tanti serpenti strisciassero verso casa nostra. Eravamo sposati da anni e ancora di notte, quando piú si faceva sentire il torrente, gemeva ed io dovevo svegliarmi e consolarla e riscaldarla per delle ore. Che donna m'ero preso. E tanto ha fatto che mi ha fatto cambiare con la mezza costa. Non che ne sia scontento.

Si sentí il medico tossire alla prima boccata di tabacco nero.

– Non m'avete fatto finire il discorso della sua solitudine, – disse l'uomo di prima. – Soffriva tanto la solitudine, mi disse quella volta, che aveva deciso di affrettare le nozze. Era impegnato con una ragazza di Ceretto e la ragazza era pronta a sposarlo a suo cenno.

– La pauvre, – disse Jeanne.

Disse il medico: – Qui bisogna telefonare alla famiglia ed ai carabinieri di Bossolasco per le formalità.

– Già fatto, – disse il figlio di Alfredo: – Se n'è incaricato il maestro e per i soldi della comunicazione si vedrà –. Il maestro stava a pescare poco distante.

– Bisognerà stare attenti alla maniera con cui si telefona alla famiglia, – disse uno.

Disse il figlio di Alfredo: – Credo che il maestro non abbia bisogno d'essere insegnato, altrimenti è la fine del mondo –. Suo padre guardò in alto: – Il sole se ne va. O sole, che brutta giornata hai governato.

Qualcuno guardò al passo, caso mai fossero già in vista i due carabinieri in bicicletta. Ma non c'era che una rincorsa di polvere sotto il vento che lassú batteva.

Poi tutti guardarono a sinistra, poiché dal sentiero della valle era sbucato il parroco. Era piú grande e grosso del piú grosso dei suoi fedeli, vestiva la tonaca sbottonata sul corpo nudo e portava, sulla spalla, un parasole di cotone giallo.

III.

La notizia si sparse in un baleno. Gente che stava a lavorare sulla mezzacosta di Mombarcaro fischiò verso casa perché venissero a ritirare le bestie e [scese] come si trovava, nelle flanelle fradice di sudore e nei calzoni impastati di letame. Quelli del paese già si stringevano intorno al campione. Augusto Manzo, campione italiano di pallone elastico, era arrivato da Alba su un'auto di piazza per visionare Sergio. La macchina si era parcheggiata a lato della chiesa, davanti alla privativa di Placido, e il campione stava procedendo verso il centro della piazza. Come stava dicendo con la sua voce lenta e mansueta, il suo terzino destro di quadriglia era stato operato all'improvviso di ernia e non aveva sostituto per finire il campionato. Cosí era venuto a questo paese per visionare Sergio, del quale aveva sentito chissà come parlare. – È una buona scelta, – disse Fresco, che tra l'altro era zio secondo di Sergio. – Dove abita questo Sergio? – domandò il campione, torreggiando sul codazzo degli ammiratori. Fresco gli indicò la casa di Sergio, ma disse che stava da Umberto, perché l'aiutava nel servizio postale. – Dov'è l'ufficio postale? – domandò allora Manzo. – Non scomodatevi, ci saranno già andati in dieci a chiamarlo.

Era un uomo altissimo, e con un gonfio torace, e la spalla destra sensibilmente piú alta dell'altra. Quando poi per il caldo si rimboccò le maniche, videro che il suo avambraccio destro era grosso e tubolare come un mattone, sparito il polso. – È su questa piazza che giocate, vero? – domandò con la sua voce lenta e mansueta. I suoi capelli erano chiari come il suo occhio. – Sí, – disse Fresco, – e se salite sul mio balcone a veder la partita, io sarò onorato, – e chiamò forte Jeanne perché facesse strada al campione italiano. Dal suo uscio Giulio lo studiava mentre si dirigeva all'osteria, e trovò che gli difettava la gamba, marciava lento e pesante e non troppo coordinato. Ma: – È un'impressione, – gli disse il vecchio Braida, – io l'ho visto due volte, una ad Alba ed una a Saliceto. Ebbene, ti posso dire che arriva a dei palloni corti che nessuno arriva –. Intanto Fresco accompagnava il campione al ballatoio. – Cristo, disse, non lascerete mica questo campionato a Ricca, a quel ligure della malora? – Il campione sorrise: – Chi sa? Se lo vincesse, non ci sarebbe niente da dire. Ricca è forte, e tutta la sua squadra è forte. Se avessi io i suoi due terzini... – Ma ora vedrà che con Sergio si sistema, – disse Fresco: – Non perché è del paese, ma è forte. E gioca con passione e con cattiveria. – Ora lo vediamo, – disse calmo il campione.

Quando apparí sul balcone, la gente che si era addensata ai margini della lizza, lo applaudí. E i due che l'avevano accompagnato gli sorrisero largo da basso. Uno di essi era il terzino titolare, giovane benché già molto stempiato e ora che si sfilava la camicia per restare in canottiera rivelava un fisico minuto e secco, ma come intessuto di filo di ferro. L'altro era parecchio piú anziano, si era seduto ai margini della lizza, su una sedia portatagli fuori da Giulio. Era biondissimo e come ricavato da un solo gigantesco tronco, e parlava poco e sillabato, ma molto affabile. – Lei è con Manzo? – gli domandò Giulio. – Fino all'anno scorso. Per questo campionato mi sono ritirato. Ho quarantadue anni. – Non si direbbe, – disse Giulio. – Li ho tutti. Mi sono ritirato di mia spontanea volontà, anche se Manzo per l'affezione mi avrebbe tenuto ancora in squadra. Ma io preferisco crepare che farlo perdere. – Non ce la faceva piú? – domandò Giulio, attorniato da molti ora che il campione era sequestrato da Fresco sul suo balcone, e tutti erano intenti al loro discorso, sebbene non staccassero gli occhi dal campione lassú, invidiando e maledicendo Fresco. – La concezione c'è ancora, – rispose il terzino a riposo, – ma lo scatto non c'è piú. Vedo i palloni partire, so a priori come partono e per dove, ma la gamba non mi porta piú sulla traiettoria. – Peccato, – disse

Giulio. – Ma me ne sono prese di soddisfazioni. Ne ho vinte di partite e di coppe e di medaglie con Quello lassú. – Lei è delle nostre parti, – insinuò uno fresco arrivato. Scosse la testa. – No, non sono di questa parte del fiume. Sono nato e abito dall'altra parte di Tanaro, ma darei non so cosa per esser nato da questa parte. – Ah, – fecero, arrossendo di piacere. – Non so cosa darei per esser nato a Santo Stefano –. Loro tutti sapevano che Manzo era di Santo Stefano.

Gli uomini del paese che formavano la partita erano già in lizza, in flanella, in scarpe di corda, ripassandosi la fasciatura e guardando ogni tanto su al campione. Venne Placido e da una scatola fece scappare quattro, cinque palloni nuovi. – Da 280 grammi, regolamentari, proprio da campionato vostro, – disse Placido al terzino che era nella lizza. Li fece rimbalzare tutti, prima piano, poi fortissimo in modo che le palle sfiorarono il balcone dove sedeva Manzo. Poi disse: – Questo per la partita. E se si perde, questo –. Allora Placido marcò i prescelti con lo sputo, poi per sicurezza rincanestrò i tre scartati. «Oh che stupido», si disse.

Il terzino in campo mosse nervosamente e domandò forte. – Arriva questo Sergio? Neanche Lui si fa aspettare tanto –. Gli si accostò Ugo d'Andrana, che sarebbe stato il battitore contro Sergio. – Io ti ho visto ad Alba, – gli disse rather shilly. – È là che mi si vede per lo piú. – Una partita che giocavate contro Capello di Torino, quello che corre sui tacchi. – Non me la ricordo, – disse il terzino. – Vinceste 11 a 7, – disse Ugo. – Non me la ricordo. – Tu fermasti un pallone speciale, a salto e volo, e prendesti la caccia a dieci metri dalla loro intra. – Non mi ricordo, – disse il terzino. – Io ne tocco tanti di palloni, e ne gioco tante di partite in e fuori campionato.

Lassú il campione fumava e beveva la birra portatagli da Jeanne.

Sergio arrivò dal viottolo della posta. Stava ancora fasciandosi il pugno ed il capo della fettuccia rossa strisciava nella polvere. Quando vide Manzo sul balcone, lasciò di fasciarsi il pugno e corse sotto. – Io sono Sergio, – gli disse. – Vedi che perdi la benda, – gli disse Manzo. – Comincia pure la partita. Credi che la partita è equilibrata? – Sergio si voltò a riconoscere gli uomini in campo. – È equilibrata, – disse Sergio. – Bada che contro di te gioca il mio terzino. – Allora è piú forte dalla loro parte, – disse Sergio. – Non te ne preoccupare. E fa' conto che io non ci sia quassú. Gioca come giocassi una qualunque partita, solo preoccupandoti di non perdere, perché fa conto ci sia una gran posta di bibite. – Sí, – disse Sergio. – E d'altra parte non strafare, non voler far troppo. È allora che si fa meno del solito. – Lo so, – disse Sergio. – Cominciate, – disse il campione e rimase col mento sulle braccia conserte sulla ringhiera. – Eh, – gli disse dietro: – a me non interessa la volata. Se la sai fare, tanto meglio, ma non mi interessa tanto. Il punto di volo a voi terzini capita di rado. Fammi vedere sopratutto come tiri di raso e a mezz'altezza, fammi vedere come sai distribuire e scartare il pallone. – Ho capito, – disse Sergio e s'incamminò verso il suo terreno. Per strada incrociò il terzino di Manzo, quello che gli sarebbe stato contro, che l'avrebbe fronteggiato, assaggiato e giudicato, gli vide le gambe cavalline, le braccia secche e forti e l'occhio mobilissimo, un po' irridente. E si sentí mancare il cuore. – Questo non me ne fa passare uno, – disse. E l'altro parve leggergli nel pensiero, perché abbozzò un'ombra di sorriso e poi guardò mischievously da una parte.

A metà campo Sergio incrociò Ugo d'Andrana che sarebbe stato il suo battitore avverso. – Per me oggi è importante, Ugo, – gli bisbigliò. – Fammi il piacere, battimi i palloni non dico belli, ma nemmeno troppo maligni. – L'altro rispose, con averted eyes: – Va bene, cercherò di batterteli belli. L'intenzione è buona, capisci, ma poi i palloni sono rotondi. – Mi basta l'intenzione, Ugo, – disse Sergio, e stava per sopravanzarlo, quando l'altro disse ancora: – Bada che c'è una bava di vento che trasporta i palloni a sinistra.

Cominciarono. La battuta di Ugo era una bella arcata, quasi maestosa, ma, pensò subito il terzino di Alba, molle, ecco il pallone doveva land sul pugno molle come un fico. Difatti dal fondo Sergio lo centrò, lo spedí rasoterra fra i due terzini. Cosí il secondo pallone. Il terzino di Alba si schiarí la gola e si flesse meglio sui ginocchi per un maggior scatto. Gli pareva d'aver intravisto al bordo il vecchio Menemio ghignare. Ma anche sull'altro pallone, col terzino che avanzava rapidissimo per chiudergli il ventaglio, Sergio colpí di precisione e mandò la palla diagonale, fuori della portata del terzino.

Disse Menemio dal bordo: – Penso che te ne vedrai pochi palloni.

– Al tempo, – disse il terzino, andando a riprendere posizione col suo passo breve ed accelerato.

– Spiazza bene, questo è un fatto, – disse Menemio.

– Che gliene pare? – domandò Fresco al campione.

– Niente male.

Passato alla battuta, Sergio batté storto, perché Ugo ribattesse alla meglio. Cosí fu e Sergio ebbe un pallone comodo per il rimando. Con la coda dell'occhio vide il terzino chiudergli la visuale e glielo sparò addosso rasoterra. Il terzino intuí la traiettoria e glielo arrestò coi due stinchi. – Mi hai fatto il punto, – disse Sergio, – ma gli stinchi ti faranno male ancora domattina ad Alba –. Il terzino si era voltato per non dare a Sergio la visione della sua sofferenza, e in quella il campione da su gli domandò che tipo di pallone fosse quello di Sergio.

– Pesantuccio, eh?

– Cosí, cosí, – disse il terzino, ma il campione aveva visto continuargli il pallore del male.

– Avresti dovuto portarti i parastinchi, – gli disse.

«E chi pensava ai parastinchi contro questi burini», disse fra sé il terzino.

La partita andava bene per Sergio, ad un certo momento Ugo ebbe un pallone carico e ribatté come poté. Il terzino di Sergio arretrò per finirlo lui il pallone, ma dal fondo Sergio scattò, urlando ferocemente che glielo lasciasse, arrivò sul rimbalzo sfiatato ma giusto, chiuse gli occhi e colpí. Come sentí il pallone esplodergli sul pugnetto, riaprí gli occhi e digrignò i denti. La palla volava oltre lo schieramento nemico, sorvolò addirittura il tetto della chiesa. Era fallo, secondo i regolamenti del paese, ma Sergio era felice, aveva dimostrato al campione di saper fare anche la volata.

Difatti: – Sa anche portarlo via, – disse Menemio rivolto al campione.

Il campione accennò con la testa.

– Que-est ce-que vous ne pensez, monsieur le champion? – domandò Jeanne salita a riportare birra.

– Oui, il a de l'étoffe, – rispose il campione che aveva fatto due stagioni al bracciale sulla Costa Azzurra.

Dovettero sospendere, perché al lato della piazza era comparso Emilio Cogno con mucche e una carrata di merce. Emilio affittava il magazzino tra il Municipio e l'osteria di Fresco. – Ferma dove sei! – gli urlò Giulio.

– Io vado al mio magazzino, – disse Cogno.

– Non vedi che razza di partita, eh? – disse Giulio.

– Che ne so io che partita è.

– Vedi lassú sul balcone di Fresco il campione Manzo.

– Lo vedo, – disse Cogno dopo aver guardato. – Lo riconosco. L'ho visto una volta a Cortemilia.

– È venuto a visionare Sergio, per prenderselo in squadra. E tu vuoi passare e farli sospendere.

– Si capisce. Il carro è mio, quel che c'è sopra è mio, il magazzino è mio fin che pago l'affitto, e la piazza è di tutti. Voglio vedere chi mi impedisce di scaricare. Porca legge, – disse e incitò le bestie.

Sul balcone si alzò Fresco. – Per Dio! – gridò a Cogno: – Non la smetti mai di lavorare?

– Infatti, voi giocate, – disse spregioso Cogno. – Io sono sulla fatica, voi sul gioco. Per non morire della vostra carità.

– Questo anzitutto non è un gioco. Molto di piú di un gioco. E poi che ne avrai alla fine di tutto quel lavoro che fai?

– Affari miei. Tu non ci pensare, – disse Cogno, sospingendo ancora avanti le bestie.

– Non crederai mica d'esser tanto furbo? – disse Giulio.

– Sono niente e tutto, niente e tutto fuorché un poltrone, – disse Cogno, facendo vieppiú invadere il campo dalle bestie. Per l'ira Sergio colpí il pallone verso il carro, facendo sorvolare la palla al disopra delle bestie di poco.

Cogno vide e disse: – Riprovaci, tabalori.

– Se riavessi il pallone, – disse Sergio.

Cogno guardò dall'altra parte a vedere chi avesse raccolto il pallone. – Rimandaglielo, – disse.

Ugo d'Andrana fece segno di no e si nascose il pallone dietro la schiena.

Allora Cogno si rivoltò da Sergio e disse: – Tabalori!

Sergio scattò le braccia in alto. – Chiedo tutto il paese a testimone se c'è una persona piú testona ed egoista di voi, Cogno. Chiedo se mai uno ha avuto un favore da Cogno.

– Mica me l'avete chiesto per favore di fermarmi al bordo.

– Oh, se era solo per questo... – fece Giulio.

– Per piacere... – cominciò Sergio.

Ma Cogno scosse la testa e la briglia alle bestie. – Non c'è piú piacere che tenga, – disse.

Allora Sergio si rivolse ai testimoni. – Avete visto che testa e che cuore ha Davide Cogno? Che cosa uno si può e si deve aspettare da Davide Cogno?

Cogno arrestò le bestie, a dieci passi dalla porta del magazzino.

– Tabalori, – disse a Sergio. – Tabalori sei nato, ora diventerai lazzarone completo, perché mezzo lo sei, e fare il giocatore professionista...

– Che cosa sputi? – disse Sergio.

– Gira, tabalori, – disse solamente Cogno e arrivò con le bestie al magazzino e si girò ad estrarre, lentamente, la chiave del magazzino. Allora tutti i giocatori si avventarono al carro e lo scaricarono in un baleno, a risparmio di tempo.

– Mai una volta che ci rimetta, – disse Giulio.

Mentre scaricavano, il terzino Menemio attraversò la piazza per andare dal campione. Camminava come un orso e teneva sempre le mani aperte e rivoltate, come se ancora oggi si aspettasse, ad ogni passo, un pallone da fermare. Arrivò sotto il balcone. – Capo, – disse, – ha polso buono, occhio buono e gamba buona.

– Sí, eh? – fece Fresco radioso.

– Ho visto, – disse neutro il campione.

– E il suo pallone è pesante, quasi una pietra. Porello, – e rise, – Porello deve avere gli stinchi viola.

Il campione smiled his sad smile. – Ho visto, – disse. – Anche da quassú vedo che a fermare i suoi palloni Porello già prima che arrivino stringe gli occhi e fischia tra i denti.

– Però, – aggiunse, – mi dispiace di non vederlo alla ferma.

– Dovrebbe fermare in proporzione, – disse Menemio.

– Speriamo, – disse il campione.

– E hai visto, capo, che ti porta anche via il pallone? Ciò che Porello non ti fa, a meno che non arrivi a dieci passi dal fondo?

Cogno aveva richiuso il magazzino e stava sgombrando il campo tenendo per il timone le bestie. Aveva visto intanto la sua bambina sporgere la testa fra le gambe degli uomini in lizza. – Agostina, – chiamò col suo vocione grezzo.

La bambina gli corse incontro a metà campo.

– Tu lo fai apposta! – gridò Sergio, – la bambina adesso l'hai chiamata apposta.

Cogno non disse niente, afferrò la bambina e la mise in groppa a una bestia. Poi le domandò: – Lo conosci quel tabalori col pugno bendato di rosso?

– È Sergio della posta, – disse Agostina.

– Non piú Sergio della posta, – disse Cogno, – ma Sergio dello sferisterio.

– Sergio dello sferisterio, – ripeté la bambina.

– Va, va, – le disse Sergio, – cerca di far mettere cervello a tuo padre.

– Digli tabalori, – disse Cogno alla figlia.

– Tabalori, – disse la piccola.

– Sergio tabalori e lazzarone.

– Sergio tabalori e lazzarone.

– Ora filiamo, – disse Cogno dando alle bestie.

Menemio domandò da basso al campione se gli interessasse ancora. Il Porello si scoprí un'ascella e ne trasse una manciata di sudore.

– Ancora un paio di giochi, – disse il campione. – Mica per niente. Quello che ho visto basterebbe. Ma sento che mi fa bene l'aria.

– Sarà perché sei sul balcone. Io da basso non sento la differenza dall'aria di Alba –. Si rivolse al campo e ordinò la ripresa. Appena fu riseduto, tossí e indifferente a Giulio e agli altri cavò il fazzoletto e lo riempí di sangue.

Sergio vide Anna, la figlia di Placido e Gemma, comparire all'angolo della chiesa. La guardò andando alla battuta. Lei gli fece una serie di segni convenuti e lui capí che sua madre l'aveva trattenuta in casa fino allora. Benché fosse martedí aveva il vestito della festa, le calze di seta ben tirate, ma s'era sfilata una pantofola ed ora riposava su quella il piede scalzato. Girandosi un'ultima volta vide che anche Ugo era fisso ad Anna e stava dando le spalle mezze alla direzione della battuta.

– Forza, forza, – scattò Porello: – Anche qui menano la danza le belle ragazze? Forza, ragazzi, forza, che viene notte.

Sergio ebbe un pallone comodo e lo spinse in maniera da far arrendere Ugo, ma questi recuperò miracolosamente e di volo lo rimandò incredibilmente. Sergio era cosí convinto di averla spuntata che era venuto molto sotto. Si vide sopravanzare da quell'insolito pallone, recuperò con un tale sforzo che i vicini lo sentirono rantolare, colpí forte e bene, lungo, ma Ugo rivenne di volo e lo scagliò di nuovo lontano. Sergio rispose da fermo, col braccio quasi sopra la testa. Porello si avventò per finirlo, Ugo gli urlò di lasciarlo a lui, ma Porello era il terzino del campione, lo finí lui alle spalle di Sergio. – Che t'ha preso? – disse a Ugo – volevi che ti lasciassi quel pallone sul mio pugno. Ma sai chi sono io? – Ugo aveva già visto che Anna era sparita dietro l'angolo, e non gli importava piú niente. – Scusami, – disse a Porello, – l'avevo visto piú comodo per me.

Il campione aveva approvato Sergio e lo assunse. Nella camera da letto di Fresco e Jeanne glielo disse e poi cavò il portafoglio e da quello un foglio di cinquanta lire. Nessuno, notò Fresco, davanti a lui aveva trattato i soldi con tanta pazienza e rispetto. Erano per i calzoni bianchi regolamentari e le pantofole bianche. Si trovasse venerdí prossimo dopo mezzogiorno allo sferisterio di Alba.

– Giochiamo già l'indomani, – gli disse, – nello sferisterio di Acqui.

– Gran Dio, – disse Sergio, sentendosi mancare il cuore.

– Non è una partita di campionato, ed è l'occasione buona per buttarti nell'arena.

– Per me va bene, – disse Sergio.

– Certo che va bene, – disse Menemio, – ti va bene anche se ti andasse male. Ricordati che Lui per te è il Padreterno.

– Sí, sí, – disse Sergio.

– Se ad Acqui funzioni, – disse il campione, – io ti farò giocare domenica in campionato.

– Contro Ricca! – disse Sergio.

– Come lo sai? – disse il campione.

– Il cuore me l'ha detto.

– E che altro ti dice? – fece Menemio.

– Che mi sembrerà di morire, – disse Sergio e l'altro rise.

Jeanne aveva preparato il catino sulla terrazza per il terzino di Alba e Sergio. Naturalmente Sergio gli lasciò la precedenza. Guardava l'uomo lavarsi con cura e pazienza, e intanto pensava: «Questo è l'uomo che avrò al fianco in chissà quanti campionati. Vinceremo e perderemo insieme, ci trasferiremo insieme. La sua mano destra – eccola lí, rilavata, coi molti peli stiacciati dalla saponata, con le vene rilevate come cordicelle, al confine del polso rossastro e sformato – la sua mano destra si incaricherà dei palloni che si presenteranno alla mia mancina, nessuno gli sarà piú vicino di me quando deciderà il pallone ed io gli dirò bravo, anche se lui se ne frega, prima ancora che glielo dica Lui o il pubblico».

Ora si asciugava, con cura e pazienza. – Sei contento, – gli domandò.

– Prova a far l'aiutante dell'ufficio postale qui, – disse solo Sergio chinandosi sul catino.

– Te ne accorgerai, – disse il terzino. – Te ne accorgerai del mestiere del terzino nelle grandi squadre.

– È il piú bel mestiere del mondo, – disse Sergio tra la saponata.

L'altro sputò fuori del terrazzo sul tetto della stia. – Me ne dirai qualcosa già venerdí sera. Menemio t'ha detto che Lui è il padreterno.

– Per me lo è già.

– Anche per me, ma all'incontrario. Vedrai. Se fermerai un pallone fantastico, se farai un quindici impossibile, vedrai loro, Lui ed il secondo, voltarsi subito alla battuta, come se tu avessi fatto nient'altro che il tuo dovere, normalissimo dovere.

– Ebbene?

– Ma se perderai un punto, se lascerai passare un pallone

che per te è difficilissimo e per loro invece è normale, e così per il pubblico, che vede in fondo solo loro, allora li sentirai, ti daranno addosso come se gli avessi ucciso il fratello o rubato i soldi. E a proposito dei soldi, te ne accorgerai anche per quelli.

– Ti dispiace passarmi l'asciugamano? Anche solo un lembo. Grazie. Perché? Non si guadagnano tanti soldi?

– Uff, – fece il terzino, cercandosi il pettinino: – Vedrai. La sera dopo la partita, nella stanza d'albergo, nel puzzo del sudore e dello Sloan. Lui estrae i soldi – tutti spiegazzati perché come gli scommettitori glieli danno lui se li caccia in tasca come vengono vengono e forse appunto perché sono così spiegazzati ti sembrano tanti, ammassati sul letto. Tu non li vedi poi tanto bene, perché vicino al letto ci sta solo Lui, e il secondo a qualche passo. Il Padreterno, a sentire Menemio...

– Per Menemio lo è, – disse Sergio.

– Certo, – disse l'altro. – Ne è innamorato, peggio che fosse una bella donna. Innamorato, e non s'è avanzato una lira, soltanto una bella etisia. E il Padreterno non gli viene incontro d'una lira, mai che gli paghi una birra e un panino al bar dello sferisterio.

– Menemio è tisico? – domandò Sergio.

– Lo è diventato. Negli sferisteri. Vedrai anche quello.

– Si diventa tisici?

– La tosse ti viene certamente. Sono pieni di correnti d'aria, vedrai, e tu hai sempre la maglia fradicia di sudore. Vedrai.

– Tu però non lo sei.

– Ma potrei diventarlo come Menemio. Un bel giorno sputi come hai sempre sputato, ma stavolta è rosso. Ricca sputa rosso, Gavello idem, idem Rabino, e ti dico tre capiquadriglia, tre Padreterni.

Sergio andò a rovesciare il catino nel gerbido.

– Che ti stavo dicendo? – domandò il terzino infilandosi la camicia nei calzoni.

– Parlavi di tubercolosi.

– No, lí ho finito, non me ne aggrada mica di approfondire.

– Prima dei soldi, – disse Sergio, – del mucchio di soldi sul letto dell'albergo.

– Sí, – disse il terzino. – Vedrai il mucchiettino che spetterà a te. E se a te pare abbastanza, è perché non vuoi pensare che hai gli stinchi rotti, e le unghie asportate e i fianchi ammaccati. Loro no, ma vedrai il mucchio suo di Lui e del secondo.

– Vedremo, – disse Sergio.

– Vedrai sí, – disse l'altro. – Ancora contento?

– Prova a fare l'aiutante di posta quassú.

Il terzino sospirò. – Del resto, – disse, – potrei averti anche parlato tanto a fondo perduto. Può darsi che tu ti metta la nostra maglia venerdí e poi non la riveda mai piú per tutta la vita e per tutta la vita a incollare buste.

– Tu che ne dici? – disse Sergio, scostando la tenda dell'osteria.

– Mah, da noi si dice che la palla è rotonda.

XI.

– Scusami, – disse Paco a Remo arrivato a piedi, – ho fatto un'altra strada. Poiché a Cossano non ho trovato la coppia buona per i Ghirardi, ho pensato di cercarla a Borgomale e Rodello.

– Non fa nulla, – disse Remo, – temevo solo vi fosse capitato qualcosa per la strada. Posso vedere la coppia che avete comprato per i due vecchi?

– Non c'è, – disse Paco, – nemmeno a Borgomale e Rodello l'ho trovata. Tu però stamattina vai dai due vecchi a ritirare la coppia loro.

– Sí, padrone.

– Di' che mi servono perché Paco ha già trovato il ricompratore e questi vuol far l'affare subito o si rivolge altrove. Dunque ti diano la coppia.

– Sí, padrone, – disse Remo.

– Di' che intanto io mi sbrigo a trovare la coppia di rimpiazzo. Di' che penso d'avercela sottomano. Di' che vengano a ritirarla mercoledí, che è giorno di mercato a Feisoglio e con l'occasione la vecchia si gode il mercato e compra quel che desidera. Di' loro che ancora non l'ho trovata per l'ambizione di servirli bene. A Borgomale ho visto una coppia discreta. Se non l'ho presa è perché voglio servirli molto bene. Di' loro che ho quest'ambizione.

– Sí, padrone, – disse Remo e passò in stalla a prendere due braccia di corda. Poi partí, pensando che mai aveva visto Paco con gli occhi cosí gonfi e mai sentito parlare tanto a lungo e con lingua tanto incerta.

Paco lo guardò sparire alla curva e intanto pensava che era

la prima volta che doveva mentire con un suo garzone e si arrabbiava per aver dovuto e sentito di dover arrotondare tanto la menzogna. Poi, quando Remo sparí di vista, braced e si avviò alla casa di Luca l'usuraio. Non ci andò direttamente, ma aggirò il paese e riuscí sul retro della casa, si fermò e si guardò intorno per assicurarsi che nessuno l'avesse visto e lo vedesse. Nessuno. Ma a sinistra, dove sarebbe dovuto passare per entrare dalla porta, vide una finestrella e a quella cucire una ragazzina che avrebbe certamente alzato gli occhi e poi parlato, magari contro la noia del lavoro. Per di piú, ora la vedeva meglio, era la figlia di Augusto, che veniva ad imparare dalla sarta del paese, ed Augusto si sarebbe buttato a pesce su una qualunque occasione per sparlare di Paco. Tutto per via della moglie, la madre di quella cucitricina. Elda amava Paco, e lui non aveva voluto saperne, aveva preso tutto il possibile (non tutto) e poi aveva smesso. E allora Elda aveva sposato Augusto, ma già in abito nuziale e col velo sul braccio aveva detto pubblicamente: – Sposo Augusto, ma il mio amore è Paco –. Naturalmente poi Paco aveva cercato di fare adulterio con Elda, ma lei non c'era piú stata, and by now Elda era quasi sdentata e le calze il giorno della festa le si raggrinzivano sulle gambe.

Paco waded fra l'ortica, pose un piede sul davanzale e saltò dentro per la finestra. Il suo peso rimbombò sull'impiantino, Paco era un uomo sui novanta chili. Capí che aveva fatto spaventare il vecchio solitario e maleviso e allora disse forte: – Luca? Sono io, Paco, – e stette ad aspettare che il vecchio comparisse.

Comparí. Aveva un paio di calzoni nuovi dai quali fuoruscivano i legacci dei mutandoni e il panciotto di sempre, quello dentro cui era nato. I suoi radi capelli erano brinati di vecchia forfora ed i suoi occhi lacrimavano di continuo, cosí portava sempre un fazzoletto strizzato nel pugno.

– Paco? – disse, poi ciabattò avanti. – Perché dalla finestra?

– Capirai, – disse Paco, – m'ero sempre promesso di non passar mai dalla tua porta –. He was grinning.

– Allora hai bisogno di me? – disse Luca.

– Se ti sono entrato per la finestra, – disse Paco.

Luca gli disse di passare nel suo «studio», era cosí vecchio e malmesso che per girarsi doveva battere coi piedi ogni millimetro della circonferenza. Puzzava come un'aringa, pensò Paco. Lo studio era la sala da mangiare, e la finestra era aperta sul sentierone di cresta, e allora prima di sedersi Paco andò ad accostare le imposte e la stanza fu piena di assoluta penombra. Luca si era già seduto e disse che era troppo buio ora, lui quasi non lo vedeva.

Paco si sedette. – Sai d'aver davanti Paco. Basta che mi senti. Facciamola corta, eh, Luca? – e si accese una sigaretta.

– Sai, Paco, – disse Luca, – che ero rassegnato a passar dal mondo senza vederti entrare da me? L'altro giorno proprio ci pensavo. E mi dissi: «Me ne vado senza aver avuto Paco cliente».

– Non siamo d'accordo di farla corta, Luca?

– Quanto? – disse Luca.

– Ventimila, – disse Paco guardando la sigaretta.

Luca non si dimenò sulla sedia, ma era rimasto col fazzoletto a metà strada.

– Che hai fatto, Paco? Comprato una casa ad Alba?

– Non ti riguarda.

– O ti sei fatto una donna di lusso?

– Finora le donne non mi costano niente, – disse Paco.

– Nemmeno a me, – disse Luca e Paco ghignò.

– Parlo della mia stagione, naturalmente, – disse Luca. – In tutta la mia stagione non ho mai pagato una donna. Vero è che erano tutte brutte.

– Non mi riguarda, – disse Paco.

– Ventimila... – cominciò Luca.

– Non sono molte per Paco, – disse Paco.

Luca guardò sú. – Sei venuto anche per insegnarmi il mestiere?

– Facciamola corta, Luca.

– Oddio, Paco, si direbbe che ti senti male, – disse Luca.

– Bene non mi sento davvero, – disse Paco.

– Che sorte hanno i prestatori, – si lamentò Luca: – Non riescono a mettere a loro agio i clienti anche quando, come in questo caso, vorrebbero che ci stessero.

– Facciamola corta, Luca.

– Sí, Paco, ma è un brutto destino il nostro. Bene, Paco. Di tuo Fratello Agostino hai notizie?

– Se la passa discretamente a Bra.

– Da un pezzo non viene piú sú, – disse Luca.

– Qui non ha piú interessi. Ora sai che la casa paterna è tutta mia, – disse Paco.

Luca fece un cenno deprecatorio e alleggerente.

– Anche il bosco ceduo è tutto mio, – aggiunse Paco. – La vigna invece è ancora indivisa, per una questione di sentimento diciamo, ma interessa soltanto me e le mie sorelle. Allora?

– Sí, sí, – disse Luca, alzandosi. – In tutti biglietti?

– Grazie, – disse solo Paco.

– Devi aspettarmi un quarto d'ora, – disse Luca, – perché tengo il capitale al piano di sopra ed io sono del tutto invalido.

– Vi aiuterei, Luca, ma non è il caso, – disse Paco e Luca accennò che era cosí.

Un quarto d'ora passò cosí: passarono cinque minuti prima che la scala di legno cessasse di cigolare sotto il suo passo ascendente, altri cinque minuti prima che finisse di rimestare le piastrelle del pavimento, altri cinque minuti prima che ridiscendesse. Intanto Paco aveva acceso e consumato un'altra sigaretta, poi all'ultimo momento estrasse il suo portafoglio, enorme e vuoto, e lo allargò per l'attesa.

Il vecchio deviò alla credenza e di lí portò il necessario per scrivere su un vassoio da vino. – Scrivila tu la carta, Paco, – disse. – Semplicemente perché io non ci vedo.

Paco si dispose a stilarla. E intanto diceva: – Mi pesa in mano piú che un badile ed io a scrivere mi sento inferiore a un bambino.

– Sono quattro righe, Paco, – disse Luca.

– A cinquemila lire l'una, – disse Paco.

– Per te, – disse Luca.

– Si capisce per me, – disse Paco, – che metto all'interesse?

– L'otto, – disse Luca straight e senza guardarlo.

Paco grinned. – L'otto? Io mi aspettavo il sei.

Luca disse: – Applico il sei a quelli che mi dicono perché e per cosa borrow from me.

– Allora l'otto, – disse Paco e scrisse il tasso.

Carta e denaro furono scambiati e col portafoglio in mano Paco disse: – Come sta tuo figlio Emerenziano?

Il vecchio lo fissò con odio.

– Tu m'hai chiesto di mio fratello Agostino, – grinned Paco.

Emerenziano era scappato da casa con qualcosa come duecentocinquantamila lire e Luca lo considerava morto e sepolto per lui. Si sapeva che aveva già istruito il parroco di non permettergli di seguire la sua bara.

Luca si era alzato, e taceva. Paco grinned: – Hai notato che te l'ho chiesto a contratto stipulato. Se te lo chiedevo prima tu nemmeno al venti mi prestavi.

Luca era andato a scostar le persiane. – Fatti vedere, Paco, – disse, – da me a scavalcar la finestra.

E Paco abbozzò. Ma prima che Paco alzasse la gamba, disse: – Quanto si dice in paese che m'abbia rubato?

– Duecentocinquantamila, – disse Paco.

– È giusto al centesimo, – disse Luca riflessivamente, ma poi alzò la testa fieramente. – Se tornate sul discorso all'osteria, Paco, di' agli interessati che prendermi duecentocinquantamila a me è stato come strappare un pelo dal culo di un asino.

A quell'ora Remo ritirava la coppia dai vecchi Ghirardi.

– Voi restate in cucina a tenermi compagnia, – gli disse la vecchia, – cosí io non soffrirò tanto. Bevetevi tutta la bottiglia, Remo.

– Perché soffrire, – disse Remo.

– Mi fa effetto, che quelle bestie vadano via, – disse la vecchia. – C'erano, da prima che mio figlio unico morisse, e ci furono anche dopo.

– Sí, – disse il vecchio, – bevi e tienile compagnia. Dammi la corda.

– E quando saranno pronte, – disse la vecchia a suo marito, – portale alla curva del pozzo che io non le possa vedere. E tu, Remo, poi non ti fermare sulla strada, perché io assolutamente non voglio vederle.

Il vecchio uscí con la corda, e Remo si riempí il primo bicchiere.

– E se nel viaggio dovessi chiamarle, ricorda che il maschio si chiama Martino e la vacca Begonia.

– Sí, padrona, – disse Remo.

– E di' a Paco che noi ci fidiamo di lui e lui fa sempre bene. E quindi non si rompa troppo la testa con quella sua ambizione. Noi due siamo vecchi e soli e di ambizioni noi non ne abbiamo piú. Ci trovi una buona coppia, senza tanto sottile, e senza rompersi troppo la testa. Versati un altro bicchiere, Remo.

– Per la compresenza, – disse Remo, – ma io non sono molto da vino.

– Nemmeno mio figlio era tanto da vino. Negli ultimi tempi gli ripugnava addirittura. E quel pover'uomo di suo padre beveva di nascosto ed io subito lavavo i bicchieri ben bene. Non è strano per un ragazzo di campagna?

– Mah, – disse Remo.

– È che il male aveva già incominciato a girargli per la vita, – disse la vecchia, – e il mio ragazzo presentava novità ad ogni nascer di giorno. Proprio cosí.

– What did he die for, – disse Remo.

– Nessuno l'ha mai saputo. O almeno nessuno ce l'ha mai detto. Il medico Durante...

– Il medico Durante, – disse Remo, – è un medico per modo di dire.

– Non ci siamo mica fermati al medico Durante. Chiamammo quello di Murazzano e quello di Feisoglio, poi quello di Bossolasco e Saliceto.

– Be', – disse Remo, – non siamo ancora molto piú su del medico Durante.

– Aspetta, aspetta, – disse lei: – Non ci siamo mica fermati lí. Chiamammo consulto ad Alba e poi a Mondoví, e poi tutt'e due insieme. E poi un professore di Torino, che villeggiava, sapemmo per caso, a Bossolasco. E poi ancora un doppio consulto, ancora quelli di Alba e Mondoví.

– Siamo già molto piú su, – disse Remo.

– Ma il mio povero figlio andava sempre piú giú. Guarda, Remo, – disse la vecchia, orientandolo per la finestra al pendio. – Vedi quella bella discesa con il cascinotto quasi nuovo? Era nostro, ora è dei Giani. È la roba che ci è andata per i medici e le medicine.

– Non mi raccontate niente di nuovo, – disse Remo.

– E quando vidi che tutti questi professori non sapevano far altro che scrollar la testa, io presi la strada e andai dal settimino di Cessole, non trascurando di portare una pancera del mio povero figlio. È lontano, il mio vecchio mi disse di prendere la corriera fino a Feisoglio, e di là l'altra fino a Cortemilia e a Cortemilia un auto di piazza. Ma io ci volli andare a piedi...

– Di qui a Cessole?

– Sicuro. A piedi perché a piedi mi sembrava di fare un voto. Andavo da un settimino e nel mentre era come andassi a un santuario, a un santuario dei piú celebrati e potenti. E pregai per tutta la strada e fra le mani tenevo la pancera di mio figlio come un rosario. Ma non serví. Ma anche la ricetta del settimino non serví.

– Mi dispiace tanto, – disse Remo.

– Dispiacque a tutti. Era un buon ragazzo. Non si dava arie, e sapeva che forse era il piú fornito di roba dei dintorni. Ed ora non abbiamo piú eredi e piú roba che ci occorra, anche perché c'è venuta a mancare la voglia di consumarla.

– Si comprende, – disse Remo.

– Alla volontà di Dio, – disse la vecchia. – Lui sa perché me l'ha tolto e come io vivo adesso.

– Se non lo sa lui, – disse Remo. E guardò uneasily dalla parte della stalla.

– Oh, – fece allora la vecchia, – non ti stupire perché tarda. Avrà fatto tutto un discorso all'uno e all'altra.

In quella arrivò il fischio di Ghirardi.

– Sono pronte, – disse Remo, alzandosi: – Davvero non le volete vedere?

– Mi farebbe troppo effetto e a me ora l'effetto dura enormemente. Appena in stalla falle bere, Remo, e trattale bene fin che puoi.

– Fin che sono nelle mie mani, – disse Remo e uscí.

Ghirardi gli diede il capo della corda. – Di' a Paco che ci fidiamo di lui e saremo a Feisoglio il giorno del mercato senza fallo. Tu hai bevuto?

– Piú del normale, – disse Remo. – Avanti, Martino. Avanti, Begonia, – disse pulling gently.

– Aspetta, – disse il vecchio: – Qui hai da comperarti una boetta di tabacco.

– Grazie, – disse Remo, – nessuno mi tratta tanto bene, all'infuori di Paco. Vuol dire che mi ricorderò di Martino e di Begonia.

Due ore dopo giungeva all'imbocco del paese. Vide Paco seduto con altri davanti all'osteria di Ida e mosse per fargli vedere le bestie direttamente, ma Paco gli fece un gran cenno di andare diritto alla stalla passando per la byroad. Lui arrivò dieci minuti dopo. Sembrava particolarmente eccitato e guardò le bestie, prima ansiosamente e poi con estrema cura. Poi Paco si calmò, perché le bestie non portavano distinctive peculiarities. – Stallale, Remo, – disse, – e falle una lettiera pulita. E poi sotto con brenno. Il piú fine, quello nel moggio sinistro. Oggi e domani a tutto brenno.

Passarono i due giorni e la coppia di rimpiazzo non era procurata e Remo si preoccupava per i due Ghirardi e d'altra parte di chiedere a Paco non si fidava perché Paco era piú del solito taciturno e concentrato e insofferente. – Deve andar con la moglie peggio del solito, – si disse e non ci pensò piú. Ma Paco gli disse: Rifai le lettiere alle tue bestie, Remo, e tienti pronto per un lavoro stanotte.

– D'accordo, – disse Remo, ununderstanding.

Paco entrò nella stalla all'una di notte. Era completamente nudo salvo per i calzoni e portava una lanterna di rinforzo. E una cassettina di materiale. – Tu fai al manzo quel che io faccio alla vacca, – disse senza guardarlo in faccia e con un tono piú autorevole del solito.

– Va bene, padrone, disse Remo.

– Solo non calcare tanto come ti pare faccia io. Dopo farò io il ripasso alla tua bestia.

Remo fece a Martino quel che vedeva Paco fare alla Begonia. Lustrarono a nuovo i quattro zoccoli, passarono il bianchetto sulle culatte, sui fianchi e sul petto. Disse intanto Paco: – Queste bestie l'hanno mica tanto assimilato tutto quel brenno. Non gli si vede mica tanto addosso –. Era grim e taut come mai e la lanterna gli dava sulla faccia.

– Cosa volete, – disse Remo: – Fossero bestie che prima avessero patito ne avrebbero fatto una gran panciata. Ma queste stavano bene dov'erano e tutto quel brenno non le ha affascinate granché.

– È cosí, – disse Paco e preparò il rossetto.

Le rossettarono dove andava, Paco a un certo punto raccomandandogli di non calcare troppo, le infiocchettarono alle orecchie, le lustrarono le corna alla Begonia. Alle quattro avevano finito, Paco ripassato il lavoro di Remo, e Paco disse: – Basta cosí. Le vedremo meglio alla luce naturale. Svegliati fra un paio d'ore.

– Mi sveglierò, – disse Remo. – Ma se è questo che le interessa, le dico io che non si riconoscono piú.

Paco strinse le labbra e continuava a guardar fisso le testone delle bestie.

Stanotte ti ho insegnato molto, Remo, – disse Paco. Remo fu per rispondergli: – Ma io non volevo mica imparare, – ma tacque perché Paco aveva pur sempre troppo prestigio per lui.

Ma Paco capí quel silenzio. Disse: – Quando diventerai padrone.

– Oh, – fece Remo.

– Quando diventerai padrone, – insisté Paco, – avrai delle nozioni. In caso di necessità.

– Oh, – fece Remo.

– Di grande necessità, – disse ancora Paco.

Fece per uscire con la lanterna, si voltò e disse: – Svegliati fra due ore. E non aprire troppo le impannate, – disse uscendo.

Remo annuí. Poi quando fu solo, si disse: – Ma uscire al sole debbono ed una volta al sole... Ma tanto sono irriconoscibili, – e dando un calcio in un mucchio di fieno andò a coricarsi nel tratto libero della mangiatoia e prima di dormire pianse per Paco, per i due vecchi e per sé.

I Ghirardi si presentarono solamente alle undici. La vecchia aveva parecchie commissioni in mercato – solo l'acquisto delle scarpe per l'inverno richiese quasi un'ora – e poi era meglio che le bestie lasciassero l'ombra della stalla soltanto per iniziare il viaggio.

They liked the new beasts, erano brillanti e come spiritate tanto erano vivaci. E abbastanza giovani, per il cambio. E Paco insisteva tanto perché le esaminassero con tutto il comodo e tutta profondità. – È inutile, Paco, – disse la vecchia: – Noi siamo cascinai nemmeno di paese, di langa siamo, ma possiamo dire che ci serviamo del meglio e dal meglio. Quindi per questo affare ci siamo rivolti a Paco –. Paco sorrise e non disse niente. Il vecchio cominciava a sfilare e contare le carte da cento.

– E che fine hanno fatto Martino e Begonia? – domandò la vecchia.

– Basta che non abbiano fatto la fine del macello, – disse il vecchio.

– Sono finite da brava gente, – disse Paco.

– Gente che come noi li considera creature di Dio? – disse la vecchia.

– E che hanno appena un fazzoletto di terra e mezzo in piano. Non li sfiancheranno certo.

– Meno male, – disse la vecchia: – Mi sento piú a posto con la coscienza. Perché, – disse, – dove andremmo a finire se i vecchi dovessero eliminarsi proprio e solo perché sono vecchi?

Il suo uomo disse: – Questa sarebbe la regola giusta. A tutti uomini e bestie, quando arrivano alla vecchiaia, si deve per legge dare il veleno.

Paco rise e la donna sbuffò.

– Ricontali, Paco, – disse il vecchio dandogli i biglietti.

– No, – disse Paco infilandoli tutti nella sua grande tasca.

Poco dopo erano per strada oltre Feisoglio e la sua piazza gremita di tende e banchi. Il sole batteva forte e a picco, non c'era vento, e i passi battevano sordamente sull'alto strato di polvere soffocante.

– Potevi prenderti un gelato, donna, – disse l'uomo puntando il bastone alla coppia che li precedeva.

– Non farmi ridere, – disse lei. – Alla mia età passare per la piazza con quel coso in mano. E poi i gelati mi danno il mal di pancia. Potevi prendertelo tu.

– Fammi ridere, – disse lui.

Piú avanti lui le disse: – Lascia che ti porti la borsa, donna.

– Mai al mondo, – disse lei.

– Perché?

– Perché nessuno al mondo deve vedere Carlo Ghirardi che porta la borsa alla sua donna.

– Che importa?

– È un voto che ho fatto il giorno che t'ho sposato. Mi dissi: quello è un uomo. Come che sia, un uomo. Trattalo sempre da uomo.

– Avevi una bella testa. E ce l'hai.

– Chiedimi tutto tranne che di lasciarti portare le mie cose.

Andarono avanti e la vecchia si fissò sull'andatura della mucca. Le sembrava tanto la stessa di Begonia, apriva la gamba come Begonia e lo zoccolo si posava dirittissimo come a Begonia. Si disse di no, ma non poteva distogliere l'occhio e piú guardava e piú si confermava. In breve non ne poté piú.

– Carlo, – disse: – guarda lei.

– La guardo, – disse il vecchio.

– Non ci trovi niente?

– Solo che è una bestia discreta. Paco è d'oro.

– Guardala bene, – disse lei.

– L'ho guardata bene.

– Non trovi che ha la camminata di... Begonia?

– La camminata di Begonia? – disse lui. – Come camminava Begonia?

– Esattamente come cammina questa, – disse lei.

Lui guardò, pensò e poi disse: – Le vacche si somigliano tutte a camminare.

– Ma questa somiglia troppo a Begonia, – disse lei.

– Vuoi dire che Paco, vuoi dire che questa...?

– Non dico niente. Dico solo che cammina come Begonia. Tal quale.

Lui ripensò e disse: – Dici cosí, vedi cosí perché avevi troppo l'abitudine a Begonia.

– Questo può darsi, – disse lei.

– Scommetto che se la guardassi negli occhi diresti che ha gli occhi di Begonia. È per la grande abitudine che avevi di Begonia. Ma ricordati che da questa a Begonia c'è una illusione di almeno tre miriagrammi.

– Non parlo piú, – disse lei: – Tu hai sempre avuto un grande occhio per le bestie, Carlo.

– Mio padre, – disse lui, – non mi lasciò fare il macellaio, ma sento che era il mio mestiere.

Procedevano, e la vecchia continuava a fissarsi sulla camminata della vacca. Allora, per svariarsi, si diede a fissare il manzo, ma non poteva dir niente, la verità si era che era piú attaccata a Begonia che a Martino.

– Di' qualcosa, – disse lei a un certo punto.

– Non ho niente da dire, – disse lui, – ed è una fortuna perché con questo caldo non ho nemmeno piú la saliva per attaccare un francobollo.

Cosí anche la vecchia tacque, ma Ghirardi a un certo punto vide il manzo sferzarsi con la coda i fianchi e da questi involarsi certe nuvolette bianche, cosí bianche quali la polvere non dava. Fece per arrestarsi per il puzzlement, ma pensò di non dar motivo alla vecchia di chiedere e continuò a camminare con una mano passante sulla bocca. Lui camminava molto simile a Martino, anche a Martino si faceva quella anormale piega nel culo quando ambiava. Ma era solo un'impressione di memoria, non una certezza.

– Donna, – disse il vecchio, – fermiamoci un minuto sotto quelle nocciole.

Si fermarono e le bestie con loro, e allora videro che per il caldo avevano il muso rigato e scolato di nero e di rosso. Si guardarono in faccia. – Paco, – cominciò lei. – Paco è come tutti gli altri, – sospirò lui. – Guarda bene, di buoni buoni nei negozianti di bestiame non se n'è visti mai.

– Ci ha dato indietro Martino e Begonia... – disse lei.

– Che stai dicendo? – fece lui. – Io non pensavo questo e non lo penso. Penso che ci ha fatto un piccolo trigo, ci ha imbellito coi loro sistemi due bestie qualunque, che non valgono il cambio piú le mille.

– Ah, tu la pensi cosí? – disse lei. – Solo cosí? Io penso invece che ci ha ridato Martino e Begonia. Ce li ha ridati un po' truccati, ma Martino e Begonia in carne ed ossa –. E per comprova li chiamava per nome e uno dopo l'altro e gli stringeva ed accarezzava il muso.

– Che cosa vuoi capire cosí? – disse lui.

– Oh, se voglio capire! – gridò lei. – Martino! Begonia!

– Vuoi dire che Paco...?

– Voglio dire proprio quello. Martino! Begonia! Vieni qui a vedere la pupilla di Martino. Questa luce azzurra, di questo azzurro...

C'era in lei piú la soddisfazione della scoperta che l'amarezza della frode, ma i vecchi occhi di lei scintillavano di lacrime.

– Io non ci credo, – disse lui.

– Povero mio uomo, – disse soltanto lei. – Martino! Begonia!

Lui pensava, poi disse: – Ho trovato. Ho trovato la maniera di provare. Siamo a cinquecento metri da casa. Per casa nostra si lascia la strada e si piglia il sentiero a sinistra. Lascia discostare avanti le bestie e non parliamo piú.

La strada fu percorsa, le bestie precedevano di cinquanta e piú passi, alla foce del sentiero lo infilarono dritto come un fuso.

Il signor Podestà

Il signor podestà vestiva come i contadini, solo indossava una giacchetta di alpaga nera. Aveva un occhio lusco dalla nascita e la gamba sinistra storpiata dalla guerra '15-18. Aveva quasi cinquantacinque anni. I denti rimastigli erano verdi come l'erba.

Era arrivato a metà strada al paese. Egli abitava in una casa isolata, a un tiro di pietra da Belbo. Anche Maria Cora abitava in piano, ma il podestà stimò opportuno salire e ridiscendere dal paese per confondere i possibili malpensanti e malparlanti.

Possibile però che sua moglie Matilde se l'intendesse con Alfredo, l'accomodatore di porci? Il suo galoppino e debitore Maurizio giurava di sí. Ma che poteva ancora trovarci Alfredo in Matilde? Il seno le si era di tanto abbassato da formarle una specie di salvagente intorno alla vita. Ad Alfredo, poi, non bastava la moglie del cantoniere e sacrestano? Maurizio, d'altra parte, non aveva alcun interesse a mentirgli, a farlo imbestialire senza fondato motivo. Ad oggi gli doveva duecentocinquanta lire, un sacco di calciocianamide e una carrata di fieno. A detta di Maurizio, la prima volta era stata la notte in cui lui festeggiava a Niella il nuovo podestà di quel paese, ed era successo nella stalla. Matilde interrogata aveva risposto – senza affanno, per la verità – che quella notte Alfredo era in casa loro, nella stalla precisamente, ma perché chiamato da lei per paura che la vacca vecchia crepasse. Andava effettivamente soggetta ad attacchi ed ogni volta sembrava dover tirare i calci, e Alfredo di bestie in genere era competente almeno quanto il veterinario condotto, e le sue tariffe inferiori di un quarto.

Era arrivato alla fontana pubblica in capo al paese. L'ultimo a servirsi aveva lasciato il rubinetto semiaperto, pisciava forte, si avvicinò e borbottando lo strinse con tutta la sua forza.

Dunque, per la notte di Niella accettava la vacca. Maurizio però insisteva nella delazione. Quei due continuavano a vedersi, a fare, nottetempo, nel suo campo di fagioli. Ecco un particolare tormentoso. Il podestà aveva troppo buon ricordo dei fagioleti: era cosí comodo e gustoso, ricordava, assestare la ragazza in modo che le sue natiche campeggiassero sul dorso della biolca... Che Matilde uscisse con Alfredo (facendola da furbi) non era poi estremamente grave, ciò che lo scottava era sapere che se la godesse a quel modo nel suo campo di fagioli. Forse un modo c'era per scoprirli: quei due nell'eccitazione potevano benissimo perderci, dimenticarci qualcosa. Stasera o un'altra avrebbe fatto una capatina nel fagioleto e se trovava qualcosa nei solchi, un bottone una pezzuola o altro, allora avrebbe accomodato lui quell'accomodatore di porci. Forse, a studiar bene, avrebbe perfino trovato di che farlo spedire al confino.

Ma per quanto ci sfregasse sopra, non riusciva a sentire un vero bruciore per quel tradimento. Era troppo assorbito e ricompensato dalla sua relazione benissimo avviata con Maria, l'unica figlia, minorenne, di Giovanni e Candida Cora, mezzadri nella cascina del veterinario. Ci aveva appuntamento proprio per oggi, si sarebbe presentato fra mezz'ora, fra mezz'ora e cinque minuti avrebbe palpato la mela d'oro. Se il diavolo non ci metteva la coda. E rivedendo ad occhi chiusi le gambe di Maria, con quelle ginocchia come tornite nel legno dolce, quelle cosce lunghe e già potenti, provò un brivido caldo che si propagò anche alla gamba invalida, normalmente insensibile. Ma nel caso che per un dannato contrattempo qualsiasi gli fosse andata storta con Maria, «in questo caso, – s'impegnò con se stesso, – prenderò senz'altro in mano e fino in fondo la pratica dell'accomodatore di porci».

Con ciò era entrato in paese. A parte sapesse da sempre

che erano nove case, due chiese e un porticato, a parte quella wilderness oggi gli convenisse particolarmente, non poté a meno di raggricciarsi nelle spalle e dirsi tra i denti: «Che podestà sei, Antonio Fresia! Sei il podestà del deserto!»

Attraversò il paese senza incontri e senza occhiate e fuori porta prese a scendere per la rozza scalinata. A metà si fermò, da dove aveva completa visuale della cascina dei Cora, laggiú, presso il ponticello sul rio secco affluente di Belbo, dirimpetto al mulino abbandonato. Di lassú però non poteva distinguere i dettagli – leggi presenze e movimenti dei familiari di Maria – quindi discese di un altro centinaio di scalini.

Si tuffò tutto nel pensiero, nella pregustazione di Maria. Il pensiero però di Matilde ed Alfredo non voleva ritirarsi del tutto, era come una testarda falena vorticante intorno allo splendido lampione di lui e Maria. Si ricondusse in mente quella veglia in casa di Aurelio il fisarmonicista in cui Alfredo aveva abbondantemente sparlato del governo. Lui era intervenuto a troncare, ma essendo alticcio non abbastanza tempestivamente, sicché Alfredo aveva avuto modo di sparame di grosse. – Ad occhio e croce, ce ne sarebbe per due annetti di confino. Chi c'era? Ricordiamoci. Aurelio naturalmente, ma si farebbe confinare anche lui piuttosto che tradire Alfredo. Ma c'era anche il messo comunale e il piú giovane dei Ghirardi e questi due se del caso testimonieranno a Cuneo, oh se testimonieranno!

Si appoggiò al muretto a secco e osservò l'aia e gli immediati dintorni. Nessuno, nemmeno il cane, a ben guardare. Maria aveva previsto le cose per bene ed aveva fissato la giusta giornata. Dunque il padre Giovanni e quel boia di suo zio Tarcisio via a lavorare, certamente nel campo a mezzacosta di Mombarcaro. La madre Candida eccola lassú, a pascolo sul pendio al di là di Belbo, con tutte le pecore dei Cora.

Deviò sotto un fico selvatico, si rassettò camicia e calzoni, si scatarrò, poi col fazzoletto si nettò una prima volta i denti.

Discendeva.

– Il maiale è per strada, – disse il padre di Maria, Giovanni Cora, ritirandosi dietro il pagliaio. Aveva i piú grossi denti che possano vedersi in bocca a un uomo, e i suoi capelli necessitavano di un taglio da oltre due mesi.

Da dietro il pozzo si sporse il vicino Andrea. Era un ometto senza età, con una eterna espressione di rammarico nella faccia consunta, con le mani sempre intrecciate dietro il sedere, quando libere.

– Allora sei pronto a vedere per poi testimoniare? – domandò Giovanni.

– Io sono pronto, – disse Andrea.

– Dopo io ti rimetterò il tuo debito di cento lire. Ti consegnerò la ricevuta e tu me la straccerai sul muso. Sí, sul muso ti permetto di stracciarmela.

– Ti ringrazio, – disse Andrea, – ma si sappia che c'è dell'altro che mi spinge a far questa testimonianza. Alla mia coscienza ripugna questi vecchi non rassegnati che corrompono non solo l'innocenza delle figlie degli altri ma anche la loro stessa vecchiaia...

– Va bene, va bene, – troncò Giovanni, – si sa che sei sempre stato un uomo di coscienza.

Andrea girò i piedi a disagio.

– Tua moglie ci sarà? – domandò.

– Candida no. L'ho spedita al pascolo, – e accennò col capo al pendio al di là di Belbo.

– Dimmi la verità, Giovanni Cora. Candida non è troppo d'accordo su quest'azione, vero?

– È d'accordissimo, invece. L'ho spedita al pascolo semplicemente perché non conviene che ci sia. Parlare non sa, discutere tanto meno. Piangere sí, ma non abbiamo bisogno di pianti.

– Tuo fratello però ci sarà, – disse Andrea.

– Lui sí, – disse Giovanni, e come d'incanto spuntò da dietro il muricciolo Tarcisio Cora, anche piú grande e grosso del fratello, con un falcetto in pugno.

– Buondí, Andrea, – disse Tarcisio, – grazie.

– Di niente, – disse Andrea. Ma poi aggiunse: – Ditemi, voi due Cora: non useremo mica...?

– Questo vuoi dire? – rispose Tarcisio, agitando il falcetto.

– Macché, macché, – escluse Giovanni.

E Tarcisio: – Lo tengo solamente per occuparmi le mani. Io, Andrea, sono molto piú pericoloso con le mani vuote.

– Ora che ti piglia, Andrea? – disse Giovanni.

– Niente m'ha preso. Solo mi auguro che non si faccia del male, che non capiti violenza.

– Ma che violenza, – disse Giovanni.

– Se non la vuole lui, non l'avrà la violenza, – disse Tarcisio.

– Un momento, – disse Andrea col bisogno e il desiderio di chiarire, ma Giovanni Cora lo troncò netto.

– Non t'affannare, Andrea. Al massimo, gli faremo violenza sul portafoglio. Ma con tutte le forme. Ci credi tanto scemi da metterci dalla parte del torto quando stiamo con tutt'e due i piedi sulla sponda del diritto?

– Tarcisio, – ordinò poi al fratello. – Buttagli uno sguardo.

Andò e tornò. – È ancora a trecento metri. Sono tanti per la sua gamba disgraziata.

Disse Giovanni: – Non sarebbero tanti, avesse la gamba sinistra sana come quella di mezzo.

– Vecchio maiale schifoso! – imprecò Tarcisio.

Disse ancora Giovanni: – Il cane l'hai bene staccato, Tarcisio?

– L'ho staccato e ha preso per la riva di Belbo. L'ho staccato e gli ho detto: «Oggi godi anche tu». La bestia pareva non crederci.

Spiegò Giovanni ad Andrea: – È per evitare che magari abbai. Alle volte fa un casino d'inferno.

– Sí, sí, – approvò Andrea. – Meglio non fare rumori che magari richiamino... Maria sa come fare?

– Maria l'ho istruita io per filo e per segno, – disse Giovanni Cora.

– Certo, – disse Andrea a malincuore, – a un certo punto deve lasciarlo arrivare se vogliamo...

– A un certo punto deve lasciarlo arrivare sí, – soffiò Tarcisio.

– Calma, uomini, calma, – disse Giovanni. – Saranno bazzecole. Bazzecole anche per un'innocente come Maria.

– Che segnale darà? – s'informò Andrea.

– Un gemito, no?

– Noi lo sentiremo?

– Come se fosse una cannonata, – assicurò Giovanni.

Poi intimò silenzio e accennò al fratello di riguardare alla strada.

– Non lo vedo piú, – avvisò Tarcisio dal suo osservatorio.

Il podestà si era appartato per un ultimo rassetto alla sua toeletta e un ultimo struscio ai denti.

– Non lo vedo piú, – ripeté Tarcisio. – Avrà mica cambiato idea?

– Macché, – fece Giovanni. – Tu hai mai cambiato idea mentre eri per strada per quello?

– Io mai, – rispose Tarcisio senza esitare.

– Tu, Andrea?

– Nemmeno io. Alla mia stagione, s'intende.

– Vorrei proprio finisse bene, – disse poi Andrea. – Non dimentichiamo che, bene o male, è il nostro podestà.

– Bel podestà! – gridò Tarcisio.

Anche Giovanni alzò la voce. – In questa occasione non può sbattermelo in faccia che è podestà. In nessuna occasione. Non gli devo niente, né a lui né al Comune. Pago le tasse e ho sempre fatto il mio turno a fare riparare le strade. Né può dirmi di avermi sentito parlar male del governo. Quindi qui il podestà non c'entra. E guai a lui, se cerca di farcelo entrare.

– Anzi, – disse Tarcisio, – facciamo una cosa intelligente. Quando discuteremo non diamogli il titolo di podestà. Chiamiamolo con nome e cognome, nudo e crudo. Non vi pare? Del resto, la nipote mica cerca di godermela come podestà, cerca di godermela come Fresia Antonio.

– Quello che mi preoccupa, – disse ancora Andrea, – è che lui si fissi di non aver colpa...

– Cosa dici? – tuonò Giovanni.

– ... che lui non abbia nozione della sua colpa – ce l'ha, intendiamoci, ce l'ha a mucchio – e si ostini a negare, a difendersi finché voi due perdiate la testa. Non vorrei, insomma, finissimo in Tribunale.

– Non finiamo laggiú, – disse Giovanni, – finisce tutto qui e regolare. Patisce al portafoglio, ma capirà anche lui che il portafoglio non butta sangue.

Disse Andrea: – È per la figura, mica per altro. Tutt'al piú io comparirei da testimone. Da testimone però c'è da fare certe figure. Io ho davanti a me l'esperienza di mio fratello, quando lo chiamarono alle Assise di Cuneo a testimoniare a discarico di Felicetto che aveva ucciso il guardiacaccia della Lunetta. La figura che fece. Lui non è padrone dell'italiano, rispondeva come poteva e sapeva. Ridevano tutti, a crepapelle – per primi i magistrati, che sono mezzi napoletani – ridevano gli avvocati della parte civile, rideva perfino l'avvocato difensore di Felicetto che pure a mio fratello doveva del riguardo. Non vorrei proprio passarci anch'io.

– Sta' tranquillo, Andrea, – disse Giovanni Cora. Ma subito dopo si stese sull'erba e intimò silenzio assoluto.

Si sentí il passo zoppo del podestà sulla striscia lastricata nell'aia, lo sentirono fermarsi e girare i piedi alla maniera dei ciechi.

Infine chiamò forte Giovanni Cora.

– Non ci sono, porco, non ci sono, – bisbigliò Cora con la faccia contro l'erba.

Dopo un po' chiamò Candida, ma senza spreco di voce, avendola riconosciuta al pascolo oltre Belbo.

Quindi chiamò forte Tarcisio Cora.

– Tarcisio? – bisbigliò Giovanni al fratello. – Il falcetto mulinellalo senza economia.

Allora il podestà si confermò che Maria avesse fissato la giusta giornata, puntò alla stalla ed entrò senza bussare.

Maria era là, sedeva su un ballotto appena sfatto, e i suoi capelli erano biondi come la paglia che tappezzava l'angolo della stalla.

Le disse il podestà: – Hai visto, Maria, che sono venuto?

– Io vi aspettavo tanto, – disse rapidamente Maria.

– Sono venuto anche se alla Comune avevano tanto bisogno di me, – disse il podestà.

– Questo mi fa piacere, – disse la ragazza.

Allora il podestà si inginocchiò sulla gamba sana ed allargò le braccia.

– Ma come può, Maria, piacerti un vecchio come me?

– Eh, – fece la ragazza, – è una cosa che non si spiega. Esiste, ma non si spiega.

– Ti capisco, Maria, vuoi che io non ti capisca? – disse in fretta lui.

– Certo che mi capite, – disse lei, – altrimenti non si capirebbe perché io piaccia a voi.

– Tu a me, Maria! ? – disse il podestà, e avanzò di un'altra ginocchiata, gradatamente restringendo le braccia, come a misurarle i fianchi.

– Perché sono ancora una ragazzina, – continuò lei, – debbono piacermi i ragazzini? Sono tutti scemi quelli della mia età.

– Hai ragione, piccola. Quanto sei intelligente. Del resto, cosa vuoi che ne capisca, che apprezzi giustamente un giovanotto, un cretino di giovanotto, di queste caviglie, di queste gambe, chiudi gli occhi Maria, di queste ginocchia...

Maria gemette tre volte, invano, allora lasciò partire un gridolino.

Subito i tre irruppero per la postierla del fieno. Il podestà vide soltanto Tarcisio col falcetto, cascò seduto sulla paglia e si tirò il cappello sulla faccia.

L'irruzione era stata cosí viva e vivida che la ragazza stridette di vero spavento, senza curarsi della veste balzò in piedi e fuggí dalla stalla, piangendo a dirotto.

– Hai visto, Andrea? – tuonò Giovanni Cora.

– Ho visto sí, – disse Andrea tristemente.

Allora il padre di Maria marciò sul podestà e per la gamba sana lo trascinò nel centro della stalla. Gli rialzò il cappello sugli occhi e su di lui Tarcisio alzò il falcetto.

– No! – urlò il podestà.

– No! – implorò Andrea.

Tarcisio abbassò l'arma.

Il podestà inghiottí saliva e disse a Giovanni: – Non puoi trattarmi cosí! Sono il podestà, sono sacro e inviolabile.

– Ti do l'inviolabile, ti do il podestà, – disse Cora mollandogli la gamba.

– Cora Battista, sai che posso spedirti al confino?

– Non mi ci mandi no, perché ora io vado a gridarti in piazza e da quel momento non sei piú podestà.

– Sono un mutilato della grande guerra, – disse allora il podestà.

– Crepa! – disse Giovanni. – E crepi l'austriaco che non ti accoppò!

– Io non te l'ho toccata! – gridò il podestà.

– Aspettiamo nove mesi! – urlò Giovanni.

– Lurido peccatore! – urlò Tarcisio, rialzando la roncola.

– No! – fece il podestà. E chiamò Andrea in soccorso.

– Aggiustatela, – disse Andrea.

– Aggiustiamola, – disse allora il podestà. – Io sono innocente e puro ma aggiustiamola.

Andrea si ritrasse verso la parete e sospirò di sollievo. – Aggiustatela, – disse ai due fratelli.

– C'è poco da aggiustare, – disse Giovanni. – Quella è una cosa che non si aggiusta piú.

– Non te l'ho toccata! – disse il podestà.

– Non me l'hai toccata, sporca carogna? – disse Giovanni.

– Non te l'ho toccata fino in fondo, – disse il podestà, dimenandosi sulla paglia. – Te lo giuro sulla Madonna.

– Sei tanto turco quanto maiale, – disse Giovanni Cora.

– Giuralo sul governo, – disse Tarcisio.

– Te lo giuro sul governo, te lo giuro su di Lui!

Giovanni gomitò il fratello e questi rialzò il falcetto. – A questo vecchio porco gli taglio subito la gola o il... tanto per cominciare.

– Aggiustiamola! – strillò il podestà.

– Aggiustatela, – disse Andrea.

Allora Giovanni Cora si passò le mani sugli occhi e poi sulla bocca. – L'aggiusto, – disse. – L'aggiusto per Matilde, per i tuoi figli, e per l'onore del paese che ha la disgrazia di averti podestà.

– Aggiustiamola, – disse Tarcisio, tirando giú un sacco pieno e sedendocisi sopra con il falcetto attraverso le gambe.

– Aggiustatela, – disse Andrea, avanzando di poco.

– E soprattutto non datemi del podestà in questa discussione, chiamatemi per nome in questa discussione.

– D'accordo, – disse Giovanni. – E tu non nominarmi piú Maria in questa discussione. Capirai, a sentir mia figlia in bocca a te, il sangue mi gira il doppio.

– D'accordo, – disse il podestà. Del resto sentiva di non poterlo piú pronunciare, né oggi e forse mai piú, quel nome, Maria.

– Come l'aggiustiamo? – disse Giovanni.
– Di' tu come, – disse il podestà.
– No, tocca a te parlare.
– Sei tu l'offeso. Lo sei o non lo sei?
– Tocca a te offrire, – disse Giovanni, – perché nessuno quanto te sa l'offesa ed il danno che mi hai fatto nella persona di mia figlia.
– Io non te l'ho toccata! – gridò il podestà. – Non gliel'ho toccata, Andrea! – ma Andrea chinò gli occhi.
Tarcisio si era alzato a metà del sacco, il falcetto in posizione.
– Aggiustiamola, – ridisse il podestà.
– Aggiustatela, – ridisse Andrea.
– Avanti, offri, – disse Giovanni.
– Cosa offro, cosa offro? – diceva il podestà e cominciò a guardarsi in giro per la stalla.
– Cosa guardi, cosa spii? – disse Tarcisio.
– Vedo che vi manca un vitello, – disse poi il podestà.
Giovanni sbirciò Tarcisio, poi disse al podestà: – Mi è morto di carbonchio. È morto cosí malamente che nemmeno il mio padrone veterinario ha potuto salvarlo per la bassa macelleria.
– L'ho saputo, – disse il podestà. – Bene, io avrei un vitello che mi cresce nella stalla, – disse pensando al vitello che tre negozianti gli avevano già rifiutato.
– Sí, – disse Giovanni. – È sano?
– Sano e disposto. Buono per il macello sotto un mese.
– Che peso?
– Quasi trenta miriagrammi.
– Sí, – disse Giovanni Cora.
– Stasera avviso mio figlio il maggiore che te l'ho venduto e tu passi domani a prenderlo. Io non ci sarò. Basta che dici a mio figlio: «Vengo per il vitello rossiccio secondo l'intesa con tuo padre il podestà». E se mio figlio ti chiede per il pagamento, tu digli: «Ieri ho rilasciato a tuo padre una carta».
– Sí, domani mattina, – disse Giovanni.
Disse ancora il podestà: – Uscendo posso rivedere Maria? Solamente per rivederla in faccia. Prometto e garantisco che non le parlo. Solamente per rivederla in faccia.

– Eravamo intesi che non nominavi mia figlia, – disse Giovanni.

– Ma ora l'abbiamo aggiustata, – disse il podestà.

– Non è tutta aggiustata, – disse Giovanni Cora. – Il vitello non basta.

– Come non basta? – disse il podestà, riafflosciandosi sulla paglia.

– Non basta.

– Un vitello per una colpa che non ho commesso.

Balzò su Tarcisio. – Annulla il vitello, Giovanni. Disfa il già fatto. Lasciami la soddisfazione, non c'è niente che la paghi. Prima lo castro e poi...

– Aspetta! – implorò il podestà, ma come vide Tarcisio, si rivolse ad Andrea: – Non sono stato generoso, Andrea, col vitello? Vale milleduecento lire, offertemi dal negoziante di Bossolasco. Andrea, non ti pare che?...

Ma Andrea disse: – Io non c'entro. La colpa non è mia, come il danno non è mio. Andrei contro coscienza a dire io ciò che è poco e ciò che è molto. Ma aggiustatela, dico io.

– Tu vuoi prendermi anche del liquido, – disse allora il podestà a Giovanni Cora.

– Certo, certo, – disse Giovanni. – Ma non ti prendo niente, semmai ti aiuto a scaricarti la coscienza.

– Io non sarò certo dannato per quel poco che ho fatto a tua figlia.

– Ti danno io prima del Supremo, – urlò Tarcisio. Giovanni lo lasciò fare fin che ritenne basta, e poi lo scostò col braccio.

– Duemila, – disse.

Il podestà si ricacciò il cappello sul viso. – Tu sei matto! – bofonchiò sotto la tesa.

– Duemila, – disse Giovanni facendogli volare il cappello con un ceffone.

– Andrea, – disse il podestà, – questi vogliono ammazzarmi in un'altra maniera.

– Aggiustatela, – disse Andrea.

– Io conosco una sola maniera di ammazzarti, – disse Tarcisio, – e duemila lire non pagano certo la soddisfazione.

– Duemila, – disse Giovanni, quasi cacciandogli in bocca l'indice e il medio.

– Non le ho, – disse allora il podestà.
– Le hai.
– Non le ho addosso.
– Credo bene. Nemmeno il castellano di Marsaglia gira normalmente con duemila lire addosso. Non fa niente che non le hai appresso. Mi firmi una carta.
– Ah, ah, – fece il podestà. – L'hai già preparata.
– No, no, – gli rifece il verso Giovanni. – E te ne accorgerai da te. Perché la scriverai tu con la tua manina da podestà.
– Finalmente vedremo la sua firma sotto una carta che non sia una ingiunzione, – rise Tarcisio Cora.
– Non ho ancora firmato. Non firmo, – strillò il podestà.
– Tu firmi, – disse Tarcisio. – Oh se firmi, oh come firmi.
– Aggiustatela, – pregò Andrea.
Disse Giovanni a Tarcisio: – Tienilo d'occhio mentre io torno con l'occorrente per scrivere. Abbiamo dell'inchiostro?
– Chiedi a Maria.
Disse il podestà: – Fatelo portare da Maria. Perché io voglio rivederla in faccia.
– Non la rivedrai, – disse Tarcisio. – E c'è di piú. Non ripensare alla sua roba di sotto, di Maria dico, perché io ho un occhio che ti legge nella sporca mente e ti coglierei lo sporco pensiero ed in quel momento ti ammazzo.
– L'avete aggiustata, – disse Andrea.
– Torno subito con penna e calamaio, – disse Giovanni avviandosi.
– Porta anche una bottiglia di vino, – disse il podestà, – e la scatola dei wafer, se l'avete.

L'affare dell'anima

Per le sette il vecchio aveva finito di cenare e passò sul suo poggiolo senza fiori.

Aveva davanti uno spettacolo di nebbie: nebbia come cotone compresso a imbottire i rittani, nebbia sul punto d'ingoiare le poche luci rossastre di Ca' di Cora e Cadilú, e la nebbia alta finiva di cancellare il crudo profilo della Langa di Mombarcaro.

Dalla riva di Belbo montava, forando la nebbia, il canto dei grilli, innumerevole eppure cosí sincrono che pareva essere a produrlo un solo grillo, un mostro di grillo appiattato tra le radici della nebbia.

Il vecchio, pur infastidito di tutta quella nebbia, resisteva sul poggiolo da una mezz'ora, quando successe la cosa che lo fece sloggiare: per l'ultima volta le falene erano salite dal fiume, a migliaia, a far la girandola attorno al lampioncino dell'osteria della Francese, sotto il quale i giovani avventori avevano dopo un po' acceso un falò e le fiamme avevano presto succhiato a terra tutte quelle disperate ballerine. L'aria adesso era intossicata da un misto di fradicio e di bruciato che arrivava fin sul poggiolo e innervosiva il vecchio. Che decise di ritirarsi, sebbene al campanile non fossero ancora suonate le otto, la sua ora fissa per il letto.

Si levò dalla seggiola, con la lentezza e la cautela di chi ha settantacinque anni e si sa alla mercé del piú piccolo incidente. Tenendosi a due mani allo schienale, guardò un'ultima volta quel cielo, ma guardando ebbe una visione che non si sarebbe mai piú aspettata e senza compagne nella sua lunga vita. Vide se stesso, lui Davide Manera, volare in cielo tra quei gorghi di nebbia, come una freccia, ed era tutto nudo, che si vedeva fin dalla terra quanto tremava e soffriva. E provò per sé una pena grandissima, senza confronto piú grande che se si fosse visto sul mercato, una mattina di dicembre, con appena la camicia indosso, in mezzo a tanta altra gente ben vestita invece e riparata.

L'impressione e lo stupore lo fecero bestemmiare, la bestemmia piú grossa, ma non la raddoppiò, come avrebbe voluto fare, perché, sparata la prima, sentí che essa non era andata persa e in qualche posto se n'era presa debita nota. Prima mai: bestemmiava per puro sfogo e per cattiva abitudine, ma non gli era mai passato per mente che la bestemmia potesse arrivare a destino come una lettera. Il vizio della bestemmia gliel'aveva dato suo padre, suo padre morto mezzo secolo fa, che infilava un sacramento ogni cinque parole. Suo padre però credeva; lo chiamava invariabilmente il Supremo e quando gli si rivolgeva, per bene o per male, alzava appena gli occhi, quasi che i piedi di Lui gli sfiorassero la testa, come un appeso.

Con una giravolta il pensiero gli andò a sua madre. «Dove può essere ora mia madre? Lo saprà che sono ancora al mondo? E chissà se gliene importa qualcosa. Lo sa tutto quello che m'è capitato dopo, e tutte le volte che l'ho pensata? E chissà se gliene importa qualcosa. E lo saprà il giorno preciso che toccherà a me?»

Per l'impressione di quella novità tremava tutto, al punto che ritirando la seggiola cozzò con essa due volte nello stipite della porta, facendosi per il contraccolpo un certo male ai polsi.

Entrò nella sua stanza da letto: i mobili gli ballarono un attimo davanti, allo scuro lui avanzava a tentoni, malgrado la conoscenza. E la stanza nera gli diede un'altra idea ed un altro spavento. – Ecco, si disse, subito dopo, mi troverò in una stanza buia come questa, dove mi muoverò a tentoni come adesso. Il problema è se resterà buio o se qualcuno accenderà la luce –. Era presso il letto e si protese verso la pera della luce, e l'afferrò con tanto orgasmo che quella gli saltò via di tra le dita come fosse spiritata e soltanto dopo un secco balletto contro la testiera del letto si arrese e lui poté finalmente far luce.

Tornò ai piedi del letto, sfiorando con la mano la coperta quant'era lunga. Lasciò tempo al cuore di calmarsi, dava la colpa di quell'affanno a tutto quell'armeggio con la pera della luce, poi cominciò a spogliarsi. Quantunque si fosse ancora ai primi di settembre, il vecchio era abbondantemente vestito, e gli ci volle un buon quarto d'ora per rimanere con indosso la sola maglia. Prima d'infilarsi il camicione da notte, si esaminò il corpo, se lo palpò in piú punti; in gioventú era stato nominato, nei discorsi degli uomini, per la grossezza delle coscie, ma adesso gli si erano smagrite da far senso, forse anche per l'inevitabile confronto col volume della pancia che gli era cresciuta. Si tastò un'ultima volta la coscia e si disse: «Però, c'è ancora del buono, e prima che questo buono si sia consumato tutto...», e salí sul letto, ma come se montasse in groppa ad un cavallo.

Come fu disteso, forse per la stessa comodità, gli si diramò in tutto il corpo una certa quiete. Ma non spense subito la luce, come invece faceva d'abitudine. E contemplò la sua roba: l'armoir a tre specchi, il cassettone grande come una credenza, le sedie imbottite che parevano dame sedute; tutta roba fatta fare da lui, a regola d'arte, dal primo mobiliere di Cortemilia, e col noce delle sue terre, roba quindi due volte sua. Dove e come sarebbe finita, dopo? E come mai non ci aveva pensato prima, e a fondo, al destino della sua roba?

Spense la luce e si mosse a lungo, un po' per alloggiarsi meglio nel letto e un po' per scrollar via quei pensieri. «Tutta la vita sono stato senza fantasia, e la fantasia mi viene adesso, per avvelenarmi questa poca esistenza che mi rimane». Tossí, una tosse rumorosa come a scuotere una scatola metallica piena di chiodi.

Dopo non sapeva quanto gli parve di stare in quel letto come in un deserto: era un letto troppo ampio, da non arrivare a tastarne i bordi nemmeno a tendere le braccia fino a far dolorire le giunture.

Era solo, i suoi l'avevano lasciato come lui avrebbe lasciato la sua roba.

Si mise a pensare a sua moglie, che dormiva da quarantadue anni sotto l'erba alta, e non doveva importargliene proprio niente d'esser stata da viva la moglie di Davide Manera piuttosto di qualsiasi altro. Avanzò una mano come se sperasse di trovarsi accanto, un palmo piú in là, quella carne lontanissima. Era una donna prosperosa, Sabina, la cosa piú abbondante che egli possedesse in quei tempi. Eppure quando il male la prese, cedette presto, quasi subito, come una ragazzina grossa un dito.

«Dovevo patirne di piú», si diceva adesso Manera con la coltre sulla bocca, «se ne pativo di piú mi sarei fatto del bene». Ma allora non s'era sentito: se aveva spremuto due lacrime, le aveva spremute per se stesso, che restava vedovo da giovane, una cosa abbastanza rara e come non perfettamente naturale; ma dopo tutto il piú grave era stato la preoccupazione per la figlia privata delle materiali cure materne e il disturbo della sepoltura e del lutto. Sabina per lui non contava e non valeva piú niente, perché in tutto gli stava dieci passi piú indietro, e lui si era presto reso conto dell'inutilità di sollecitarla. Lei gli rispondeva invariabilmente con un sorriso penoso: – Sono ignorante, lo sai anche tu che la capra mi ha mangiato tutti i libri e i quaderni, – per dire che non era colpa sua se non aveva altra arte ed esperienza che quella del pascolo. Tutta l'importanza di Sabina stava nel fatto che gli aveva dato una figlia, ma ancora oggi egli doveva pensare, vista la sua fine, che nemmeno quello era stata capace di farlo bene.

Cecilia. La chiamò a mezza voce. Cecilia! E per la millesima volta riandò col ricordo all'origine della catastrofe. Rivide Cecilia, vestita come una duchessina, mentre saliva, una mattina d'ottobre, sulla domatrice che la portava a Mondoví, al collegio. Aveva finito le scuole basse a San Benedetto, finite con due anni di ritardo perché suo padre la confinava a casa per un mese per un raffreddore e Cecilia pigliava spesso qualcosa di piú d'un raffreddore. La sua maestra, appoggiata dal parroco, tanto disse e fece che convinse Manera a mandarla a studiar da maestra dalle suore a Mondoví: anche se non conseguiva il diploma, avrebbe in ogni modo ricevuto un'istruzione che, insieme con la dote di suo padre, le avrebbe permesso di fare sulle Langhe il matrimonio che si sognava. Manera si decise d'agosto e Cecilia partí ai primi d'ottobre. Suo padre aveva mandato avanti tre bauli, col carro di Fazzone che settimanalmente andava a Mondoví a ritirar la roba di monopolio per San Benedetto. Tre bauli, le aveva fatto un corredo da far boccheggiar tre spose, cosí dissero le comari che Manera invitò alla rivista, ma poi, con le mani sotto il mento ed i senoni ondanti si persero in tante cerimonie e *squasi* che Manera le cacciò in tronco da brusco come l'aceto che s'era fatto con le donne.

Partita Cecilia, non gli restava che attendere la sua posta. Gli scriveva due volte al mese e dapprincipio le sue lettere cominciavano «Caro papà» ma piú avanti intestava a «Papà mio carissimo» e allora Manera chiudeva un momento gli occhi e pensava alla grande istruzione che la sua Cecilia stava ricevendo da quelle suore.

Ma un giorno, che Cecilia stava in collegio da un trimestre, gliene arrivò una di lettere che appena scorsa Manera marciò in canonica, e da quella volta lui e il parroco abolirono anche quel minimo cenno del capo che era sempre stato il loro saluto.

Insomma, Cecilia da quelle suore non stava per niente bene, con quella retta da nobili penava e deperiva dentro e fuori. E se non l'aveva scritto prima era perché sperava d'abituarcisi, ma adesso non resisteva proprio piú. Anzitutto aveva finito coll'ammalarsi di paura, perché ogni sera le suore le conducevano in lunga fila in uno stanzone immenso e tutto buio salvo per un lumino acceso ai piedi d'un Cristo e lí le facevano inginocchiare sul pavimento gelato e recitare la preghiera della buona morte. E poi s'era messa a digiunare, da quando aveva saputo dalla figlia dell'esattore di Murazzano che per la minestra della sera le suore usavano la sciacquatura dei piatti del mezzogiorno.

Manera prese a spedirle col corriere del sale e tabacchi borsate di roba buona, polli freddi e scatole di alici e sardine. Cosí Cecilia mangiò per un pezzo tutto freddo e si guastò lo stomaco una volta per tutte. Le suore la fecero visitare dal loro dottore e prender le medicine ordinate, ma lei non si rimetteva; la madre direttrice non mancò di scrivere a Manera, ma siccome aveva paura di perder tanta educanda, fece le cose piccole piccole, e non fosse stato per la coscienza di quel medico che scrisse direttamente a Manera per suo conto, questi non avrebbe mai immaginato a che punto era l'indisposizione di sua figlia.

Corse a ritirarla dal collegio e giurò davanti alla madre direttrice che sua figlia mai piú in nessun collegio e nemmeno in nessuna scuola. Tanto Cecilia non aveva bisogno dell'istruzione, avrebbe letto e scritto per lei la roba che lui le lasciava, anche senza sapere una sola parola di francese Cecilia sarebbe stata lo stesso la regina delle alte Langhe.

Cosí Cecilia tornò a casa, ma non era piú lei; non che prima fosse avventurosa o cavallona; ma vivace sí, ora invece s'era ridotta a non uscir piú di casa, viveva sempre fra quattro muri come una vecchia gatta mezza cieca, a quattordici anni. S'era fatta cosí piccola e minuta che lui, suo padre, diceva che era una miniatura, ma per tutti gli altri senza legame di sangue stava diventando un mezzo scherzo della natura, e la sua vecchia maestra, che le voleva bene, tutte le volte che la guardava s'intristiva negli occhi e perdeva il filo del discorso. Le donne già sapevano dalla moglie del barbiere che faceva la posta in casa Manera, che alla sua età non aveva ancora le sue cose e i maschi all'osteria della Francese dicevano piano e forte che non l'avrebbero sposata nemmeno se Manera gliela porgeva su un piatto d'oro. Ma non ci fu bisogno né tempo di pensare al suo matrimonio, perché una sera di novembre, a diciassette anni compiuti da una settimana, una sera di novembre con un diluvio che a mettersi per strada c'era da annegarsi come in Tanaro, una sera di novembre che Manera era fuori col cavallo a cercare quell'alcoolizzato del dottore di Niella, Cecilia morí tra le braccia della sua maestra, di un male sulla natura del quale da nessun medico Manera poté avere soddisfazione.

Cecilia, lí sí che ci aveva patito e ci pativa ancora; a tanta distanza sapeva ancora la boccuccia di Cecilia a due mesi, e il suo dito ancora oggi si muoveva lento ma sicuro a ridisegnarla.

Il ritrovare tutto quel coltivo, nel deserto della sua vita, di bene e di sofferenza lo riempí di coraggio e furore, lo fece gridare: – Con tutto quello che ho passato, debbo ancora aver paura di esser castigato?

Si vide seduto sul letto, come dietro la spinta di quel grido, ma quella posizione subito l'atterrí, cosí scoperta e come esposta al fulmine, e riscivolò giú sotto il peso della paura.

Il vecchio sospirava. Macchie biancastre vagolavano per il soffitto, dilatandosi e rimpicciolendosi come palloncini ai quali per gioco si dà e si toglie aria. Chiuse gli occhi, con un principio di nausea, e poi si tastò la fronte e le tempie, se gli fosse venuta la febbre, ma alla fine non poté decidere, per via delle mani anch'esse riscaldate.

Il gerbido della sua vita stava negli affari, cioè nella maniera di trattare il prossimo, e lí sarebbe stato castigato per l'eternità. Perché Davide Manera era l'usuraio di San Benedetto. Da quarant'anni prestava a usura in mezza valle Belbo, al piú alto tasso che si conoscesse sulle Langhe, e non aveva mai perdonato una scadenza, mai dato un respiro, tutto incamerato o messo all'asta. L'ufficiale giudiziario di Dogliani pareva vivesse e lavorasse solo per lui. Soltanto lui poteva dire tutti gli imbrogli, le vigliaccate e le crudeltà che ci vogliono per arrivare con quel sistema a farsi tanta roba che, come dicevano in paese, poteva ormai permettersi di orinare la notte nel letto e l'indomani mattina dichiarare di aver soltanto sudato un po'. Lui sapeva tutto, gli altri assai meno, perché la gente rovinata da Manera era tutta gente che non faceva figure, che non urlava in piazza all'ora di messa grande, gente che a fare il male preferiva riceverlo; era insomma la gente ben vestita ed equipaggiata per quel viaggio nella notte per il quale egli s'era visto nudo.

Nessuno gli aveva mai fatto del male o tramato per fargliene fare. Nemmeno allora (molti, specie i vecchi, sulle Langhe chiamano semplicemente «allora» i tempi dei partigiani). Non era successo a lui come al suo collega di Feisoglio, Angelino della censa, suo coscritto e suo collega in usura, che pure praticava un tasso da cristiano ed era sempre disposto a rinnovar le cambiali.

Una mattina «d'allora», Angelino, da in cucina dove stava bevendo il secondo dei suoi dieci caffè giornalieri, sentí scampanellare alla porta della sua censa e si presentò dietro il bancone. E come sempre raccolse con le due mani la sua famosa pancia e per sollievo la posò sul bancone. Il cliente mattiniero era un ragazzotto metà vestito da contadino e metà da sciatore, la cui puzza di partigiano era distinguibile persino nell'acre composito odore della censa. Ma Angelino stavolta non tremò perché gliene prese simpatia a prima vista; in un attimo sognò d'averlo avuto lui un figlio cosí. Col ciuffetto sugli occhi azzurri, sulle guance i colori della salute, e le labbra atteggiate come a fischiare una canzone d'allegria. E tutto ben proporzionato, doveva essere sodo come una pietra. Ecco, la sua donna avrebbe dovuto fargli un figlio cosí per mandarlo felice ed orgoglioso, con quel fisico, con quella fisionomia a un tempo pericolosa e rassicurante, che prometteva al genitore un monte di gherminelle, ma tutte fatte come si deve.

La simpatia era tale che Angelino prese a sorridergli, largamente, e dopo un attimo di perplessità il ragazzotto gli ricambiò il sorriso. E cosí sorridendo gli domandò: – Siete voi Angelino Riolfo?

Sorridendo Angelino gli rispose di sí e sempre sorridendo il ragazzo, lentamente e lisciamente, estrasse la pistola e gli fece un paio di colpi in quella pancia esposta sul bancone come una merce.

Non sorridevano piú. Angelino disse piano e senza troppo rimprovero: – No, non cosí –. Stentava a cadere, per la resistenza della pancia sul bancone, e allora il ragazzo l'aiutò scopandola giú con le mani riunite e Angelino finí lungo dietro il bancone, con la faccia nella scansia del sale.

Ora, pensava Manera, rivoltandosi nel letto, Angelino Riolfo era stato appena un mezzo fascista, e quel poco che aveva combinato col fascio risaliva a prima del '40, quando Mussolini poteva essere considerato il piú grande padre della patria, e comunque, dopo, la spia non l'aveva mai fatta. Senza dubbio quel partigiano gli era stato mandato da qualcuno del paese che aveva un po' di firme nel portafoglio di Angelino.

La notte correva, non c'era altro suono che lo stormire all'eterno vento degli alberelli sullo spiazzo della scuola, e il buio aveva colmato le fessure della persiana.

Bisognava proprio che si facesse, senza piú tardare, un vestito bello spesso per quel viaggio nella notte. L'affare dell'anima era un affare come un altro, solamente lui non l'aveva mai preso di petto, a differenza degli altri affari per i quali era capace di passare le notti, a studiarne le risorse e i ganci.

Si drizzò contro il guanciale e posò le mani sul ventre, come a tener stretta e ferma la scatola che conteneva l'affare, il problema. E, scoperchiatala, vide dentro che anche in quel ramo esistevano dei mediatori, ed erano i preti.

I preti. A parte il suo fatto personale col parroco vecchio, lui i preti non li aveva mai potuti soffrire. Se ne incontrava uno, la sua veste nera gli oscurava la strada e il giorno. Non aveva mai potuto sopportare un comando, e sapeva che, in fondo in fondo, a comandare erano sempre e solo loro. L'avvelenava e l'inferociva il sapere che i piú grandi peccatori erano proprio loro che contro il peccato predicavano tanto. Tutta la vita s'era roso per la sua pochissima istruzione, e dell'ignoranza sua (ma non di quella dei suoi simili e clienti) incolpava soltanto i preti, che avevano tutto il vantaggio e l'interesse a che la gente avesse le palpebre cucite sugli occhi.

Col parroco vecchio, a parte il mal consiglio riguardo a Cecilia, s'era presto attaccato coi denti. Una domenica, mancando poco a vespro, il prete l'aveva abbordato e dopo un paio di convenevoli gli aveva detto in faccia: – Voi, Manera, col mestiere che avete scelto di fare, avete bisogno di fare elemosina, tanta elemosina.

E lui pronto: – In quale dei vostri libri sta scritto?

Omissis

– Ma mi dica di preciso in quale libro sta scritto, in quale dei tre libri che vi fanno imparare a memoria in seminario. Nel libro delle balle, in quello delle magie o nel libro che insegna a fregare il popolo?

Al prete il sangue gli andò negli occhi, ma si contenne e disse: – Ad ogni modo, Manera, non pretendete di finire in Paradiso dopo aver sempre fatto lo strozzino in terra.

– Se il paradiso ci fosse, e fosse per davvero quel magnifico posto che dite, voi preti non vi affannereste tanto per mandarci noi, – e Manera uscí in una risata tale che fece voltar persino i giocatori di pallone che stavano dando gli ultimi pugni prima della funzione.

Il parroco fece un secco cenno al barbiere di andare a suonar vespro e si diresse in sacrestia a pararsi. Ma sull'uscio si voltò e disse a Manera, col dito puntato: – Fate come volete, ma guardatevi soltanto dalla tentazione di dire l'*Oremus* piú forte di me.

Ebbene, il primo a esser castigato, almeno nella carne, era stato proprio lui, il parroco vecchio, per l'arteriosclerosi gli amputarono in Alba prima una gamba e poi l'altra ed era finito in una specie di ospizio di loro preti.

Era dunque un affare da trattare attraverso i preti, inevitabilmente. E gli venne subito in mente il nuovo parroco, cosí giovane e civile da non capacitarsi che la Curia l'avesse destinato a San Benedetto tra i selvaggi. L'incontrava sovente per il paese ed ogni volta lo fissava come se fosse innamorato di lui. Aveva degli occhi da pecora morta, pensava ogni volta Davide Manera, ma stanotte li trovava semplicemente dolci quegli occhi, e stanotte comprendeva tutto ciò che volevano dirgli. «Perché non ti fai mai vedere in chiesa? Perché non mi dai mai un soldo per il mio bollettino? Non hai delle anime da suffragare?»

Doveva esser trattabile, l'opposto diametrale del parroco vecchio, dei soliti parroci delle Langhe, che vedevano subito rosso e si sporgevano dal pulpito coi pugni tesi.

Il vecchio si lamentò forte di se stesso. Come non aveva avuto la furbizia di dare ogni tanto cinquanta lire per il bollettino? Era già un farsi merito, o meglio un farsi credito. E quando tra mille stenti restaurarono la facciata della cappella ai Piani, poteva ben aver offerto uno dei suoi tanti pini. Poco alla volta, che nemmeno te n'accorgevi, e col tempo ti trovavi un credito discreto, come un libretto alla posta, su cui versi poche lire al mese, ma senza saltarne uno.

Si odiò per quella sua imbecillità, per tutte quelle occasioni tanto facili e per niente costose e tutte cosí stupidamente perdute. Ora gli toccava pagar grosso e tutto in una volta. Ma la maniera? Non trovava, era completamente sperduto, forse l'idea degli affari, che l'aveva accompagnato tutta la vita, l'aveva lasciato per sempre.

Al campanile batté l'una e lui ne tremò a lungo, come se una gocciolona ghiacciata gli scivolasse lentissima dal collo nudo giú per il filo della schiena.

Riaccese la luce, per assicurarsi d'essere sempre nel suo letto, quasi che tutto quel pensare l'avesse ubriacato e poi da incosciente trasportato in chissà che orribile posto sconosciuto.

E al chiaro vide tutta la sua roba, tutta: non solo i mobili, ma anche la casa, le quattro cascine; i depositi e l'oro alla banca di Murazzano, e tutti i corredi.

Poi spense, perché ormai l'aveva nella testa la luce.

Avrebbe lasciato tutto alla chiesa, ai preti: si salvava l'anima, pagando questa enormità con una merce che il giorno dopo per lui non valeva piú un centesimo. Questo era il piú grande affare di Davide Manera, e sarebbe stato anche l'ultimo.

Si voltò su un fianco, con la testa incavando bene il guanciale, ora era certo d'addormentarsi in due minuti. L'indomani era giorno di mercato, ma in piazza non l'avrebbero visto. Al primo canto degli uccelli negli alberi della scuola si sarebbe alzato e, vestito da domenica, sarebbe andato in canonica a studiar col parroco nuovo tutte le modalità.

L'affare Abrigo Capra

Pietrino Abrigo, di famiglia mezzadrile in quel di Treiso, si emancipò e si arricchí comprando le terre del Demanio, e cioè i beni ecclesiastici che il governo liberale aveva in quell'epoca a sé avocati, con rivendita ai privati cittadini. Mentre altri possidenti riluttavano da questa compera, per scrupolo religioso, superstizione, paura della scomunica e peggio della folgore sulle loro persone e della perpetua grandine sulle terre sconsacrate, Pietrino Abrigo non ebbe esitazioni: con poco liquido pronto si fece una fortuna fondiaria. All'epoca del suo definitivo stabilimento in Alba, egli era padrone di sette cascine, delle quali le piú grosse erano quelle nominate: i Boschi, Garavagno e Mabucchetto.

Era vedovo, di una moglie molto presto scomparsa e della quale non parlava mai. Aveva un'unica figlia, Maria, che egli, per natural parsimonia, chiamava «Ia».

Abitavano lor due soli, senza mai nemmeno una serva, nella casa ora di Capra. Tutti la chiamavano la CASA DEL MISTERO. Gli olmi che davanti ci stavano in quattro file, sul viale del Santuario della Moretta, riversavano sul tetto la loro pesantissima capigliatura. Le finestre erano perpetuamente chiuse. Aveva, quella casa, dal di fuori l'aspetto diroccato, oltre che misterioso e tristissimo, ma quei pochi che vi ebbero accesso poterono dire che l'interno dava un senso di ordine e di comodo. Una dozzina di sedie comperate di seconda mano dal primo caffè di Alba, l'enorme tavola ellittica fatta col legno degli Abrigo, gli enormi letti di Pietrino e di sua figlia. E poi il giardino, in tutto pari ad un camposanto abbandonato, dominato da un gigantesco torchio di noce per la torchiatura dell'olio dalle noci, inoperante da generazioni. Il muschio e la gramigna seppelliva tutto.

Ricchi dovevano essere, perché mangiavano molto e bene, e questo era l'infallibile criterio in allora seguito per giudicare della ricchezza altrui. Tutte le mattine Pietrino usciva di casa con un grande mantile a scozzese bleu, e rientrava a spese fatte col mantile gonfio di roba mangiativa per quel giorno.

La signorina Maria Abrigo desiderava una serva, non fosse altro che per lavare i piatti che numerosi sporcavano nei loro solidi e lunghi pasti. Mai Pietrino volle, dicendole che invece di lavarli lei poteva buttare i piatti nell'immondezzaio una volta adoperati. Loro potevano permettersi questo lusso.

La signorina Maria ebbe due o tre partiti, ma Pietrino la volle sempre accanto a sé e tutti li rifiutò per lei. Il piú importante e quello che piú si avvicinò alla conclusione fu il partito d'un genovese, il Sciú Angelo, che venne a stare ad Alba dagli Abrigo per un bel mese, e la Maria gli rese la visita a Genova. Ma anche questo matrimonio non si fece, e da allora ogni idea o disegno nuziale sull'ereditiera Maria Abrigo venne deposto.

Vecchio com'era, Pietrino aveva un'amante, una donna del Santuario, chiamata La Bella Creatura. Pietrino fu sentito dire che era piú bella lei nuda che lui con la catena d'oro sul panciotto. Le dava uno scudo d'argento ogni volta, questo lo rivelò lei che non aveva paura di parlare.

Pietrino prestava ad usura e comperava roba al Monte di Pietà. Il suo fattore generale era certo Sig. Gallo.

Pietrino morí di vecchiaia, che sua figlia aveva già sessant'anni. Prima aveva avuto un male misterioso che sua figlia non volle mai dire a nessuno, ma quelli che furono ammessi a visitarlo, videro che giaceva su un letto cui avevano segato le gambe anteriori: giaceva inclinato in giú, e allora fu facile arguire che aveva la prostata.

La prima cosa che fece Maria Abrigo, una volta sola al mondo, fu quella di prendersi una serva, che però andava a dormire fuori. Con lei le capitò un primo grave incidente. Questa Secondina era religiosa e pendeva ai preti. Ora i preti stavano costruendo il Santuario della Moretta e avevano bisogno di molto legno di pino. Secondina, alle spalle della padrona, fece in modo che il necessario legno andasse ai preti, senza conto di spesa, dalle cascine Abrigo. Maria lo seppe e ne ebbe tanto disgusto che da allora cessò di andare alle funzioni alla Moretta e tutte le volte che ci passava davanti, mentre in vettura andava a visitar le sue cascine, si copriva gli occhi con le mani per non vedere la fabbrica col suo gratuito legno di pino. Tuttavia non licenziò Secondina, ma le corrispondeva di meno, la faceva faticare di piú e sempre ci litigava. Il che era grave per Secondina, perché Maria Abrigo era donna quanto mai impegnosa.

Mezzadri al Garavagno, ed al Mabucchetto poi, erano i Capra. Si vuole che Capra il figlio fosse figlio della Maria Abrigo, ma non tiene la voce. I Capra lavoravano bene la terra e la Maria Abrigo li teneva da conto. Capra il giovane le teneva la cantina.

Capra capí la situazione e venne a stabilirsi con la moglie Fiora e i suoi due vecchi ad Alba, in casa d'affitto, per stare ora piú vicino alla padrona. Non andò molto che Capra venne nominato secondo fattore in sottordine al Sig. Gallo.

Fu il principio della fine della Maria Abrigo, ormai sessantacinquenne. Ad esempio, la Abrigo mai mancò di ospitare a pranzo i suoi vari mezzadri ogni sabato quando scendevano al mercato. Capra le fece rinunziare a questa abitudine, e la porta Abrigo fu da allora chiusa ai mezzadri. E non solo ai mezzadri, ma anche a tutti i parenti che la Abrigo aveva numerosissimi, quantunque nessuno proprio stretto. Incominciò cosí il sequestro e la prigionia effettiva della Abrigo. I parenti venivano qualche volta, con la mente rivolta alla vecchiaia ed al denaro della vecchia, ma Capra non apriva piú, guardava dallo spioncino dell'uscio e li lasciava bussare e urlare all'infinito, chiamassero la padrona. Si sbarazzò anche di Secondina, se ne occupavano ora Fiora e la madre di Capra, che tutti i giorni portavano alla padrona le tagliatelle all'uovo.

Intanto il factotum Sig. Gallo era morto, di disgrazia, cadde sulla strada da in bicicletta, di notte. Disgrazia? Factotum diventò Capra.

Maria Abrigo non la si vedeva piú in giro, nemmeno alla domenica alle messe. Si sparse la diceria e si ingigantí, Don Casimiro prete venne a trovare l'inferma ed al prete Capra non poté presentare l'uscio di legno. Don Casimiro entrò e si appartò con la vecchia a confessarla. Ma dopo cinque minuti Capra urlando: «Basta, ora basta, i peccati son già bell'e confessati», entrò di forza ed estromise il prete.

Ho detto prima l'inferma, perché ora Maria Abrigo giaceva a letto col femore rotto. Ignoti, ma certamente i Capra, avevano sbardato sulla scaletta verso il giardino un mastello di acqua saponata, la vecchia ci era scivolata e si era rotto il femore. Passavano i mesi e il femore non si saldava.

Una notte, con l'aiuto di una donna (la Camino) ed il vecchio Marchisio, al quale Capra per l'aiuto prometteva salvo l'affitto fino alla sua morte, portarono in gran segretezza la vecchia in una casa di cura di Bra. I parenti investigarono e cercarono, ma a nulla riuscirono. Volevano fare causa, ma non avevano la minima prova, e poi erano disuniti, avevano paura di far spese. Ciò perché ad arte Capra aveva detto ad alta voce che si era consultato col primo avvocato di Torino (10.000 lire, allora, per quel consulto) e quel luminare l'aveva assicurato che CIÒ CHE ERA STATO FATTO NON POTEVA PIÙ ESSERE DISFATTO. Evidentemente non c'era un testamento in esclusivo favore di Capra (avrebbe sempre potuto essere impugnato), ma Capra aveva in mano gli strumenti di compravendita di tutte le proprietà Abrigo. Come li aveva avuti? Aveva fatto di sé innamorare la vecchia, la faceva danzare nuda davanti a lui, la riempiva di droghe.

Maria Abrigo morí in quella clinica di Bra, di anni piú che ottanta, di letto e per la frattura insanabile del femore. Le sopravvenne la polmonite e nell'agonia pare dicesse ad una monaca: «Ho il grande rimorso di essermi lasciata andare in mani sacrileghe».

A sepoltura avvenuta, sull'uscio di casa Capra già Abrigo, ignoti scrissero col gesso oscenità.

Dopo pioggia

Aveva piovuto tutta notte. Il cielo era bianco, con dei fumi grigiastri. Gli alberi erano perfettamente immobili, anche quelli piantati sulla langa piú alta. Le strade ed i sentieri s'erano tutti imbruniti.

Si fece sull'uscio, erano già le dieci, a vedere se il sole sforzava da qualche parte la pellicola grigia, ma invano, non c'era il lume piú lontano. Non restava che rientrare, a far che? Distillare l'inchiostro dall'elleboro, e non pensare a continuare il soldato dell'altra guerra che stava ricavando dal pietrone sopra il pozzo. Era ansioso di finirlo, per calcargli in testa l'elmo vero, trovato nella vigna dopo le grandi manovre dell'anno prima, e che ora teneva sul letto come il suo piú prezioso tesoro.

Arrivò sua madre dal mercato di Murazzano, sembrava un uomo, con gli scarponi, le calze di lana color mattone, e quel cappotto d'un incredibile colore frittata verde. E tossiva, una tosse simile allo scrollo d'una scatola piena di chiodi.

Non voleva domandarle niente, ma in coscienza non poteva e cosí con fatica le domandò: – Le hai vendute ancora bene?

Lei scosse la testa: – No, perché me l'han trovate giallette e che marcavano troppo il latte di vacca.

Andò a portare i soldi al suo uomo, dicendogli: – Cinque chili e sei etti a quattro e mezzo.

Il vecchio calò i tre scudi nel taschino e riprese la lettura del giornale. Erano fogli vecchi di mesi, ma lui li leggeva come se fossero di ieri. Se li faceva comperare apposta a Alba dal censaro.

Sua madre si mise per la polenta, con essa le provoline slacciate dalla travata. Lui andò a tirare il vino, il crottino era a dieci passi, ma lui si tirò un sacco sulla testa. Tornò, dicendo: – Con qualunque tempo, – e allora si fecero tutti alla finestra. Videro il parroco scendere aggrappato a due mani a un ombrellaccio, con la veste che si sporcava nel fango. – Con qualunque tempo, – ripeté il vecchio, e poi: – È tutto bagnato dal piede al ginocchio. Fra poco farà bagnare lei dal ginocchio a monte.

– Zitto, porco vecchio, – gli disse lei.

Il vecchio si scaldò: – Zitto niente! Non è un uomo qualunque. È il nostro parroco, ed è una vergogna per tutti!

– Zitto invece, che prendersela coi preti porta male.

Vecchia discussione sui preti, con lei pro e lui contro, lui uscí e stette sotto la grondaia. Guardò su al passo della Bossola, giusto in tempo per vedervi passare la corriera di Savona, stavolta senza alzare un filo di polvere. La seguí fino alla svolta di Murazzano e poi guardò basso.

Per quanto poca n'avesse presa di pioggia, si sentiva il vestito incollato alla pelle, con un principio di malessere che a fissarcisi col pensiero si sarebbe messo a piangere.

Si ricordò dei tre anni passati dai salesiani a Carrú, e che aveva la medesima sensazione nella pelle, sempre. Il ricordo gli si precisò, ecco Don Pio che...

S'era seduto in punta al davanzale, ed ecco la voce di sua madre che si lamentava perché le toglieva la luce.

– E accendi il lume! – gli venne da dirle, ma non si poteva, si resisteva a sera finché gli occhi facevano male, dentro.

Ma era bastato quello per cacciare tutto Carrú e lasciargli la mente vuota, vuota da averci le vertigini. Rientrò in casa, cercò da leggere, ma non era da pensare che il vecchio gli imprestasse un foglio, quelli che non leggeva li teneva sotto il culo. E poi erano fogli vecchi di mesi. Altro da leggere non c'era che il libro di barzellette del vecchio parroco, col titolo *Gocce di buon sangue*. Ma le sapeva a memoria. C'era il suo quaderno da rileggere, con le due poesie sul paese e sul tramonto del sole dietro la Bossola e l'epigrafe che aveva scritto per suo fratello, quand'era convinto che gli avrebbero messo la pietra. Ma fu un lavoro inutile, perché la pietra non gliela misero, gli misero appena una croce che dipinse lui sul muricciolo del camposanto in testa alla fossa.

In alto il cielo s'era rasserenato, ma in basso un corteo di nubi grigiofumo passava sulla poppa della collina di Mombarcaro come se le prendesse le misure.

Sembrava che tutto il movimento del cielo si svolgesse nella conca di San Benedetto.

Il vecchio alzò gli occhi e domandò: – Che parola è questa? Aletoria. – Lesse meglio: – Aleatoria. Cosa vuol dire?

– Non lo so.

– Come non lo sai? Nemmeno da lontano?

– Bisognerebbe che leggessi tutta la frase, – e fece un movimento verso i giornali, ma il vecchio glieli tirò lontani.

Mancavano due giorni alla fine d'Agosto, ma quella pioggia e quella nebbia facevano la festa all'estate. Aveva solo piú da nevicare.

Per lui il disgusto fu tanto piú grande quanto piú imprevisto. Nella notte non aveva avvertito il croscio dell'acqua, prima di addormentarsi aveva solo visto riempirsi di violetto le fessure dell'impannata, per il lampo, ma non ci aveva fatto caso.

I discorsi sulle donne

Una sera di metà settimana nell'osteria di Placido, nella «sala» dov'è la cabina del posto pubblico telefonico.

Sono in cinque a una tavola, tre anziani, un quarantenne e un quinto dell'età di Jose. Hanno giocato, a carte, hanno bevuto e mangiato qualche amaretto, hanno fatto conversazione e ora tacciono, pesantemente, ognuno assorto in se stesso. Placido va e viene.

Poi, l'anziano Battista dei Moretti rompe il silenzio.

– Che idea, – bofonchia, e sospende.

Gli altri paiono riscuotersi e prestargli una certa attenzione.

– Che idea, – riprende Battista, – prendersi una veneta.

Livio, il coetaneo e amico di Jose, ha un certo scatto. È amico di Jose, lo ricorda frequentemente, gli ha augurato e gli augura sempre buona fortuna. Anch'egli sente che dovrebbe fare come Jose, strapparsi alla terra: è anche piú attrezzato di Jose per l'impresa, ha tre patenti, ma non ha ancora trovato il coraggio e sente che non lo troverà mai.

Dunque, Livio ha un certo scatto.

– Secondo voi, – risponde a Battista, – nel prendersi la donna si va secondo un'idea? Io dico invece che non è questione di idea. È una pura questione d'*imbattersi*.

– Niente affatto, – reagisce il vecchio Battista. – È tutta e solamente una questione di idea. Prendimi me. Io ho sposato Ernestina. Io mica mi sono imbattuto in Ernestina. Io *avevo* l'idea di Ernestina.

Livio lascia perdere.

Ma l'argomento «veneto» è avviato.

– Io, – dice l'altro vecchio, Demetrio, – io nell'altra guerra avevo un sergente veneto. Nella squadra eravamo tutti di noi, ma il sergente era veneto.

– E che tipo era? – domanda Benedetto il quarantenne, senza vero interesse.

L'anziano Demetrio stringe la bocca e crolla la testa.

– Era il tipo che voleva far tutto lui. «Fazo tuto mi», diceva ogni minuto, ma poi faceva fare tutto da noi –. Ciò detto, Demetrio si richiude in se stesso.

Il terzo vecchio, Carlo Taricco, ex scritturale in Comune, non parla mai. Ascolta, con gli occhi socchiusi e succhia un mozzicone di sigaro. Un sogghigno gli aleggia costantemente in viso. Ma non parla mai.

Le dieci battono, fuori, al campanile. Ai dieci tocchi prestano una attenzione che non prestano ai discorsi. Poi:

– Jose, – dice Battista, – poteva prendersela qui la sposa.

– E invece se l'è presa a Torino, – ribatte Livio. – E ha fatto benissimo. Visto che a Torino ormai c'è fisso.

– Secondo me, – dice Battista, – faceva meglio a prendersela qui, anche se poi andava a Napoli o magari a Tripoli. Almeno sapeva che roba prendeva.

– Ma anche a Torino, – dice Benedetto, ma poco convinto, – saprà Jose che roba piglia.

In quel momento passa Placido e dice alla compagnia:

– Quella merce lí è uguale dappertutto, – dice.

– Bravo te, – dice Demetrio, e poi: – Le donne di città fanno una bella differenza. Solo capaci di fumare darsi il rossetto e mettersi le calze di seta.

– Ecco, – approva Battista.

– Se lo dessero qualche volta anche le nostre il rossetto, – sospira Benedetto, – le portassero sempre anche le nostre le calze di seta.

Si vede che Battista sta facendo uno sforzo di memoria. Pare poi aver pescato la cosa che cercava e dice: – Ma Jose, – e si guarda intorno quasi a invocare il rinforzo mnemonico degli altri, – Jose non pendeva per Gemma degli Scaroni?

– Era Gemma che pendeva per lui, – dice Livio, con tristezza. – Gemma non lo vedeva nemmeno mezzo.

– Ma a Jose lei non dispiaceva, – dice Demetrio.

– No che non gli dispiaceva, – ammette Livio per conto di Jose. – Ma si parlavano poco. Si guardavano solo, e a guardarsi si combina poco.

– Ecco, – dice Battista, – Gemma era la ragazza che andava per Jose. Non avrebbe avuto nessuna difficoltà a andare a stare a Torino, e a Torino avrebbe fatto la sua brava figura.

– Tu, – dice Benedetto, – a Livio, – dici che si guardavano solamente. Ma io una volta li ho visti entrare insieme nel bosco dei Giani.

– Andavano per funghi, – dice Battista, ma ironico.

– Cosa stiamo a parlare di Jose e Gemma, – dice Battista, – se tanto non ne hanno fatto niente. Gemma s'è sposata, no?

Tutti annuiscono.

– E chi ha preso? – domanda Battista.

– Uno della Niella, – risponde Livio, – che adesso è ferroviere a Alba. Come ha vinto il concorso l'ha sposata. L'ho visto l'ultima volta che ho preso il treno alla stazione di Alba. Era lui che forava i biglietti. Mi venne voglia di chiedergli di Gemma, ma poi non ne feci niente.

Carlo Taricco continua a tacere e a sogghignare. Per quanto roda, il mozzicone non finisce. Finalmente parla.

– Le venete, – dice col sogghigno. – Intendiamoci, io non le conosco, non ne ho mai vista una, ma so l'opinione che ne aveva il medico Odello di Murazzano. Voi forse non vi ricordate di quando io ero ancora in Comune a scrivere...

– Noi ce ne ricordiamo, – assicura Demetrio.

– Speriamo, – bisbiglia Benedetto a Livio, – che non cominci dal 1900. In tutto ciò che racconta comincia sempre dal 1900.

– Che opinione aveva il medico Odello delle venete? – sollecita Demetrio.

Carlo Taricco accenna con la mano di andar piano, di non precipitare.

Dice: – Il medico veniva qui da Murazzano per le vaccinazioni obbligatorie. Io gli stavo sempre accanto a scrivere, e lui fra una vaccinazione e l'altra me ne raccontava di quelle...

– Certo che era una macchia il medico Odello, – osserva Battista. – Non si direbbe nemmeno che un dottore possa essere una macchia simile.

Con la mano Carlo Taricco fa segno di non distrarlo, di lasciare il mazzo in mano a lui.

Prosegue: – Adesso non mi ricordo piú come venimmo nel discorso delle venete. Non me lo ricordo proprio piú, sono passati tanti anni. Figuratevi che io sono in pensione dal '38. Però mi ricordo il piú importante, e cioè che cosa diceva delle venete il medico Odello di Murazzano.

– Bè, che cosa diceva? – urge Benedetto.

Placido ripassa e si ferma a sentire pure lui.

Taricco fa segno di aver pazienza. – Il medico Odello era uno che di donne aveva un'esperienza che noi non ci possiamo nemmeno sognare. Bè, delle venete mi ha detto questa. Vi ricordate la faccia che aveva il medico Odello? Quando ne tirava fuori una delle sue, oppure quando stava a sentire paziente le baggianate che gli dicevamo noi, credendo di dirgli chissà che cose serie e importanti. Gli occhi gli si stringevano fino a diventar capocchie di spillo, e in quelle capocchie brillava tutto un fuoco di furbizia. E le mascelle gli si riempivano di tante, tantissime rughe che gli franavano, sembrava, tutte sulla bocca.

– Ah sí, – ammette Demetrio, – il medico Odello aveva la faccia furba.

– Io, – dice Taricco – non ho mai visto una faccia piú furba di quella del medico Odello. E son sicuro di morire prima di vedere una faccia che gli sia compagna in furbizia.

– Ma che diceva il medico Odello delle venete? – chiede Placido dall'impiedi, ammiccando agli altri.

– Questo, – dice Taricco: – Mi ha detto queste precise parole: «Le venete? Hm... le venete: o suore o puttane».

Tutti meditano l'opinione del medico Odello sulle venete. Taricco è molto soddisfatto di sé, che ha prodotto tanta riflessione.

Poi: – Hm, – fa Battista, – Jose non sarebbe mica contento di sapere come la pensava il medico Odello sulle venete.

Livio dice: – È vangelo quello che dice il medico Odello?

Taricco reagisce: – Mi sembra di averti detto che il medico Odello aveva delle donne un'esperienza che noi non possiamo nemmeno sognarci.

Livio è urtato, ma non polemizza. Prende con impeto il cartoncino degli amaretti e lo sporge alla compagnia: – Sú, finiamo questi amaretti, tanto se non li finiamo Placido qui ce li conta lo stesso.

Placido ritorna in cucina e tutti pescano gli ultimi amaretti.

Poi: – A proposito, – dice Benedetto, – mi viene in mente che l'ultima volta che sono stato al casino a Alba – poi li hanno chiusi dappertutto – sono stato proprio con una veneta.

– Le venete, – ripete sogghignando Taricco, – o suore o puttane. Non lo diceva il medico Odello?

– Come fai a sapere che era una veneta? – domanda Demetrio un pò sospettoso.

– Me lo disse lei, – risponde pronto Benedetto. – Sapete, si ha tempo di far due parole prima di...

Solleva la fronte e socchiude gli occhi, per ricordare meglio.

– In bei posti andavi, – commenta Placido sempre all'impiedi.

– Oh brigante! Se c'eri anche tu! – fa Benedetto a Placido.

E Placido con la faccia della presa in giro: – Io? Tu ti sbagli. Tu mi scambi per un altro. Io non sono mai andato in quei bei posti.

– Oh lazzarone! – fa Benedetto. – Ma se eri tu che guidavi la macchina!

Allora Placido ride pieno e fa finta di scappare in cucina.

– Eravamo in sette, – dice Benedetto, – in sette, senza contare questo brigante che era al volante.

– Mi ricordo, – dice Placido ammettendo tutto, – mi ricordo che per cambiare la marcia dovevo scostare un fascio di gambe.

– Dal paese partimmo in sei, – riprende Benedetto, – ma al ponte di Belbo ci fermammo a caricare Elia Ghirardi, Elia Ghirardi che in quelle case non c'era mai stato.

Tutti stanno intenti, persino il vecchissimo Carlo Taricco non sogghigna piú, non ha piú tra i denti il mozzicone di sigaro. E Benedetto capisce che può raccontar la storia intera.

– Mi ricordo, – dice Benedetto, aggiustandosi gli spessi occhiali, – che per il primo tratto facemmo andar matto Elia che non c'era mai stato. Lo facemmo spaventare, gli raccontammo che per entrare bisognava passare dei controlli, e che nei corridoi ci stavano anche dei carabinieri, e che le donne erano cosí fatte che chi si mostrava timido e esitante perché non pratico loro lo insultavano a sangue e magari lo graffiavano come tigri. Lui capiva che noi lo tormentavamo apposta, che in quei posti non poteva esser cosí come dicevamo noi, eppure non poteva far a meno di inquietarsi e stava male.

– Sú, – dice Battista, – nella bottiglia ce n'è ancora per mezzo bicchiere a testa.

Livio dice: – Bevetevelo voi tre vecchi. Fatevene un bicchiere intero voi tre vecchi.

– Mi ricordo, – prosegue Benedetto, – che poi ci mettemmo a cantare. Cantammo tutte le canzoni che sapevamo e smettemmo solo quando dalla collina di Rodello vedemmo per la prima volta le luci di Alba in quel fosso dove Alba sta. Mi ricordo che tu, Placido, andavi piuttosto forte e io ti dissi: – Non abbiamo nessuna necessità di andar forte. Andando forte arriveremo a Alba molto prima delle nove e prima delle nove non puoi entrare, perché fino alle nove è piena zeppa di soldati. Conviene entrarci un po' dopo le nove, – e tu, Placido, riducesti la velocità, ma ciononostante entrammo in Alba che non erano ancora le otto e mezzo.

Anche Placido ricorda. – Posai la macchina sulla piazza grande, davanti a quel caffè che c'è all'angolo, dove si trovano i grandi giocatori di biliardo.

– E per far venir le nove andammo a mangiar delle paste nella confetteria che c'è verso la metà della Via Maestra.

– Già lí ce ne facemmo per un bel po' di soldi. Prendemmo anche un liquore.

– Ditemi un po', ragazzi, – dice Carlo Taricco, – quanto v'è venuta a costare la gita? La gita intera?

– Non me lo ricordo piú, – risponde Benedetto. – Ce ne saremo fatti per tremila a testa.

– Tremila, – ripete macchinalmente Carlo Taricco.

– Com'è che si dice? – fa Placido ironico. – Si vive una volta sola.

– Poi, – riprende Benedetto, – quando sentimmo battere le nove, ce ne andammo piano verso quella casa. Si passa per delle stradine buie, col selciato un po' sconnesso, e a Elia tremavano le gambe e si teneva stretto a me perché mi riteneva il piú pratico.

– Si teneva stretto al buono, – ride Placido.

– Che cosa vuoi dire? – fa Benedetto.

– Voglio dire che se non ero io a suonare il campanello, nessuno di voi sette aveva il coraggio di premerlo.

– Ma va', che c'ero già stato venti volte, e diverse volte da solo. L'avrò ben suonato il campanello, io, quando ci sono andato da solo. Suoniamo, ci aprono. Ci apre la maitresse, una vecchiaccia vestita di nero, e Elia Ghirardi si sbianca tutto e mi fa «Ma sono cosí brutte?» Lui credeva che gli venissero ad aprire le donne nude.

Placido ride, pieno, ma è il solo a ridere.

– Saliamo, – racconta Benedetto, – tra muri dipinti di rosso e di giallo. Luciotto dei Bruschi mi dice che quei colori gli danno la nausea, dato che già le paste alla crema gli erano rimaste sullo stomaco. Poi entriamo in un salottino. Ce n'erano diversi vuoti, si vede che quella sera i maschi di Alba non erano per quello. Ci accomodiamo nel salottino e ci disponiamo ad aspettare. Io dico a Elia: «Ti rendi conto dove ci troviamo?» E lui: «Nel casino di Alba», mi risponde, con nella voce una specie di religione. Intanto vedo che muoveva le narici, per annusare intero l'odore della casa. E gli dico «Ti piace, Elia, quest'odore. Confessa che ti piace». E lui: «Non ho mai sentito un odore cosí buono. Sai cosa ti dico? Che passerei la vita a annusare questo odore». E noi tutti a ridere. Quando smettemmo, sentimmo la donna che si avvicinava. Il suono dei tacchetti nel corridoio e il fruscio della seta. Ma riuscimmo appena a intravvederla perché Luciotto dei Bruschi, che era seduto il piú vicino alla porta, le si avventò, l'abbracciò e la trascinò di peso alla sua stanza. Proprio Luciotto che si lamentava di star male allo stomaco. La seconda tardò ad arrivare e mentre l'aspettavamo io proposi che la si lasciasse a Elia, che ne aveva piú diritto e piú bisogno di tutti. Finalmente arriva la seconda – una bruna piccolina rotonda come una quaglia, con una boccuccia schizzinosa – e proprio tu Placido, ti ricordi? battesti una mano sulla spalla a Elia perché si alzasse. Invece si alzò Ugo Fresia e passando rimise giú Elia con una manata sulla spalla e dicendo «Questa è troppo il mio tipo», se la portò via. Dopo, Elia aveva le lacrime agli occhi. Spremeva qualche lacrima e intanto bestemmiava sordo contro Ugo che gli aveva portato via la brunetta. Per fortuna, poco dopo si presenta la terza. Aveva già passato i trent'anni, era alta e grossa, con delle spalle da portar quintali, con una faccia belloccia e buona. Ci guardava da sulla porta, tranquilla e buona, disposta ad aspettar la nostra scelta per un quarto d'ora. Ma quel bruto di Remo Fazzone dice forte: «Questa ha una... che è un mastello. Forza, Elia, vattici ad annegare». Elia si era sí alzato e noi avevamo ritirato le gambe per lasciargli libero il passaggio, ma poi si era fermato incantato e non si riscuoteva sebbene noi lo incitassimo e lo spingessimo. Allora Remo Fazzone si sporse avanti chino e con la mano allargò la gonna per mettere in mostra le cosce. Elia mormorò trasognato «Ma che gambe bianche!» e poi avanzò con le mani tese. «Zitti e calmi, ché va», dicesti tu Placido. E Remo disse alla donna «Signorina, questo è nuovo di trinca. Ve lo raccomandiamo». Lei allargò il suo gran braccio e ne avviluppò il nostro povero Elia, che intanto aveva chinato la testa come un pulcino sotto l'ala della chioccia. E cosí andarono.

Ci fu una pausa. Poi Battista disse: – Son tutte balle.

– Che cosa? – insorse Benedetto. – Io vi ho raccontato la pura verità. Placido è testimone.

– Non dicevo per quello, – precisò Battista. – Dicevo che son tutte balle le cose che si fanno per le femmine. Tutte balle, e mi mettono addosso una gran voglia di andare a dormire. Proprio, non c'è niente che mi metta voglia di andare a dormire come i discorsi sulle donne.

Nessuno mai lo saprà

Palma tornava da una visita a casa sua in frazione Lunetta. Sua madre le aveva regalato mille lire per lei, dal suo peculio privato, e per Jolanda, che allora aveva tre anni, una mezza dozzina di caramelle che teneva nella sua zuccheriera personale, cento volte rottasi e cento volte rappezzata con cerotto e margine di francobolli.

Il grande temporale la sorprese poco prima di metà via. Fu subito terrorizzante, con un fulminio straordinario, tutto il versante di Mombarcaro annerato dalla unica gigantesca nube nera gravida di diluvio, e invece i lontani declivi di San Benedetto ed oltre ancora bagnati dal sole con una luce dorata ma già attossicata.

Palma aveva messo piede in un grande castagneto e, consapevole del maggior pericolo del fulmine sotto gli alberi, volentieri sarebbe riuscita all'indietro dal castagneto, se non l'avesse atterrita la violenza della pioggia che sforzava i rami e, sotto, sconquassava le felci. L'acqua enorme raccoltasi in pochi minuti già ruscellava e lei dovette abbandonare il sentiero, diventato troppo scivoloso per non caderci ormai ad ogni passo. E lei non poteva assolutamente concepire di infangare il suo vestito nuovo di satin nero, che tuttavia la pioggia che sforzava le cupole dei castagni le incollava addosso. Era ormai cosí attillata che era ormai come nuda, perfettamente disegnati i piccoli seni troppo alti e col capezzolo troppo grosso, le natiche piccole ma tonde, con un che di petreo in esse, e perfettamente disegnato anche il dolce e poco pronunziato alveo del pube. Spaventata com'era dal temporale e dal saettio, dalla terra già cosí scivolosa che ogni caduta su essa poteva apparire mortale, sperava tuttavia di non incontrare nessuno, e correva e sbalzava fra l'erba alta, fradicia eppure ancora ferente. Certo i polpacci le sanguinavano in piú punti, dalle ferite lunghe e pungenti dell'erba.

Era verso la metà del castagneto, quando intravvide dietro il velario della pioggia che nella radura piombava libera e concreta, il vecchio seccatoio abbandonato...

Ci si diresse con un ultimo scatto, fu lí per cadere sulle ginocchia davanti all'uscio sgangherato e fesso... Entrò piegata in due e immediatamente si voltò a premere con tutte le sue forze contro l'uscio, quasi volesse inchiavardarlo. Poi tirò ripetutamente il fiato e infine si voltò a eseminare l'interno del seccatoio.

C'era, in un angolo, Amedeo il norcino, cosí alto che con la testa sfiorava il tetto affumicato del seccatoio, magro come se fosse tutto fatto di cannucce e fil di ferro, appena appena bagnato sul petto e sulle spalle, con le dita, non le mani, introdotte nelle tasche dei calzoni, con la bocca premuta, e gli occhi che sorridevano, ceruli, sotto le sopracciglie rossicce. La sua testa era cosí piccola che Palma avrebbe potuto raccoglierla comoda in una sua mano, non ci fosse stato l'impedimento del naso, grosso e affilatissimo, come un vomere.

Amedeo non fece niente, solo acuí il sorriso degli occhi azzurri, e qualcos'altro fece, ma internamente, quasi certamente, Palma non ne dubitava, per il fuggevole rilievo sulle gote scarne, si passò la lingua in bocca.

Amedeo era uno del paese, ma Palma non lo conosceva che di vista e piú di nome, per la sua professione unica di norcino, ma non meglio, e perché Amedeo abitava in un cascinotto lungo la piú perduta riva di Belbo, lontanissimo quindi dalla sua casa di cresta, e perché Davide non l'aveva mai chiamato ad accomodargli il porco, Davide sapendolo fare lui abbastanza bene.

Non poteva dire se era il residuo dello spavento per il grande temporale o l'apparizione muta di quell'uomo, ma certo era presa, invasata da un'agitazione di un'intensità mai provata. Le ginocchia stavano per cederle, le labbra sbattevano meccanicamente l'una contro l'altra e lei si portava di continuo le mani alle tempie. Cominciò a parlare, a parlare all'uomo, balbettando nelle parole ma senza staccare una frase dall'altra, come una cascata...

– Che temporale chi l'avrebbe detto con quel sole che scottava invece tutto nero di colpo io tornavo da casa mia alla Lunetta conoscete i miei della Lunetta? In un minuto è scesa piú acqua che in una notte di pioggia normale chissà la mia piccola figlia a casa che paura con tutti questi fulmini... fortuna che i grani son già tagliati e ritirati voi eravate fuori per cosa?

Sentí che le gambe le si scioglievano e un attimo prima di inginocchiarsi si protese verso una traversa bassa di legno dove avrebbe potuto sedersi. Cosí facendo si mise alla portata delle mani dell'uomo che finalmente socchiuse le labbra, ma solo per emetterne un soffio di liberazione, e con le due mani, leggere ma destre, la spostò da quella specie di sedile e la depose seduta sull'umido strato di antiche foglie di castagno. Poi, con un colpetto leggero sulla spalla la mandò lunga e distesa. E lei ci restò, senza una reazione, senza sollevarsi minimamente sulle spalle, senza riunire strette le gambe, senza nemmeno serrare completamente gli occhi. Il temporale le rombava nelle orecchie e una fettina di cielo attraverso uno sfregio del tetto era completamente nero.

Amedeo le si era accosciato accanto, e ora lavorava svelto e calmo con le due mani. Con la sinistra si scingeva e sbottonava e con la destra le arrotolava la veste all'insú, a trattini, a colpetti, e la stoffa si staccava dalla carne di Palma come la cartavelina da intorno a una caramella umidiccia.

Lei lasciava fare, e quando Amedeo si sentí ostacolato nell'operazione dal peso della coscia che premeva le foglie, gli bastò darle un buffetto sotto il ginocchio e lei sollevò la coscia di quanto bastava. Aveva la bocca spalancata per lo stupore, che le si vedevano tutte le gengive, e non le riusciva di serrare gli occhi, cosicché alzò una mano di contro, quasi che l'uomo emettesse una luce abbagliante.

Poi Amedeo bisbigliò: – È proprio un bel campo fiorito, – e lei, anche per il fresco al pube, sentí che le aveva scoperto le mutandine, che aveva ricavato dalla stoffa di una vecchia tenda fiorata.

Ora le si era inginocchiato di fronte, centralissimo, e coi soliti suoi colpetti leggeri e destri, irresistibili, le correggeva la posizione, se l'acconciava, le faceva crescere la flessione delle gambe, l'apriva...

E come sentí il coso che la puntava, la bussava, Palma disse: – Io, io...

– Parla, parla, – ghignò Amedeo.

– Sono una porca, – disse estatica Palma.

– Sí, dillo, dillo, che ti fa bene.

– Mia cara bambina, – diceva Amedeo, – sai che potrei esserti padre? Cara la mia bambina, vedi come ti tratto bene, come te lo faccio dolce?

Il temporale stava spostandosi, rotolava oltre San Benedetto, su Bossolasco e Serravalle, e attraverso lo sfregio del tetto il cielo appariva un po' schiarito. Ma la pioggia persisteva, regolare e pesante, e sotto di essa le larghe foglie davano un suono non piú di lacerazione ma di schiaffo.

Palma si inarcò seduta e si ficcò tra le gambe le falde della veste nera. Il biglietto da mille che sua madre le aveva regalato e che lei si era infilato fra i seni, a forza di frizioni e sussulti, era risalito e ora faceva capolino dalla scollatura.

Lei dondolava la testa, interminabilmente, a riconoscere uno stupore del quale non si sarebbe mai, mai, capacitata. Aveva le pupille tutte intorbidite e onde su onde continuavano a partirle dal cervello e a diramarlesi sino ai piedi, che ribollivano.

Le arrivava il suono – ora ronzio ora rotolio – delle parole di Amedeo che, alto in piedi, già quasi rassettato, molto prossimo all'uscio, ora parlava, senza stacco, babbingly, come lei prima.

Poi Palma cessò di dimenare la testa, le pupille le si ripulirono, vide di lato un mucchietto di pietre cadute da una frana nel muro. Una ce n'era fra tutte che la affascinava, cosí ben formata e greve, fatta apposta per volare a spaccar la fronte dell'uomo.

Ma non poteva protendercisi, non poteva nemmeno far forza sulle reni: quell'uomo di quasi cinquant'anni l'aveva davvero inchiodata.

Lui s'era già quasi tutto tirato fuori dell'uscio, e la pioggia pesante gli faceva risonare la schiena. E continuava a parlare filato come prima, senza pause, con la differenza che ora Palma lo intendeva.

– Sta' tranquilla che io non parlerò. Ti giuro che non me ne scapperà una parola. Sta' tranquilla. Sai cosa farò? Smetterò di andare all'osteria, smetterò persino di bere, per non ubriacarmi e lasciarmi scappar qualcosa, una volta fuori dei miei sensi. Non devi affannarti, nessuno mai lo saprà. Ti ho già detto che non andrò nemmeno all'osteria. Io sono un solitario, tu dovresti saperlo che io sono un solitario. E per farti stare ancora piú tranquilla, mia cara donnina, ti voglio dire una cosa che non ho ancora detto a nessuno.

Era fuori del seccatoio con tutto il corpo, eppure la testa era stranamente vicina alla donna, come issata sulla punta del corpo di un rettile. E Palma non aveva nemmeno la forza di gridare, nemmeno di gemere.

– Lascio il paese, – proseguí Amedeo. – Ecco la cosa che nessuno ancora non sa. Sono in parola per affittare una cascina lontano da qui, sotto Cherasco. Sai dov'è Cherasco, ti va com'è lontano da qui Cherasco? Vedi che puoi stare tranquilla fin che campi? Io sparisco, sparisco.

La licenza

Lo svegliò il diverso fragore che fece il treno entrando sul ponte. Sbirciò da un occhio e vide il chiaro di luna sull'acqua. Colpiva soltanto la corrente, che per ciò appariva piú increspata che non fosse, e scansava accuratamente gli specchi profondi che per ciò apparivano piú fondi e mortali. Roteò mezzo il busto e colpí Boeri sulla spalla, con una pacca che avrebbe spostato un mulo.

– Sveglia! Ci siamo.

L'altro aveva rantolato e s'era drizzato con orgasmo e ancora adesso si teneva in equilibrio con orgasmo.

– Sognavi? – disse il Fenoglio. – Per svegliarti a quel modo certo sognavi d'essere in trincea.

– No, non sognavo, – disse Boeri strusciandosi le mani sul viso come se volesse sdrumarsi la prima pelle. – È che in trincea tutto mi fa paura, ma niente come l'essere svegliato di colpo.

Il convoglio decelerava sensibilmente.

– Ci siamo, – disse il Fenoglio: – Vedi quel lanternio bianco laggiú con quelle luci che da qui paiono lumini da camposanto? Quella è Alba. E vedi quel muraglione nero laggiú? Be', quello è il principio delle nostre colline, – e gli ridiede un'altra pacca come prima.

– Questa, – disse poi, – non t'ha fatto l'effetto di quell'altra.

Il Boeri sorrise. – Ci son poche cose che mi fanno effetto da sveglio –. Sorrideva, perché ancora non aveva tolto gli occhi da quel muraglione nero che era il principio delle sue colline. – Nemmeno l'olio di ricino, ti dirò, Fenoglio.

Ancora ne ridevano quando il convoglio si arrestò in mira della stazione. Come saltò giú a Boeri mancarono le ginocchia e finí inginocchiato sul granito come un penitente o come un vigliacco. Fenoglio lo tirò su come un fuscello.

– Che ti succede?

– Mi son mancate le gambe. È perché è da Verona che non le faccio lavorare, – e disse Verona come se dicesse Catai.

Il Fenoglio lo stava rimorchiando verso il bar ristorante.

– Di nuovo a bere? – domandò Boeri debolmente. Era da Verona che quello beveva e lo faceva bere, grappa e birra e vino, vino birra e grappa. Vero è che aveva sempre pagato lui, da quel ricco proprietario e leggero sbruffone che era, salvo per i regali dei posti di ristoro. E nei posti di ristoro, specie a quello di Milano, bisognava vedere come trattava con le dame, come se fosse un deputato o un colonnello degli arditi. E il bello è che le dame ci stavano, e se poi qualcuna arricciava il nasino o sporgeva il labbriccino, per il Fenoglio faceva lo stesso. Con quei suoi occhi beffardi e tristi, e il suo naso bellissimo fino alla punta, dove però faceva una rotondità innaturale, posticcia, carnevalesca, come se l'avesse appiccicato lui quel gromo e fosse di mollica di pane o mastice, con quella barba dorata e lunga, cosí sconvolta come se ci fosse passato un uragano, e che non bastava a mascherare l'emaciata durezza dei suoi zigomi, e la sua bellissima bocca, con quello straordinario labbro inferiore protruso, sempre rosso e umido come quello d'una donna, bella donna.

Al bancone non c'era nessuno e l'illuminazione era ridotta. Sotto l'unica lampada giocavano quattro ferrovieri, tra un treno e l'altro. Sotto le tese cerate e fra la pelle conciata gli occhi parevano di porcellana, le labbra esangui, le mascelle... tedesche. «Già, – pensò Boeri sorpassandoli, – ora che ho visto gli austriaci, capisco che i nostri ferrovieri, se somigliano a qualcuno, somigliano agli austriaci».

Raggiunse al bancone il Fenoglio che stava già incantando la padrona che era apparsa da dietro una tenda di velluto verde spelato e stinto come una gualdrappa di mulo.

– Due bicchierini, – diceva il Fenoglio, – rasi rasi, non abbia paura che versino, madama, se ci sbrodoliamo vedrà che non protestiamo. Perché ci sbrodoliamo di sgnappa.

– Lei, soldato, vuol dire grappa, – disse la padrona con una voce simpatica. Era sui quarant'anni, era molto piccola ma in compenso aveva un grande seno e una grande crocchia. E odorava parecchio, di profumo, d'un profumo che soverchiava la grappa, come se quell'assenza dal bancone l'avesse impiegata a profumarsi tutta.

Disse Boeri, prendendo il bicchierino con una certa ripugnanza: – Perché, Fenoglio, dici sgnappa per grappa? Mica siamo piú nel Veneto, – e sorrise infantilmente alla padrona.

Disse il Fenoglio: – È per non perdere l'abitudine, visto che nel Veneto ci dovremo tornare –. La sua voce era cupa, e da sopra il bicchiere guardava i quattro ferrovieri capo, di sbieco. Poi riprese: – Quando sarà finita e nel Veneto non avremo mai piú a tornarci, se mi risenti dire sgnappa per grappa, ebbene sputami in un occhio.

Poi si era rasserenato e aveva sorriso alla padrona, alla sua maniera rinchiusa.

– E il suo signore...

Si badi che non aveva detto suo marito o il suo uomo, ma il suo signore...

– E il suo signore, padrona, è anche lui come noi al fronte?

– Oh no, – disse lei, ma con affanno, come se il discorso dovesse finir male, con quel soldato non piú giovane, con gli occhi beffardi e la voce anche peggio. – Oh no, mio marito ha l'esonero.

– Ah, – fece il Fenoglio, col suono d'una canna che gli si spezzasse in gola. – È ferroviere anche lui?

– Oh no, – disse lei, sempre piú apprensiva ma paziente, – non lo sapete che un ferroviere non potrebbe appaltare il ristorante della stazione? No, non è ferroviere. Gli hanno dato l'esonero per via del cuore.

– Ah, – rifece il Fenoglio, come se un'altra canna gli si spezzasse in gola.

E la donna, parlando sempre piú rapidamente: – Son dieci anni che patisce di cuore. Alla visita infatti è andato tranquillo e i medici l'hanno esonerato in nemmeno dieci minuti. E quando è tornato con la notizia, non crediate che fosse allegro, era abbattuto come un cane, come se gli avessero fatto un foglio per l'ospizio dei vecchi.

Come quella parlava, il Fenoglio era venuto sempre piú abbassandosi, quasi scivolando col corpo, in modo da aver gli occhi a livello di quelli della donna e l'ascoltava socchiudendo sempre piú la bocca, tanfando tra i denti tutta la grappa che aveva ingurgitata da Verona.

Boeri ebbe paura e cominciò a cincischiare in tasca per trovare i soldi delle due grappe. Non gli veniva di trovarli e intanto, secondo lui, la cosa si aggravava, perché la donna continuava a parlare.

– Vedete, – diceva, – il ristorante è tutto sulle mie spalle. Non mi dà il minimo aiuto, non potrebbe spostare una cassa di limoni da qui in là, tutto quello che fa è andare alla banca a ritirar le tratte, si può dire. E il ristorante è tutto sulle mie spalle, e se vi dico che il primo treno è alle quattro del mattino e l'ultimo a mezzanotte, vi dico che fatica che è. Non che io mi lagni, sopporto volentieri, dato che è l'uomo che ho sposato.

Finalmente Boeri aveva cacciato i soldi e li aveva buttati sul bancone e il tintinnio sullo zinco aveva riscosso il Fenoglio da quella sua stasi insidiosa. Ora si stava raddrizzando, ancora con la mossa insidiosa del serpente, ma aveva distolto gli occhi dalla donna e Boeri sentiva che non l'avrebbe piú rifissata.

– Che hai fatto? – domandò il Fenoglio, sordo ma quieto.

– Ho pagato. È da Verona che paghi tu.

E gli aveva infilato una mano sotto il braccio e lo guidava alla porta, come un nipote uno zio.

Boeri aveva ventiquattro anni e ne dimostrava venti, malgrado la trincea, il Fenoglio ne dimostrava qualcuno di piú dei suoi trenta.

Fuori, sulla piazza, l'illuminazione era allegra, una fontana zampillava vivacemente, e l'aria era piena di un odore di chissà che fiori, denso e stupido.

– Ora lasciami il braccio, – disse il Fenoglio, – ché adesso torno a guidare io.

Avanzavano molto adagio, un po' a sghimbescio, come

marinai sulla tolda, e Boeri si massaggiava il culo desensibilizzato da centinaia di chilometri di treno.

– Ti ricordi ancora qualcosa di Alba? – domandò il Fenoglio.

– Non ci sono mai stato, – disse Boeri, senza vergogna. – Cioè una volta, ma ero cosí piccolo che è come non ci fossi mai stato. Avrò avuto sette anni e mio padre mi portò ad Alba in fretta e furia da un dentista, perché m'era venuto un ascesso in bocca che il nostro medico del paese diceva che poteva farmi morire. Avrò avuto sett'anni e quindi in questa città è come non ci fossi mai stato.

Aveva finito di massaggiarsi il culo, anche se ancora non lo sentiva rivivere.

– Io ci venivo una volta al mese, – disse Fenoglio, – ogni terzo sabato d'ogni mese.

– Per affari, – disse Boeri senza la minima punta d'interrogazione, perché quei Fenoglio non potevano non essere grandi commercianti, con Alba e Mondoví e forse Cuneo nel raggio del loro commercio.

– Per il casino, – rispose Fenoglio. – Non mi dirai che tu non sei mai entrato in un casino? – e si sentiva dal tono che qualunque risposta non l'avrebbe sorpreso.

– È vero.

– È vero che sí o che no?

– Vero che no, – disse Boeri, senza vergogna.

E non gli disse come e perché. Non volle dirgli che doveva andarci che era tutto deciso, e proprio nel casino di Alba. Fu il giorno che passarono la visita di leva. Non ci avessero per caso pensato loro, erano stati i loro stessi padri a istruirli, loro stessi a cacciar nelle tasche dei loro figli, già piene di nastri e coccarde, lo scudo d'argento per la bisogna. E tutto era preparato, per il dopopranzo, per la discesa ad Alba con calessi e birocci. La partenza era fissata per le tre e mezzo, ma alle tre erano tutti ubriachi morti sotto le tavole. E i padri erano entrati a districare e ritirare ognuno il suo e l'aveva portato a casa e piombato sul letto. E mentre li spogliavano ritraevano dalle tasche lo scudo d'argento. Ma di tutto ciò non una parola al Fenoglio.

Il Fenoglio da parte sua non aveva fatto nessun commento e questo silenzio aveva messo in apprensione Boeri che pensava che ora quello stesse proprio architettandogli qualche scherzo o trappola. E cosí disse:

– Se hai in mente di portarmi al casino, ti prego lascia perdere che non ne ho nessuna voglia.

– Io nemmeno ci pensavo, – rispose il Fenoglio. – Ma non mi dirai che sei vergine?

– No, non sono piú vergine, – rispose abbastanza duro Boeri e poi si guardò accuratamente intorno.

Non si erano dilungati di molto dalla stazione, ché il muro di cemento della stessa continuava ancora per molto davanti a loro, a destra.

Camminavano per uno spiazzo piuttosto accidentato, illuminato da due soli fanali con un lume semiasfissiato e da un bordo dello spiazzo saliva un odore di discarica. Lí la città di Alba avrebbe piantato, prima che la guerra finisse, un giardinetto, e nel mezzo ci avrebbe poi innalzato il monumento ai caduti proprio di quella guerra.

L'aria s'era raffreddata e tirava un vento, ora, che svoltava dai cantoni come un giovane ladro.

Fenoglio estrasse il suo orologio, bello, tutto d'argento, con sul retro della cassa inciso un bel cervo che zampettava in una radura.

– Appena le nove, – disse riponendolo.

– Sí, – disse Boeri, – ma ora dove andiamo?

– Hai scritto a casa che venivi in licenza?

– No, perché mi piacciono le sorprese. Le sorprese di questo genere, si capisce. E tu hai avvisato?

– No.

– Anche tu per la sorpresa?

– No, per pura pigrizia.

Camminavano sotto portici ora.

– Dove stiamo andando? – ripeté Boeri.

– In giro, non vedi, aspettando l'ora della partenza dei brek per le colline.

– Sai da dove partono?

– Altro che. Sono buon amico del padrone del servizio. Ha una bella scuderia che per me val meglio d'una camera d'albergo. Quindi quando saremo stufi di girare ci ritiriamo nella scuderia, ci facciamo un bel letto nel foraggio e ci svegliamo proprio quando entrano i conducenti a vestire i cavalli. Cosa vuoi di piú.

Boeri non voleva proprio niente di piú, era solo nervoso per quello che l'aspettava nel giro. Quel Fenoglio aveva bevuto troppa grappa, non aveva soggezione di nessuno, anzi piú l'autorità era alta o il disprezzo evidente tanto piú lui la sosteneva e rimbeccava. A poco a poco s'era infiltrato nella mente del Boeri che quel compaesano e compagno di tradotta lo cacciasse, per il suo carattere, proprio in qualche guaio che poteva finire col compromettergli la licenza o addirittura fargliela perdere.

– Sai che ti dico, sergente? – cominciò.

Ma l'altro: – Perché mi dài del sergente?

– Perché lo sei. Me l'hai detto in treno, che ancora stavamo in Lombardia.

– Ma ti ho anche detto che m'hanno degradato. Lo ero, sergente.

– Per me lo sei ancora, per me non t'hanno degradato.

Il Fenoglio rise soltanto, di quel riso speciale, assolutamente affascinante per Boeri, per lui era come se il Fenoglio aprisse la bocca e dentro un bambino e un vecchio ridessero insieme.

– Sai che ti dico? – riprese Boeri.

Intanto erano riusciti sulla seconda piazza di Alba, il cui fondo si apriva tutto sulle lontane colline e a Boeri pareva di sentir ventilare fra i boschi...

– Sai che ti dico? Che se non avessi la tua compagnia, io me ne sarei già partito per casa. Da qui a casa ci sono venti chilometri. Me la sarei proprio già presa tra le gambe e non avrei nemmeno cercato scorciatoie. Si deve viaggiar bene stanotte. E non temo di sfiancarmi, anzi son sicuro che canterei per tutto il cammino.

Il Fenoglio aveva ascoltato attentamente, ma scrollava già la testa che Boeri era appena a metà del discorso.

– Questa corvée..., – disse.

– Ma non è una corvée. Se dici corvée allora non hai capito...

– Ho capito benissimo, – rispose duro il Fenoglio. – Questa camminata te la capisco, te la concedo, ma non in una licenza. Cosí dovrai tornare a casa quando la guerra sarà finita. Allora sí, ma non la sprecare in occasione d'una miserabile licenza. Io non ho mai amato camminare, o almeno ho disimparato presto. Ma quando sarà tutto finito, se son vivo, voglio davvero tornare a casa a piedi, come tu hai immaginato poco fa. Naturalmente, dopo non mi muoverò piú se non a cavallo, ma il ritorno a casa, quello definitivo, voglio davvero farmelo a piedi. Ma tu non lo sprecare con una miserabile licenza.

– Sí, – disse Boeri, – ma adesso dove mi stai portando? – e voleva sperare che lo portasse alla scuderia, ma sperarlo non poteva perché stavano addentrandosi nel centro della città, ed era impensabile che la stazione di posta fosse nel centro della città.

– Ti porto nel piú bel caffè di Alba, – rispose il Fenoglio, – nel caffè dei signori di Alba, talmente dei signori che la gente non osa passare nemmeno sotto i portici, nemmeno d'inverno, quando non c'è dehors.

A Boeri cominciò a battere il cuore per l'apprensione, pensava che se il Fenoglio avesse cominciato a provocare nel caffè dei signori come aveva fatto nel bar della stazione, al caffè dei signori sarebbe finita certamente peggio, anche perché nel caffè dei signori, se era tale, non poteva mancare un ufficiale dei carabinieri.

Ma non poté parlare perché a quel punto vennero affrontati da una ronda col bracciale azzurro che li richiese dei documenti. In questa circostanza il Fenoglio si comportò cosí bene che quando la ronda si fu allontanata Boeri era anche piú tranquillo anche per quello che concerneva la visita al caffè dei signori. E pensare che era cosí facile attaccarla con quella ronda, bastava che il Fenoglio cominciasse: «Bello eh? far servizio a poco meno di mille chilometri dal fronte. Con tutti i vantaggi (parlo per le donne, s'intende) della divisa e nessuno dei suoi svantaggi...» mentre quelli stavano a testa giú a esaminar le basse alla lucetta della pila.

Proseguivano. E, strano, il Fenoglio rimuginava ancora quell'idea di Boeri, quella di tornare a casa a piedi.

– Ma, – disse, – solo quando sarà veramente finita, e io

potrò finalmente pisciare in culo al re e a Cadorna e a Marasso.

– Chi sarebbe Marasso? – s'informò l'altro.

E il Fenoglio a dire che era il suo capitano, con un tono che Boeri dovette dirgli:

– Be, può darsi che come torni dalla licenza ti dicano che è rimasto ammazzato. Conosco un bel po' di truppa che ha avuto questa grazia.

Sbucarono in una piazza e infilarono dei portici bassi e straordinariamente tenebrosi, illuminati verso il termine da fasci di luci che da certe finestre tagliavano il granito dei portici per spegnersi a ridosso degli zoccoli della cattedrale.

– Là è il caffè dei signori di Alba, – disse il Fenoglio, e parve davvero a Boeri che quella luce fosse speciale, avesse davvero un particular glance.

Cosí, sul limitare, già investiti da quel particular glance, Boeri disse: – Ma è proprio necessario, Fenoglio? Io, per esempio, ho voglia di tutto meno che di bere.

– Tu sei pieno di tutto meno che di coraggio, – disse il Fenoglio, nella luce che invece di schiarirlo l'intorvava. – Non ho mai voluto pensarci fino ad ora, ma devi essere proprio uno schifo di soldato –. Gli aveva afferrato il braccio ed entrarono.

Dentro, Boeri stava perso a guardare i cristalli, gli stucchi, le lacche, gli ottoni e la bella cameriera pallida tra i veli del vapore della macchina per il caffè.

Il Fenoglio, lui stava alla cassa, era abbastanza uomo di mondo per sapere che in quei locali si passa alla cassa prima che al bancone. E la padrona lo fissava, e Boeri vedeva che non le andava per niente, che l'assurda pallina di carne sulla punta del naso e il pelo biondo sulla possente arcata degli zigomi e il bellissimo labbro inferiore non le facevano effetto e semmai quello dell'olio di ricino.

Era occhialuta come una professoressa, coi capelli tinti e acconciati magistralmente, con due gote cosí colorite eppur cosí artificiali che parevano quei cestelli di fiori che i pittori dipingevano sulla sovrapporta degli appartamenti dei nobili. Era cosí schifata del Fenoglio – Boeri vedeva che lei lo considerava come minimo impidocchiato – che per la specie aveva risucchiato in dentro le labbra e ora le toccava masticarsi il rossetto.

– Due grappe, – accennò alla ragazza al banco di tra i grumi del rossetto.

– Quanti anni le dài, alla padrona? – bisbigliò il Fenoglio.

– Trentacinque, – mormorò l'altro senza riguardarla.

– Ne ha piú di cinquanta, – disse l'altro. – E che se ti dicessero di scegliere fra la trincea e lo svegliarti alla mattina con quella donna accanto, c'è anche caso che tu scelga la trincea.

Boeri buttò giú mezza grappa d'un sorso, purtroppo il Fenoglio centellinava.

Guardavano verso la sala attigua, inondata da una luce discreta, carica di bei tendaggi rosso cupo e specchiere senza la minima alea di mosche, carica di odore di buon tabacco e dell'effluvio di coccarde cannellate. Si potevano vedere gli occupanti riflessi nella specchiera di fronte all'arco d'entrata, gente con bei capelli argentei o scuri fino a esser blu, con solini bianchi alti e spille d'oro alle cravatte. Parlavano tutt'insieme e i piú parlavano non nel largo ma in stretto accento torinese.

Boeri ingoiò il resto d'un sorso. Ed ecco che il Fenoglio partiva, col bicchiere in mano, dal banco verso l'arcata, malgrado la padrona gli facesse una faccia, una faccia, e s'impalava sotto l'arcata e osava scostare un lembo del tendaggio.

Ora la padrona fissava Boeri che batteva i piedi al banco e lo fissava come a dirgli: «Sei nella salsa anche tu, se quello combina un guaio».

Ora Boeri sentiva bene i discorsi della saletta, come se prima avessero urtato e rimbalzato sempre contro quel lembo di tendaggio che il Fenoglio continuava a spiaccicare contro la parete.

– Il Duca d'Aosta dovrebbe fare cosí.

– E il generale Capello dovrebbe fare cosí.

– È inutile, se non possiamo contare sull'artiglieria.

– Per quello che vale la nostra artiglieria. I Francesi sí che hanno una bella artiglieria.

E si sentiva anche un gran fruscio di carte, come se avessero delle mappe e le sciorinassero e le stirassero nel fervore della discussione.

E le spalle del Fenoglio prendevano a dondolare.

L'avevano visto, quasi tutti, piantato sull'ingresso, col bicchiere in mano, il cappello storto e gli occhi che pur acquosi mandavano lampi. Ma finora non avevano fatto altro che storcere la bocca e gli occhi. Un inconveniente della guerra: i soldati alle volte capitano in licenza.

Ciononostante arrivavano altri brani e flotti della discussione.

– Noi parliamo sempre del comando, parlassimo una volta della truppa.

– Certo che per giudicare un comando bisogna considerare anche la truppa di cui dispone.

– Piantate per bene tutte le bandierine, – diceva una voce stridula e coltivata insieme: – cosí abbiamo sott'occhio l'intera situazione.

Fu a questo punto che il Fenoglio disse: – Manica di bastardi.

Non lo disse con particolare violenza e cosí non ci fu subito gelo e silenzio e reazione, qualcuno andò avanti come se le parole non fossero dette.

– Siete una manica di bastardi! – ripeté il Fenoglio piú forte e stavolta intesero tutti.

– Ma questo chi è? Chi l'ha fatto entrare? È uno scandalo! Questo è un posto da ufficiali, semmai. Cos'è 'sta prepotenza?

– Tutti porci imboscati, – disse forte il Fenoglio.

– Non le permettiamo, sa? Lei è ubriaco. Ubriaco, in divisa.

Un vecchio si rivolse a un giovane, con un baffo filiforme sul labbro pallidissimo. – Se ne incarichi lei, che è il piú giovane e forte.

Ma il giovane disse: – Ma questa è una faccenda da carabinieri.

E allora un altro vecchio deprecò: – Ci fosse il tenente Ricchiardi, lui sapeva come domare la soldataglia.

La padrona aveva sollevato il cornetto del telefono, giusto quando aveva sentito di là «faccenda da carabinieri» e ora stava aspettando, gli occhi puntati su Boeri dietro le lenti ghiacciate.

– Voi non potete parlare, – urlò il Fenoglio. – Non dovete! – La sua voce investiva come un vento i vecchi, smorti tendaggi. – Voi non avete visto il sangue e la merda e il fango. Vecchi maiali, andate a vedere la merda e il sangue e il fango e poi parlerete, se ne avrete ancora voglia.

La padrona aveva la comunicazione. – Il signor capitano. Mi dispiace disturbarlo, ma devo. Per i suoi amici al caffè. C'è un soldato, due soldati... bisognerebbe far presto.

Ora Boeri non vedeva piú il Fenoglio, aveva svoltato dietro il tendaggio, s'era ficcato nel bel mezzo dei signori di Alba.

– Guai a chi parla! – gridava. – E questi sarebbero i vostri giocattoli! Le belle cartine, con le belle bandierine. Ma dove sono il sangue e la merda e il fango?...

Poi si sentí un rumore composto, ed era chiaro che si era incentrato verso il tavolo e dava grandi manate sulla carta, abbattendo le bandierine, cosí selvaggiamente, che ancora le pestava quando già erano abbattute, col risultato che s'era piantato gli spilli nelle mani.

La ronda arrivò in un niente, come se fosse appostata dietro un pila dei portici. Un carabiniere si affiancò a Boeri, senza toccarlo, solo controllandolo con l'occhio, come se l'occhio fosse una pistola, gli altri due erano spariti dietro il tendaggio. Non pareva che il Fenoglio facesse resistenza; nel generale ansimare di sollievo, di venerabilità e di vergogna dei signori, lo si sentí ripetere, con calma:

– Il sangue e la merda e il fango. Avete capito, voi carabinieri?

Non li avevano messi in guardina. C'era una coppia di ladri in guardina, ed essi erano soldati, dopotutto, soldati del re. Li avevano messi nel corpo di guardia, sulle prime c'era stato un vero viavai di carabinieri, curiosi di vedere i due soldati in licenza dal fronte che avevano fatto prepotenza ai signori amici del loro capitano. Ma ora, ora che poco mancava a mezzanotte, non era rimasto che un vecchio brigadiere.

Il capitano s'era fatto vedere alle dieci e mezzo, in un lampo: un lampo la sua banda rossa, un lampo la coccia della sua sciabola, un lampo il suo sguardo, duro ma non particolarmente cattivo o furioso; uno sguardo superiore: ecco superiore. Ma poi li aveva trattati con la massima severità: ritiro della licenza, biglietto di punizione, salita sotto scorta sul primo treno per l'Est.

Boeri, in piedi, piangeva senza suono, il Fenoglio lui dormiva come un morto, in perfetto equilibrio su una panca che poteva sostenere sí e no un terzo della sua gran schiena magra, la grottesca pallina di carne inalberata sul suo naso, cosí sola e illuminata, offerta come un bersaglio di tirassegno. Dormiva, bronzeo, senza un moto, senza un suono di naso o di bocca.

Il vecchio brigadiere fumava, senza mai distogliere l'occhio dalla sigaretta, come se quello fosse il vero modo di consumarla. Era corpulento, di una corpulenza ancora controllata ed energica, la pelle conciata da mille soli e mille piaghe, i capelli d'un bianco sporco profondamente, indelebilmente incisi dal giro della lucerna, ma i suoi occhi erano chiari e dolci come quelli di un bambino.

– Non può farci una cosa simile, – pianse Boeri. – Revocarci la licenza.

– Un capitano dei carabinieri? – fece il brigadiere, alzando le sopracciglia, guardandolo come uno che volesse metter dei limiti all'onnipotenza del Padreterno.

– E io che contavo di dare una mano per la mietitura! – si disperò Boeri.

L'altro si stupí. – Di questa stagione?

– Ma sí, dalle nostre parti il grano matura con piú d'un mese di ritardo rispetto alla pianura.

Roteò su se stesso, strozzando un singhiozzo e strode verso Fenoglio coi pugni alzati.

– Ohei! – fece il brigadiere alzando il culo dalla sua panca.

– State tranquillo, brigadiere, – disse Boeri giungendo le mani, – non lo colpisco, non son nemmeno partito con l'idea di colpirlo.

Venne strascicando i piedi sotto la lampada. – Mi taglierei la mano piuttosto di colpirlo. Sapete, brigadiere: quella storia del sangue e della merda e del fango... ebbene, non è una storia.

Il brigadiere sospirò: – Lui dorme, – disse senza guardarlo.

Boeri tornò a disperarsi. – E fortuna che non ho avvisato mia madre. Chissà in che pena sarebbe stata domani. Piú in pena che a sapermi al fronte senza licenza, e nel bel mezzo d'una battaglia.

– Ma tu ragazzo, – disse il brigadiere, – non lo conoscevi per il tipo che era...

– Ma io non l'avevo mai visto! – proruppe Boeri.

Non erano dello stesso reggimento, erano scesi a Verona, da due quote lontanissime, era stato il perfido destino a farglielo incontrare nella stazione di Verona, e in un tale bailamme di soldati, carabinieri, civili e ferrovieri, in un calore e un fumare di locomotive che uno anzi che trovare un altro doveva stare bene attento a non perdere se stesso. Lui Boeri aveva appena saputo che il treno per l'Ovest aveva un'ora di ritardo, ma non c'era stato male, affatto male: fosse stato in ritardo nella corvée del rancio, forse, ma un ritardo nel treno che doveva portarlo a casa per dieci giorni era ben sopportarlo. E lui era felice e trepido come non ricordava essere stato nemmeno il giorno della prima comunione.

– La licenza, – lo interruppe il brigadiere, – te l'avevano data per premio? Voglio dire, avevi appena combinato qualcosa di buono lassú?

– No, per turno me l'avevano data. Per nient'altro che per il turno. Non ho mai combinato niente di speciale, lassú, e voglia Dio che possa finir la guerra senza che io abbia combinato niente di speciale.

Quando si sente fissato, lui, in quella confusione e pandemonio, e gli occhi vanno a sbattergli dritti in un alpino, con gli occhi che ridevano sopra dei forti zigomi vestiti di pelo biondo, con una pallina di carne piantata sul naso, e anche la bocca gli rideva, solo che non poteva aprirsi abbastanza per via del labbro inferiore troppo carnoso.

– Tu, tu, tu, – gridò il Fenoglio nel frastuono, – ma tu sei il figlio del maniscalco di Serravalle.

E lui, il Boeri, a sorridere, perché il tipo gli andava a genio, anche se zaffava grappa... doveva aver cominciato a bere da quando aveva fatto il primo passo abbasso verso Verona.

– Io sono un Fenoglio, un Fenoglio di Murazzano. Sai che siamo ancora parenti? Alla lunga, si capisce, ma ancora parenti. Per via di una sorella di mia nonna che rimasta quasi subito vedova si risposò con un Boeri... – E doveva esser certamente vero, anche se il Fenoglio tanfava di grappa da... E si scoprí che erano entrambi in licenza, che aspettavano lo stesso treno...

– Lui dorme, – ripeté poi il brigadiere, ancora senza guardarlo.

– A che ora? – domandò Boeri.

– Che cosa?

– Il treno per il fronte, quello che ci obbligate a prendere?

– Alle tre e cinquanta. Il primo.

– Già, – disse Boeri senza stupore, perché s'era ricordato della padrona del bar della stazione..., – il primo treno è alle tre e cinquanta.

Disse il brigadiere: – È chiaro che lui dormirà cosí come ora fino all'ora del treno. E quindi lascio a te le istruzioni. A ogni stazione di cambio dovete subito presentarvi ai carabinieri della stazione e mostrare il biglietto di punizione. Ci penseranno loro a mettervi sul primo treno.

Fu cosí. Il Fenoglio non si svegliò che quando gli bussarono la spalla, delicatamente, perché dormiva cosí in equilibrio sulla stretta panca che al minimo sussulto sarebbe crollato a terra.

Si svegliò, subito presente a se stesso. Infatti disse: – Mi dispiace, Boeri, Ma il sangue e la merda e il fango.

Andavano alla stazione, per la città non addormentata, ma morta, sotto un cielo spaventoso, tra due carabinieri troppo giovani che pretendevano che essi marciassero militarmente.

Il treno era già sulla linea, da sul recinto svettava il suo fumo, bianco, scocciato.

Il Fenoglio marciava come un automa, sicuramente riaddormentato. Il Boeri piangeva senza suono, perché sapeva che appena tornato al fronte l'avrebbero ucciso, subito o quasi.

Il mortorio Boeri

Il messo comunale vide tutta la scena.

Non era al fronte perché non aveva la forza di portare fucile né la vista per puntarlo. Era un tale malfatto che si sarebbe detto che un medico militare non l'avrebbe nemmeno fatto svestire e gli avrebbe subito indicato la porta. E invece non era andata cosí, aveva dovuto sudare per la riforma, aveva dovuto passare una terribile quindicina all'ospedale militare di Savigliano. Probabilmente, i salassi sull'Isonzo avevano fatto sí che arrivassero ai medici militari ordini di «andare a raid» nelle prime visite e nelle revisioni. Per fortuna, all'ospedale di Savigliano era suora una sua lontana zia, e suora influente. Ciononostante non se l'era cavata gratis, aveva dovuto sborsare trecento lire, somma che s'era fatto prestare dall'usuraio di Serravalle e che andava scontando a dieci lire a mese sul suo stipendio. La guerra sarebbe finita e lui avrebbe ancora avuto delle rate, ed erano proprio queste rate di dopoguerra che gli sarebbero rimaste particolarmente sul gozzo.

E la raccontava, la sua storia all'ospedale di Savigliano, perché altrimenti non avrebbe mai raccontato niente, in crocchi in cui tutti raccontavano. E gli era sempre andata bene, fino alla volta che venne in licenza il Garibaldi. Era compatto e colorito come se al fronte li mantenessero a prosciutto e zabaglione. E il Garibaldi ascoltò tranquillo tutto il suo racconto dell'ospedale militare, non piú nervoso di quelli che pure lo risentivano per la decima volta. Ma quando il messo concluse: – Debbo proprio ringraziare mia zia suora, – allora il Garibaldi gli disse, placidamente: – No, tu non hai proprio da ringraziare tua zia suora. Tu devi solamente ringraziare tua madre per averti fatto come t'ha fatto.

Ora vedeva il prete salire col brigadiere l'erta verso la chiesa, e il brigadiere sosteneva per il braccio il prete che era uscito in pantofole e slittava.

C'erano due soldati per quella via, il Boeri a metà rampa e il Garibaldi in cima. Il messo s'era riparato dietro uno spigolo e guardava i due salire, meschini e tremendi.

Il messo desiderava che fosse il Garibaldi, ma sentiva che era Nino Boeri.

Il maniscalco era fuori, lo stallo era vuoto, ma lui era fuori a martellar qualcosa. I due gli erano a dieci passi e lui non aveva ancora sbirciato in discesa, sebbene l'avesse subito di fianco. Finalmente guardò giú e restò col martello alzato. Capí subito che venivano per lui, dal fatto che i due abbassarono gli occhi. Fosse stato per il Garibaldi, l'avrebbero fissato negli occhi e fatto con le labbra o le dita segni rassicuranti: c'era tutta una intesa per non far pigliare spaventi mortali senza motivo.

Ma quelli avevano sincronicamente abbassato gli occhi e i loro piedi deviavano impercettibilmente verso il suo spiazzo. Lasciò cadere il martello e afferrò il suo grembiale di cuoio e lo sventolò come se volesse coprirsene gli occhi. Ma quelli erano già troppo vicini. Non disse niente, il messo dal suo riparo vide bene che non disse niente, solo passò avanti ai due verso la porta, precedendoli, quasi inciampandoli, e sparí per primo nell'uscio, senza riguardi per l'autorità.

Il messo riuscí sulla viuzza, prima che si alzasse il grido della madre, e venne giú, di corsa, di fuga. Sebbene messo, portava zoccoli ed essi risuonavano ferocemente sulle selci, piú dure, perché stava per cominciare il grande freddo. La madre Boeri stava già certamente urlando, ma lui non sentiva, intronato dal suo stesso zoccolio, mentre correva verso la locanda delle tre sorelle.

Trovò tutto e solo ciò che voleva. Ginia. Era perfettamente sola nel lungo stretto stanzone, stirava tovaglie e salviette e masticava mentini. Lo vide senza alzare gli occhi, lo vide attraverso le palpebre, che pure erano spesse e frolle come tutto il resto di lei.

– Entrate, messo, e richiudete bene la porta ché qui non c'è altro calore che quello di questo ferro –. Anche la sua voce era spessa e frolla.

Lui si avanzò, zoccolando il meno che poteva, preceduto invisibilmente dal cattivo odore che gli si distillava nelle orecchie.

Lei aveva trentotto anni e pareva in tutto una faraona, anche i vestiti le stavano addosso come un piumaggio. Venendo, lui le sogguardava le mani strette intorno al ferro e, in una specie di deliquio, pensava a tutti i cazzi che avevano maneggiato; le guardava il ventre appena appena inciso dalla pressione contro l'orlo della tavola, e, in una specie di deliquio, pensava ai tanti cazzi che lo avevano esplorato, frugato in ogni angolo. Eppure i suoi occhi erano cosí puliti e lindi, e i suoi capelli spartiti in due bande tanto innocenti, e, sotto il tavolo, i suoi piedi erano di bambina, che reggevano, da non saper come facessero, quel grande frollo corpo di faraona.

Lui arrivò. Si diede una stretta nel cappottaccio e poi un grande scrollo.

– Ginia, – disse, – hanno portato adesso adesso un mortorio.

Lei non disse niente, non levò gli occhi dallo stiro, solo si passò i mentini da un angolo all'altro della bocca.

– Su per la salita alla chiesa, – aggiunse lui.

– Garibaldi, – disse lei finalmente.

– No. Nino Boeri.

Stirava, con non minore efficacia di prima, poi disse: – Vanno in guerra ed il nemico spara, – e con un colpo di lingua non spostò, ma rovesciò i mentini.

Il messo fece un mezzo giro del tavolo; il passo era calmo, quasi riguardoso, ma i suoi pugni erano stretti in fondo alle saccocce slabbrate.

– Ginia, ora a me dispiace, – disse sottovoce.

Lei non rispose e lui rifece i passi indietro.

– Ginia, ora non dispiace anche a te? – disse ancora piú sommesso.

– Di che cosa? – senza alzar gli occhi, levigando una salvietta piú del necessario.

– Andiamo, Ginia, – disse lui. – Di Nino Boeri, poco piú d'un anno fa, una settimana prima che partisse per la guerra.

Lei gli si avventò tutta, tranne gli occhi, soprattutto la bocca con l'alito gelificato dalla menta.

– Io non so di che cosa parli, messo, e non sto nemmeno a chiederti di spiegarti meglio.

– Ah se la metti cosí, – disse lui e le passò oltre, verso il primo gradino della scala di legno che portava di sopra.

– Io vado là, Ginia. Tu permetti che vada là, non è vero? – e montò. Sebbene pesasse come un nano, il legno crocchiava fortemente sotto i suo piedi.

La donna seguitò a stirare, ma piú curva ora, come se le piacesse inalare il vapore del ferro.

Il messo procedeva a tentoni nel corridoio buio, aspettandosi un minimo barbaglio di luce dalla maniglia di quella porta. La trovò, prese la maniglia con religione, la ruotò, spinse la porta come se si trattasse di una cassaforte o d'una tomba.

Stette sulla soglia a lungo. La temperie era esattamente quella di quella volta, poco piú d'un anno fa, una settimana prima che Nino Boeri partisse per il fronte.

C'era lo stesso grado di luce a investire il vecchio divano giubilato, che costituiva l'unico arredo della stanza insieme alle quattro stampe con tutta la storia del Moro di Venezia. Allora era piú presto ed era primavera, ora era tardo autunno e piú che le cinque e mezza, ma c'era già su la luna, proprio inquadrata nella finestra, di tra gli ultimi rami del fico selvatico. Mandava una luce ferma e fredda, che investiva proprio il divano, sebbene fosse esile e bucherellata come una caramella lungamente succhiata.

Il messo mosse verso il divano.

Un anno fa, lui stava a guardar giocare a carte, poi gli era venuto un movimento di ventre e siccome era molto prudente in queste cose non aveva lasciato che gli fermentasse dentro, era subito salito per il cesso che si trovava al piano di sopra.

Tese l'orecchio verso il basso, la donna non s'era ancora mossa, tendendo l'orecchio allo spasimo poteva cogliere il breve tonfo del ferro sulla biancheria.

Nel corridoio era nera notte come stavolta. Lui procedeva a tentoni, toccando con le dita i due muri. Toccò la porta e fu come se il suo tocco togliesse spessore alla porta, perché solo in quell'attimo si liberò il rumore, che era tale quale dovesse essere on da minuti e da arrivare fin sulla strada. Una voce di donna rantolava, actually rantolava, diceva di no, evidentemente a qualcosa che poteva riuscirle mortale, stava per riuscirle mortale. Doveva essere una delle tre sorelle, forse di Ginia, but who can tell a voice in quell'acme di dolore e di paura? L'altra voce era d'un uomo, assolutamente inidentificabile, e la voce piangeva e implorava, supplicava la sua vittima di lasciarsi fare, di accettare la morte.

Il messo tese l'orecchio abbasso. La donna non si muoveva. Nessuno l'intratteneva, la locanda era deserta, come le succedeva d'essere per ore.

Aveva impugnato la maniglia e stava pensando di aprire a millimetri, quando la donna proruppe in un no! cosí disperato che il messo nella risonanza di quel no aprí di colpo, certo di non essere sentito. Non l'avevano infatti sentito ed egli stette sulla soglia, fissando la scena. Ciò che vide di piú distinto – la luce era bassa, giungeva appena alla finestra e pareva che gli ultimi rami del fico selvatico ne spingessero dentro le briciole – fu una macchia bianca sospesa a due palmi da terra, sorretta da una caviglia perfettamente immota come un tronco morto. Sul divano era tutto un ondare, e nemmeno da lí il messo poteva dire chi fosse l'uomo. Quanto alla donna, già sapeva che era Ginia. L'uomo ondava e piangeva, premeva ma era come se il suo ventre scontrasse la pietra d'una tomba. Per questo piangeva e supplicava. Lei gli stava morendo sotto, non era forse già morta la gamba divaricata fuor del divano che reggeva sulla caviglia la mutandina come [...]?

Ma prima di morire Ginia emise un altro no che poteva certamente esser l'ultimo, e allora il messo andò al divano.

Prese la testa dell'uomo per i capelli e la issò a quel po' di luce; era Nino Boeri, con gli occhi folli e la faccia stemperata nelle lacrime. Giú, giú, molto piú giú di lui, giaceva Ginia, col ventre insanguinato.

– Togliti, Nino, – disse il messo, – vedi bene che lei non

vuole –. Parlava con voce molto calma, comprensiva, ecclesiastica.

– Lei non vuole? – gridò Boeri disperato. – Quand'è che questa non ha voluto? Lei non vuole! Ma non mi tiene, questa...! e chi l'avrebbe mai detto di una che ha tenuto tutti –. E piangeva come una fontana.

Anche lei piangeva, ma mortalmente.

– Togliti, Nino, – disse il messo, sempre con quella voce da prete, – vedi bene che lei è al vertice della sofferenza. Abbi soggezione, Nino.

Ma non si levava, e in un lampo il messo vide il coso di Nino, per quei due terzi che emergevano dalle frolle cosce di Ginia, bianche come gesso là dove non erano insanguinate. Il messo went pale, perché il coso di Nino era grosso e lungo come di simile aveva visto soltanto all'asino del tabaccaio, che faceva ridere anche i bambini quando passava, e bitorzoluto e nerastro.

– Abbi soggezione, Nino, – predicava il messo. – Togliti, piú piano che puoi, ma togliti. O Ginia ti morirà sotto.

Si levava, piangendo, e quando poté fare a meno del puntello delle mani, se ne coperse la faccia.

– Rivestiti, Nino. E poi esci, come se niente fosse successo, – disse il messo, sempre come un prete.

– Non m'ha tenuto, – si disperò Nino, – e lei doveva essere la mia ultima donna prima di partir soldato.

– Va' tranquillo, Nino, – diceva il messo. – Parti tranquillo perché ne avrai tante di donne. I soldati ne hanno, le donne sono principalmente fatte per i soldati.

Finalmente uscí e il messo tornò da Ginia. Le si inginocchiò accanto, prese a carezzarla sul viso, e poi là dove era stata piú premuta e battered.

Lei riviveva. Balbettò: – Come potevo immaginare... Nessun altro uomo.

– Eh, Ginia, – sospirò lui.

Abbasso non si muoveva. Ma c'era, lui poteva coglierne il respiro, e non faceva esattamente niente.

Disse: – Certo non vorrai che chiami le tue sorelle? Lascia fare a me, Ginia. Non ti muovere. Non ti muovere d'un dito. Ti porterò dell'acqua calda. Senza che nessuno se ne accorga.

Ed era uscito, chiudendo e mettendo la chiave in tasca. Ginia, quando tornò, non s'era mossa d'un dito. Pareva ancora piú sprofondata, però, il suo corpo bianco si confondeva nell'ovatta del divano. Quando tornò il messo portava acqua tiepida e una salvietta, e si era già tutto sbottonato.

La lavò, la deterse, l'ammollò, la ridivaricò, con tutta cura che l'estensione apparve enorme, infinita. Poi la coperse, sospirando: – Ginia, io ti guarisco, Ginia.

Non dovette nemmeno volger la testa per capire che la donna era sull'uscio. Le sue dita, ferme e sicure, facevano saltare i poussoirs della sua sottana. La faccia era bianca e informe, senz'occhi, nel freddo raggio della luna.

– Certo che ora me ne dispiace, messo, – balbettò.

Racconti del dopoguerra

Ettore va al lavoro

Sulla tavola della cucina c'era una bottiglietta di linimento che suo padre si dava ogni sera tornando su dalla bottega, un piatto sporco d'olio, la scodella del sale... Ettore passò a guardare sua madre.

Stava a cucinare al gas, lui le guardò per un po' i fianchi sformati, i piedi piatti, quando si chinava la sottana le si sollevava dietro mostrando i grossi elastici subito sopra il ginocchio.

Ettore l'amava.

Ettore finí di fumare e gettò il mozzicone mirando il mucchietto di segatura in terra vicino alla stufa. Ma cadde prima, accanto a un piede della madre. Lei si inclinò a guardarlo e poi si raddrizzò davanti al gas.

– Cos'hai guardato? – domandò lui con una voce pericolosa.

– Non sapevo che cosa m'era caduto vicino –. Lei aveva parlato da indifferente.

– Io la conosco bene quella tua maniera di guardare. Spegnilo! – urlò.

La donna fissò il figlio tendendo la pelle della fronte, poi abbassò gli occhi e calcò il piede sul mozzicone. – Spento, – disse, e poi: – Ti fa male fumare tanto.

Ettore urlò: – Sei una giudea! Non è alla mia salute che pensi, è ai tuoi soldi. Io posso diventare tisico per il fumare e a te non te ne fa niente, ma sono i soldi che costano le sigarette... Sei una giudea!

Lei chinò la testa e non disse piú niente, solo sospirò in un modo che le portò avanti tutto il petto.

Adesso lui aspettava che lei parlasse, ma lei stava zitta, lui col labbro inferiore tutto sporto stava a guardarla pelare una patata con un'attenzione innaturale, s'infuriò dentro, gli pareva che vincesse lei stando zitta.

Si alzò da seduto e si mise ad andare su e giú per la cucina. Tutte le volte che le arrivava alle spalle, si fermava, con una fortissima voglia di provocarla, di urtarla nella schiena. Non lo fece, ma l'ultima volta che le si fermò dietro, le stese contro un braccio e le disse: – Lasciami vivere, sai.

– Io non ti ho detto niente. Che cosa ti ho detto?

Ettore tornò. – È quello che hai nella testa che... Cosa ti viene nella testa tutte le volte che mi vedi accendere una sigaretta? Ti viene voglia di battermi con un martello, io lo so! Per te può fumare solo chi il tabacco se lo guadagna.

– Mai detto questo.

– Ma lo pensi. Di' che lo pensi! – Le andò addosso con le mani alte. – Confessa che lo pensi! – gridò.

Sua madre lasciò cadere la patata e gli si rivolse col coltello in mano: – Stai indietro.

Lui si fermò e lei disse: – Stai dove sei. Tanto non mi spaventi piú, è passato il tempo che mi spaventavi.

Ettore rise. – Basta che io ti alzi un dito sotto il mento per spaventarti. Attenta che lo alzo.

Lei lo scartò con uno scatto giovanile, gli sfuggí passando tra lui e la stufa e corse alla porta gridando: – Carlo! Carlo! – Ma lui la raggiunse, le passò avanti, le sbarrò col corpo la porta. Poi col petto gonfio e il movimento delle spalle la respinse verso il gas. – È inutile, stavolta non ci arrivi a farti sentire, a contar le tue storie a mio padre e a mettergli voglia di picchiarmi e di maledirmi –. Ripeté la voce stridula con cui lei aveva chiamato il marito. – È inutile, adesso prima ci spieghiamo io e te, ce la vediamo tra noi due soli, da madre a figlio, – e rise.

La madre aveva ripreso in mano la patata da finir di pelare.

– Allora, che cos'hai contro di me?

– Non ho niente.

– Bugiarda! Che cos'hai contro di me?

– Io sono tua madre. Non posso aver niente contro di

te –. Si era girata e faceva un gesto da avvocato, tendeva le mani con le palme all'insú, a dimostrare.

Ettore scrollò furiosamente la testa e a occhi chiusi urlò: – Cos'hai contro di meee?

– Ho che non lavori! – gridò lei e si rannicchiò nell'angolo del gas.

Ma lui stette fermo nel mezzo della cucina, solo accennò con la testa e fece un lungo – Ah.

– Ho che hai ventidue anni e non lavori, – disse lei.

– Cosí ce l'hai con me perché non lavoro e non ti porto a casa un po' di sporchi soldi. Non guadagno, ma mangio, bevo, fumo, e la domenica sera vado a ballare e il lunedí mattina mi compero il giornale dello sport. Per questo ce l'hai con me, perché io senza guadagnarmele voglio tutte le cose che hanno quelli che se le guadagnano. Tu capisci solo questo, il resto no, il resto non lo capisci, non vuoi capirlo, perché è vero ma è contro il tuo interesse. Io non mi trovo in questa vita, e tu lo capisci ma non ci stai. Io non mi trovo in questa vita perché ho fatto la guerra. Ricordatene sempre che io ho fatto la guerra, e la guerra mi ha cambiato, mi ha rotto l'abitudine a questa vita qui. E adesso sto tutto il giorno a far niente perché cerco di rifarci l'abitudine, son tutto concentrato lí. Questo è quello che devi capire e che invece tu non vuoi capire. Ma te lo farò capire io! – e tese di nuovo il braccio contro di lei.

Lei disse: – Io capisco che tu non hai voglia di lavorare, lo vedo coi miei occhi. Perché hai lasciato il lavoro all'impresa?

– Il bel lavoro che m'han dato all'impresa! Tu lo sai perché l'ho lasciato, te l'ho detto, te l'ho gridato in faccia una volta come questa. Perché non era un lavoro da me, tu hai visto che lavoro mi facevano fare.

Lei negò sporgendo le labbra.

– Lo sai che lavoro mi facevano fare, – gridò lui, – perché un giorno sei venuta fin là a spiare se io ero andato a lavorare o se ero andato al fiume a fare il bagno.

– Questo te lo sei sognato tu.

– Bugiarda, sei una porca bugiarda! – gridò lui e la madre chinò la testa. – Mi facevano portare il calcestruzzo dalla betoniera a dove faceva di bisogno, cosí tutto il giorno, tutto il giorno avanti e indietro col carrello. Io da partigiano comandavo venti uomini e quello non era un lavoro da me. Il padre l'ha capito quando gliel'ho spiegato e non mi ha detto niente perché lui è un uomo e...

– Tuo padre è un povero stupido!

– Cristo, non dire che è stupido mio padre!

– Io posso dire di tuo padre cosa voglio, tutto quel che mi sento, sono l'unica che può. Tuo padre è uno stupido, è cieco e tu lo incanti come vuoi e per questo non ce l'hai mai con lui. Ma ce l'hai sempre con me perché io non sono stupida, io tu non m'incanti, perché io so quel che vuoi dire prima che tu parli, perché a me non la fai e per questo ce l'hai sempre con me! – Sembrava ubriaca d'orgoglio, quasi ballava con le mani sui fianchi.

Ettore le disse: – Tu sei furba, sí, sei piú intelligente di lui, te lo divori come intelligenza, ma io preferisco lui che tu dici che è stupido. Lo preferisco, gli voglio piú bene che a te e se mi mettessero il problema di chi lasciar morire di voi due, lascerei andare te senza pensarci un minuto.

Ettore e sua madre diventarono bianchi in viso e a tutt'e due cascarono le braccia.

Poi Ettore corse addosso a sua madre, la prese per le spalle, nascose la faccia nei suoi capelli vecchi, lei lottava e puntava le ginocchia, gridava: – Lasciami andare, non toccarmi, va' via che non ti veda mai piú! – e poi si mise a piangere, gli piangeva sul nudo del collo, ma lottava ancora, lui la strinse piú forte, furono lí lí per perdere l'equilibrio, Ettore raddrizzò tutt'e due con uno scossone, e gridava: – Lasciati abbracciare, non farti far male, stai buona che tanto non ti lascio andare, voglio tenerti abbracciata, adesso non ti muovere piú.

Stette finalmente ferma, piangeva sempre, i suoi capelli sapevano di petrolio, il suo vestito sapeva di lavandino.

Lui le disse: – Perché non mi hanno ammazzato? Tanto che m'hanno sparato davanti e di dietro e non mi hanno ammazzato!

Lei scosse la testa dandogli un forte colpo sulla guancia. – Ah, Ettore, non parlare cosí, ma mettiti a lavorare, fai un lavoro qualunque, non esser cieco, credimi e non sgridarmi quando ti dico che siamo quasi sulla strada. Tuo padre non ce la fa piú nel suo mestiere e io non ho altro lavoro che quello della casa e ho la malattia di fegato. Se non ti metti a lavorare tu, ci verrà a mancare il mangiare, l'alloggio e il vestire non solo, ma perderemo anche le nostre anime, perché diventeremo tutti pieni di veleno.

– Lascia fare a me, madre, la studio io la maniera, ti porterò dei soldi a casa, te lo giuro.

– Ma non tardare, Ettore, comincia ad aiutarci un po', dacci subito un po' di respiro, vendi le armi che hai portato a casa dalla guerra.

Lui scosse la testa contro la testa di lei. – Ho già provato con l'armaiolo di via Maestra, ma non me le compera, sono troppo grosse, dice che non sono commerciabili.

– Come faremo, Ettore?

– Faremo. Mamma, perdonami.

– Sí.

– No, dimmelo per lungo.

– Ti perdono.

– E non dirgli niente di oggi al padre, che possa tornar su stasera e non aver niente da non star tranquillo.

Quando scese e passò davanti alla bottega di suo padre, suo padre stava girato verso il fondo, gli si vedevano solo le spalle piene che Ettore aveva ereditate da lui, stava lucidando un mobile, tra l'odore degli acidi che adoperava.

– Vuoi una mano?

Suo padre si girò appena, scrollò la testa, disse mentre lui già si muoveva: – Torna solo presto per cena, stasera voglio mangiare presto e andare subito a dormire.

Lui si mise ad andare per la strada, andava a veder giocare alla pelota nel grande cortile dietro l'Albergo Nazionale. Gli piaceva sia per la bellezza del gioco, sia perché a veder le partite e a scommettere c'era sempre tanta gente, tutti oziosi, vecchi e giovani, e a vederne tanti e a trovarsi in mezzo a loro a Ettore sembrava di non esser dalla parte del torto.

Ma oggi, come si avvicinava, non sentiva il suono della palla battuta e ribattuta contro la muraglia, né le voci e lo scalpiccio degli spettatori eccitati.

Da sul portone vide la lizza deserta, in metà c'era una donna che faceva il bucato e con vicino un bambino seduto su un mastello rovesciato.

Entrò nella lizza come se non ci credesse ancora. Quel bambino mangiava una caramella con una pagnotta di pane.
– Oggi non giocano, – gli disse il bambino.

– Lo vedo, – rispose lui con una faccia scura come se parlasse a un uomo che l'avesse fatto arrabbiare.

Tornò in strada, trovare il gioco deserto gli aveva fatto effetto, gli pareva d'esser stato tradito.

– È già su il padre che la bottega è chiusa? – domandò Ettore un'altra sera.

– È uscito per un affare, – gli disse sua madre. Lei sapeva già tutto a quell'ora, si disse poi Ettore.

– Che cos'hai fatto?

– Zuppa di latte.

– Brava, – disse Ettore a sua madre e andò verso la credenza. C'erano sopra due scatole d'iniezioni, erano belle, attraenti, colorate e rivestite di cellophane come pacchetti di sigarette estere.

Sua madre si era già voltata verso di lui. Disse: – Guarda dietro che prezzo hanno. Eppure vuoi che non ci faccia niente, vuoi che mi lasci marcire il fegato per non spendere?

Lui s'irritò. – Ma sicuro che devi farci qualcosa, chi fa questione di soldi in quelle cose lí? Capisci, quello che stanca di te, che fa perdere la pazienza, è il tuo vizio di voler dire anche le cose che invece è meglio lasciar da dire. Io odio quel vizio lí, mi fa montar la rabbia.

Lei si rigirò verso l'angolo del gas. Lui passò la mano sull'orlo della tavola. – Vuoi che prepari tavola?

– Lo faccio io.

Ettore si mise le mani in tasca e poi si schivò per lasciar passare sua madre verso la tavola.

– Dove te le fanno queste punture?

– Me le fanno nel braccio.

Ettore stette per chiederle se le facevano male ma poi non glielo chiese.

Suo padre tornò dieci minuti dopo che la tavola era preparata. Ettore l'aveva sentito fin dal primo scalino e sentí che il suo passo era meglio che le altre sere, forse faceva un po' degli scalini a due a due.

E quando entrò aveva un sorriso in bocca. Ettore si levò le mani di tasca e stette a guardargli quella faccia nuova, gli sembrò che con la testa accennasse di sí alla donna nell'angolo del gas.

– Cosa c'è, hai avuto un'ordinazione grossa? – disse Ettore.

– Riguarda te, – rispose suo padre, – ed è meglio che un'ordinazione grossa per me. Mettiamoci a tavola, parliamo da seduti.

A tavola Ettore seppe che gli era stato trovato un lavoro nella fabbrica della cioccolata e che per questo doveva esser riconoscente al cavalier Ansaldi.

Sua madre gli disse subito: – Allora attento a salutar sempre il cavalier Ansaldi quando lo vedi per la strada.

Ettore fu per voltarsi di scatto verso di lei e gridarle: «Tu lo sapevi! E perché non me l'hai detto? Volevi farmi la bella sorpresa?» ma pensò che lei poteva rispondergli che non c'era niente di sicuro e solo per questo non aveva parlato, e cosí cavarsela e far restare lui peggio nell'anima. E poi suo padre parlava, parlava.

– E nota che non ti fanno fare l'operaio, – diceva suo padre, – ma farai l'impiegato. Io gliel'ho detto al cavaliere che tu hai poche scuole ma che sei intelligente, e lui m'ha detto che lo sapeva già. Ti metteranno a far le lettere di vettura, sono i documenti delle spedizioni per ferrovia. Quello sarà il tuo lavoro e di nessun altro, e non è un lavoro da fermo perché dovrai andare sovente alla stazione alla gestione merci.

Ettore non aveva ancora parlato, sentiva che da dietro sua madre lo fissava da cinque minuti, vedeva bene nel vuoto come in uno specchio la sua bocca ansiosa e dura.

– Ti va? – gli domandò suo padre.

– Deve andargli, – disse sua madre.

Ettore s'infuriò in ogni muscolo facciale, ma stette zitto. Suo padre vide e disse a lei: – Non parlare con quella voce. Anzi non parlare niente. Lascia dire a noi uomini.

– Voi uomini!

Suo padre gridò: – Cos'hai contro di noi? Ficca il naso nella tua pentola e non tirarlo mai fuori. Ti ho sposato per questo, se vuoi saperlo!

Lei venne verso la tavola con gli occhi bassi ma la bocca indomita. – Mangia, Carlo, – disse calma al suo uomo mettendogli davanti la scodella del latte.

Suo padre cominciò a spezzare il pane e disse: – Ti metti il vestito meglio che hai, non vai a fare l'operaio che il vestito piú è straccio e meglio va. E fatti la barba fin da stasera.

– Non ho tempo a farmela domani mattina?

– Fattela quando vuoi, io ti ho detto stasera perché credevo che tu domani mattina volessi aver tempo di prepararti bene.

– Per che cosa prepararmi? – disse Ettore senza alzare gli occhi dalla scodella.

– Per andare a lavorare.

Sua madre disse: – Ettore non ha ancora detto niente se va o non va a lavorare.

Suo padre tirò indietro la testa, portò gli occhi da sua moglie a suo figlio.

Ettore disse: – Naturale che ci vado, – in fretta.

– Cosa ti viene in mente di dire? – domandò forte suo padre a sua madre.

Ettore decise di non metter piú pane nel latte, ma di berlo, cosí avrebbe alzato la scodella fino a coprirsi gli occhi e dietro quel riparo pensare. Non trovava niente dentro di sé che potesse fermare quella macchina di fatti e di parole che lo trascinava a lavorare l'indomani, non gli veniva un'idea, mai era stato preso cosí alla sprovvista, nemmeno in guerra.

Finito il latte, Ettore disse: – Io cosa ne so delle lettere di vettura?

– T'insegnano loro. Dicono che imparerai nella prima mattina. Ti metteranno vicino un impiegato per insegnarti, un bravo ragazzo.

– Chi è?

– Io non lo so.

Masticando Ettore disse di colpo a sua madre: – Per che cosa mi guardi?

– Non posso piú guardare? – disse lei.

– Non guardare me.

– Io non guardavo te, guardavo il piatto in mezzo.

Poi Ettore le disse: – Dammi la frutta se ce n'è.

– Non puoi aspettare che tuo padre abbia finito la pietanza? Vuoi farlo mangiare al galoppo per arrivare alla frutta con te?

Lui s'arrabbiò. – Che bisogno c'è che mio padre mangi la frutta con me? Che cosa fa a lui se io mangio già la frutta mentre lui è ancora al piatto prima?

– Dàgli la frutta, – disse suo padre.

Traversò la piazza che prima portava il nome del re e imboccò la via degli stabilimenti. Camminava e gli venne in mente suo padre, un quarto d'ora prima, sulla porta della sua bottega. Era commosso a vederlo uscir di casa per andare a lavorare, aveva degli occhi come un cane da caccia. Suo padre gli sporse la mano e lui gliela strinse, ma stringendogliela lo fissava come se non lo riconoscesse. «Tu sei mio padre? E perché non sei milionario? Perché io non sono il figlio d'un milionario?» Quell'uomo lí davanti gli aveva fatto un torto a farlo nascere figlio di padre povero, lo stesso che se l'avesse procreato rachitico o con la testa piú grossa di tutto il resto del corpo.

Poi pensò a quel tale che fra un quarto d'ora gli sarebbe stato accanto a insegnargli come si compila una lettera di vettura. Bestemmiò con la voce che gli tremava.

Andando aveva visto in un'officina un operaio scappucciare un tornio, e la sua faccia non era triste né stanca né torva. Poi passarono sul loro camion gli operai della Società Elettrica, avevano un che di militare per le loro uniformi azzurre e il dischetto d'ottone sul berretto e l'ordine con cui sedevano sulle sponde del camion. Anche loro non gli sembravano tristi né stanchi né torvi, gli parvero invece come estremamente superbi.

Ma lui scosse la testa tutt'e due le volte. «Il lavoro è uno sporco trucco, tanto quanto la guerra».

Arrivò davanti alla fabbrica della cioccolata. C'era già piú di duecento operai e operaie: in qualunque direzione guardassero, sembravano tutti rivolti al grande portone metallico della fabbrica, come calamitati.

Ettore non si avvicinò, si diresse a un orinatoio e di là guardava i crocchi dei lavoranti e il portone ancora chiuso. Da dov'era poteva vedere la sirena alta su un terrazzino della fabbrica, gli sembrava che l'aria intorno alla tromba tremasse in attesa del fischio.

Finalmente arrivarono gli impiegati, otto, dieci, undici in tutto, non si mischiarono agli operai sull'asfalto, si tennero sul marciapiede.

Lui si nascose dietro l'orinatoio e li guardava attraverso i trafori metallici. «Io dovrei fare il dodicesimo» si disse, ma cominciò a scuoter la testa, non finiva piú di scuoterla e diceva: «No, no, non mi tireranno giú nel pozzo con loro. Non sarò mai dei vostri, qualunque altra cosa debba fare, mai dei vostri. Siamo troppo diversi, le donne che amano me non possono amare voi e viceversa. Io avrò un destino diverso dal vostro. Voi fate con naturalezza dei sacrifici che per me sono enormi, insopportabili, e io so fare a sangue freddo delle cose che a solo pensarle a voi farebbero drizzare i capelli in testa. Impossibile che io sia dei vostri».

Tra le esalazioni che il sole già alto traeva dall'orinatoio Ettore pensava che costoro si chiudevano tra quattro mura per le otto migliori ore del giorno, e in queste otto ore fuori succedevano cose, nei caffè e negli sferisteri succedevano memorabili incontri d'uomini, partivano e arrivavano donne e treni e macchine, d'estate il fiume e d'inverno la collina nevosa. Costoro erano i tipi che niente vedevano e tutto dovevano farsi raccontare, i tipi che dovevano chiedere permesso anche per andare a veder morire loro padre o partorire loro moglie. E alla sera uscivano da quelle quattro mura, con un mucchietto di soldi assicurati per la fine del mese e un pizzico di cenere di quella che era stata la giornata.

Disse di no con la testa per l'ultima volta, si sarebbe subito messo in contatto con Bianco.

La sirena suonò, fece un rumore modesto che lui non s'aspettava cosí modesto, da dentro aprirono il portone, furono inghiottite prima le donne e poi gli uomini, gli uomini spegnevano le sigarette prima d'entrare oppure si voltavano con la schiena al portone per consumarle con lunghe boccate frenetiche.

Poi gli impiegati. Prima che sparissero, Ettore cercò di immaginarsi quale di loro doveva insegnargli a compilare le lettere di vettura. Non gliel'avrebbe insegnato, né oggi né mai su questa terra. «Caro mio, – diceva a tutti insieme e a nessuno in particolare, tu hai la tua esperienza e io ho la mia. Tu potresti insegnarmi a fare le spedizioni, ma anch'io potrei insegnarti qualcosa. Ciascuno secondo la propria esperienza. Io ho imparato le armi, a spaventare la gente con un'occhiata, a starmene duro come una spranga davanti alla gente giú in ginocchio e con le mani giunte. Ciascuno secondo la propria esperienza».

Uscí un gigantesco custode in camice nero, guardò una volta a destra e una volta a sinistra lungo i muri della fabbrica, poi rientrò tirandosi dietro un battente del portone.

Ettore partí da dietro l'orinatoio e si incamminò forte verso il Caffè Commercio dove sapeva che Bianco dormiva, mentre dalla fabbrica già usciva il ronzio dei motori elettrici.

Bianco era stato un eroe in guerra, una volta aveva fatto ai tedeschi uno scherzo che pochi in Italia, e anche in Jugoslavia e in Polonia, han fatto ai tedeschi. Ora viveva con uno sfoggio di soldi da accecare tutti gli industriali della città, Ettore sapeva bene come se li guadagnava, e lo sapeva anche qualcun altro, ma non con la precisione di Ettore. Bianco l'aveva in grande stima come partigiano e dopo lo voleva con sé in quei suoi affari, gli aveva fatto la proposta una sera di Carnevale nel dancing sotterraneo dei fratelli Morra, ma Ettore quella volta non aveva accettato, forse perché erano tutt'e due bevuti.

Entrò nel Caffè Commercio, c'era segatura a mucchi sul pavimento e nessun cameriere a passarla. Erano le nove e non avevano ancora cominciata la pulizia, ma questo perché il Caffè Commercio non era un locale comune, dove si possa entrare a prendere una cioccolata all'arrivo del treno delle sette.

Bianco dormiva ancora, ma si svegliò e gli diede retta e anche da fumare. Da principio lo fece un po' soffrire perché non aveva accettato allora, ma poi disse che i suoi affari s'ingrandivano, che aveva bisogno di personale e che l'assumeva senz'altro. Lo faceva cominciare a lavorare quella sera stessa, si portasse la pistola, stasera andavano da un vecchio fascista al quale stavano perdonando a rate il suo fascismo.

– Bianco, io avrei bisogno di ventimila lire per domani a mezzogiorno.

– Per che cosa?

– Per mia madre, per tappar la bocca a mia madre.

– Tua madre cosa c'entra?

– Devo ben dimostrarlo che mi son messo a lavorare con te. Oh, stai tranquillo, le dico che faccio per tuo conto e coi tuoi camion gli autotrasporti da qui al porto di Genova.

– Te le do già stasera.

Uscí da Bianco: non era allegro, ma tranquillo, aveva la sensazione di lavorare già da tempo.

Con Bianco aveva fatto le dieci, e doveva riempire le due ore che ancora restavano di lavoro antimeridiano alla fabbrica della cioccolata.

Scese nel caffè e vide entrare nella sala dei biliardi due uomini di campagna. Un cameriere portò le bilie e il pallino, quei due si tolsero la giacca, s'infilarono nella camicia la punta della cravatta, tennero il cappello in testa, scelsero le stecche come se scegliessero le pistole per un duello. Tutto ciò senza parlarsi, senza guardarsi, facendo solo delle smorfie per il fumo che gli saliva nel naso dalle sigarette mai rimosse di bocca.

Giocavano diecimila lire la partita ai trentasei punti. Ettore segnava i punti sul pallottoliere, i due gli fecero portare un aperitivo e gli passavano sigarette. Una volta o due ci fu contestazione sui punti, perché Ettore era un po' distratto, cercava di immaginarsi la faccia di quel tale vecchio fascista, la faccia che aveva adesso e la faccia che avrebbe avuto stasera.

Aveva fatto mezzogiorno. Andò a casa, durante il pranzo non dovette nemmeno contar balle a suo padre perché suo padre non gli domandò niente, Ettore capí che gli avrebbe domandato tutto alla sera, dopo che avesse fatta tutta la giornata e avesse impressioni complete.

Mangiò e si alzò subito per uscire.

– Scappi già? – gli disse sua madre.

– Stai zitta, – le disse suo padre, – adesso che lavora può fare tutto quello che vuole.

Al caffè fece una partita a biliardo e una a cocincina. Quando suonarono le sirene delle fabbriche, domandò cosa c'era al cinema.

– *Sfida infernale*.

– Che roba è?

– Far West. Ho visto i cartelloni.

– Allora vado a vedere questa sfida infernale, – disse Ettore.

Ma mancava un'ora all'apertura del cinema, e si ritirò in un angolo della sala dei biliardi, a star solo, pensare e fumare.

Forse era perché aveva fumato troppo in questi giorni, ma si sentiva un male al cuore, una palpitazione, desiderava di esser già un po' avanti nel suo lavoro con Bianco, di avere soldi e calmi i suoi vecchi, che fosse vicino, il piú possibile vicino il giorno che potesse dirsi: «Dio, come si son messe bene le cose!» Ecco, era una domenica, non oltre l'autunno, una domenica pomeriggio. Lui s'era cambiato da festa e veniva in cucina dalla sua stanza. In cucina c'era sua madre seduta davanti alla finestra e guardava i tetti della casa accanto.

– Tu non esci mai la domenica? – le domandava.

Lei scuoteva la testa.

– Ti riposi?

– Mi riposo le braccia e le gambe ma non la testa.

– Cos'hai nella testa?

– Penso.

– A cosa pensi, madre?

Sua madre alzava il mento come per indicare la cima di una montagna di cose.

Lui le andava alle spalle e le diceva: – Sai, madre, io so cosa fai tu. Ci lasci andar via tutti e poi ti chiudi dentro a chiave e ti metti a contare i bei soldi che ti ho portato io.

Lei scuoteva molto la testa e diceva: – C'è poco da contare.

– Cosa? – gridava lui.

– Va bene. Ma non li conto. So quanto c'è.

– È abbastanza? Sei contenta?

– È abbastanza, son contenta adesso che fai il tuo dovere da uomo, ma ho sempre paura che smetti.

– Non smetto.

Poi Ettore domandava: – Dov'è andato il padre?

– Non lo so.

– È andato all'osteria?

– Non va mica all'osteria come gli altri tuo padre. Sarà andato fin sul ponte a vedere il fiume. Tu dove vai adesso che esci? Vai al caffè?

– Vado in giro, non voglio perdere un giorno bello cosí, sono gli ultimi giorni belli prima dell'inverno.

Sua madre gli diceva: – Esci con Vanda.

Lui diceva: – Tu ne sai di cose.

– Lo sai che a me non la fai.

– Cos'hai con Vanda?

– Niente ho con Vanda. Ma è una disgraziata a volerti bene. Povera figlia, è una disgraziata, glielo dico io che sono tua madre, glielo dico che è una disgraziata a volerti bene, la prima volta che l'incontro.

– Ah, è una disgraziata a volermi bene? Perché se tu fossi una ragazza non mi piglieresti, di'?

– No, – diceva lei scuotendo la testa ed oscillando il dito.

Lui rideva forte, la prendeva per le spalle mentre lei continuava a dire e a segnare no, le faceva un po' d'amore come a una ragazza, le carezzava il collo e le sfiorava i capelli con la bocca. E nel mentre diceva: – Non mi piglieresti proprio? Al volo io dico che mi piglieresti. Un uomo come me. Solo che tu fossi una ragazza fresca e non la vecchia carretta che sei.

Si chinava per baciarla di sorpresa nel mezzo dei capelli, ma lei che continuava a scrollar la testa riceveva il bacio sul collo. Stava un momento tutta rigida, poi arricciava il collo e diceva piano: – Se tu sapessi dove va a finire tutto questo con gli anni, – e scuoteva ancora la testa.

Poi Ettore diceva: – Allora adesso ti lascio sola a contare i soldi.

Lei scrollava le spalle e lui usciva pensando: «Dio come si son messe bene le cose!»

Andò al cinema. La pellicola gli piacque come non si aspettava e cosí non fece fatica a starlo a vedere due volte, doveva fare le sei.

Quando uscí erano pressapoco le sei. Andò verso casa lentamente.

Suo padre era fuori davanti alla bottega, e cominciò a sorridere quando lui svoltò l'angolo e tenne il sorriso finché lui gli arrivò davanti.

– Allora, Ettore?

– Cosa?

– Il tuo lavoro?

Ettore puntò gli occhi su suo padre, respirò forte e disse: – Senti, padre, io il mio lavoro lo faccio e lo farò, ma non mi piace, e non mi piacerà mai, – e andò di sopra.

Di sopra parlò per primo a sua madre, le chiese se si poteva mangiar presto. Lei disse che si mangiava presto, perché suo padre doveva andare a un'adunanza di artigiani che era per le otto.

Sua madre non gli domandò niente del suo lavoro, si vedeva che soffriva per la voglia di chiedere, ma le mancava il coraggio, non sapeva che tono prendere a parlare, aveva paura che lui s'accendesse come un fiammifero. Lui aveva una faccia nervosa.

Suo padre venne su e non disse niente durante la cena, tenne sempre gli occhi bassi, sembrava si vergognasse di qualcosa.

Finito cena, suo padre andò di là, ci stette un po' e poi andò alla porta. – Io vado, – disse a sua moglie.

Lei si voltò a guardarlo, gli occhi le scintillarono di disprezzo e di disperazione, gli disse forte: – Perché non ti sei cambiato? Almeno posa il berretto e mettiti il cappello. Vai a un'adunanza. Sembrerai il piú straccione.

– Lo sono, – disse calmo suo padre, e uscí.

Sua madre andò a chiudergli dietro la porta con violenza e poi disse a Ettore: – Hai visto? L'uomo si lascia andare, non si cura piú, hai visto come perde i calzoni dietro?

Guardando fuori attraverso la finestra sopra il lavandino Ettore disse: – Lascialo vivere, lasciagli fare tutto quello che vuole, in questi pochi anni che ha ancora da vivere lascialo fare secondo la sua testa. Io vorrei una cosa, mi piacerebbe una cosa. Che il padre potesse vivere questi ultimi anni come viveva quando era giovane come me, che finisse di essere tuo uomo e mio padre, come se avesse finito un servizio che gli ha preso trent'anni, e vivesse questi ultimi anni come se fosse libero e solo. Mi capisci cosa vorrei io?

Sua madre si voltò verso di lui, con gli occhi fissi e le labbra premute.

– Tu sei solo una donna, – disse allora Ettore.

Lui accese una sigaretta, lei cominciò a riunire i piatti e a far gettare l'acqua.

Ettore non si decideva, si ritrovava nello stesso stato di quando doveva uscire per divertirsi e spendere e cercava di decidersi a chiederle i soldi.

Sua madre doveva pensare alla medesima cosa, perché senza voltarsi disse d'un tratto: – Non vuoi mica già dei soldi? A lavorare hai cominciato solo oggi e soldi a casa non ne hai ancora portati.

Allora Ettore spense la sigaretta e disse adagio: – Non ci sono mica andato a lavorare.

Lei si girò, aveva una mano tutta bagnata premuta sul petto dalla parte del cuore. Gridò: – Me l'aspettavo! Me l'aspettavo ma è troppo grossa lo stesso! Tu sei pazzo, Ettore, sei cattivo, sei un traditore, vedi tuo padre e tua madre morire di sete e non ci dài una goccia d'acqua...

– Non gridare! – gridò lui saltando in piedi, – comincio a lavorare stasera. Con Bianco. Carichiamo un camion e lo portiamo a Genova. Oh, hai già cambiato faccia. Ritorno domani e ti porto tanti soldi che a guadagnarli alla fabbrica della cioccolata mi ci andava un mese. Sei contenta?

Sua madre non disse niente, andò al lavandino a chiudere l'acqua, poi tornando disse: – Che lavoro è? È un buon lavoro?

– Cosa vuoi dire con un buon lavoro?

– Un buon lavoro. È un lavoro che dura? O dopo questo viaggio a Genova sei di nuovo con le mani in mano? Guarda che non voglio piú vederti con le mani in mano, mi fa impazzire.

– Vedrai che dura. Dopo andiamo a far trasporti in Toscana, a Roma, magari fino in Sicilia. Sarà bene che mi comperi una giacca di pelle, da autista.

– Te la compero io di seconda mano, – disse in fretta sua madre.

– No, guarda, me la faccio comprare da Bianco. È lui che deve pensarci.

– Quando ti sei messo d'accordo con Bianco?

– Oggi. Stamattina invece di andare a lavorare alla cioccolata sono andato a trovar Bianco dove dorme. Erano dei mesi che lui mi voleva. Ho perso dei bei soldi a non accettar subito.

Lei soffriva a sentir parlare di soldi perduti, le si rigava tutta la pelle per quella sofferenza. Disse forte: – E perché non hai accettato allora?

– Perché Bianco in definitiva è un padrone come tutti gli altri padroni. E io allora non volevo padroni. Oggi ho capito che per cominciare bisogna stare sotto un padrone, e ho scelto Bianco perché sotto di lui c'è da emanciparsi piú presto... Ma per i soldi adesso mi rifaccio, in un anno voglio guadagnar tanto da poter mollare Bianco e mettermi a lavorare per conto mio. Non so ancora cosa farò per conto mio, ma mi verranno delle idee mentre lavoro sotto Bianco. E a te ti compero quello che vuoi, una tabaccheria o un negozio di commestibili, quello che vuoi tu. Un negozio che tu debba solo star seduta a contare i soldi.

Lei taceva, lo guardava con occhi lucidi e ansimava nel petto. Poi gli domandò: – E come li guadagni tanti soldi?

– È il lavoro che li porta, il tipo di lavoro.

– Che lavoro è?

– Non facciamo passare certi controlli alla roba che portiamo.

– Allora è pericoloso? – Non era spaventata, solo attentissima.

– Niente pericoloso. È un lavoro solo da multe se ti prendono, non da prigione. E le multe le paga Bianco.

– Allora non è pericoloso.

– Puoi fare a meno di pregare per me quando sono fuori per le strade.

– Oh, io non prego piú per te.

Ettore rise. Poi disse: – Adesso lasciami andare che non faccia tardi fin dalla prima sera.

– Da Genova quando torni?

– Son qui per domani a mezzogiorno.

Sua madre pensò e poi disse: – Pigliati un po' di giornali e mettiteli bene sullo stomaco. Fa freddo a viaggiare.

– Tu parli cosí perché non sei mai stata nella cabina d'un camion –. E poi: – Vado di là ad aggiustarmi.

Lei gli disse dietro: – Aspetta, apri di nuovo un po' quella porta. Quando torni portami i soldi di sicuro, se no io non ci sto piú.

– Li hai già in mano. Al padre dillo tu.

– Glielo dico io. Ma lui non resterà mica contento. Non l'hai ascoltato.

– Ma non è la prima volta che non l'ascolto.

– Ma stavolta era l'ultima volta che lui voleva che tu l'ascoltassi. Fa niente, glielo dico io, tu vai pure.

– Mi rincresce, ma vedrai che alla fine sarà contento anche lui. Lo faccio star bene questi ultimi anni.

Andò in sua stanza, aprí con forza e rumore il cassetto dove c'era il pettine e poi lo richiuse adagio e senza rumore, andò in punta di piedi al letto, da sotto il materasso tirò fuori la pistola. La guardò, se la mise sotto il giubbotto e uscí per andare a lavorare.

Nove lune

– Cos'hai fatto? – gli domandò sua madre a bruciapelo, senza dargli il tempo di chiudersi dietro la porta.

– Cosa c'è? – disse lui, in guardia.

– È stata qui quella ragazza Rita.

– Rita? E per cosa è stata qui?

– Voleva vederti ad ogni costo, ha chiesto a me dove poteva trovarti, ma io lo so cosí poco dove ti trovi tu. Era piena d'affanno, non riusciva a star ferma un momento, ha detto che andava a casa a mangiare e poi usciva di nuovo subito a cercarti. Cos'avete fatto tu e Rita? Qualcosa di storto?

– Sempre filato diritto io e Rita, – disse lui, – non so proprio cosa le sia capitato. È diventata matta? Mangiamo tranquilli. Dopopranzo la cerco e le domando se è diventata matta.

Dopo mangiato uscí, nel freddo fece due strade senza ben sapere perché avesse infilato quelle piuttosto che altre. Vide poi Rita per caso, ferma all'angolo della via degli stabilimenti, e tremava.

Ugo si fermò a guardarla da lontano, ma poi dovette muoversi e andare da lei.

C'era solo spavento negli occhi di Rita.

Prima che lui potesse aprire la bocca lei gli disse: – Mi hai messa incinta, Ugo.

– Cristo cosa mi dici, – disse lui piano.

Irresistibilmente le aveva puntato gli occhi sul ventre, aveva fatto un passo indietro per guardarglielo meglio, e doveva sforzarsi per tener le mani da scendere a scostarle un lembo del cappotto, sul ventre.

Gli occhi di lei si riempirono fino all'orlo di spavento vedendo lo spavento negli occhi di lui. Ugo la fissava atterrito, come se le avesse acceso una miccia nel profondo del corpo e ora aspettasse di vederla esplodere da un momento all'altro.

– Tu cosa dici? – gli domandò lei con la bocca tremante.

– Sei sicura? – disse lui rauco.

– Me l'ha detto il medico.

– Sei già dovuta andare dal medico?

– Avevo incominciato a rigettare.

Ugo fece una smorfia d'orrore, batté la mano sulla coscia e disse forte: – Non farmi sapere quelle cose lí!

– Ugo! – lei gridò.

– E i tuoi? – disse lui dopo un po'.

– Non sanno niente. Ho ancora due mesi per nascondere, ma poi non potrò piú. In questi due mesi devo trovare il coraggio di buttarmi nel fiume.

– Ci son qua io, – disse lui senza guardarla.

Neppure lei lo guardò, sentí e scosse la testa.

Che freddo faceva, il freddo veniva proprio dal fiume, sorvolando i prati aperti.

Lui le mise un braccio intorno alle spalle, ma non sapeva guardarla negli occhi. Respiravano forte, uno dopo il respiro dell'altra, come se facessero per gioco ad alternarsi cosí.

– Che cosa devo fare? – disse poi lei.

– Eh?

– Che cosa devo fare?

Lui non rispondeva, lei aspettò e poi disse: – Tu cosa vuoi che faccia?

Lui non riusciva nemmeno a schiudere la bocca. – Sei tu che devi decidere, – le disse poi.

– Io faccio quello che vuoi tu. Hai solo da dire.

– Io non so cosa dire.

– Parla, Ugo.

– Non so cosa dire.

Allora lei gli gridò di non fare il vigliacco.

Ugo ebbe come una benda nera sugli occhi, voltandosi la premette col petto finché la schiena di lei toccò il muro. Ma non diceva niente.

Lei gli puntò le mani sul petto e gli disse: – Parla, Ugo. Tu sei l'uomo. Fai conto di essere il mio padrone, decidi come se dovessi decidere per un motore rotto. Tu di' e io ti ascolto. Cosa vuoi che faccia?

Non rispondeva, e allora lei gli disse molto piano: – Vuoi che vada a parlare a una levatrice? Ma ci vanno tanti soldi per l'operazione.

Lui si sentí a dire: – Io potrei farmeli imprestare tutti quei soldi che ci vanno, – ma guardandola per la prima volta vide lo spavento traboccare dagli occhi di lei. La vista gli si annebbiò, la prese con tutt'e due le braccia e le disse nei capelli: – Ma credi che io voglio che tu ti rovini?

Lei fece per tirarsi indietro, poterlo guardare negli occhi, ma lui la tenne ferma, le disse: – Stai lí al caldo.

Rita gli piangeva sul collo, quel bagnato subito caldo e poi subito freddo lo indeboliva spaventosamente.

Poi lei gli disse nel collo: – Io lo vorrei il bambino.

– Il bambino lo avrai, te l'ho dato ed è tuo, lo avrai il bambino, – diceva lui, ma non sapeva uscire dal buio che era nel collo di lei, non voleva vedere la luce.

Lei si staccò, ma non gli tolse le mani dal petto, lo guardava muovendo la bocca. Allora Ugo sentí un calore dentro, che lo fece drizzare contro la corrente di freddo, aveva solo paura che quel calore gli cessasse, solo paura di risentir freddo dentro. Le disse: – Adesso che siamo d'accordo vai a casa. Sei un pezzo di ghiaccio.

Lei si spaventò di nuovo, gli tornò contro col corpo, gli disse nel collo: – Cosa faccio a casa?

Lui si staccò e le alzò il viso perché lei gli vedesse gli occhi, adesso erano fissi e duri, ma lui voleva solo che lei gli obbedisse.

Guardandola con quegli occhi le disse: – A casa parli, dici tutto, a tuo padre, a tua madre, a tutti di casa tua.

Rita gridò di no con un filo di voce.

– Glielo dici, devi dirglielo entro oggi perché stasera arrivo io a casa tua.

– Tu sei matto, Ugo, t'ammazzano, t'ammazzano di pugni.

Ma lui disse: – Glielo dici? Giurami che glielo dici.

Lei non giurò, batteva i denti.

Lui le disse: – Adesso io ti lascio, ma devo esser sicuro che quando suonano le quattro tu gliel'hai già detto. Giurami che glielo dici.

Batteva sempre i denti.

– Devi dirglielo. Dirglielo e poi sopportar tutto quello che ti faranno. Pensa a stasera, quando arrivo io a dar la mia parola che ti sposo. Fatti forza, pensa a stasera e diglielo. Sono solo quattro ore che saranno brutte, poi arrivo io e mi piglio io tutto il brutto. Rita, incomincio da stasera e lo farò per tutta la vita.

Allora lei chinò la testa e disse: – Non so come farò ma glielo dico.

– Per le quattro.

S'inclinò a guardarla, le disse: – Hai paura. Hai una paura matta. Hai paura ma io non voglio che tu abbia paura. Voglio che tu glielo dica senza paura. Fammi vedere come glielo dirai. Su, fammi vedere.

Lei si mise a piangere piano.

– Andiamo, – disse lui trascinandola, – andiamo insieme io e te a casa tua e parlo io.

Lei si divincolò, tornò indietro di corsa. – T'ammazzano di pugni.

Lui andò a riprenderla. – Non m'ammazzano, me ne daranno quante non me ne son mai prese in tutta la mia vita, ma non m'ammazzano. Ma non lascio che tu abbia paura.

Allora Rita disse: – Va bene. Glielo dico. Quando senti battere le quattro regolati che lo sanno già.

Cominciò ad allontanarsi camminando adagio all'indietro.

Lui da fermo la guardava, ogni tre passi le diceva: – Diglielo. Non aver paura. Hai paura. Hai paura.

La rincorse, le arrivò addosso, l'abbracciò. – Hai paura. Non voglio che tu abbia paura. Sei la mia donna e non voglio che tu abbia mai paura. Cristo, ho voglia di piangere. Cristo, io li ammazzo tutti i tuoi perché è di loro che hai paura.

Lei si esaltò, disse: – Glielo dico. Ho paura, ma son contenta. Tu diventi il mio uomo davanti a mio padre e mia madre e io sono tanto felice che un po' devo ben pagare.

Lui le disse: – Diglielo. Io arrivo alle otto. Avete già finito di mangiare per le otto?

Lei accennò di sí, non riuscivano a staccar le mani, si facevano male per non lasciarsi andare, poi si staccarono con una specie di strappo, se ne andarono oppostamente.

Ugo girò per la città, aspettava che battessero le quattro e aveva davanti agli occhi, negli occhi, le mani del sellaio e dei suoi due figli. Si diceva che doveva pensare solo a Rita, a quello che doveva passare Rita prima che lui arrivasse a prendersi tutto il brutto, ma non poteva togliersi da davanti agli occhi quelle mani.

Quando finalmente suonarono le quattro, lui era in un caffè, si tolse la sigaretta di bocca e guardò lontano dalla gente, in alto.

Poi pensò che gli uomini di casa di Rita potevano per il furore e la voglia di vendetta abbandonare il lavoro e mettersi in giro per la città a cercarlo dovunque. Non doveva succedere che lo trovassero, non era pronto, lo sarebbe stato per le otto della sera.

Mancavano quattro ore. Andò al fiume e rimase fino a scuro sugli argini a pensare.

Tornò, si avvicinava a casa come in guerra a quegli abitati dove non si sapeva se ci fossero o no nemici, nel corridoio e su per la scala cercò di sentire se in casa c'era qualcuno oltre suo padre e sua madre.

Entrò, c'era tavola preparata e suo padre che aspettava di mangiare e strofinava la mano sulla schiena al suo cagnino.

– L'hai vista? – gli domandò subito sua madre.

– Niente, – disse lui. Non era ancora pronto, avrebbe parlato tra venti minuti o mezz'ora, anche lui doveva parlare, come Rita. L'avrebbe detto alla fine della cena, se lo diceva in principio nessuno avrebbe mangiato piú.

Finito, colto il momento che sua madre si muoveva per alzarsi a sparecchiare, allora parlò. Parlando guardava sua madre che lentissimamente tornava a sedersi. Le parole gli saltavan via di bocca, una dietro l'altra, come se per ognuna ci volesse uno spintone.

Suo padre aveva abbassato gli occhi fin da principio, sembrava cercare le briciole di pane sull'incerato.

Ma sua madre gridò: – Sei matto! Sei matto! Sei un maiale! Sei un delinquente! – finché suo padre batté un pugno sulla tavola e le gridò: – Non gridare, o strega, non far sentire le nostre belle faccende a tutta la casa!

Lei gridò: – Allora parlagli tu, digli che porcheria ha fatto, diglielo tu!

Ma dopo suo padre non disse piú niente.

Allora sua madre che tremava tutta disse piano e guardando nel suo piatto: – Dovevi pensare a noi che siamo vecchi prima di pensare a far dei bambini.

Ugo gridò: – Io ci ho pensato? Io non ho pensato a niente! Per me è stato un colpo, è stata una disgrazia! Tu credi che io ci abbia pensato? – Poi disse piú basso: – Ma non cambia mica niente tra me e voi quando io abbia sposato Rita e abbia una famiglia mia.

Ma sua madre scuoteva la testa, era talmente disperata che si mise a sorridere. Disse: – Quando si ha intorno gente fresca i vecchi si dimenticano in fretta. Vedrai che con la famiglia nuova avrai tante difficoltà che non potrai piú pensare ai tuoi vecchi e a un certo punto ti convincerai che è un bene per te che entrino all'ospizio.

Ugo urlò: – Non parlare cosí, non parlare dell'ospizio, perché sai che non è vero, che io mi faccio ammazzare prima di vedervi entrare all'ospizio.

Gridava anche suo padre. Si era tutto congestionato in faccia e gridava a sua moglie: – Ci sono io per te! C'ero quando tuo figlio non c'era ancora e ci sarò quando tuo figlio sarà lontano. Io sono un uomo fino a prova contraria, e non ti ho mai fatto mancar niente di quello che ti spetta!

Il cane era filato a rannicchiarsi nell'angolo del gas, di là li guardava e dimenava a loro la coda perché non lo facessero spaventare di piú.

La madre scrollò la testa a lungo, sorrideva sempre come prima, ma adesso stava zitta.

Allora Ugo si alzò.

– Dove vai? – suo padre.

– Vado a casa di lei. Mi aspettano.

Suo padre sbatté le palpebre per la paura, ma non disse niente, solo si mosse sulla sedia facendola scricchiolare.

Ugo si girò a guardare sua madre, gli dava le spalle e le spalle erano immote come la testa reclina.

Ugo andò in sua stanza.

Stette un momento a sentire se suo padre e sua madre si parlavano piano, ma non si parlavano. Andò a pettinarsi davanti allo specchio, si guardò la faccia, pensò a come l'avrebbe avuta tra mezz'ora, un'ora. «Sono un uomo», si disse poi togliendosi da davanti allo specchio.

Era tornato in cucina. Sua madre stava come l'aveva lasciata, niente si muoveva di lei. Suo padre teneva una mano sul collo del cane che gli si era drizzato contro i ginocchi, ma guardava un punto qualunque della parete, e quando Ugo rientrò suo padre si mise a guardargli i piedi.

Ugo sospirò, si mosse e allora suo padre scostò il cane, si alzò, tese una mano verso il suo giaccone. – Vengo anch'io.

– No che tu non vieni! – disse forte Ugo.

Suo padre allungò la mano verso il suo berretto.

Ugo gli disse: – Non voglio che tu venga, io sono un uomo, la responsabilità è tutta mia, voglio aggiustar tutto da me, da uomo.

– Vengo anch'io, non voglio che ti facciano niente.

– Non mi faranno niente.

– C'è tre uomini in quella casa e tre uomini forti come tori. Vengo anch'io che son tuo padre.

Ugo si tirò indietro. – Se ci vieni anche tu, non ci vado io.

Allora sua madre alzò la testa come se si svegliasse e disse: – Lascia che venga anche tuo padre –. Poi, mentre suo padre l'aveva preso per un braccio e lo spingeva fuori, lei disse ancora: – E non lasciate che tormentino quella povera figlia disgraziata.

Uscirono insieme, suo padre gli tenne il braccio fin sulla strada, Ugo pensava: «Devo entrare da solo, mio padre adesso me lo levo, che figura ci faccio a farmi accompagnare da mio padre? Non riuscirò piú a sentirmi un uomo per tutta la vita».

Suo padre s'era messo al passo con lui, camminavano come militarmente sul ghiaccio e sulla pietra.

Poi Ugo disse: – Senti che freddo fa, adesso tu torna indietro.

Ma suo padre gli marciava sempre accanto, senza parlare.

All'angolo della casa di lei Ugo si fermò, si mise di fronte a suo padre, gli disse: – Ci siamo. Tu vai al caffè di Giors. Pigli qualcosa di caldo e m'aspetti. Io passo poi a prenderti.

– Entro anch'io.

– Lasciami entrare da solo, lasciami fare la figura dell'uomo.

– Vengo anch'io, non voglio mica che ti rompano, in tre contro uno, sei mio figlio.

– Allora non entro io, piuttosto tradisco Rita. Capisci, padre, io voglio fare la figura dell'uomo, tu non m'hai messo al mondo perché io facessi l'uomo? Loro mi vedono entrare da solo, vedono che non ho avuto paura e pensano che in fondo io non devo averla fatta tanto sporca. Capisci? Sei d'accordo? Allora vammi ad aspettare al caffè di Giors.

Suo padre pensò, poi disse: – Entra da solo. Io ti aspetto qui fuori, non mi muovo di qui. Ma tu fatti sentire se ti battono in tre contro uno. Adesso entra e fai l'uomo.

Ugo andò per il corridoio nero, poi si voltò a vedere dov'era rimasto suo padre, s'era fermato sulla soglia del corridoio, ben risaltando sul fondo della neve e della luce pubblica.

Andando alla porta del sellaio camminava senz'accorgersene in punta di piedi, non faceva rumore.

La porta non era ben chiusa, ne filtrava un filo di luce gialla, avrebbe ceduto a spingerla. Prese una profonda boccata d'aria e spinse.

La cucina era calda, bene illuminata, e c'era soltanto la madre di Rita che stava a pensare seduta accanto alla stufa e con le mani in grembo. Lui non guardò subito la donna, l'aveva preso uno stupore per quella che era la casa di Rita, guardò le quattro pareti e il soffitto, quindi guardò la donna.

Lei era stata a guardarlo, quando lui la fissò, lei chiamò: – Emilio, – ma piano, come se bastasse o come se non le fosse venuta la voce a raccolta. Poi alzandosi gridò: – Emilio! – e in fretta, quasi correndo, andò a una porta verso l'interno e vi sparí.

«Gliel'ha detto», si disse lui e si voltò, andò a chiudere a chiave la porta da dov'era entrato e poi tornò nel mezzo della cucina. Non sapeva dove e come tenere le mani, sentí oltre il soffitto un piccolo rumore come il gemito del legno, fu sicuro che era Rita segregata nella sua stanza, fu lí per mandarle una voce bassa.

In quel momento entrò il padre di Rita e dietro i due fratelli e dietro la madre. Gli uomini portavano tutt'e tre il grembiulone di cuoio del loro mestiere.

Ugo disse buonasera al vecchio e: – Ciao, Francesco. Ciao, Teresio, – ai giovani.

Non risposero. I due giovani si appoggiarono con le spalle alla parete e le mani stese sulle cosce.

Il vecchio veniva. Ugo si tenne dal guardargli le mani e solo le mani, guardargli gli occhi non poteva e cosí gli guardava la bocca ma non poteva capirne niente per via dei baffoni grigi che ci piovevano sopra. Quando il vecchio gli fu ad un passo allora Ugo lo guardò negli occhi e cosí vide solo l'ombra nera della grande mano levata in aria che gli piombava di fianco sulla faccia. Chiuse gli occhi un attimo prima che arrivasse, lo schiaffo detonò, il nero nei suoi occhi si cambiò in giallo, lui oscillò come un burattino con la base piena di piombo, ma non andò in terra. Fu il suo primo pensiero. «Non son andato in terra». La faccia gli ardeva, ma lui teneva le mani basse.

Il vecchio s'era tirato indietro di due passi, ora lo guardava come lo guardavano gli altri, e c'era silenzio, almeno cosí pareva a lui che aveva le orecchie che gli ronzavano forte.

Sua madre di Rita alzò al petto le mani giunte e cominciò a dire con voce uguale: – La nostra povera Rita. La nostra povera Rita. La nostra povera Rita. La nostra povera...

Ugo disse: – Rita non è mica morta per parlarne cosí –. Teresio, il piú giovane, ringhiò di furore e corse contro Ugo col pugno avanti. Ugo non scartò, ma Teresio sbagliò lo stesso il suo pugno, che sfiorò la mascella di Ugo e si perse al di sopra della spalla. Allora Teresio ringhiò di nuovo di furore, ritornò sotto di fianco, di destro colpí Ugo alle costole.

Ugo fece per gridare di dolore ma gli mancò netto il fiato. Da fuori bussarono. Ugo sentí, gli tornò il fiato per dire: – Non aprite, è soltanto mio padre.

Nessuno della casa si mosse e da fuori suo padre bussò ancora piú secco.

– Va tutto bene. Parliamo. Vammi ad aspettare da Giors, – disse forte Ugo e suo padre non bussò piú.

In quel momento entrò in cucina la sorella minore di Rita.

Francesco le gridò d'andar via e sua madre le disse: – Vai via e vergognati, tu che la accompagnavi fuori e poi li lasciavi soli insieme.

Prima di andarsene la ragazza scoppiò a piangere e disse: – Io non credevo che facessero le cose brutte!

Allora Francesco s'infuriò in tutta la faccia, venne deliberatamente da Ugo, lo misurò e lo colpí in piena faccia. Ugo si sentí volare all'indietro, finché sbatté la schiena contro lo spigolo della tavola.

Si rimise su, aspirò l'aria tra dente e dente e poi disse: – Voi avete ragione, ma adesso basta, adesso parliamo. Io sono venuto a darvi la mia parola che sposo Rita. A voi lo dico adesso, ma a vostra figlia l'avevo detto fin da questo autunno. Adesso io aspetto solo che mi dite di sí e che poi mi lasciate andare.

Francesco disse: – Tu sei il tipo che noi non avremmo mai voluto nella nostra famiglia... – come se suggerisse il parlare a suo padre.

Difatti il vecchio disse: – Noi c'eravamo fatti un'altra idea dell'uomo che sarebbe toccato a Rita, credevamo che Rita si meritasse tutto un altro uomo, ma su Rita ci siamo sbagliati tutti. Adesso dobbiamo prenderti come sei e Rita ti sposerà, ha l'uomo che si merita.

La madre disse: – Ormai Rita non potrà avere altro uomo che te. Anche se si presentasse un buon ragazzo, sarei proprio io a mandarlo per un'altra strada.

– Quando la sposi? – domandò il vecchio.

– La sposo l'autunno che viene.

La donna si spaventò, disse con le mani alla bocca: – Ma per l'autunno il bambino... Rita avrà già comprato.

– La sposi molto prima, – comandò il vecchio.

– Deve sposarla nel mese, – disse Francesco.

Ugo fece segno di no con la testa, Francesco bestemmiò e mise avanti un pugno.

Ma il vecchio disse: – Che idee hai? – a Ugo.

– La sposo quest'autunno perché prima non posso, non

sono a posto da sposarmi. E se voi avete vergogna a tenervela in casa, avete solo da dirlo. Fatemela venir qui da dove si trova e io me la porto subito a casa da mia madre. Resterà in casa mia, ma non da sposa, fino a quest'autunno. Parlate.

Allora Teresio urlò e pianse, si ficcava le dita in bocca, piegato in due si girava da tutte le parti, da cosí basso gridò piangendo: – Non voglio che Rita vada via, non voglio che ci lasci cosí, cosa c'importa della gente? le romperemo il muso alla gente che parlerà male, ma non voglio che Rita vada via cosí, è mia sorella...! – Troncò il gridare e il piangere, stette a farsi vedere coi capelli sugli occhi e la bocca aperta e le mani coperte di bava, sembrava un folle. Suo fratello andò a battergli la mano larga sulla schiena.

– Posso vederla? – disse Ugo dopo.

– No! – gridò il vecchio.

– Non me la fate vedere perché l'avete picchiata? – La voce gli sibilava un po', per via d'un dente allentato.

Teresio si rimise a urlare e piangere. – Nooo! Non l'abbiamo picchiata, non le abbiamo fatto niente, non avevamo piú la forza d'alzare un dito, c'è scappato tutto il sangue dalle vene quando ce l'ha detto! – Mandò un urlo, fece per mandarne un secondo ma non poté perché sua madre corse da lui e gli soffocò la bocca contro il suo petto.

Il vecchio disse: – Non ti credere, adesso che abbiamo deciso per forza quello che abbiamo deciso, non ti credere di poterci venire in casa quando ti piace. Rita la vedrai una volta la settimana, la festa, qui in casa nostra, alla presenza di sua madre e mai per piú d'un'ora.

Ugo chinò la testa.

Fuori c'era suo padre che l'aspettava, andò verso suo figlio in fretta per incontrarlo prima che uscisse dal cerchio della luce pubblica, voleva vedergli la faccia.

Ugo rideva senza rumore, non si fermò, spinse suo padre lontano dal cerchio della luce.

– Padre.

– Di'.

– Rita è tua nuora.

L'odore della morte

Se si frega a lungo e fortemente le dita di una mano sul dorso dell'altra e poi si annusa la pelle, l'odore che si sente, quello è l'odore della morte.

Carlo l'aveva imparato fin da piccolo, forse dai discorsi di sua madre con le altre donne del cortile, o piú probabilmente in quelle adunate di ragazzini nelle notti estive, nel tempo che sta fra l'ultimo gioco ed il primo lavoro, dove dai compagni un po' piú grandi si imparano tante cose sulla vita in generale e sui rapporti tra uomo e donna in particolare.

Un odore preciso lo sentí una sera di un'altra estate, già uomo, e che quello fosse proprio l'odore della morte i fatti lo dimostrarono.

Quella sera Carlo era fermo in fondo alla via dell'Ospedale di San Lazzaro e in faccia al passaggio a livello appena fuori della stazione. Partí l'ultimo treno per T..., soffiava il suo fumo nero su su nella sera turchina, mandava un buonissimo odore di carbone e di acciaio sotto attrito, dai suoi finestrini usciva una gialla luce calma e dolce come la luce dalle finestre di casa nostra. «Otto e un quarto», si disse lui, e tutto eccitato stette a guardare il ferroviere che girava la manovella per rialzare le sbarre.

Dentro la casa al cui angolo stava appoggiato, una donna alla quale dalla voce diede l'età di sua madre, si mise a cantare una canzone della sua gioventú:

Mamma mia, dammi cento lire
Che in America voglio andar...

«Mi piacerebbe trovarmi in America, – pensò, – specialmente a Hollywood. Ma non stasera, stasera voglio far l'amore nei miei posti», e sprofondò le mani chiuse a pugno nelle tasche dei calzoni.

Carlo aspettava la sua donna di diciotto anni per uscirla verso i prati, e non c'è da farla lunga sulla sua voglia né su come il tempo camminò sul quadrante luminoso della stazione e lei non venne. Ma ciò che è necessario dire è che il corpo di lei era l'unica ricchezza di Carlo in quel duro momento della sua vita e che non venendo stasera lui avrebbe dovuto, per riaverla, vivere tutta un'altra settimana di tensione e di servitú.

Cosí, anche quando fu passata l'ora solita di lei, non si sentí d'andarsene, di gettare ogni speranza, restava fisso lí come per scaramanzia, quasi lei non potesse non venire se lui durava tanto ad aspettarla. Ma poi furono le otto e quaranta, guardandosi attorno vedeva la gente vecchia seduta sulle panchine del giardino pubblico, erano semiscancellati dall'oscurità, ma quelli che fumavano avevano tutti la punta rossa del sigaro rivolta verso di lui. E quella donna che prima cantava, era lei certamente che prima cantava, ora stava fuori sul balcone e da un pezzo guardava giú sui suoi capelli.

Dai campanili della città gli scesero nelle orecchie i tocchi delle nove, e allora partí verso il centro della città, verso l'altra gente giovane che passeggia in piazza o siede al caffè e deve scacciarsi le donne dalla mente come le mosche dal naso.

Camminava e ogni cinque passi si voltava a guardare indietro a quell'angolo. Incontrò due o tre coppie molto giovani, andavano sbandando sull'asfalto come ubriachetti, si cingevano e poi si svincolavano a seconda che entravano o uscivano dalle zone d'ombra lasciate dalle lampade pubbliche. Carlo invidiava quei ragazzi con la ragazza, ma poi si disse: «Chissà se vanno a fare quel che avremmo fatto noi se lei veniva. Se no, non è proprio il caso d'invidiarli».

Deviò per andare a bere alla fontana del giardino. Bevve profondo, poi rialzata la testa guardò un'ultima volta a quell'angolo, e vide spuntarci una ragazza alta, alta come lei, con una giacca giallo canarino che allora era un colore di moda, lei aveva una giacca cosí, e andava velocemente verso il passaggio a livello.

Scattò dalla fontana, mandando un lungo fischio verso la ragazza si buttò a correre per il vialetto del giardino. La gente vecchia ritirava in fretta sotto le panchine le gambe allungate comode sulla ghiaia, lui passava di corsa fischiando un'altra volta.

La ragazza non si voltava né rallentava, lui corse piú forte, a momenti urtava il ferroviere che si accingeva a calar le sbarre per l'ultimo treno in arrivo. Saltò i binari e arrivò alle spalle della ragazza.

Camminava rigida e rapida, stava sorpassando l'officina del gas, lui si fermò perché aveva già capito che non era lei, solo un'altra ragazza pressapoco della sua costruzione e con una giacca identica alla sua. Ma quando l'ebbe capito il terzo fischio gli era già uscito di bocca, e arrivò dalla ragazza che senza fermarsi guardò indietro sopra la spalla e vide lui fermo in mezzo alla via che abbandonava le braccia lungo i fianchi. Rigirò la testa e proseguí sempre piú rapida verso il fondo buio di quella strada.

Lui ansava, e non vide l'uomo che il ferroviere vide passar chino sotto le sbarre e farsi sotto a Carlo alle spalle. Ma non lo prese a tradimento, facendogli intorno un mezzo giro gli venne davanti e gli artigliò con dita ossute i bicipiti, tutto questo senza dire una parola.

In quel momento Carlo sapeva di lui nient'altro che si chiamava Attilio, che era stato soldato in Grecia e poi prigioniero in Germania, e la gente diceva che era tornato tisico.

Carlo gli artigliò le braccia a sua volta e cominciarono a lottarsi. Guardando sopra la spalla di Attilio, vide per un attimo la ragazza, per nascondersi si era fatta sottile sottile dietro lo spigolo d'una portina, ma la tradiva un lembo scoperto della sua giacca gialla.

Attilio che l'aveva assalito non lo guardava in faccia, anzi aveva abbattuto la testa sul petto di Carlo e i suoi capelli gli spazzolavano il mento. Gli stringeva i muscoli delle braccia e Carlo i suoi, ma Carlo non poteva aprir la bocca e gridargli: «Che cristo ti ha preso?» perché adesso sentiva, vedeva entrargli nelle narici, come un lurido fumo bianco, l'odore della morte, quell'odore che ci si può riprodurre, ma troppo piú leggero, facendo come si è detto in principio. Cosí teneva la bocca inchiavardata, e quando per l'orgasmo non poteva piú respirare aria bastante dal naso, allora torceva la testa fino a far crepitare l'osso del collo. Fu torcendo la testa che vide il ferroviere che stava a guardarli e non interveniva. Lui come poteva capire che stavano battendosi, se loro due non sembravano altro che due ubriachi che si sostenessero l'un l'altro? Ma ciò che il ferroviere non poteva immaginare era come loro due si stringevano i muscoli, Carlo si domandava come facessero le braccia di Attilio, spaventosamente scarne come le sentiva, a resistere alla sua stretta, a non spappolarsi. Però anche Attilio stringeva maledettamente forte, e se non fosse stato per non ingoiare l'odore della morte, Carlo avrebbe urlato di dolore.

Aveva già capito perché Attilio l'aveva affrontato cosí, e lo strano è che la cosa non gli sembrava affatto assurda e bestiale, Carlo lo capiva Attilio mentre cercava di spezzargli le braccia.

Adesso Attilio aveva rialzata la testa e la teneva arrovesciata all'indietro, Carlo gli vedeva le palpebre sigillate, gli zigomi puntuti e lucenti come spalmati di cera, e la bocca spalancata a lasciar uscire l'odore della morte. Chiuse gli occhi anche lui, non ce la faceva piú a guardargli la bocca aperta, quel che badava a fare era solo tener le gambe ben piantate in terra e non allentare la stretta.

Per quanto il campanello della stazione avesse incominciato il suo lungo rumore, poteva sentir distintamente battere il cuore di Attilio, cozzava contro il costato come se volesse sfondarlo e piombare su Carlo come un proiettile.

Decise di finirla, quell'odore se lo sentiva già dovunque dentro, passato per le narici la bocca e i pori, inarrestabile come la potenza stessa che lo distillava, doveva già avergli avviluppato il cervello perché si sentiva pazzo. Alzò una gamba e la portò avanti per fargli lo sgambetto e sbatterlo a rompersi il filo della schiena nella cunetta della strada. Proprio allora la testa di Attilio scivolò pian piano giú fino all'ombelico di Carlo, anche le sue mani si erano allentate ed erano scese lungo le sue braccia, ora gli serravano solo piú i polsi, e Attilio rantolava – Mhuuuh! Mhuuuh! – finché gli lasciò liberi anche i polsi e senza che Carlo gli desse nessuna spinta finí seduto in terra. Poi per il peso della testa arrovesciata si abbatté con tutta la schiena sul selciato.

Carlo non si mosse a tirarlo su, a metterlo seduto contro il muro dell'officina del gas, perché non poteva risentirgli l'odore. Quando fu tutto per terra, si dimenticò che l'aveva capito e aprí la bocca per gridargli: «Che cristo ti ha preso?» ma si ricordò in tempo che l'aveva capito e richiuse la bocca.

Il treno era vicino, a giudicare dal rumore che faceva stava passando sul ponte. Guardò giú nella via per scoprire la ragazza. Aveva lasciato il riparo della portina, era ferma a metà della strada, guardava da lontano quel mucchio di stracci neri e bianchi che formava Attilio sul selciato, poi venne su verso i due con un passo estremamente lento e cauto.

Carlo poteva andarsene, voltò le spalle ad Attilio e andò al passaggio a livello. Quel ferroviere si mise rivolto a guardare il binario per il quale il treno giungeva, ma Carlo poteva vedergli una pupilla che lo sorvegliava, spinta fino all'angolo dell'occhio. Il ferroviere non gli disse niente, del resto avrebbe dovuto gridare. Passò il treno e schiaffeggiò Carlo con tutte le sue luci, i viaggiatori ai finestrini gli videro la faccia che aveva e chissà cosa avranno pensato.

Se ne andava, con le braccia incrociate sul petto si tastava i muscoli che gli dolorivano come se ancora costretti in anelli di ferro, davanti agli occhi gli biancheggiava la pelle appestata di Attilio, e pensava che non sarebbe mai piú stato quello che era prima di questa lotta. Camminava lontano dal chiaro, gli tremavano le palpebre la bocca e i ginocchi. Nervi, eppure si sentiva come se mai piú potesse avere una tensione nervosa, si era spezzato i nervi a stringere le misere braccia di Attilio.

E sempre davanti agli occhi il biancheggiar di quella pelle. Per scacciarlo, si concentrò ad immaginare nel vuoto il corpo della sua ragazza, nudo sano e benefico, ma si ricusava di disegnarsi, restava una nuvola bianca che si aggiungeva, ad allargarla, alla pelle di Attilio.

Andò al bar della stazione ma non entrò, fece segno al barista da sulla porta e gli ordinò un cognac, cognac medicinale, se ne avevano.

Mentre aspetta che gli portino il cognac, vede spuntar dal vialetto del giardino una giacca gialla. È quella ragazza di Attilio, cammina molto piú adagio di prima, lo vede, si ferma a pensare a qualcosa e poi viene da lui guardando sempre in terra e con un passo frenato. Cosí Carlo ha tempo di studiarle il corpo, comunissimo corpo ma che pretende d'esser posseduto soltanto da un sano.

Arriva, lo guarda con degli occhi azzurri e gli dice con voce sgradevole: – Siete stato buono a non prenderlo a pugni.

– Cognac, – dice il barista dietro di lui. Lui non si volta e poi sente il suono del piattino posato sul tavolo fuori.

La ragazza gli dice ancora: – Voi avete già capito tutto, non è vero?

Le dice: – Credo che anche voi abbiate già capito che io mi ero sbagliato, che vi avevo presa per un'altra. Il triste è che non ha capito lui.

Lei si torce le mani e guarda basso da una parte. Lui le dice ancora: – Scusate, ma perché lui s'è fatto l'idea che c'è uno che vi vuol portar via a lui?

– Perché uno c'è.

– Uno... sano?

– Sí, uno sano. Abbiamo ragione, no? Lui vuole che io sia come prima, ma è lui che non è piú come prima. E poi i miei non vogliono piú.

– Adesso come sta? L'avete accompagnato a casa?

Sí, ma sta malissimo, ha una crisi, la madre di Attilio l'ha mandata a chiamare il medico, di corsa, ma Carlo vede bene che lei non è il tipo da correre per le strade dove la passeggiata serale è nel suo pieno.

Lei gli domanda: – Dove abita il dottor Manzone? Non è in via Cavour?

– Sí, al principio di via Cavour.

La ragazza fa un passo indietro, gli ha già detto grazie, fa per voltarsi, a lui viene una tremenda curiosità, tende una mano per trattenerla, vuole dirle: «Scusate, voi che gli state, gli stavate sovente vicino, voi glielo sentivate quell'odore...?» ma poi lascia cader la mano e le dice soltanto buonasera, e lei se ne va, adagio.

Prese il cognac e andò a casa. A casa si spogliò nudo e si lavò sotto il rubinetto, cosí energicamente e a lungo che sua madre si svegliò e dalla sua stanza gli gridò di non consumar tanto quella saponetta che costava cara.

La notte sognò la sua lotta con Attilio e la mattina all'ufficio di collocamento seppe che l'avevano messo all'ospedale al reparto infettivi.

– La Germania, – disse un disoccupato come Carlo.

– Di chi state parlando? – disse uno arrivato allora. – Chi è questo Attilio? Tu lo conosci? – domandò a Carlo.

– Io? Io gli ho sentito l'odore della morte, – gli rispose Carlo e quello tirò indietro la testa per guardarlo bene in faccia, ma poi dovette voltarsi a rispondere – Presente! – al collocatore che aveva incominciato l'appello.

La sua lotta con Attilio la risognò venti notti dopo e la mattina, mentre andava ancora e sempre all'ufficio di collocamento, si voltò verso un muro della strada per sfregarvi un fiammifero da cucina perché non aveva piú soldi da comprarsi i cerini, e vide il nome di Attilio in grosse lettere nere su di un manifesto mortuario.

Un matrimonio

Benché fosse mezzogiorno in punto, Ettore ed io eravamo i soli avventori del dehors. Sorseggiavamo il nostro secondo aperitivo ed eravamo sordamente furiosi con noi stessi. L'asfalto della piazza, tremolante sotto il solleone, con tutta facilità si trasformava, ai nostri occhi socchiusi, nella distesa azzurro-dorata del mar ligure. E sí che potevamo esserci anche noi, al mare, come i tanti che avevano lasciato la città di prima mattina; maledetta nostra pigrizia e imprevidenza! Sentivo che Ettore me ne voleva, per non averlo io consigliato, istigato, costretto! A partire per il mare. Io potevo rinfacciargli la stessa mancanza ma, notoriamente, non ho la capacità di broncio che ha Ettore.

Veramente: una domenica di piena estate è tal quale un'ardente gitana che si offre; se per qualunque motivo non la godi, lei t'ammazza.

Quando ci sfiora un cameriere che in tutta fretta srotolava nel passaggio una guida color rosso cupo.

– Un matrimonio, – disse Ettore, un po' sinistramente.

Io girai appena la testa e vidi una cameriera chinarsi a collocare due corbeilles ai lati dell'ingresso del ristorante.

– Già, un matrimonio.

Il corteo nuziale arrivò un minuto dopo. Era composto di tre macchine, tutte scure e nessuna minimamente infiorata, e notammo, prima ancora che smontasse, che era gente maturotta, grigia e posata.

Entravano. Ci inchinammo impercettibilmente alla sposa. Passatella ma ancora passabile. Lo sposo era il piú scialbo uomo che si possa immaginare.

La penultima coppia del breve corteo era senz'altro la piú notevole. La donna, sui trentacinque anni, era singolarmente alta e formosa, i tratti del viso estremamente regolari e netti, sebbene un po' allentati dal caldo. Pareva avesse due tondini di ghiaccio al posto delle iridi, sí che l'ampia cornea intorno sembrava sgocciolare per il trasudamento. Suo marito – era lampantemente suo marito – era sulla cinquantina, canuto e corpulento, ma di quella corpulenza ancora controllata ed energica quale si può riscontrare in certi marescialli dei carabinieri. Aveva occhi larghi e scuri, pieni di una misteriosa preoccupazione.

La donna guardò casualmente verso di noi. E come vide Ettore quelle sue pupille si sgranarono e si seccarono. Fallí il passo. Il marito la sostenne, prontissimo e un po' duro. Si riprese e passarono oltre, ma la donna fece in tempo a scoccare ad Ettore un'altra occhiata speciale.

Erano entrati, crepitò nel ristorante un modesto battimani.

– La conosci? – feci ad Ettore senza quasi punta d'interrogazione.

– Mai vista, – mi rispose, aggrottato, anche un po' raggricciato.

– Impossibile. Non si fa davanti a uno sconosciuto uno scarto del genere, non gli si dà un'occhiata del genere...

– Hai notato, hai notato anche tu che razza d'occhiata...?

– Speciale. Assolutamente speciale.

– E... positiva o negativa?

– Positiva non direi.

– Mi avrà preso per un altro.

– Lo escludo. Sforzati di ricordare.

Per meglio frugare nella memoria si coperse gli occhi con le due mani, ma quando le abbassò scuoteva risolutamente la testa. – Non l'ho mai vista. Sono sicuro. E poi, che posso averci avuto a che fare con una donna cosí? Avrà dieci anni piú di me. Voglio dire: non posso averci combinato niente, niente che spieghi un'occhiata come quella.

Sbirciò verso il ristorante, forse nella tentazione di affacciarsi senza parere alla sala e riguardare la signora, seduta con gli altri alla tavola nuziale.

– No, Ettore, non è una cosa da fare.

– No, eh? – convenne a malincuore.

– Stabiliamo che t'ha scambiato con un altro. E ora andiamocene. È mezzogiorno e un quarto.

Ci lasciammo con l'intesa che chiunque dei due avesse avuto una qualche idea, anche balorda, per uccidere quel pomeriggio, avrebbe telefonato all'altro.

– E non buttarti sul letto, – mi raccomandò Ettore. – Di questa stagione, chi si butta sul letto è perduto.

A casa, m'ero appena messo a tavola che squillò il telefono. Non poteva essere che Ettore, e mi apprestavo a sentir la sua proposta: nove su dieci, saremmo andati sulla sua nuova macchina in uno qualsiasi dei posti dove avevamo fatto la guerra. Noi siamo una categoria di combattenti fortunata, o sfortunata, come si vuole: i posti della nostra guerra li abbiamo a portata di mano.

Era infatti Ettore, e parlava molto piú concitato del solito.

– L'ho riconosciuta! Ora mi ricordo tutto di lei. È invecchiata, ma è naturale. C'è tutta una storia. No, non chiedermi niente ora. Ti racconterò tutto nel pomeriggio. Sfido che m'abbia fissato a quel modo! C'è di che! Dico però, in coscienza, che doveva essere un'altra occhiata. Tutt'altro tipo d'occhiata, positiva, eccome! Ti dico solo che è una maestra. Perlomeno lo era, allora. Non ti dico altro. Vieni a casa mia verso le tre, ci mettiamo in poltrona, ci beviamo un whisky e io ti racconto per filo e per segno la storia di questa donna. È interessante, te lo garantisco, è persino un po' arrapante, non facesse tanto caldo. Non chiedermi piú niente. A oggi, alle tre.

E questa che segue è la storia con cui Ettore ed io ingannammo quel tetro pomeriggio festivo dell'estate millenovecentocinquanta. Si obietterà che è una storia buona sí e no per un'oretta, ma io vi faccio grazia degli infiniti raccordi e digressioni che noi due facemmo.

Placido Taricco, il giovane progressista

Ha ventisette anni, è alto e magro, di grandi ossa, lavoratore strenuo alla campagna e in muratoria a seconda delle stagioni e dei bisogni.

Proviene dalla lotta partigiana ed è iscritto al Psi. Sta ora battendosi per le mutue contadine ed è per questo in aperta rottura coi «bonomiani», coi Dc e coi preti del paese e dei paesi limitrofi. Paga la tessera, sovvenziona in ragione di lire 2000 l'«Avanti», paga di sua tasca le telefonate ai dirigenti provinciali di Cuneo e le spese di viaggio per i congressi provinciali.

Dalla quotidiana lettura dell'Avanti egli ha desunto e desume la sua oratoria tutta impastata di «ingiustizia sociale», di «aventi diritto», di «sfruttamento dell'uomo sull'uomo» e di «classi abbienti» (in realtà egli dice «classi ambienti»).

Il suo principale nemico, oltre, naturalmente, al prete, è il maestro Prandi, lancia spezzata della D.C. locale e pronto ed insultante antagonista che, dopo le prime battute, carica d'improperi l'illetterato Taricco il quale umanamente risponde: – Lei maestro dovrebbe dar l'esempio al popolo, evitando gli improperi che sono incostruttivi e non fanno onore a nessuno.

Al prete ha detto pubblicamente: – Voi insegnate da 1955 anni: il socialismo ha sí e no 30 anni di vita e in questi trent'anni ha conquistato mezza l'umanità.

Egli tuttavia ha scrupoli d'ordine religioso, al punto che s'è deciso a scrivere a Nenni se si poteva conciliare la pratica socialista con l'ideale religioso e Nenni gli ha prontamente risposto di sí. La risposta di Nenni è il principale cimelio ed ornamento della casa di Placido Taricco.

Leggendo i giornali, s'è invaghito della figura di La Pira e pure a lui ha scritto, domandandogli come mai un uomo come lui cosí attento e sensibile alle pene degli sfruttati continua a permanere in quella D.C. che annovera nelle sue file tanti ignobili sfruttatori. La Pira gli ha risposto con una lettera che Taricco definisce umoristicamente «pastorale» e che tutta si richiama alla vigilia pasquale ed alla pasquale comunione degli uomini. Ora Taricco non sa piú cosa pensare esattamente di La Pira, ma è certo che non lo stima piú tanto, il suo principale criterio di stima essendo la precisione.

Naturalmente il prete s'è accorto presto come Taricco sia il piú vivo e dotato giovane uomo del paese, sicché un bel giorno ha una grande pensata politica e gli va in casa e dopo un mucchio di preamboli gli dice piatto piatto: – Dunque, Taricco, ho deciso di farti capo dell'Azione Cattolica.

– Bella roba! – grida Taricco, e poi: – Io la prenderei la tessera dell'Azione Cattolica e sarei disposto ad esser l'ultimo di essa e non il capo, se voi foste davvero cristiani e realizzaste il Vangelo. Se si realizzasse il Vangelo, non ci sarebbe nessun bisogno d'esser liberali o socialisti o comunisti.

Da qui l'aperta rottura con le forze ecclesiastiche. Tutto è sfociato nella lotta elettorale per le mutue contadine. I bonomiani hanno naturalmente vinto, ma la lista di Taricco ha ottenuto ben 17 voti e l'allarme è grande nel campo dei vincitori e nere le previsioni per il futuro.

Allora i bonomiani hanno deciso di consolidare la vittoria impugnando i 17 voti socialisti, per il fatto che le schede di Taricco sarebbero incomplete e quindi non valide. Il prete dice che Taricco nel compilarle avrebbe omesso, per sua presuntuosa ignoranza, di indicare il numero degli ettari ed il numero degli animali in possesso di ciascun capofamiglia.

Ciò non è vero e Taricco confuta, ma gli avversari col loro solito sistema di intimidazione e confusione in contropiede, gli dicono: – Scommettiamo? – Taricco pronto accetta la scommessa, anche se non ha testimone alcuno di sua parte, e fissa la posta in un pranzo per venti. Squagliamento avversario.

Altro squagliamento avversario, e di maggior portata, si

verifica in occasione di un dibattito sulle mutue contadine. Dice Taricco in pubblico ed in particolare al prete ed al maestro Prandi: – Queste mutue contadine sono una cosa importante...

– Importantissima, – dice il prete, al solo scopo segreto di intralciare la già incerta oratoria di Taricco. E Taricco si lascia solo apparentemente deviare dal corso e dice: – Importantissima sí, una cosa che avrebbe dovuta esser fatta un secolo fa, per modo che potessero beneficiarne anche quei poveri nostri antenati che se ne sono andati sotterra solo con una gran fatica e una certa rabbia –. E poi assestò il suo colpo: – Ma io vi dico che piuttosto che aver le mutue contadine come le vogliono i bonomiani, ebbene è meglio che gli antenati siano morti e sepolti.

Sulla faccia del prete veniva dipingendosi un'espressione punto cristiana e Taricco incalzava. – Vedete bene che la cosa è dunque importantissima e vedete pure che la gente che è interessata, per la quale questa mutua è questione di vita e di morte, non sa che pesci prendere. E dunque approfondiamo la cosa, discutiamola, come se fosse una stoffa sino a macerarla, non abbiamo paura di spender tempo e parole perché la cosa è, siamo tutti d'accordo, importantissima.

– Propongo un pubblico dibattito tra noi e i bonomiani, un pomeriggio festivo, da svolgersi prima a San Benedetto e poi a Niella.

– Accetto, – disse il prete, – accetto. Ben volentieri.

Il prete andò a telefonare ai bonomiani di Alba e Taricco, cavandosi di tasca i soldi destinati alle cinque Alfa andò a telefonare ai socialisti di Cuneo.

Il giorno fissato Taricco prese a scrutare ansiosamente il passo della Bossola, finché vide spuntarci e scendere una macchina. Erano i suoi di Cuneo, erano cordiali e fermi, lo trattavano da pari a pari, avevano in cartelle di cuoio i resoconti della Camera e del Senato, le statistiche, tutto.

Si aspettò, gli altri non vennero: venne invece il maresciallo di Bossolasco, per ordine pubblico, disse, esclusivamente per ordine pubblico.

Aspettarono un'ora e gli altri non si fecero vivi: allora Taricco decise di parlare lui e i suoi compagni di Cuneo, per non rimandare a casa a mani vuote quella gente che s'era fatta a piedi piú d'una collina.

– Nino, – disse al messo: – aprici la scuola e noi parleremo lí.

Il messo gli disse che la chiave era in mano alla suora dell'asilo, ci andasse a nome suo e se la facesse dare.

Taricco andò, e la suora gli disse in faccia: – Io la chiave della scuola non la dò a nessuno.

E lui: – Sentite, suora, io sono nato qui ventisette anni fa, in questa scuola ci sono venuto come allievo per quattro anni. Voi siete a San Benedetto da due mesi, e per voi San Benedetto è un paese come tutti gli altri dove i vostri superiori potevano spedirvi, e voi adesso mi rifiutate la chiave della scuola.

Ma non ci fu verso, e Taricco dovette uscir dall'asilo senza chiave. Ripiegarono allora sul municipio e stavano avviandovisi, quando il maresciallo di Bossolasco si mise davanti alla porta con le braccia in croce e gridò: – Qui nessuno entra. Comizio non autorizzato. Io vi diffido tutti!

Insorse il compagno di Cuneo: – Lei non diffida nessuno! Lei non diffida un bel niente.

Cosí finí l'atteso dibattito sulle mutue contadine.

Taricco accompagnò alla macchina quelli di Cuneo, raccomandando loro di parlar del fatto in segreteria provinciale, di far del fatto un vero e proprio paradigma, e poi rincasò. E si mise a scrivere la centoquarantaquattresima pagina del suo libro, in cui raccontava la vita e le guerre di suo padre, e i ricordi di suo nonno, per passar poi alla sua guerra partigiana e alla situazione attuale di San Benedetto. Ne aveva parlato solo col maestro, l'altro, e questi gli aveva semplicemente raccomandato di star attento alle doppie e di ricordarsi che esiste anche, nei tempi, il congiuntivo.

Taricco non pensava naturalmente di trovare un editore, nemmeno alla editoria di partito provinciale, lo scriveva per sé e come memoria ai figli futuri.

Ciao, old Lion

Dalla stazione andò diretto all'Hotel Centrale. Erano non piú di duecento passi e li fece quasi a occhi chiusi. Non voleva veder nulla della città, nulla dall'interno di essa, nulla in dettaglio. L'avrebbe ampiamente riveduta dall'esterno, nell'insieme, dall'alto, e ricordava che un eccellente osservatorio era la prima svolta della salita alla frazione Como. L'avrebbe riveduta di lassú, fra un'ora.

Il bar era deserto, tranne per i due baristi. Erano di lampante estrazione contadina, allevati e sgrossati dalla casa, e ora la loro disinvoltura rasentava l'insolenza. Facevano i giocolieri con calici e sottocoppe e getti d'acqua, senza tralasciare di fissare il forestiero, alto e segaligno, dalla vistosa, anormale abbronzatura. Lui, da parte sua, non pensò altro che quei due baristi escaped solo per un pelo dall'esser suoi figli. E gli pareva solo ieri...

Ordinò un bitter ghiacciato e applicò i palmi delle mani sul piano gelido dello zinco del bancone.

L'orologio pubblicitario appeso a uno spigolo della scaffaleria segnava le 8,15.

Quello dei due baristi rimasto inoperoso scivolò fuori dal banco verso il ju-box e mise un twist. I due ragazzi non presero a dimenarsi secondo quel ritmo, ma si scambiarono piú di un'occhiata di intesa e di compiacimento.

Lui prese a sorseggiare l'analcoolico come se fosse un liquore rovente.

In quel momento la mano gli calò sulla spalla. Era una cosa prevedibile, quasi inevitabile, tuttavia lui incassò il collo fra le scapole e lentamente, con ripugnanza, fissò lo specchio del bar, negli interstizi delle bottiglie di liquori.

– Ciao, Jimmy, – sospirò disponendosi penosamente a voltarsi.

– Nick! – esplose l'altro.

A quasi vent'anni di distanza si chiamavano ancora col nome di battaglia.

– Ti ho riconosciuto dalle spalle, – disse l'altro. – Non di spalle, capiscimi, ma dalle spalle.

– Sempre stato gobbo, – ammise Nick.

– Non è questo, – corresse Jimmy. – Ma hai sempre avuto le spalle spioventi in un modo tutto particolare, – e facendogliela scorrere per tutto il dorso gli tolse finalmente la mano d'addosso.

– Old lion, – mormorò poi un paio di volte e riaccennò a riposargli la mano sulla spalla.

Jimmy era Guido Clerico. Era diventato importante nella città, bastava vedere come i baristi, «Avvocato, avvocato...» si agitavano per sollecitare la sua ordinazione. Finalmente ordinò un whisky e «White Label per l'avvocato», scandí un barista in tono insopportabile.

Pareva avesse perduto qualche centimetro di statura, era calvo per i tre quarti del cranio e pingue, di una pinguedine schioccante e lucida: aveva acquisito, in breve, caratteristiche meridionali. Aveva moglie, due figliette, una Citroen D.S., un appartamento in città, uno al mare, e uno (ancora nei sogni) in collina. Aveva ereditato lo studio dell'avvocato Valoti: ricordava Nick l'avvocato Valoti, che sedeva nel Cln in rappresentanza del Pd'A?

Jimmy sbirciò l'anulare sinistro di Nick e poi disse: – Non ti guardo il dito perché so che non mi illuminerebbe affatto. Tu sei proprio il tipo che mai porterebbe la vera. Di', sei sposato?

– No.

– Ma l'hai in programma? A breve termine?

– No, – rispose Nick il piú leggermente possibile.

Non dimise l'argomento, ma fortunatamente lo rivoltò su se stesso.

– Io sí. Ormai sono nove anni. Immagina con chi.

– Non con Meris, – azzardò Nick, sperando che fosse vero.

– Macché Meris, – fece Jimmy scostando il bicchiere dalle labbra quasi con violenza. – Meris era una ragazza magnifica, la migliore staffetta di tutto il gruppo divisioni, ma era troppo tuttofare. Mi spiego? Io ero nella causa fino al collo, e tu lo sai, ma il matrimonio è un'altra cosa.

– Certamente, – ammise Nick chinando gli occhi nel bicchiere dove ondava l'ultimo dito di bitter.

– Ho sposato Gege Arnulfo, – riprese Jimmy. – La ricordi? Te la presentai in uno dei grandi balli che demmo subito dopo la Liberazione, quelli per cui venne l'orchestra di Angelini.

Nick ricordò. – Fu il primo ballo della serie. La ragazza era l'unica che portava le trecce.

– Esattissimo, – disse Jimmy quasi trionfalmente. – Beninteso che allora io nemmeno mi sognavo di sposarla, Gege Arnulfo. Dici bene, era l'unica delle ragazze, diciamo della nostra generazione, che ancora portava le trecce. Appena la rivedrò – ora è al mare con le bambine – le dirò che tu Nick ricordi che lei era l'unica che ancora portasse le trecce. Già, il primo ballo della serie, quello in cui il nostro comandante generale fece quella magra storica.

Nick aggrottò le sopracciglia per significare che non ricordava.

– Ma sí, – spiegò Jimmy. – Fece un effettaccio a tutti. Toccava a lui aprire il ballo, dopo che Angelini aveva suonato i nostri inni. E lui chi ti va a scegliere tra cinquecento signore e signorine? Proprio quella signora sfollata da Torino, la moglie di un gran dentista, che era stata l'amante di almeno una dozzina di ufficiali della repubblica.

– Ora mi pare, – disse Nick.

– E bravo Nick, – riprese Jimmy. – Mi sbaglio, o non venivi ad Alba da allora, cioè da quel ballo che abbiamo detto poco fa?

– No, ci sono tornato nel '48. Quando diedero la medaglia d'oro alla città.

– Ma io non ti vidi, – osservò Jimmy con una punta di dispetto.

– Poteva succedere, – disse Nick posando il bicchiere sul bancone. – Ricorderai che c'era una confusione enorme. C'era il presidente Einaudi e un nugolo di polizia.

– Ma almeno ci avrai pensati, – disse Jimmy.

– Figurati se no.

– Ma andiamo a sederci, – fece Jimmy indicandogli la strada con la mano che brandiva il bicchiere. – Il ju-box non ti dà mica fastidio?

I due baristi l'avevano alimentato per un'ora. Forse faceva parte del loro dovere globale. Ora stava suonando una canzone in cui il sesso veniva contrabbandato per sentimento. Tutte le sedie disponibili erano nel raggio vicino del ju-box. Nick si mosse con riluttanza, accennando col capo che no, il ju-box non gli dava fastidio.

– Nemmeno a me, – disse Jimmy, – anzi tutt'altro. In fondo siamo ancora giovani. Tu non ti senti ancora giovane, Nick? Io sí, almeno mi difendo. Questi – e accennò ai due baristi – non credano di monopolizzare la gioventú. Ci siamo ancora noi, dico io. E noi abbiamo fatto cose che questi – e riaccennò ai due baristi – nemmeno si sognano.

– Vent'anni fa, – disse Nick, – vent'anni fra uno.

– Non li diamo, – disse Jimmy con un innaturale fervore. – Tu ne hai trentanove...

– Quaranta.

– Fa lo stesso, e ne dai trentatre. Sei magnificamente abbronzato, sai? Stato al mare? Dove?

– Finale.

– Bellissimo posto. Ci andavo anch'io, da scapolo. Ora, da sposato, Spotorno. Piú familiare. Sei in vacanza?

– In ferie. Un anticipo di ferie.

– A proposito che fai?

– Sono in una ditta di eximport. Torino. Sono il corrispondente estero.

– Naturale. Come conoscevi tu le lingue.

– Solo l'inglese.

– Va bene. Ma dire inglese è come dire tutte le lingue. Non è cosí?

– È cosí, Jimmy.

– Ne hai ancora per molto? Dell'anticipo di ferie, voglio dire?

– Due giorni.

– E li hai destinati ad Alba?

– Già.

– Hai rinunciato a due giorni ancora di spiaggia per Alba?

– Non proprio per Alba, ma per il suo entroterra. Per le colline che furono nostre.

– Oh come lo puoi dire, per le colline che furono nostre! Che macchina hai?

– Nessuna.

Jimmy started. – Vuoi dirmi che ci andrai in corriera?

– A piedi.

Jimmy started. – A piedi!?

– Questi giri si fanno a piedi o non si fanno. A piedi, Jimmy, come allora.

– Ah certo. Come allora. Certo che avevi una gran gamba. Allora. Mi ricordo come ci tirasti a Valdivilla ad agganciare la retroguardia di quella colonna fascista. Io credo che marciavi ai nove all'ora. Io avevo la bava alla bocca.

– Anch'io, – ammise Nick.

Guardò in terra per un attimo e poi riaccennò col pollice ai due baristi. – Questi nemmeno si sognano le cose che abbiamo fatto noi. Potremmo inchiodarli fino a stasera soltanto col racconto di Valdivilla. – Fissò Nick d'improvviso, col volto di chi propone un quiz. – Dimmi quando è successo.

– Venticinque febbraio 1943 – rispose pronto Nick. – La prima raffica, la loro, quella che fulminò Set, partí alle 12,15.

– Io non ho mai capito, – disse adagio Jimmy, – come quella raffica prese Set e non te. Era per te, quella raffica, tutta per te. Non ho mai capito come l'hai schivata. Non dirmi che l'hai vista.

– Non l'ho vista, – disse Nick. – Ma l'ho sentita. L'ho sentita nascere.

Stettero un altro po' in silenzio.

Poi Jimmy. – Ma dove andrai? Se sei a piedi, non potrai fare un giro. Dovrai dirigerti in un posto ben definito.

– Infatti.

– Mi piacerebbe proprio sapere che posto è. Dev'essere un posto importante per te se esso vale per tutto.

– Un posto come un altro, – disse Nick. – Una parte per il tutto.

– Dimmi che posto è, – domandò Jimmy con vero interesse.

– È il bivio di Manera, – spiegò Nick. – Non proprio il bivio, ma quella strada che dal bivio parte per la collina alta verso Mango.

– Ah, – fece Jimmy sempre perplesso. – Ma è lontano. Saranno diciotto chilometri. Va bene che avevi una gamba terribile... Prendi una macchina di piazza. Fatti portare almeno a metà strada.

– No. Non sarebbe la stessa cosa.

– Capisco, ma... fa caldo. Scoppierai per strada.

– Magari.

– Che hai detto?

– Scherzavo.

– E quando partirai?

– Adesso, se a te non dispiace.

– No che non mi dispiace. Figurati se mi dispiace. Non porti la macchina.

– No. Non piú.

– Hai avuto un incidente?

– Sono uscito di strada per il ghiaccio. Due anni fa.

– Succede nelle migliori famiglie di piloti. Ti è successo dalle parti di Torino? Com'è andata?

– Niente. Sapevo appena l'aritmetica della guida e il ghiaccio mi ha proposto all'improvviso un problema algebrico. E il risultato è stato che ho cappottato sei volte.

– Sei volte? E tu che facevi?

– Niente. Contavo le cappottate. Sono molte, sai, sei cappottate. Non finiscono mai.

– E da allora non guidi piú? A me non è ancora successo niente. E sí che faccio 100 000 km all'anno. Ma è meglio che non lo dico. Allora te ne parti a piedi, adesso.

– Sí, – disse Nick alzandosi.

– Stai magnificamente con quella grisaglia un po' vecchia e quell'abbronzatura, – disse Jimmy ammirandolo senza riserve. – Mi pari... mi pari... un marine! Ma di quelli che la guerra nel Pacifico l'hanno fatta sul serio.

A Dio piacendo si accostavano all'uscita. Jimmy armeggiava per staccarsi il fondo dei calzoni che il caldo gli aveva incollato addosso.

– Tu non sudi, eh? – gli fece.

– Non ho di che sudare, – rispose Nick passandosi una mano sul corpo che appariva fatto non di carne ma di corteccia.

Erano le 9 in punto e il sole prendeva ad ammollare l'asfalto della piazza.

– Allora vai a piedi? – disse ancora Jimmy.

– Te l'ho detto che o a piedi o niente, Jimmy.

– Fa un po' tu, – disse Jimmy. – Ti trovassi in difficoltà, telefonami. 22.41. Sai, anche a piedi si può restare in panne.

Lui, solo lui, scese il primo scalino. – E quando torni?

– Stasera, – rispose Nick. – Stasera, se non mi trovo bene. Domani pomeriggio, se va come dico io.

– Cioè se la lunga marcia non funziona, – disse Jimmy.

– Esatto. Ma vedrò di farla funzionare.

Non partiva ancora.

– Fai politica, Nick?

– Voto e basta.

– Per chi voti?

– Nenni.

– Nenni fisso?

– Fisso. Tu per Saragat.

– Come lo sai?

– Occhio.

– E non ti va?

– Oh per me va benissimo.

– Hai visto, Nick, che i fascisti rialzano la testa?

– È da un po'.

– Ma ora piú che mai. A Roma specialmente, ma anche altrove.

– Non mi preoccupa.

– Nemmeno un po'?

– Nemmeno un po'.

– Ora ti lascio, Nick. Fa' buona strada. Ricordati comunque il 22.41. Non si sa mai. Mi piacerebbe tanto rivederti stasera – si sta bene qui fuori di sera, col refolo che scende dalle colline che furono nostre – ma ho piú piacere che la tua marcia riesca e cosí non ti vedrò. E dirò a mia moglie che ricordavi che lei era l'unica, allora, che ancora portasse le trecce.

– Bisognerà vedere se lei si ricorderà di me.

– Oh si ricorderà e comunque io gli ti farò ricordare. Ciao, old lion. E torna piú spesso. Vederti m'ha fatto meglio del whisky. A proposito del whisky... – e flurringly accennò a ritornare, mentre le mani cincischiavano alla ricerca del portafoglio.

– Lascia stare, – disse Nick. – Ti dico di lasciar stare. Ciao, Jimmy.

Restò a vederlo andare, piú piccolo, piú grasso e calvo, fin che glielo tolse di vista la colonna in corrispondenza dell'angolo dell'orologio. Non gli era né grato né risentito. L'unica cosa buona era stata che avevano ancora potuto chiamarsi Nick e Jimmy. Questo era certo, che quando l'uno avesse appreso la morte dell'altro, avrebbe detto, ad esempio: «Jimmy, e non Guido Clerico, se n'è andato».

Si voltò verso l'interno per chiamare il cameriere per il conto. E mentre quello veniva, pensò: «Mi chiamava old lion con convinzione. Eppure se n'è accorto, sicurissimamente, che sono un fallimento».

Figlia, figlia mia

Lo scompartimento era vuoto ed era una vera fortuna. Era appena l'imbrunire e per i finestrini si scorgeva ancora buona parte del paesaggio, pianura supercoltivata che sfumava ai piedi di colline subito molto erte. Il cielo aderiva ai crinali delle colline con una fascia di bellissimo argento che solo in qualche punto cominciava ad ossidarsi.

Si ritrasse dal finestrino. L'amore del paesaggio era stata forse la prima cosa che gli si era spenta dentro. Quindici anni fa (molti ma non troppi) quell'albero solitario, che aveva appena intravisto, con la sua cupola di foglie arrovesciata nella zona argentea del cielo, l'avrebbe inchiodato, gli si sarebbe fatto ripensare anche nel colmo della notte. Si comincia presto a morire, dovette pensare, e ci si mette poi tanto.

Alla penultima stazione salirono tre soldati, evidentemente con la sua stessa destinazione, la città dell'amante di lui era sede di un CAR. Gli arrivava pungente l'odore delle loro divise e delle valigette di playtex. Non fecero baccano, non stabilirono nemmeno una conversazione, erano visibilmente depressi.

Egli si rivolse loro mentalmente: «Ci credereste che ho fatto il militare esattamente diciannove anni fa? No, non ci credereste. E sapete che facciamo la stessa strada? Solo che io vado a far l'amore. Per andarci passerò proprio davanti alla vostra caserma. A quel punto voi saluterete la sentinella, e vi farete inghiottire dal grande lurido cortile, io proseguirò oltre e andrò a far l'amore. Chissà che faccia fareste, se poteste leggermelo in viso, che vado a far l'amore? Sí, mi piacerebbe, ragazzi, che ve la pigliaste. Ma non dovete prendervela. Sembrerà paradossale, ma noi vecchi congedati abbiamo tanto piú bisogno di farlo di voi giovani».

Arrivò e scese che nei giardini di fronte alla stazione si accendevano giusto i fanali. Controllò al time-table l'ora del ritorno (non aveva la minima memoria numerica) poi uscí dalla stazione in cerca d'un telefono. La cautela telefonica era imposta dal fatto che la madre di lei era una professoressa a riposo e si divideva ormai tra le due figlie nubili, con un programma che tuttavia a volte subiva delle brusche variazioni. Ad ogni appuntamento lei gli sottolineava la necessità della telefonata di controllo. Mentre attraversava i giardini rifletté che tutto era andato secondo i piani per una dozzina di volte ormai e sarebbe pur venuta la volta del contrattempo. Che dovesse verificarsi proprio stasera, era cosí irritante che imprecò a mezza voce. Non per la noia del viaggio in treno e della cena saltata, ma per i pensieri e la preoccupazione che ci aveva fatto per tutto il giorno.

Entrò nel vecchio bar in metà della piazza. Si era conservato confetteria e aveva inserito il bar in un minimo angolo. Non aveva il lustro delle vecchie confetterie, era solamente vecchio, con le scansie oscillanti, piene di vecchie bottiglie e vecchie scatole di cioccolatini, polvere e tarli. La padrona, che compariva tardiva da dietro una tenda di spelato velluto verdognolo, era congeniale al suo locale, vecchia pure lei, con un camice nero e la crocchia di capelli sale e pepe. Era, si vedeva, in soggezione davanti agli avventori non della sua generazione. Ordinò il caffè e, dato che non aveva memoria numerica, ricontrollò sulla guida il numero di lei. Aveva già telefonato, senza gettone («Arrivato» «Sí») e la padrona ancora trafficato alle leve della macchina espresso. Lo preparava lentissimamente, non già per ostentare una cura particolare, ma in evidente ammissione che non ci sapeva fare, che non ci avrebbe mai saputo fare.

Lei abitava in una via di nuovo impianto, cosí nuova che la prima volta aveva dovuto farsela indicare da almeno tre successive persone, con quattro case nuove su un lato e due case nuove sull'altro. Lei abitava nella prima di queste due, al terzo piano.

Stavolta non ci andò per la solita via, svoltando dal cinema e fiancheggiando la caserma, preferí provarcisi per certe viuzze che aveva indovinato dietro la massa quadrata del cinema, con le insegne al neon d'un bianco gemmante che illindiva ancor piú la vecchia facciata salnitrosa. Arrivò regolarmente, non solo, ma scoprí d'aver trovato una scorciatoia.

La grande pioggia

Nel viale di circonvallazione l'acqua ruscellava. Tre giorni e tre notti di pioggia, e ancora nessun segno d'esaurimento.

Alla destra si profilò un ciclista, pedalava nel diluvio senza affanno, protetto da un incerato enorme. Quando lo sorpassò il professore procedeva ai dieci all'ora, ciononostante sventagliò un'ondata che s'infranse alla vita del ciclista. Con la coda dell'occhio vide il pugno chiuso scattar fuori dall'incerato e agitarsi a lungo, benché mitragliato dalla pioggia.

– Caro mio, – disse il professore, – avrai notato che procedevo ai dieci all'ora. Se ti ho spruzzato ai dieci all'ora, vuol dire che era proprio inevitabile.

Aveva accellerato insensibilmente e nemmeno sfiorato con lo sguardo lo specchietto retrovisivo.

Sul viale di circonvallazione l'utilitaria sciava come un motoscafo d'alto mare. Tre giorni e tre notti di pioggia battente. Forse aveva raggiunto il suo massimo quella notte stessa. Il professore, che abitava al terzo piano di un palazzo di cinque, l'aveva udita a lungo (inesplicabilmente aveva voluto ritardare a prendere il Quanil) scrosciare sugli altissimi tetti con un fragore cosí fitto e sistematico da parere il rumore di un grosso opificio poco distante e con tutte le sue molte macchine in piena attività.

Come fu davanti alla casa di Charlie, accostò al massimo in modo che la moglie di Charlie avesse a bagnarsi il meno possibile e batté sul clackson i tre colpi convenuti. Al secondo eccola già fuori, come se fosse all'agguato dietro la porta. Aveva un completo di nappa grigia metallizzata e, non portando cappello, si riparò la testa con la bellissima borsetta.

Eccola seduta al suo fianco, con le ginocchia scoperte, cosí morbide e potenti, sulle quali la calza tesa sino al punto di lacerazione mostrava la sua piú intima trama, d'oro, oro vero.

Il professore prese a far le manovre con una lenta precisione, quasi didattica; desiderava che la moglie di Charlie si rendesse conto del suo senso di responsabilità, per avere a bordo la moglie di Charlie.

– Io capisco, – le disse, – che lei brucia dalla voglia di rivedere Charlie, ma mi perdona se anche stavolta io non deroghero dalla mia massima: chi va piano...

– Si figuri, professore. Sono sempre stata anch'io dell'idea. Piuttosto mi spiace d'averla disturbata. Potevo benissimo prendere la littorina...

– Non dica, signora, cosí lei mi mortifica, – rispose, con maggiore enfasi di quanto desiderasse.

Attraversarono la città diretti al ponte. Il professore guidava ultrapiano, anche perché i passanti, letteralmente accecati dalla pioggia, avevano scatti e sbandamenti inconsulti. Sotto quella pioggia le stesse presuntuose insegne al neon pendevano non meno slavate e mosce di ramoscelli. Sotto l'ultima arcata dei portici un bambino si svincolò da sua madre e venne a filo dell'asfalto. Prima che sua madre lo rimprigionasse, aveva levato le mani alla pioggia, per sgridarla o per applaudirla. Il professore procedeva cosí piano che la moglie di Charlie aveva tutto il tempo di cogliere scenette come questa per l'intero loro svolgimento.

– E come va Charlie? – domandò il professore con leggerezza, quasi scontando la risposta favorevole.

– Bene. Molto bene. L'ultima lastra è stata incoraggiante. Molto incoraggiante.

Poi indicò la pioggia, non quella che tempestava il parabrezza, ma la piú lontana, quella che oscurava l'orizzonte. – La grande pioggia, – disse. – L'ha visto?

– Sí. Con Lana Turner e Richard Burton. Ma io preferisco la prima edizione. Con Myrna Loy e Tyrone Power.

La moglie di Charlie non aveva visto il primo film. Era giovane la moglie di Charlie.

Imboccarono il ponte. Malgrado il diluvio le ringhiere erano gremite di gente che s'era fatta non meno d'un chilometro per ammirare lo spettacolo del fiume in piena. Tra un interstizio e l'altro videro le acque color cioccolato avventarsi in onde lunghissime, perforate qua e là da grandi vortici. E c'era un rombo, ma simile, e perciò innocuo del tutto, a quello di una ferrovia sotterranea. Malgrado tutto ciò, non fecero commenti.

Arrivarono all'altra città per le due esatte. Ora il professore pilotava secondo le indicazioni della moglie di Charlie. Le indicazioni della moglie di Charlie erano confusionarie e tardive, lo obbligavano a manovre brusche, la signora si scusava con la pioggia tanto fitta e violenta da confondere topografia e paesaggio. Infine arrivarono alla clinica, tutta illuminata, alle due del pomeriggio.

La pensilina era ingombra di vetture e il professore dovette parcheggiare alla pioggia battente. Si avventarono al marciapiede e al riparo del cornicione moderarono il passo.

– Charlie non ha mai potuto soffrire questa città e ha dovuto finirci ammalato, – disse la moglie di Charlie, con gli occhi d'un tratto nuziali.

– Non so perché, ma nemmeno io ho mai potuto soffrirla. Però, la clinica è bella, molto bella.

Anche all'interno, mentre salivano al secondo piano, il professore non cessava di lodar quella clinica. – La nostra città è in pieno boom, e questa è in regresso, ma la bella clinica ce l'ha la città in regresso. Non è strano, signora Mimma, non è un tantino scandaloso?

Lei non rispose perché già stava premendo sul pulsante della porta di Charlie.

Charlie era in vestaglia rossoblú, bella seppure un po' abbondante. Il professore avrebbe giurato che Charlie non stava bene in vestaglia, e invece ci stava benissimo. Charlie era appena sbarbato e poi aveva un po' esagerato nello spruzzarsi il viso di colonia.

Naturalmente si erano abbracciati e baciati, Mimma con slancio e Charlie in souplesse. Il professore, scapolo, già affondato in poltrona, era colpito dal dominio, completo eppur cosí leggero, che Charlie aveva sul corpo della moglie;

ne guidava, ne accentuava o smorzava i movimenti con una sicurezza e destrezza come se comandasse ai suoi propri muscoli e riflessi. Ma il professore vide anche che la mano di Charlie sul dorso della moglie, era floscia e stanca, vecchia e snervata, con un'ultima e grande voglia di cadere.

– Davvero, Charlie, l'ultima lastra è cosí incoraggiante?

– Come ti ho telefonato. Ma te lo dirà lo stesso professore. Desidero, anzi voglio che tu lo chieda allo stesso professore.

– Non uscirò di qui senza averlo fatto, – rispose lei con un tono di sfida perentoria, ma sorrideva.

– Scusaci prof., – disse poi Charlie.

Charlie era stato, a giudizio unanime, il miglior liceale della generazione, ma poi non s'era laureato, e cosí chiamava sempre i suoi amici, anche i piú intimi, col loro titolo accademico, con serietà, con puntiglio.

– Scusaci prof. E, Mimma, come stiamo a soldi?

– Al ritmo attuale ne avremo ancora per tre mesi.

– Ah. Cosí debbo guarire per Natale.

– Sí, Charlie, ma non per i soldi. Per quelli in qualche modo faremo.

– Per quelli in qualche modo farete, – echoed il professore, in tono ironico di apocalisse. Posso fumare, Charlie?

– Fumo io stesso.

– Ah, Charlie, – disse sua moglie.

– Ma poco. La suora mi conta i mozziconi.

– E io son certa che tu la truffi.

– Naturalmente. Mezze le cicche finiscono nello scarico del lavandino. Puoi controllare, cara. L'acqua fa già un po' di rigurgito.

– Ah, Charlie, – disse lei, ma con le labbra gli baciò l'angolo della bocca.

Poi il professore domandò a Charlie se l'aveva depresso, se lo deprimeva quella grande lunga pioggia, ma Charlie fece lo stranito. – Voi dite che ha piovuto e che piove?

Il professore capí che non si doveva insistere sull'argomento tempo e disse: – Bella camera t'hanno dato, bellissima.

– Non fosse per la luce al neon, – rispose Charlie. – Che mi risulti, prof., tu non sei mai stato ammalato. Seriamente, voglio dire. Ebbene sappi che l'ammalato è sempre davanti allo specchio, per vedersi i progressi in faccia. Ma la maledetta luce al neon ti fa smunto e cinereo... Vero che non sono smunto né cinereo? Dimmelo tu, prof.

– Hai un'ottima cera, – disse il professore. – A vederti da fuori...

– Questo mi fa ricordare la lastra, – lo interruppe Charlie. – Su, Mimma, scendi dal professore. È il primo box dopo l'atrio. Voglio che ti confermi da te stessa. Su, vai. È inutile che ti dai di torno, non troverai proprio niente da rimediare. Qui il servizio è perfetto. E non dire che ci mancherebbe, con la retta che si paga. Va'.

Uscita la moglie, tacquero a lungo. Lui e il professore erano il tipo di amici che possono stare insieme in indeterminato silenzio per ore intere, solo attentissimi ai gesti, anche a quelli peristaltici.

Racconti fantastici

Una crociera agli antipodi

«I must down to the seas again...»

Questa è un'antica storia, che ormai sa piú di polvere che di salsedine, ma voglio raccontarla ugualmente, sebbene io ci faccia una meschina figura e tutto l'onore vada, com'è giusto, al vecchio marinaio Harry Bell che mi salvò la vita durante la crociera agli antipodi del 17...

Questa memorabile crociera della squadra del commodoro Earlwood fu per Harry Bell l'ultimo imbarco. Quando salpammo da Plymouth, aveva cinquantotto anni suonati, ben quaranta dei quali consumati nella flotta da guerra.

La squadra Earlwood era formata dal *Diomedes*, dal *Valiant*, che batteva l'insegna del commodoro, e dal *Northumbria*.

Io avevo allora ventidue anni, mi facevo chiamare Bobby Snye e mi dicevo delle parti di Newbury; in realtà mi chiamavo Robert Wooland e venivo da Chichester. Al termine della presente narrazione rivelerò come e perché mi trovai imbarcato per quella crociera sul *Diomedes* (capitano Stimson).

Un'ora prima che si levasse l'ancora io venni letteralmente scaraventato in una stiva del *Diomedes* dove già si trovavano Harry Bell, il suo primo amico Tom Jackman, l'irlandese O'Shea, Chandler, Mullins e altri marinai di cui ho dimenticato i nomi. Avevo gli occhi gonfi di pianto e tremavo verga a verga. Tutti, compreso Harry Bell, si dissero che ero lampantemente una preda della *press gang** e quando me ne chiesero rudemente conferma io balbettai qualcosa che non era una smentita. L'irlandese scoppiò a ridere e giurò che,

* La famigerata ronda arruolava di forza gli uomini per il servizio navale.

tornati che fossimo dagli antipodi, il sergente della ronda che mi aveva impacchettato sarebbe finito sotto processo per grave oltraggio e danno arrecato alla marina. Tutti sghignazzarono con O'Shea, tranne Harry Bell, e in quel momento si udí sul ponte il fischietto del nostromo Jones.

La mia prima uscita in coperta provò, se necessario, che non ero marinaio e non lo sarei diventato mai. Resistevo passabilmente al rollio, ma soffrivo alla nausea il puzzo del catrame. Quanto al mangiare, per due settimane vomitai alla prima cucchiaiata, spruzzando i compagni che ne ridevano o bestemmiavano. Non sapevo fare il piú semplice dei nodi e ad ogni momento mi imbambolavo a guardarmi le mani annerite e piagate; quanto a lavorare sugli alberi, nemmeno il nostromo, nemmeno col gatto a nove code, riuscí mai a farmi salire oltre il primo pennone. Anche sul primo pennone, anche senza un filo di vento, mugolavo di terrore e quando finalmente riposavo i piedi sul ponte tremavo lungamente come se lassú avessi contratto il delirio.

Un giorno – navigavamo al largo delle Canarie – il nostromo Jones disse ad Harry Bell:

– Bell, sgrossami un tantino questo inqualificabile Snye, sgrossamelo di quel tanto che noi non si debba arrossire in eterno di aver spartito un ponte con lui.

Rispose Harry Bell: – Già lo seguo e me ne interesso, senza che nessuno me l'avesse detto. Ma in quanto a far di lui un marinaio, tranquillamente vi dico, nostromo, che alla fine di questa crociera non ne avremo cavato di piú di quel che ne abbiamo cavato il primo giorno.

Al che il nostromo si fece gonfio e rosso come un tacchino e disse:

– È questa la tua opinione, Harry Bell? Se non acquista un tantino sotto di te allora vuol dire che possiamo senz'altro frustarlo a morte oppure gettarlo fuoribordo agli squali. Se invece lo conserviamo, vorrà dire che se agli antipodi ci troveremo scarsi di viveri potremo mangiarcelo senza fare peccato mortale.

Non riferirò alcun altro fatto o discorso: il lettore si è già reso conto di quale calvario fu per me quella interminabile crociera agli antipodi; e passo subito al momento in cui divenni debitore di Harry Bell di questa vita che ha toccato, ora che scrivo, il suo sessantacinquesimo anno.

Ci fu una grande, straordinaria tempesta, il giorno in cui scadeva il sesto mese da quando eravamo partiti da Plymouth. Non domandatemi in qual punto dell'Atlantico ci trovassimo: sicuramente di molto a sud della Patagonia. La tempesta nacque nel tardo pomeriggio. Prese a tirare da sud-est un vento cosí forte che scavava l'oceano come un cucchiaio la minestra e sul filo delle ondate alte già quaranta piedi galoppavano branchi pazzi di schiuma. La temperatura si abbassò e la luce diminuí, sebbene i colori del lontano cielo rimanessero splendidi e fissi. C'era, ricordo, del rosso sangue, del verde giada e del giallo zolfo. D'un tratto presero a vorticare e a miscelarsi come in un mulinello e il risultato fu che il cielo assunse una tinta cosí sinistra da non poter reggere a fissarlo.

Harry Bell mormorò al suo amico Jackman:

– Sbircia un attimo il cielo, Tom, e poi dimmi se non sei d'accordo con me che quello non è cielo per noi uomini. Cosí infatti, mi pare, doveva essere il cielo prima della nascita di nostro padre Adamo, e cosí immagino apparirà quando l'ultimo uomo sarà stato risucchiato in altra sfera.

Intanto dal *Valiant* segnalavano di manovrare in modo da ridurre il pericolo di collisioni. Alla murata di tribordo si adunarono alcuni dei piú vecchi ed esperti marinai. Erano il secondo, signor Stricklyn, il nostromo Jones, Harry Bell, Tom Jackman, l'irlandese O'Shea e un paio d'altri. Urlavano, per sopraffare il vento.

Gridò il secondo: – I violini sono pronti e cosí i clarinetti, ma in fede mia io ne ho già abbastanza del preludio.

– Avete ragione, signor Stricklyn! – urlò Jackman, – ma nessuno potrà rifiutarsi di ballare. Oh, quanto preferirei ritrovarmi nel piú caldo di Salavera*!

E il nostromo: – Ricordate, signor Stricklyn, la dannata tempesta al largo delle Faroer?

– Eccome! – urlò il secondo. – Per colmo d'ironia ero imbarcato sul *Merryweather*!

* Famosa battaglia navale vinta dall'immortale ammiraglio Lyttleton contro una coalizione franco-prussiana.

– Ebbene, – riprese Jones, – in quell'occasione pensai d'aver scontato il mio debito con l'ira del Signore. Per quel che riguarda l'aldiqua, beninteso. Ora però vedo che mi sbagliavo, e prego Dio di aver pietà dell'anima mia, se non della mia carcassa, e prego il re di voler pensionare la mia vecchia Susie.

E Harry Bell disse: – Dio aiuti gli uomini cui toccherà salire a riva nel colmo della tempesta.

Solamente O'Shea non parlò, ma continuamente sputò in faccia all'oceano e gli faceva versacci.

Per le dieci della notte la tempesta era completa.

Cielo e mare si azzuffarono. Fulmini scoppiavano a mazzi.

La forza del vento era tale che strappò i fanali del *Diomedes* e roteandoli come palle di brace li scagliò oltre l'orizzonte. Gli alberi crepitavano, le vele tuonavano come cannoni d'assedio. Le onde erano alte cento piedi e le voragini che continuamente si aprivano potevano facilmente ingoiare interi villaggi con guglie e campanili. I vascelli ci sparivano in un attimo e ne riaffioravano dopo un tempo infinito. Alla luce dei lampi si vide che il *Northumbria*, col timone spezzato, roteava come una trottola.

Manco a dirlo, io me ne stavo sottocoperta. Il fasciame rimbombava, amache e lanterne sbattevano, oggetti andavano e venivano a seconda dell'inclinazione. Topi e bacherozzi erano usciti dai loro buchi e fissavano negli occhi gli uomini. I quali pregavano o imprecavano, cantavano o sospiravano. Io singhiozzavo perdutamente, con la testa avviluppata in una coperta.

Verso la mezzanotte il boccaporto si spalancò e si affacciò, sprizzando acqua da tutti i pori, il nostromo Jones.

– O'Shea! – urlò, – Chandler, Mullins e Snye! Fuori, a lavorare a riva! Subito a riva o la nave è spacciata!

I chiamati si alzarono e salirono, io stramazzai sull'impiantito e lí andavo e venivo con gli altri oggetti, sempre con la testa incappucciata.

– Snye! – urlò Jones. – Tu salirai soltanto sul primo pennone. Fuori verme schifoso!

Per tutta risposta io lanciai uno strido acutissimo, che competeva con gli altri fragori della tempesta.

– Snye! O sali su quel pennone o ti ci impiccheremo!

Intanto il nostromo scendeva verso di me e un marinaio disse:

– Spezziamogli il cranio, tanto è già bell'e incappucciato.

In quel momento risuonò la voce salvatrice di Harry Bell, il quale rientrava da quattro ore di fatiche e di rischi mortali in coperta.

– Io, – disse Harry Bell, – io prenderò il posto di Snye. E perché abbiate a guadagnarci nel cambio, salirò fino a riva.

– Non so perché lo fai, Harry Bell, – gridò il nostromo, – ma se vuoi farlo sbrigati! – e sparirono insieme sul ponte.

Fu appunto in quella salita a riva che si perdette O'Shea. La bufera lo strappò da un traversino e lo scagliò in mare a miglia di distanza.

Dopo trenta ore quella inaudita tempesta si placò e le tre navi accostarono per esaminarsi e medicarsi a vicenda. Io cercai di prendere in disparte Harry Bell per protestargli eterna riconoscenza, ma il vecchio non mi lasciò nemmeno incominciare e mi piantò in asso per presentarsi al nostromo Jones che accennava di volergli parlare.

– Harry Bell, – disse il nostromo, – non voglio domandarti perché hai fatto quello che hai fatto per il turpe Bobby Snye, ma tu devi raccontarmi ciò che hai provato a riva nel colmo della tempesta.

– Ve lo racconterei, nostromo, se non mi trattenesse il timore che voi non crederete un'oncia di quella che purtuttavia è la verità.

– Tu dimmi la tua verità, – rispose Jones tremendamente serio, – e io son pronto a ripeterla al capitano Stimson e allo stesso commodoro.

Allora Harry Bell gli raccontò, con tutta la concisione e insieme la minuziosità che un intenditore quale il nostromo meritava, della sua salita a riva e del lavoro che fece lassú nel colmo della piú grande tempesta a memoria di vecchio marinaio. E durante il lavoro a riva ebbe visioni.

– Visioni! ? – fece il nostromo.

– Visioni, – confermò Harry Bell, – o, per meglio dire, spettacoli. Spettacoli incredibilmente nitidi e calmi in quel caos mortale. Ma è proprio qui, nostromo, che non vorrete e non potrete credermi.

– Ti ripeto, Harry Bell: tu dimmi la tua verità e io sarò pronto a giurarla davanti ai Lords del Mare, sotto pena del capestro.

Allora Harry Bell riferí le sue visioni.

– Una volta che la nave s'impennò in cima all'onda gigantesca, vidi il porto di Canton nella Cina. Laggiú faceva bel tempo e mare liscio. E vidi distintamente una squadra inglese entrare in porto, ma non potei leggere i nomi delle navi. E una volta che la nave sprofondò nella voragine piú spaventosa, vidi chiaramente il popolo dei capodogli in cerimonia. Avevano eletto il loro re e stavano giusto incoronandolo; il tutto con grande pompa e dignità, proprio come facciamo noi a Westminster. E una volta che la nave ruotò su se stessa – per un terribile colpo di mare, probabilmente lo stesso che strappò quel povero irlandese matto – quella volta, dalla mia posizione pericolosissima ma estremamente privilegiata, potei vedere il cimitero del mio villaggio nello Staffordshire. E vidi la tribú dei miei fratelli, cognate e nipoti portare fiori e sorrisi alla tomba dei miei genitori, e dai sorrisi capii che i due vecchi erano morti da gran tempo.

Per il resto della crociera non accadde piú nulla di lontanamente simile e, per non affliggere anima viva con la relazione dei miei particolari, incessanti dolori e disagi, passo immediatamente al nostro ritorno a Bristol ventotto mesi dopo la partenza da Plymouth. Informerò soltanto che il primo amico di Harry Bell, Tom Jackman, morí di malattia e venne sepolto in mare al largo della Guinea.

Sbarcai con Harry Bell dal *Diomedes* e dopo una sosta in un bar per l'ultimo rum accompagnai il vecchio all'Ospizio degli Ex-Marinai della Reale Flotta da Guerra. In vista dell'edificio Harry Bell posò a terra la sua sacca per salutarmi decentemente, ma io gli feci certo perder piú tempo di quel che lui avesse preventivato.

– Harry Bell, – gli dissi, – non mi capacito che vi ritiriate in un ospizio. Indubbiamente questo è un onorevole ospizio e, a quel che vedo, i ricoverati portano una bellissima divisa rossa e turchina. Ma voi non siete un vecchio bisognoso. Siete sempre stato uomo temperato e certamente avete risparmiato bene. Come mai non ritornate al vostro villaggio nello Staffordshire? Forse che non potete vivere lontano dal mare?

– Non è questo, Bobby Snye, – mi rispose. – È che io non sono un illuso come Jimmy Barnet.

– Non vi ho mai sentito nominare questo Barnet, – osservai.

– Fu l'uomo che io accompagnai a questo ospizio cosí come adesso tu ci hai accompagnato me. L'uomo che mi fu maestro sul mare. Ebbene, Jimmy Barnet si illuse di poter tornare a casa sua dopo quarant'anni di mare. Volle ritirarsi nel suo villaggio natío, a duecento miglia dalla costa piú vicina. Metà della casa paterna gli spettava di diritto e Jimmy ci avrebbe abitato in comunione col fratello Clem maniscalco. «Mi piacerà, – diceva, da quel povero illuso che era, – mi piacerà dormire le mie ultime notti nel letto in cui mia madre mi partorí e sedere alla tavola dove mangiai la mia prima zuppa; e resterà pur qualcuno che fu ragazzo quando io ero ragazzo e con lui passerò le serate. Berremo birra e vino drogato a seconda della stagione, io gli racconterò del mare e lui mi racconterà della terraferma, e sarà bello, immagino, sentirci un uomo intero fra tutt'e due».

Harry Bell sospirò profondamente e proseguí:

– Lo accompagnai alla diligenza per l'interno, gli sistemai il bagaglio e gli dissi: «Sta' bene com'è giusto che tu stia, Jimmy Barnet, e ricordati che di tutta la flotta del Re tu per me verrai sempre primo». Jimmy Barnet guardava al disopra della mia testa, al mare. Gli dava l'ultima occhiata, lunga sí, ma non esageratamente grave, senza affetto e senza rancore. Ci aveva consumato quasi tutta la vita e francamente ne aveva abbastanza, lo lasciava come alla fine si lascia un individuo estremamente interessante ma sostanzialmente equivoco con cui si è convissuto per tanti, troppi anni. Poi la diligenza partí.

– Benissimo, – dissi io stupidamente. – E perché mai, Harry Bell, non fate lo stesso di Jimmy Barnet che vi fu maestro sul mare?

Il vecchio si spazientí.

– Tu sei molto svagato, mastro Snye. Non m'hai sentito che l'ho trattato da povero illuso? Ascolta il seguito piú attentamente. Appena dieci giorni dopo lo ritrovai, col medesimo bagaglio, in una viuzza di Bristol, che cercava proprio di questo ospizio. Mentre ce lo accompagnavo, mi raccontò come erano andate le cose al paese. «Nulla di mio, – mi disse, – nulla di mio è rimasto lassú. Come entrammo nella valle mi sporsi dal finestrino e guardai a mezzacosta dove sorgeva la casa di nostro padre. Non vidi altro che qualche rudere affumicato. Scesi al presbiterio e con molta fatica mi diedi a conoscere. Il pastore mi spiegò che la nostra casa era andata distrutta in un grande fuoco e, quanto a mio fratello Clem, da ben dodici anni era emigrato in America con tutta la famiglia. Pensa, Harry, che noi forse abbiamo incrociato la nave che ce lo portava. Il pastore si disse comunque contento che fossi tornato io, cosí qualcuno l'avrebbe finalmente aiutato a strappar la gramigna dalla tomba dei miei genitori. Io non volli saperne di piú e mi sedetti sui gradini del presbiterio, ad aspettare la diligenza per l'ovest. E aspettando badavo a tener lontani con smorfie e versi i bambini troppo curiosi e intanto mi ripetevo: "Torno dai vecchi marinai che sono gli unici fratelli rimastimi al mondo, mi ritiro nell'ospizio di Bristol dove avrei dovuto fermarmi subito, non fossi stato un vecchio stupido illuso"».

Ciò detto Harry Bell sogguardò il portale dell'ospizio per farmi intendere che per lui era il momento di separarci. Gli raccolsi la sacca ma prima di porgergliela gli feci quella tal domanda che non mi era stato possibile fargli da dopo quella straordinaria tempesta oceanica.

– Almeno ora mi spiegherete, Harry Bell, perché prendeste il mio posto a riva.

– Perché? – fece Harry Bell, strappandomi la sacca di mano. – Ma perché, Bobby Snye, eri un poveraccio impacchettato dalla ronda. E sul mare è giusto che ci muoia chi l'ha scelto.

Arrossii violentemente, ma per fortuna Harry Bell si era già avviato all'ospizio. Lo seguii con lo sguardo fino a che entrò nella segreteria. Poi volsi le spalle all'ospizio, a Bristol, al mare, e camminavo verso Chichester, fermamente deciso ad arrivarci a piedi e, quel che piú conta, a metter testa a partito per il resto della mia vita.

Infatti, non ero finito nella flotta e sul *Diomedes* perché acciuffato dalla barbara *press gang*. Ero l'unico figlio di un agiato e stimatissimo cittadino di Chichester, troppo tenero e liberale con me che avevo bassi sentimenti e cattive inclinazioni. Tra i diciotto e i ventun anni ne combinai tante e tali che alla fine il mio pur amorosissimo genitore non solo mi serrò la sua borsa, ma fece emettere dal magistrato un'ordinanza per cui non potevo allontanarmi piú di un miglio dalla città di Chichester. Di questa ingiunzione non mi preoccupai eccessivamente, anche perché ero riuscito a corrompere il conestabile. Prova ne sia che il guaio piú grosso e fatale lo combinai a Towbridge, a trenta miglia da Chichester. A Towbridge, in una nottata persi al gioco cinquanta ghinee che avevo fraudolentemente riscosso da un debitore di mio padre e, peggio, ne persi altre cento che mi prestò un certo usuraio che era nel contempo spadaccino e biscazziere. Non trovai il coraggio di presentarmi e confessarmi a mio padre, non avevo nessun mezzo di soddisfare altrimenti quel terribile debito e d'altra parte mi era stato concesso brevissimo respiro, e in un tale stile da darmi gli incubi diurni. E cosí, per farla corta, quando si trovò a fuggire per la strada di Newbury, inseguito da quel tal creditore coi suoi scagnozzi armati di coltelli e bastoni animati, il vostro Bobby Snye non ebbe altro scampo che saltare sul carrozzone che portava a Plymouth le reclute della marina.

Storia di Aloysius Butor

Mi chiamavo Aloysius Butor e nacqui nel villaggio piccardo di Le Quesnoy, nel 149., da famiglia oscura ma non vile. Mio padre era scrivano e anche poeta d'occasione e mia madre, da fanciulla, aveva servito in alto luogo, guardarobiera della contessa di Cambrai.

Contavo sedici anni quando perdetti entrambi i genitori nello spazio di qualche mese: mio padre se lo portò via la peste dell'anno del giubileo, mia madre morí poco dopo di melancolia.

Seppellita mia madre, partii per Douai, chiamato a vivere nella sua casa e a lavorare nella sua bottega da uno zio materno, Martino Dellonck, di mestiere armajolo.

Presso lo zio Martino rimasi anni due e otto mesi. Con la dura fatica e il buon cibo – lo zio non mi misurava né l'una né l'altra – crebbi muscolosissimo. Ero di media statura, avevo ampie spalle e la testa piccola e perfettamente rotonda.

A furia di batter lame e piastre, e di ascoltare i discorsi degli avventori, venni a desiderare di passar la vita a usarle, le armi, piuttosto che a fabbricarle. Spiando i gentiluomini e i bravacci che nel cortiletto dell'officina provavano le lame, imparai qualche buon tiro e trucco di scherma e li mettevo in pratica nei duelli che per gioco si facevano tra noi garzoni in assenza di Martino Dellonck. Di tutti io ero indiscutibilmente il piú forte e il piú svelto. Lo zio, che in bottega non tollerava scherzi d'armi fra la sua gente, una volta che mi sorprese a forbire una lama con una espressione assorta e torbida, piú da spadaccino che da spadaio, mi disse:

– Bada che son cose da gentiluomini o da ribaldi. Tu gentiluomo non sei nato, e se pensi di metterti a bravare io farò le veci di tuo padre in romperti la testa.

Si noti bene, non ero fannullone. Il lavoro non lo rinnegavo né lo scansavo, ma venivo convincendomi che ero nato non già per un lavoro comune e quotidiano sebbene per un lavoro che presentasse alte punte di sforzo e di rischio e offrisse poi lunghi e spensierati riposi. Come dire che venivo convincendomi che avevo da essere, ad ogni costo, soldato di ventura. Naturalmente non mi manifestai con alcuno e per meglio mascherarmi all'occhio dello zio mi comportavo il doppio piú laborioso ed assennato.

Ma un giorno di maggio – le strade odoravano di biancospino e il sole splendeva come a garantire che non sarebbe tramontato mai – attraversò Douai la libera compagnia del capitano Arnaut. Lo zio Martino era via, andato a consegnare una partita di daghe alla milizia di Onfroy, e, cosí come mi trovavo, con appena un pugnaletto sotto la camicia fuligginosa, mi calai da una finestrella e mi confusi tra la retroguardia.

Mi scoprí un sergente, al tramonto, a piú di sei leghe da Douai, e mi trascinò al cospetto del capitano Arnaut, sulla sponda di un torrente, dove gli stavano montando la tenda. Col suo occhio torto il capitano mi scrutò da capo a piedi e io temetti che desse infine l'ordine di appiccarmi al primo albero, sebbene in vista non fossero che salici. Ma non mi puní, nemmeno mi scacciò, comandò che aiutassi il cuciniere, naturalmente senza soldo. Ogni giorno però un vecchio venturiere boemo, con diciassette cicatrici, di nome Kaspar, mi addestrava in picca e spada, e io vi feci tali progressi che in capo a un mese ero passato soldato.

Col capitano Arnaut rimasi un anno e mezzo, fin quando fummo da un battaglione olandese rotti e dispersi al ponte di Harelda.

Mi tenni stretto al vecchio Kaspar e ci arruolammo nelle bande franche del capitano Ernzer. Ma il soldo non correva regolare e in piú il comando era brutalissimo, per cui dopo cinque mesi ci ammutinammo: legato al palo il capitano Ernzer e ognuno colpitolo al viso, presa e spartita la cassa del comando, ci sparpagliammo ai quattro venti.

Seguirono lunghi e penosi mesi di disoccupazione, senza che si levasse la piú misera guerricciola, e arrivammo agli estremi. Stavamo risolvendoci ad imitare alcuni nostri commilitoni che si erano buttati alla strada maestra quando, in un fienile sulla strada del Limburgo, ci raggiunsero due notizie. La prima, che i nostri compagni banditi erano stati tutti presi ed appiccati; l'altra, che sulla piazza del mercato di Tryon i sergenti imperiali stavano reclutando in massa per una campagna in Germania: «per una Germania», come si diceva tra noi mercenari.

Ci arruolarono a prima vista e sotto quelle bandiere servimmo per un paio d'anni.

A Tillenberg, nell'ultima battaglia, al buon vecchio Kaspar toccò una ferita da spingarda alla coscia sinistra. Lo trasportarono a un monastero poco distante, dove io potei raggiungerlo solo l'indomani. La ferita era andata in cancrena e da un segno che mi fece un frate capii che sarebbe morto prima di vespro. In quella sua ultima ora non si preoccupò che di me.

– Figlio mio, – mi disse già col rantolo, – questa palla slesiana, certamente intinta in decotto di ragni, mi risolve il problema del futuro. Ma consideriamo il tuo futuro. Ebbene, io ti profetizzo che tu non conoscerai mai piú strettezze né disoccupazione. Ti si schiude dinnanzi la piú bella prospettiva che mai si sia offerta a un soldato, dai primordi della nostra professione. Segna quel che ti dico, Aloysius, figlio mio. Questi contrasti nelle cose di religione porteranno a guerre prodigiose. Per questa inaudita faccenda della libertà di coscienza si farà guerra per almeno trent'anni filati. Sicché avrai pane e lavoro per tutta la vita.

E dopo avermi consigliato di entrare nell'armata che si diceva stesse per levare, d'ordine dell'Imperatore, il Duca di Stettino, fece con naso e bocca una smorfia come per scacciarsi una mosca e spirò. E in quell'istante io mi sentii effettivamente orfano.

Kaspar mi teneva la mano sul capo, riuscii ad arruolarmi nell'armata del Duca di Stettino.

A quell'epoca era già scoppiato quello che viene chiamato lo schisma e si allargava sulle terre come una pestilenza.

Interi popoli passarono alla nuova fede, trattando da anticristi quelli che sino ad un anno prima erano stati i loro buoni, infallibili e venerati pastori. Nella mia sola guarnigione di Ludlinga vidi rifugiarsi tre vescovi e una torma di frati fuggiaschi, laceri e polverosi, lividi e vendicativi. Alcuni sotto le tonache avevano portato in salvo pissidi, reliquie e immagini miracolose.

Com'era facile prevedere, quegli stessi popoli che avevano ardito rivoltarsi al Papa in materia di fede non si peritarono contrastare l'Imperatore nelle cose dello stato e la ribellione fu presto religiosa e politica insieme.

La terra che piú si accese fu la Slivonia, e l'armata del Duca di Stettino, forte di diciottomila uomini, marciò sulla Slivonia. Erano nei nostri ranghi non meno di cinquecento monaci della Inquisizione col giaco di maglia sotto il saio e la spada al fianco, che correvano all'assalto con noi brandendo un crocifisso e ululando come lupi, e a sera si sparpagliavano nei nostri bivacchi e un po' ci spiavano e un po' ci addottrinavano, con lunghe prediche sull'amore e sull'odio, sulla salvezza delle anime e sullo sterminio dei corpi. E, a quanto si mormorava, si intromettevano nei consigli di guerra, entravano senza farsi annunziare nei padiglioni dell'alto comando e tenevano in grande soggezione quasi tutti gli ufficiali, specie gli spagnoli.

Quella prima campagna riuscí infelicemente, com'è su tutti i libri di storia. Il Duca di Stettino si dimostrò condottiere insufficiente e d'altra parte i ribelli (o protestanti, o riformati, o indipendenti, o coscienze delicate, come si facevano chiamare) si batterono molto meglio di quanto si potesse far loro credito. Fatto sta che fu un'armata sconfitta, perché non chiaramente vittoriosa, quella che rientrò nei quartieri d'inverno. Ma l'Imperatore nostro padrone si persuase che nessuna colpa andava alle truppe e ci raffermò tutti. Licenziò invece il Duca di Stettino e verso la metà di febbraio apprendemmo che per la prossima campagna saremmo stati agli ordini di un condottiere italiano, conte della Palomara (o della Palombara), che voci dall'Italia dicevano il degno erede di Annibale e di Cesare e che noi dovevamo salutare col titolo di Gran Capitano.

L'esercito che l'Imperatore gli affidò contava trentamila uomini e un potente treno d'artiglieria.

Questo Gran Capitano io lo vidi il giorno stesso che ci mettemmo in marcia per il nord. Caracollava tra un nugolo di colonnelli spagnoli e di trombettieri, in sella a un cavallo arabo donatogli a Napoli dall'Imperatore, coi finimenti imbullettati d'oro. Era di statura meno che media e come lo sentii rivolgere la parola, in un misto d'italiano e di spagnolo, a quei colonnelli mi parve soffrisse di una leggera balbuzie. Aveva l'occhio della civetta e il naso dell'aquila e una barbetta brizzolata che saliva a confondersi con le guancere argentee del suo elmo, il quale portava sul frontale la tremenda testa della Medusa e sulla cresta due piume: una nera e una bianca, e un monaco presso di noi ci spiegò che la piuma nera stava a indicare che il Gran Capitano non offriva quartiere e la bianca che egli combatteva per una candida fede. Dirò in ultimo che portava una meravigliosa armatura milanese e sebbene il lustro e l'intatto rilievo delle sculture e la purezza delle parti lisce la dicessero nuova di zecca, pure gli stava indosso comoda e pieghevole come a un notaio la sua vecchia zimarra.

Il Gran Capitano giustificò appieno la sua fama italiana di degno erede di Annibale e di Cesare – fu, tra l'altro, il primo generale cui vidi tener sempre sottomano una buona riserva e impiegarla poi al momento giusto e con tutta la dovuta energia – e la campagna procedeva fortunata e gloriosa.

Ma io ero oscuramente scontento e tremebondo, seppure dal lato professionale non mi fossi mai trovato cosí bene. Servire sotto il Gran Capitano sarebbe stata una gioia anche per il primo uomo della nostra professione e ora in ogni città espugnata avevamo diritto di sacco per trentasei ore (contro le diciotto che ci accordava il Duca di Stettino); in piú, a ogni segnalata giornata i cassieri imperiali ci corrispondevano un soprassoldo, in quel bellissimo argento che veniva d'oltreoceano coi galeoni. Ma io ero oscuramente scontento e assillato da presentimenti e superstizioni, come mai m'era capitato prima. E cosí ogni notte, o quasi, fatto il mio turno di guardia e rientrato sotto la tenda, prima di pigliar sonno mi rivolgevo allo spirito di Kaspar.

– Kaspar, – solevo dirgli, – questi monaci non mi piacciono. Non mi piacciono, ma li temo. Non temevo cosí il capitano Ernzer, che sia punito anche all'inferno. Ma li temo, e oggi stesso, lo dico con vergogna, come uno di loro mi passò accanto io finsi di star recitando le orazioni, per voglia che quello mi approvasse e mi sorridesse. Infatti cosí fece e io arrossii come brace. Questi frati – che, se non vado errato, non si vedevano piú tra i soldati dai tempi favolosi delle Crociate – hanno tutto cambiato nel nostro mestiere. Per loro l'odio val meglio della perizia, e tu sai che non può esservi snaturamento e insulto piú grave per il nostro mestiere.

Sospiravo un poco e riprendevo:

– Kaspar, – dicevo, – questa stessa gente che abbiamo contro... Io personalmente preferirei trovarmi davanti a qualsiasi altro tipo di esercito, fossero anche micheletti spagnoli. È gente disperata, Kaspar, e donne e vecchi e fanciulli combattono e cadono accanto agli uomini validi. No, no, Kaspar, io non ho nessuna inclinazione per questa loro nuova fede. Ti dissi una volta, e te lo confermo ora, che in vita mia mai provai un qualsivoglia impulso religioso. Anzi, mi indispettisce, mi imbestialisce a volte, quella loro folle presunzione di rivoltarsi all'autorità costituita e riconosciuta da secoli. Ma quando dall'altra parte del campo li sento intonare i salmi, ebbene io arrossisco e tremo come una fanciulla. No, non capire che intendo disertare da questo esercito imperiale e magari passare dalla loro parte. Fra l'altro costoro hanno in orrore i mercenari e dicono che un solo mercenario assunto in mezzo a loro profanerebbe per sempre la loro santa armata. Ragion per cui se io disertassi a loro, mi ucciderebbero cosí come meglio non potrebbero uccidermi mentre io li assalto.

Naturalmente Kaspar nulla mi rispondeva. E d'altro canto io presapevo benissimo ciò che mi avrebbe risposto se avesse potuto: – Aloysius, queste sono almanaccate indegne di un venturiere. Il comando è buono? Il soldo corre? Tutto il resto è un'indegna almanaccata.

Vincemmo cinque battaglie consecutive. I campi erano letteralmente tappezzati di cadaveri e delle carogne dei loro cavalli, dal quale strato si sollevava di giorno una densa nebbia giallastra e di notte miriadi di fuochi fatui grossi come il pugno, visibili a leghe di distanza. Inoltre, da ogni superstite albero pendeva, e marciva, un ribelle, soldato o borghese – proprio da quegli alberi sui quali questa strana gente, al dire dei nostri monaci, soleva arrampicarsi e agguattarsi tra i rami per adorare Iddio a modo suo, indirizzandosi a Lui con preghiere che si inventava lí per lí, trattandolo insomma con una intimità scandalosa.

Il cielo della Slivonia non conosceva piú né alba né tramonto, annerito dalle colonne e nuvole di fumo che si alzavano dai nostri incendi. Per non dire del mobile ma incessante oscuramento prodotto da infiniti stormi di avvoltoi e corvi. Io arrivai a pensare che tutti gli avvoltoi e corvi al mondo, e con essi altri uccelli carnivori e rapaci, anche delle speci piú propriamente marine, si fossero dati convegno nel cielo della Slivonia. Mai avevano trovato un cosí vasto e grasso terreno di caccia e si rimpinzavano talmente di carne umana che poi non riuscivano piú a sostenersi sulle ali e crollavano a migliaia a infilzarsi sulle punte delle nostre picche. Ma, se era un banchetto per avvoltoi e corvi, per ogni altro uccello non carnivoro fu perdizione e morte, in quanto noi non lasciavamo, dove si passava, non solo pietra su pietra, ma neppure un filo d'erba, e ciò in esecuzione di un ordine dato espressamente dall'Imperatore, e dal Gran Capitano fatto ricamare in lettere rosse su certi stendardi di grandezza mai veduta, ognuno portato da un banderaio di statura gigantesca.

Avevamo vinto cinque battaglie campali e per concludere trionfalmente quella campagna non ci restava che ridurre Toeplitz, l'ultima roccaforte dei ribelli. Muovemmo dunque su Toeplitz e gruppi di corvi si staccarono dagli immensi stormi che oscuravano il cielo a perdita d'occhio e presero a volare nella nostra direzione, e si sarebbe detto andassero in avanscoperta per riferire poi al loro grosso.

Avanzavamo con molto slancio, coi denti digrignati e gli occhi luccicanti, perché sapevamo che Toeplitz, se era per grandezza e popolazione la terza città della Slivonia, per traffici e ricchezze era di gran lunga la prima.

– Questi devoti, – diceva accanto a me un picchiere fiammingo per istruzione di alcune reclute del suo paese, – queste coscienze schizzinose, questi protestanti insomma, per quanto abbiano sempre una mano sul cuore e gli occhi levati al cielo e le labbra in movimento di preghiera sanno però farsi i loro affari come pochi e nell'industria e nel commercio sono imbattibili. Similmente dicasi per il loro abbigliamento e le loro case e averi. Indossano tutti (i vecchi vestono di nero, i giovani di bigio) vestitucci semplici e diritti, con un collettino bianco e nemmeno arricciato per tutto fregio, ma se poi li palpate, vi accorgete che vestono la piú fina e calda stoffa di questo mondo. E in quanto alle loro case – prendetemi in parola, figlioli, perché ne ho già sforzate piú di mille – a vederle da fuori paiono casucce di bottegai e meccanici, ma dentro tengono mobili raffinati e argenteria superlativa e tante altre gioie come da noi si immaginano soltanto nei palazzi dei grandi.

Cosí avanzavamo, anticipando la presa e il sacco di Toeplitz, che sapevamo difesa da non piú di settemila uomini, tutto quanto restava dell'esercito protestante che noi avevamo decimato nelle sopradette cinque battaglie campali.

Arrivammo davanti a Toeplitz una mattina di tardo agosto. Io marciavo nell'avanguardia e fui dei primi a vederla. L'atmosfera era come d'autunno, grigia e sfumante, e c'era una nebbietta a pelo di terra per cui mi parve, al primo colpo d'occhio, che Toeplitz fosse una città senza fondamenta. Già, cosí sospesa, mi apparve come una cittadella celeste, sicuramente difesa da uno stuolo d'arcangeli, ognuno dei quali piú che bastante a sgominare l'intera nostra armata, e un'ombra nera, piú nera delle precedenti, mi passò sulla mente e sul cuore. Poi mi riscossi, anche per il fragore allegro e feroce del nostro grosso che sopravveniva, e mi disposi a considerar meglio la città. La visuale non aveva ostacoli in quanto, in attesa dell'investimento e nella previsione dell'assedio, la guarnigione di Toeplitz aveva fatto in tempo a radere ogni circostante boschetto o fabbricato, a colmare le depressioni e a livellare le ondulazioni, perché noi imperiali non potessimo far la minima mossa al coperto.

Ebbene, le mura di Toeplitz non mi apparvero, dopo tutto, considerevolmente alte e massicce. La città stessa non era particolarmente imponente e sembrava consistere tutta nella mastodontica cattedrale al cui confronto le fortificazioni erano costruzioni di nani.

Calò la notte e inghiottí il nostro sterminato accampamento e la modica città di Toeplitz. Sui bastioni i ribelli accesero lanterne e poi cantarono salmi fin oltre la mezzanotte.

Il letterato Franz Laszlo Melas

Quando ricevetti l'invito alla grande festa annuale dei principi Lazarsky nel loro palazzo d'estate sulla collina di Saint-Benedikt, io, Franz Laszlo Melas, contavo ventotto anni, quattro mesi e venticinque giorni di vita. Chi si meravigliasse di una tale precisione in rapporto ad un invito mondano, sappia che esso per me equivaleva alla mia nascita o alla mia palingenesi. Potevo e dovevo infatti considerarlo come l'inizio del curriculum che in tre stadii mi avrebbe portato ad essere poeta laureato alla corte imperiale. La famigliarità dei principi Lazarsky come primo stadio; come secondo la protezione dell'Arciduca Stanislao, erede al trono ed intimo dei Lazarsky; infine sarei stato chiamato a corte e avrei atteso pazientemente di succedere all'ormai ottuagenario Melchior Kaslar.

L'invito – non dimentichiamo che si trattava di una festa chiusa alla stessa piccola nobiltà e che io, se ero tra i primi letterati dell'Impero, restavo pur sempre il rampollo di un fabbroferraio austriaco e della figlia di un ungherese che teneva osteria ai margini della puszta – l'invito mi venne recapitato da un lacchè in livrea azzurro Balaton alle ore 11 del giorno medesimo della festa, al mio alloggio in via Pelikan.

Bisognerà che dia qualche cenno sulla mia carriera letteraria. A quell'epoca avevo al mio attivo una dozzina di ballate uscite sciolte su diverse riviste ed effemeridi dell'Impero e l'anno prima l'editore Toller di Nicoburgo aveva stampato, in settecentocinquanta esemplari, il mio poema epico *La Guerra di Religione*. Tutta la critica, debbo dire, se ne era interessata, ma l'accoglienza era stata generalmente tiepida (e il vecchio pontefice Kaslar mi aveva letteralmente tagliato le gambe) né il poema era andato molto venduto. Era di una settimana addietro la lettera con cui la casa Toller mi informava che a un anno dalla pubblicazione io restavo in addebito di venticinque corone poldave sulle cento anticipatemi. E sí che nel frattempo si era dato un grande, grandissimo fatto. La piú autorevole rivista letteraria inglese, la «Monthly Review», concludeva una sua rassegna della situazione letteraria europea affermando che Franz Laszlo Melas, sulla base del suo poema epico, andava considerato come uno dei piú grandi poeti continentali contemporanei.

Inviatami da un amico rimasto incognito, io ricevetti una copia, una sola, di quello storico numero della «Monthly Review» e molto umanamente, feci in modo che il testo si risapesse per tutta la città ed il Land. Da quel momento numerose persone, tutte abili ed influenti, anche finanzieri e diplomatici, si interessarono per far giungere dall'Inghilterra altre copie di quel numero della rivista ma, abbastanza stranamente, non ottennero mai soddisfazione. Ragion per cui la mia gloria ultranazionale giaceva, e giace, in quell'unica copia in mio possesso.

Per due settimane il mio modestissimo alloggio di via Pelikan fu meta di un vero e proprio pellegrinaggio di gente desiderosa di vedere e toccare il preziosissimo documento: nessun collega, ma burocrati, qualche ufficiale, presidi e professori delle scuole imperialregie d'ogni ordine, con gli alunni meglio proficienti in lingua e letteratura, signore della media ed alta borghesia, cortigiane e persino qualche kovalcina, consoli stranieri, esponenti nazionalisti ed anche popolo minuto. Presto mi accorsi che per i troppi contatti il foglio si sgualciva e scoloriva e pertanto, con la scusa di una mia partenza per Budapest, sospesi le visite. Approfittai di quella tregua per ordinare al miglior cristalliere della città una teca di quarzo e come me la consegnò vi rinchiusi bella distesa la copia della «Monthly Review», facendo subito dopo annunziare dai pubblici banditori che riammettevo, lieto e grato, le visite. Il pellegrinaggio riprese come e piú di prima ed io notai che l'ultimo visitatore si presentò esattamente trentacinque giorni dopo l'immissione della copia in teca. Per me fu, d'altra parte, una pesante fatica e servitú, dato che non potevo permettermi un cameriere e vivevo in due stanze; cosicché, specie nelle ultime due settimane, lasciavo aperta la porta e la teca deposta su un tavolino a pochi passi dall'ingresso, in modo da evitare ai visitatori di bussare e a me di introdurli ed accompagnarli alla teca, ma cosí facendo accadde che molti mi sorpresero mentre mangiavo colazione o mi radevo o cercavo di comporre una ballata che mi rendesse una decina di fiorini.

In quel torno di tempo, infatti, le mie finanze erano, a poco dire, disagiate. Dopo il poema non avevo composto piú nulla ed intanto era morto il magistrato di Tomesvar (paese natale di mia madre) il quale mi passava otto fiorini mensili e il testamento non conteneva alcun impegno per gli eredi a continuare quel mecenatismo.

Mi picchiai la mano sulla fronte e... – L'abito! – gridai, – l'abito per la cerimonia!

Avevo una splendida, una buona camicia di batista ricamata e una spilla con turchesi lasciatami in eredità da una zia materna che aveva tanto ballato con gli ufficiali delle guarnigioni del Lombardo-Veneto; avevo calze di seta nera freschissime e, in ugual stato, scarpini con fibbia d'argento... ma l'abito, l'abito da cerimonia! Se Prokowsky fosse stato in città, avrei potuto attingere con buona speranza al guardaroba del Teatro Reale di cui egli era vicesovrintendente. Ma Prokowsky era via a Presburgo per le prove di una grande rappresentazione in onore dell'Arciduca Stanislao!

Tolto Prokowsky, nessun cristiano poteva aiutarmi in un tale frangente e perciò alle due in punto corsi alla bottega di mastro Beniamino Loew al ghetto nuovo.

– Ho un abito, – disse subito il saphardim, – un abito dentro il quale l'ultimo dei borghesi entrerebbe a testa alta all'Hofburg il giorno stesso dell'incoronazione.

– Sarebbe tanto piú tragico, – esclamai, – se mi andasse largo o corto!

– Vi vestirà a pennello, mastro Melas, – predisse Beniamino senza misurarmi con gli occhi, e andò a estrarre l'abito da una antica cassapanca.

Cosí come glielo vidi disteso sulle braccia era davvero magnifico, di un nero ricco e severo che al lume dei doppieri si sarebbe fatto funerario e fastoso, senza la minima lisione, con delle code vive e un risvolto misteriosamente cangiante. Mi spogliai di furia dietro un paravento orientale e prima ancora d'indossarlo davanti allo specchio domandai all'ebreo quanto ne volesse dalla sera al mattino.

– A voi due chérubi d'oro.

Fui per imprecare a tutta la stirpe di Sem ma mi tappò la bocca la visione di me stesso nella specchiera. Indossato e lisciato l'abito mi vestiva meravigliosamente bene, mi donava qualche centimetro in piú di statura e un pallore squisitamente letterario. Oh, in qualche modo era mio, originalmente mio! Una musa l'aveva tagliato e cucito per me, cosí come le dee d'Omero provvedevano d'armatura l'eroe amato. E cosí, senza sospirare, dissi all'ebreo che accettavo il suo prezzo, che però l'avrei saldato a un chérubo al mese, e mi portasse carta e penna per la scrittura.

Ma Loew rispose che egli non era degno di ricevere una mia scrittura («ambita da tutti i dotti dell'Occidente», cosí disse) e mi pregò di lasciargli, in pegno e garanzia, la mia copia della «Monthly Review».

– Con o senza teca? – domandai io piuttosto rudemente.

– Io mi accontenterei del foglio nudo e crudo, mastro Melas, ma sapendo quanto tenete alla sua integrità, consegnatemelo pure in teca.

– Parlando di integrità, – osservai io, – quali garanzie mi date a vostra volta contro il furto e lo smarrimento?

Beniamino Loew si stropicciò le mani.

– Dovete sapere, mastro scrittore, che io tengo i valori in casa, collegata al mio fondaco da un cortile-giardino di venti metri quadri, cintato da un muro cieco di otto metri d'altezza e uno e mezzo di spessore...

– Ma tutto ciò che c'entra? – domandai, irritato dalla necessità di rimuovere ed affidare ad altri la mia gloria in teca.

L'ebreo fece un gesto di umiltà.

– In effetti c'entra poco o niente. Ma che volete? Amo anch'io le descrizioni. In verità ne vado pazzo.

– In tal caso...

– Grazie, mastro Melas, e sappiate che l'ingresso di casa mia è munito di una porta di quercia slava che è di storica, epica solidità. Essa mi venne lasciata in eredità dallo zio Nathan di Leopoli ed è la porta che salvò lui, le sue donne e i suoi averi nel sacco di Toeplitz quando lo prese l'armata del maresciallo Wackenstein.

– Conosco la storia, – commentai, – fu il piú grande sacco centroeuropeo dell'altro secolo.

– Fatto sta, mastro Melas, che nessuna porta in tutta Toeplitz resistette all'urto dei demoni di Wackenstein ed ogni casa ebbe il suo lutto, la sua perdita, il suo disonore. Tranne lo zio Nathan. Tanto per dirvi la solidità di questa porta. Passando alle altre aperture di casa mia, essa non ne presenta che due, e cioè due finestrelle di mezzo metro di luce, situate di poco sotto il tetto e munite di sbarre da tre pollici.

Cosí dicendo Beniamino girava gli occhi alla ricerca di un panno in cui involgere il mio abito.

– Quello verde laggiú, – dissi io indicando un panno verde che spioveva da una mensola di tartaruga. – Vi faccio però presente, mastro Loew, che non mi avete ancora fornito le garanzie richiestevi.

– Sono subito da voi, – disse l'ebreo stendendo l'abito nel panno. – Aggiungerò dunque che il mio povero alloggio consta di sei vani...

– Per le Scritture, mastro Loew! – esclamai. – Saltiamo le sei stanze e veniamo al sanctum. Alla cassaforte, voglio dire.

Subito mi informò che la cassaforte gli era pervenuta in successione diretta attraverso quarantanove generazioni rigorosamente documentate. Ma prima di passare alla minuta descrizione materiale della cassaforte ci teneva a precisarmi che essa stava incastrata in un certo muro e mascherata da un arazzo sidonio di tanta meravigliosa bellezza da affascinare chi lo guardasse al punto di non lasciargli piú alzare dito.

– Questa fascinazione, voi comprendete facilmente, mastro Melas, è essenziale ai fini della sicurezza. Vi dirò che le stesse mie donne soggiacciono puntualmente a questo incanto e nessuna di loro ad oggi ha mai, non dico sollevato, ma neppure sfiorato l'arazzo con la punta delle dita. Io stesso, prego credere, debbo ogni volta vincere una notevole resistenza per sollevare l'arazzo e scoprire la mia cassaforte.

[Mastro Loew passa a descrivere la cassaforte e i diversi elementi di cui è composta, nella cui provenienza sembra essere riassunta l'intera storia dell'umanità].

Per quanto riguardava i chiodi di giunzione, Beniamino Loew aveva prove irrefutabili che si trattava dei chiodi dei cardini della porta grande della città di Kobyscev che aveva resistito all'attacco di una grossa aliquota dei settecentomila mongoli del campo Sebutai. Quanto ai bulloncini, Loew poteva giurare che si trattava dei medesimi bulloncini che fortificavano la cassa contenente la dote aurea di Ermengarda allo sposo Carlo Magno.

– Ora basta con questi dettagli, del resto molto discutibili e leggendari, – dissi io, – e passiamo al congegno di chiusura. Ma per le spicce, per favore, mastro Loew.

Allora mastro Loew prese a spiegarmi il sistema del congegno di chiusura e come la ruota girasse o non girasse a seconda che lui pronunciasse questo o quel versetto della santa Thorà, e come lui fosse andato a scegliere i versetti interessanti nel prato piú intricato e selvaggio della foresta della Thorà...

– Basta cosí, – dissi io allora, passandomi una mano sulla fronte anormalmente calda. – Io ne ho abbastanza e mi ritengo piú che garantito e assicurato. È piú d'un'ora che sto in questo vostro antro molto equivoco ed ora ne sono sorpreso e amareggiato. Ho ancora una quantità di cose da fare e soprattutto debbo passare dal parrucchiere napoletano. Ha promesso di farmi un taglio, per la festa di stasera, un taglio per cui impallideranno tutte le parrucche di corte.

Cosí dicendo mi ero affacciato all'uscita, sempre seguito da Loew, il quale non cessava di strofinarsi le mani sotto lo sboffo delle grandi maniche. Io ero un po' eccitato e scontento, perché dopo la strana ebbrezza delle parole dell'ebreo, non mi restava che l'amara preoccupazione dell'obbligazione dei due chérubi d'oro.

– Sarò a casa tra un'ora, – dissi all'ebreo. – Tra un'ora cosí portatemi l'abito e io vi consegnerò la teca col giornale. Ma per favore, venite con un bel panno da involgerla, perché non desidero passiate per mezza città con la mia famosa teca in piena vista.

[Lasciato lo studio di mastro Loew, Franz Laszlo Melas si ferma dal parrucchiere napoletano di Elisabeth Platz, il quale gli esegue un magistrale taglio di capelli. Poco dopo, a casa, riceve l'abito da cerimonia preso a noleggio; Franz lo indossa con soddisfazione ed esce per recarsi a Palazzo Lazarsky. Essendo in anticipo sull'ora dell'invito, decide di andare a passeggio per le vie del quartiere di Bel-Tchikonnex, dove viene notato e corteggiato da alcune «kovalcine» (chiamate anche «midinettes», o sartine), suscitando l'invidia e il risentimento di un gruppo di soldati lí convenuti. Per lui, tra le ragazze del popolo e i militari si accende un aspro diverbio].

Gli uomini ora brontolavano, solo quello di prima continuava a scrollare la testa e a spazzare la polvere della strada con le sue scarpe, e intanto diceva:

– Non vogliono saperne di noi. Per loro noi non siamo nemmeno nati e non saremo mai morti. Compagni, date retta a me. Andiamo a ubriacarci dalla zia di Karol. Quella che ha un buon Tokay e lo serve al prezzo del vinello e pesa un quintale e mezzo. E bevendo e guardando la zia di Karol penseremo a quel che saranno queste smorfiose tra vent'anni e un po' ci consoleremo. Oppure, compagni, andiamo a far la corte alle scimmie nella gabbia del giardino arciducale.

Cosí diceva l'uomo e muoveva qualche passo all'infuori per invitare i compagni a evacuare con lui. Ma gli altri non gli badavano e insistevano a sparlare di me rivolti alle ragazze. E le ragazze difendevano me e se stesse con toni sempre piú striduli. E la ragazza acconciata all'olandese, Milka a sentirla chiamare dalle amiche, era la piú accanita e invincibile:

– È bello vi dico, o sordi quanto zotici, è bellissimo. Sapete quel che vi dico? Preferisco essere la sua pregiata amante piuttosto che vostra moglie onorata!

Dal gruppo degli uomini si levò un boato di sdegno e furore e in gruppo essi mossero verso di me, pur sempre guardando al balcone.

– Non lo toccate! – gridò Milka.

– Non lo toccate, guai a voi! – echoed le sue amiche con la voce di cento ragazze.

– Non lo toccate! – gridò Milka. – Non cambiereste niente! Io preferirei giacere sulla sua pietra tombale in una notte di gennaio piuttosto che fra le vostre braccia in una notte di marzo. È la legge, uomini! Ma siete sordi e ciechi a non intendere la legge? Non ci piacete, né in questo mondo né nell'eternità!

– Già, – riprese una delle sue amiche, – già ci spiacevate nel ventre di vostra madre!

Gli uomini non reagirono urlando, soltanto emisero un lungo gemito, e qualcuno si fletté sulle ginocchia e qualcuno si prese la testa fra le mani.

In una pausa, il giovane biondo di prima si avvicinò sotto il balcone e disse:

– Ascoltatemi. Ascoltami, Milka, tu principalmente. Diresti, diresti tutto ciò che hai detto sulla faccia di Hans?

– Hans, – echoed la ragazza stridula.

– Sí, Hans, Hans che ti ama, Hans che sul lavoro non fa altro che parlarci di te, con tanto amore e tanta speranza.

– Hans! – rise Milka. – E che me ne farò mai di Hans? Io gli voglio bene...

– Oh, – fece il giovane biondo, – oh, Milka, grazie per lui, Hans. Se ci arrivassi, bacerei per lui l'orlo della tua veste.

– Hans, – ripeté Milka, – io gli voglio bene, dico e ripeto. Ma, intendiamoci, gli voglio bene come un fratello!

E dicendo questo Milka sbottò in una risata cosí feroce e volgare quale io non avevo mai sentito negli accampamenti militari al tempo delle grandi manovre sulle falde dei monti Matrak. E le altre ragazze risero con Milka, appena meno indecentemente. E io vidi il ragazzo biondo reclinare la testa, soffrendo per Hans. Poi rialzò la testa, ma come se sollevasse un macigno, e chiese, con voce piana, a Milka, se aveva cuore di ripetere quelle parole a Hans.

– A Hans? – disse Milka, e rifletté un attimo. Poi aggiunse: – Avrei cuore e non l'avrei. Capiscimi, tutto dipende dal fatto che l'amo come un fratello. Io so benissimo che per Hans rappresento la vita e la morte...

– Oh, lo sai, – sospirò il ragazzo con un briciolo di speranza.

– Ma il fatto è che io me ne frego di Hans. Proprio perché lo amo come un fratello. Me ne frego talmente di Hans che né l'ucciderei né lo farei vivere. Cosí ho detto. Sono stata sufficientemente chiara e basta.

E una delle sue amiche disse: – Milka ha parlato per sé e per tutte noi. E ora basta.

Scrollando il capo il giovane biondo rientrò in gruppo e parlò inaudibilmente e tutti gli si arrembarono intorno. E quando ebbe finito tutti accennarono affermativamente col capo.

Ma i soldati dissero: – Non possiamo piú esser dei vostri. Dobbiamo rientrare in caserma. Tra poco sentirete la ritirata delle caserme del Bregenz. Fortunati voi, non arruolati, che potete pensare in libertà e senza disciplina. Poter pensare è già balsamo e rimedio. Ma come pensare sotto la disciplina dei sergenti, in camerate dove russano e puzzano quattrocento uomini?

E i militari se ne andarono, passando dalla parte opposta alla mia. E gli altri giovani borghesi si disposero essi pure ad andarsene, ma questi dovevano necessariamente passare davanti a me ed io tremai immobilmente. Anche le ragazze erano in grande apprensione per quel passaggio degli uomini davanti a me e ora stavano attente, sporgendosi pericolosamente dai loro balconi. Gli uomini si apprestavano a partire, senza piú uno sguardo alle ragazze. Soltanto c'era discordia fra loro. Una parte voleva andare ad ubriacarsi dalla zia di Karol. Altri volevano andare dalle scimmie del giardino arciducale e far loro regolari dichiarazioni d'amore, battezzandole coi nomi delle ragazze. Ma qualcuno, piú disperato e feroce, voleva che andassero tutti insieme a dare la scalata alla torre di Santa Mundula. Per braveria, per disperazione, per volontà di caduta e di morte. Poteva anche succedere che intervenisse la polizia e li traesse tutti in arresto e li rinchiudesse nella fortezza di Volspierg.

– Che ne dite? – gridava il proponente, – non vi pare che sia un rimedio la prigione? Noi lavoriamo tutto il giorno e sul lavoro non possiamo pensare alle ragazze. Il lavoro viene male e le condizioni di pensiero non lusingano queste adorabili belvette che ci succhiano il sangue del cuore. Ma in prigione, invece, potremo pensare a loro ogni momento. Pensate alla grande libertà della prigione! Potremo pensare e pensandoci vincere il bisogno che abbiamo di queste femmine. Cosí come si dice che pensandoci i filosofi vincano il timore della morte. A scalare il campanile di Santa Mundula, a farci arrestare!

Ma altri non erano d'accordo e dicevano intrecciando le voci: – Ma è alto centosessanta aune e c'è pochissimo appiglio. E il selciato al disotto è fatto di granito dei monti Matrak sul quale andrebbe in pezzi un cannone. Io non voglio arrischiare tanto! Io non voglio morire! A me le donne ancora non portano a disperazione!

E cosí discutevano e indugiavano, finché il giovane biondo si mise alla loro testa e dicendo «Discuteremo strada facendo» diede il segnale di marcia. E si avvicinavano a me a testa bassa, e solo il loro passo sul selciato risonante mi impediva di cogliere i sospiri, quasi sibili, di paura, delle ragazze ai balconi. Infatti si fermarono proprio davanti a me, e mi fissarono, ma le loro mani rimasero ciondoloni lungo i loro fianchi, e il giovane biondo disse:

– Guardate! Guardate come è ben pettinato! – E tutti approvavano molto pacificamente.

– È davvero un taglio meraviglioso, – proseguí il biondo. – Uno solo può tagliare cosí i capelli. Vedete come sono compatti e leggerissimi sulle tempie. Non c'è bisogno, signore, che ci diciate chi ve li ha tagliati tanto magistralmente. È il parrucchiere italiano sulla Elisabeth Platz. Solo lui può riuscire a un taglio simile, ma lasciatemi dire che mai gli era riuscito un taglio come il vostro di stasera –. E cosí detto, passò via e tutti gli altri lo seguirono come soldati un ufficiale e sparirono dalla parte del quartiere di Propalawsk.

E io sentii una delle ragazze sussurrare: – Sono buoni, dopo tutto sono buoni, – con una voce sostanziata solo di pentimento e subito dopo intesi dire da Milka con voce tragica: – Sí, ma questo non li salverà.

E in quel momento si sentirono suonare le nove alla torre di Santa Mundula ed io seppi che fra cinque minuti si sarebbero aperte le porte di Palazzo Lazarsky. Ma non rabbrividii. Ero troppo grato alle ragazze, e non me ne importava dei rimbrotti dei magnati. Ora sapevo che a Palazzo Lazarsky mi attendeva una triste sera, degnazione e ciglia sollevate dopo l'ardente amore e la piena vita delle midinettes del quartiere Bel-Tchikonnex.

Col mio passo piú leggero mi feci sotto il balcone e le ringraziai tutte, ma in particolare Milka (oh sapevo bene che le altre, meno lodate e meno ringraziate, non se l'avrebbero avuta a male), e dissi inoltre:

– Un grande impegno mi attende stasera, un grandissimo impegno. Ma io ho tanta voglia di restare con voi.

E Milka: – Lo dite ben sapendo che non potete esimervi da quel grande impegno.

Io abbassai la testa e tacqui.

– Ma noi non ce l'avremo con voi, – proseguí Milka, – perché nessun uomo, salvo per la morte di sua madre, può mancare ad un invito a Palazzo Lazarsky. Voi da basso non lo potete vedere, il Palazzo Lazarsky, ma il nostro balcone dà proprio in direzione del poggio di Saint-Benedikt. Vedeste come splende il palazzo nella prima notte. Pare una medusa d'oro su un poggetto di sabbia nera. Oh, è proprio irresistibile. E noi non ve ne vorremo. Siete piú che giustificato. Noi non siamo che povere midinettes...

In un impeto di sincerità io dissi allora: – Ma io sono della vostra razza!

– Ma che dite mai, signore? – dissero insieme le ragazze con tono di rimprovero.

– La verità pura e cruda, – dissi io. – Mio padre era fabbroferraio a Tomesvar e sposò la figlia dell'oste del bivio verso la puszta.

Allora alcune delle ragazze si lasciarono andare alla speranza, ma Milka troncò tutto dicendo:

– Se egli è il figlio del popolo ed è invitato a Palazzo Lazarsky, pensate un momento a che grandi cose ha dovuto compiere, quali grandissimi meriti ottenere. Pensate a questo e chinate la testa e pregatelo di andare.

Io chinai la testa prima di loro e aspettai che le nuove, ultime parole di Milka mi cadessero sul capo come rintocchi fatali.

– Andate ora, – mi disse Milka, – andate senza perdere piú tempo con noi povere midinettes...

– Io vi penserò, – dissi impetuosamente, – giuro che vi penserò sotto i cento doppieri multipli di casa Lazarsky, giuro che vedrò i vostri volti tra le acconciature e le collane...

Milka sorrise con tanta tristezza che non mi sfuggí nella notte quasi completa.

– Andate, – mi disse, – sento che non dovete far oltre attendere e indispettire la baronessa Lazarsky. Voi siete molto importante per la baronessa Lazarsky e lei per voi.

Io le domandai come potesse dir questo.

– Lo so, – mi rispose, – come gli uomini sanno il mistero. Ora andate, o ci obbligherete a ritirarci. Noi siamo colme di voi. Io personalmente non vi dimenticherò mai. Giuro che penserò a voi nelle doglie del mio primo parto.

Io fuggii, oberato da tanto amore e dedizione, pensando stravolto che ero riuscito piú terribile ed involontario del fulmine. Per la prima volta viaggiavo nelle strade della mia città con un senso di assoluta importanza e pericolosità. Senza piú badare al passo ed all'apiombo dell'abito, anzi, senza piú badare dove mettevo i piedi inguainati negli scarpini di lontra con fibbia d'argento, risalivo la strada dedicata ai trionfi dell'Armata d'Occidente verso il ponte Granduca Ottone. Oltre i tetti delle case potevo vedere il riverbero stellare dell'illuminazione di Palazzo Lazarsky sul poggio di Saint-Benedikt.

Malgrado l'ora tarda il traffico di carrozze – erano tutte d'ebano – era notevole per l'arteria dell'Armata, ma alla foce della medesima lo spiazzo era perfettamente deserto, salvo per una ronda di soldati che vi incrociava rigidamente. Allungando lo sguardo potei vedere che l'imbocco del ponte era sbarrato da una linea di soldati ai quali incrociava pomposamente una coppia di ufficiali.

Dovevano essere le nove e un quarto e l'idea di cosí grave ritardo mi fece fare una cosa che in circostanze normali non avrei fatto mai. Puntare con passo deciso verso lo spiazzo dove stavano i soldati col lampante compito di non lasciar passare nessuno. Cosí mi avviai, tanto piú spedito quanto intimamente tormentato e come riuscii sullo spiazzo ecco che la ronda puntava verso di me con le mani sul grilletto dei fucili spallati.

Erano a cinque passi da me e mi avrebbero interpellato fra dieci secondi. Io mi ero già fermato e non riuscivo a tener ferme le gambe. Anche perché avevo indovinato senza voltarmi che sui marciapiedi dello spiazzo stazionava una gran folla disciplinata e curiosa.

– Voi dove andate? – mi domandarono i due soldati appena a tiro.

– Oltre il ponte Granduca Ottone, – dissi io con sforzo.

– Non potete, – mi risposero. – È vietato. Non vedete lo sbarramento?

– Ma io debbo assolutamente passare o perderò un impegno che per me costituirà una disgrazia.

– È perfettamente inutile chiedervi che impegno è, perché tanto la consegna è consegna...

– Sono invitato alla festa dei principi Lazarsky e già sono in grave ritardo, – dissi io con la maggior calma possibile.

I due soldati restarono evidentemente impressionati, cosicché come avevo notato che il mio abito da cerimonia nel suo nero nudo e lucido li aveva attratti a prima vista.

Un soldato restò con me e l'altro andò a passo militare verso uno dei due ufficiali all'imbocco del ponte. Ora l'ufficiale mi squadrava e si passava una mano sul mento.

Ora veniva verso di me. Portava un colbacco con un rovescio di piume di struzzo. Io non avevo avuto mai troppo occhio per i dettagli delle divise militari ma ero pronto a giurare che un colbacco con piume di struzzo non rientrava in alcuna ordinanza. Inoltre l'ufficiale, che rasentava i due metri, aveva un paio di baffi aghiformi e rigidi che si estendevano per tutta l'ampiezza della sua faccia.

– Voi intendereste passare? – mi domandò a bruciapelo e senza lasciarmi dire aggiunse: – Il mio soldato mi ha informato che voi intendereste passare.

– È esatto, capitano. Ho imprescindibile necessità di varcare il ponte e portarmi di fretta sul poggio Saint-Benedikt.

– Vorreste darmi a intendere che siete invitato alla festa dei principi Lazarsky?

Io mi irrigidii, tanto che il capitano non mi pareva piú di strapiombante statura, e pensando all'amore ed alla ammirazione delle midinettes di Bel-Tchikonnex, risposi:

– Ve lo confermo, signor ufficiale, e non per questo ve la dò ad intendere.

L'ufficiale mi squadrò e sotto il suo occhio mi persuasi che il mio abito non mi pennellava piú come prima, si era fatto stretto là dove prima era giusto, e svolazzante là dove prima cedeva con una certa leisure. Inoltre avevo la sickening sensazione che fosse impolverato dietro, o meglio incalcinato, per la pressione della mia schiena contro il vecchio muro salnitroso nella piazzetta nel quartiere delle midinettes.

– L'abito andrebbe, – disse l'ufficiale, – ma si dà l'infelice caso che non portiate decorazioni. Ed in coscienza io non posso credere, proprio per questa lacuna di onorificenze, che voi siate, come vi dite, ospite dei principi Lazarsky.

– Vi dò la mia parola, capitano, – dissi allora io, piú enfaticamente di quanto desiderassi.

– Dovrei prima soppesarla, – disse il capitano. – Avrete notato, signore, che non ve l'ho respinta a tamburo battente.

Io ripensai a Milka ed alle altre ragazze.

– Sarebbe stata un'offesa del tutto gratuita, signore, e quale io non avrei potuto lasciarvi passare gratis.

– Ditemi anzitutto, signore, come vi chiamate.

– Franz Melas.

L'ufficiale si aggrottò.

– Parente, ditemi, del feldmaresciallo?

– Non lo so, ma lo ritengo estremamente improbabile.

– Dove abitate? – domandò allora il capitano visibilmente sollevato.

– Al numero 15 di via Pelikan.

Avevo intanto notato che l'altro ufficiale, un alfiere di prima nomina lampante, seguiva la scena con estrema attenzione, senza tuttavia osare di avvicinarsi, e mi teneva lo sguardo puntato addosso, con un misto di curiosità, rispetto e solidarietà, che mi toccava.

– Professione o mestiere? – insisté il capitano.

– Scrittore, – risposi.

– Che cosa scrivete?
– Artista, – dissi io paradigmaticamente.
L'ufficiale si accigliò.
– Sebbene la cosa non attragga un infimo briciolo della mia attenzione, vi dirò che so che scrittore equivale ad artista, in alcuni casi.
Senza volere io battei i piedi.
– Vi prego credere, signor ufficiale, che sono effettivamente invitato dai principi Lazarsky e solo il timore di sdegnarli con la mia assenza ingiustificata mi trattiene dal liberarvi da questo mio fastidio.
– Avrete visto da solo che il ponte è sbarrato. E cosí ogni altro ponte che varca il fiume verso la zona dei principi Lazarsky.
– Vedo, – risposi, – e non so rendermi conto di un tale provvedimento.
L'ufficiale gleamed.
– Signore, voi non siete invitato in casa Lazarsky. Se effettivamente lo foste, sapreste rendervi conto del perché di questo provvedimento.
– Vi garantisco che sono invitato, capitano, e purtroppo noto ora con terrore che ho dimenticato a casa il documento comprovante. Il biglietto d'invito trovasi sulla mia scrivania nel mio studio al numero 15 di via Pelikan.
– Sono dolente di non potermene dolere, signore, – disse il capitano voltandomi senz'altro la schiena. Poi d'improvviso si voltò e mi disse con voce sibilante:
– Spero che molto prossimamente l'Imperatore ritenga opportuno per la sua maggior gloria scendere in guerra e che voi signore veniate richiamato e posto, Dio volesse, ai miei ordini.
– Signore, – gli risposi, – il desiderio di servire Sua Maestà sempre e dovunque renderebbe accettabile il pesante fardello dei vostri comandi.
L'ufficiale ebbe uno scatto di collera e di vergogna, ma si contenne e andò a incrociare nuovamente sull'imboccatura del ponte.
Io stavo lí confuso e irato e preoccupato, quando mi si avvicinò l'alfiere.
– Sono dolente, signor Melas, – mi disse, – e mortificato

che il caso vi abbia messo a fronte del meno positivo dei nostri ufficiali.

– Grazie, – dissi io senza guardarlo in faccia, ma guardando invece l'altra sponda del Rotan, che appariva il triplo piú tenebrosa a dispetto del barbaglio stellare che emanava da Palazzo Lazarsky.

– Io non dubito, – continuò l'alfiere, – io non dubito minimamente, signor Melas, che voi siate ospite dei principi Lazarsky. Un invito del genere non può che onorare la principessa la quale ha creduto opportuno di allineare ai grandi del censo, della nascita, della guerra e della diplomazia, un grande della nostra patria letteratura.

– Voi mi conoscete dunque? – domandai io distogliendo lo sguardo dall'altra sponda del Rotan e figgendolo nel suo viso sano e imberbe.

– Vi ho letto, signor Melas, – disse lui, – ho letto i vostri *Racconti febbrili* in Accademia. E per la verità storica debbo aggiungere che essi mi costarono una grave punizione da parte dell'ufficiale di giornata che mi trovò il vostro volume nello stipo...

– Mi dispiace, mio giovane amico, – dissi io ritornando a vagare con lo sguardo sull'altra sponda del Rotan. – Mi dispiace e voglio sperare che la lettura vi abbia parzialmente fruttificato a risarcimento del danno disciplinare.

– Senza dubbio, signore, – rispose di volo l'alfiere, – non fatevi scrupolo di questo. La lettura mi fruttificò cento volte. Ma io vi vedo molto alterato e eccitato, signor Melas.

– Ed a ragione, – dissi io con voce tagliente, – io sono effettivamente ospite dei principi Lazarsky, checché ne pensi il capitano vostro comandante, e mancar ad un invito del genere per me equivale ad una disgrazia.

– Vi capisco, signore, – disse l'alfiere, – ma non c'è altra via che questa. Anche il ponte Imperatrice Stefania è sbarrato, anche il ponte della battaglia di Wilna. Sono profondamente addolorato, signore, di questo immeritato ostacolo ai vostri... Un momento, signore. Signor Melas, se non vi importa di presentarvi in ritardo...

– Andiamo, signor alfiere, – dissi io, – sarà sempre meno catastrofico di una assenza ingiustificata.

– In questo caso, signor Melas, – disse l'alfiere a bassa voce, – allontanatevi di qui con fare dolente e contrariato e sfilate per un bel pezzo lungo il lungofiume, verso il ponte Imperatrice Stefania. Dunque, signor Melas, a duecento metri da questo ponte e a trecento e piú dal successivo c'è tutta una serie di barcarizzi. Scendete a riva e giunto ai gruppi di barche chiamate a bassa voce al barcaiolo.

– Ma che barcaiolo volete che sia all'opera a quest'ora di notte? – dissi io con impazienza, irritato di esser diventato il fulcro delle manovre scolastiche di quell'ufficialetto.

– Vi assicuro che ne restano a bordo delle loro barche. Barcaioli che hanno già cenato o che non vogliono rincasare per poca voglia delle loro mogli. Approfittando della bella stagione alcuni di loro, scapoli o male ammogliati, dormono nelle loro barche. Avvicinatevi al primo concentramento di barche e lanciate una voce ai barcaioli. Vedrete che vi si risponderà e servirà, signor Melas.

Lo ringraziai con altrettanto calore quanto avevo seguito con nervosismo e poi osservai:

– I soldati dall'uno all'altro ponte non ci daranno noia?

– Nessunissima, signore, – rispose lui, – dato che siamo piuttosto distanti dal vostro punto di attraversamento e la nebbia serale annulla pressoché la visibilità. Una volta sull'altra sponda non avrete piú a temere, perché i nostri cordoni sono soltanto da questa parte. Quindi non temete e affrettatevi come potrete verso Saint-Benedikt.

Lo ringraziai ancora, promettendogli uno dei primi originali del mio prossimo libro, e mossi ad eseguire come da lui consigliatomi. Mi ritirai direttamente in via dell'Armata d'Occidente, tagliai per la prima viuzza a sinistra e riuscii sul lungofiume. Lo seguii per qualche centinaio di passi e voltatomi indietro una volta notai con soddisfazione che la nebbia acquatica aveva quasi cancellato alla vista il ponte del Granduca Ottone. Cosí come, davanti a me, la medesima nebbia mascherava le arcate solenni del ponte Imperatrice Stefania. Camminai avanti un altro po' e finalmente discersi a riva un raggruppamento di barche. Scesi per la scalea e mi diressi verso quella minima flottiglia abbandonata. A dieci passi mi fermai e fischiai verso quel gruppo. Da una delle barche una figura si mosse e si alzò sul busto. Allora avanzai di qualche altro passo e sottovoce chiamai:

– Barcaiolo!

La forma non rispose ma la vidi ergersi in tutta la sua statura. Mi avvicinai decisamente e per l'oscurità non vidi altro che era molto alto, di spalle doppie delle mie, e che aveva i capelli biondi, o forse rossi.

– Vorrei traghettare, – dissi senza ambagi. – Spero che voi possiate rendermi questo servizio.

Il barcaiolo annuiva in silenzio.

– Debbo però avvisarvi, in coscienza, che l'attraversamento, come ho appena saputo, è vietato e potrebbe succedere che i soldati sui ponti ci avvistassero e ci prendessero sotto fuoco.

– Io non ho piú paura, – rispose il barcaiolo con una voce stranamente lontana e dolorosa.

– Debbo anche dirvi – continuai – che sfortunatamente per questo vostro straordinario servizio non potrò darvi che un fiorino. Non ho altro indosso.

– Non vi preoccupate, signore, – disse il barcaiolo con la voce di prima. – Questo è il mio ultimo lavoro e posso ben farlo gratis. Nemmeno di denaro ho piú bisogno –. E mi invitò a bordo.

Mi diressi a sedere a prua ma notai che, come si chinò ad afferrare il remo, il barcaiolo ebbe uno spasimo ed un gemito. Cosí mi fermai a mezza barca e dissi:

– Ma voi state male! – E nel contempo pensai se per caso non fosse ubriaco. Ma passandogli accanto per recarmi a prua non avevo sentito nel suo alito alcuna grossa vena di alcool.

– Non datevi pensiero di me, signore, – disse il barcaiolo con voce un po' piú ferma, – e nemmeno preoccupatevi della vostra incolumità in mezzo al fiume. Sedetevi comodo a prua e io stacco subito.

Io mi sedetti a prua e l'uomo staccò e prese a vogare con palata larga e lenta.

Ma ecco che ad ogni sforzo tornava a spasimare e a gemere, e allora io tesi la mano verso lui e dissi:

– Lasciate che voghi io. Voi state infernalmente male.

– Sto morendo, – disse allora l'uomo con voce tranquilla. – Ma voi non affannatevi, farò questo traghetto per voi con la stessa sicurezza dei miei giorni migliori e piú felici.

– Ma che avete, in nome di Dio? – dissi io forte.

Allora l'uomo rispose, senza smettere o ridurre la vogata:

– Ho due pugnali piantati nel cuore. Signore, non vi agitate o ci capovolgiamo.

– È buio, – dissi io, – ma io non credo che abbiate due pugnali piantati nel cuore.

– Non si vedono, – disse l'uomo, – perché essi ci sono penetrati anche col manico.

Ed io sempre piú agitato:

– Io non ci credo. Non mi pare di aver visto sangue addosso a voi o sul fondo della barca. Non mi pare, in fede mia, che sangue vi stia spillando ora sul petto.

– Non avete torto, signore, – gemette l'uomo senza cessar di remare, – ma la ferita è cosí fonda e perfetta che trattiene anche la minima emorragia.

Sul momento io non seppi che dire. Guardai esagitatamente a bordo della barca e dritto a prua. Mai il fiume reale mi era parso tanto ampio, la sua riva destra cosí lontana e selvaggia, le sue acque con tanta oceanica profondità.

– Se è vero, barcaiolo, – dissi poi, – ditemi chi è stato a pugnalarvi.

– Una ragazza è stata, – rispose lui, – una kovalcina del quartiere Bel-Tchikonnex.

Allora io gridai: – Il vostro nome è Hans!

– Il mio nome è Hans, signore, – rispose lui senza meraviglia e con assoluta calma.

Ed io: – A che ora vi siete sentito pugnalare? Forse verso le otto?

– Esatto, signore. Suonavano le otto a Santa Mundula ed io sentii il primo pugnale affondarmi nel cuore. Pochi minuti dopo sentii la seconda trafittura.

Credetti di capire. Il primo pugnale era la frase «Gli voglio bene come un fratello», il secondo «Non m'importa che viva o che muoia».

La barca stava in quel momento varcando il centro del fiume.

– Io non ve ne voglio, signore, – riprese l'uomo, – perché voi siete subito e tanto piaciuto alla mia Milka.

– Non era mia intenzione, – gridai, – mi fece grande piacere e orgoglio, non lo nego, ma non era mia intenzione. Oh, non vorrei essere andato a passeggiare nel quartiere delle kovalcine...

– Non sentitevi colpevole, signor Melas, – disse allora Hans, – l'infelicità di un uomo è fatta di tante piccole innocenze del prossimo.

– Ma io mi sento colpevole, – ribattei, – se non altro per l'ispirazione di andare a passeggio nel quartiere di Bel-Tchikonnex.

– Non è una colpa vera e propria, – rispose Hans, – e comunque per essa pagherete.

– Che intendete dire? – dissi io parandomi il petto con le mani.

– Non vi agitate e non pensate male di me, – disse Hans. – Intendo dire che voi mi renderete un piccolo servizio.

– Oh questo sí, questo certamente! – dissi io.

– Mi aiuterete a morire, – disse semplicemente Hans guardando sopra di me alla riva che si avvicinava.

– Io non vi capisco, – dissi, – e comunque non credo si tratti di servizio che rientri nelle mie possibilità.

– Oh sí, – disse Hans, – ed ora vi spiego. Abbiamo ancora il tempo sufficiente prima di toccare la riva.

Hans vogava con la medesima regolarità e calma potenza di prima e cosí remando mi spiegò:

– La mia ferita è mortale, signor Melas, e se io vi sono sopravvissuto tanto è unicamente perché desidero amare un altro poco Milka. Ma ora, vi confesso, ne sono mortalmente stanco. Di amarla dico, ben piú dei due pugnali. Voglio farla finita, e vorrei farla finita all'altra riva. Cosí siete pregato, appena la toccheremo, di piantarmi nel cuore un terzo pugnale.

– Io non farò mai nulla di simile! – urlai, a costo di farmi intendere dai soldati in servizio sul ponte Imperatrice Stefania.

– Oh non abbiate paura di uccidermi! – disse Hans. – Non sarete certo voi ad uccidermi! Dio, quanto presumete, signor Melas! Milka mi uccide. Lei sola ha la potenza di portarmi la morte. Non abbiate paura, signore. Vi limiterete ad affondarmi nel cuore il terzo pugnale.

– Mai e poi mai! – gridai io.

– Non fate impazientire un moribondo, – disse allora Hans. – Convincetevi che non è omicidio. Non farete altro che aprire nel mio cuore una valvola da cui uscirà il gran flusso del mio sangue avvelenato da Milka.

– Che cosa dovrei fare, insomma! – dissi io altamente eccitato.

– È l'ora infatti, – disse Hans sogguardando la riva che distava ormai pochi metri. – Appena la prua toccherà la riva... oh no, non tanto, a qualche punto dalla riva – scusate la differenza, signor Melas, ma voi potreste anche sfuggire a questo dovere che è, non lo nego, esteriormente increscioso –, fra un minuto, voglio dire, io vi rivolgerò una domanda e voi dovete rispondermi. La vostra risposta sarà il terzo pugnale nel mio cuore.

– Io non vedo come una mia risposta possa darvi la morte, barcaiolo, – dissi io, incerto su quanto dicevo.

– È certo che la vostra risposta mi darà la morte, signor Melas, – disse Hans, – ma badate, per raggiungere questo scopo dovrete rispondere come Milka risponderebbe.

– Ma come posso immaginare una risposta che darebbe Milka a una vostra domanda?

– Voi lo immaginate, mastro Melas, – rispose Hans, – o meglio, voi lo sapete.

Aveva alzato il remo perché la prua aveva toccato la riva. E, io penso, teneva il remo sollevato per minacciare di colpirmi in caso io avessi cercato di saltare a terra e sottrarmi cosí a quell'orribile compito.

– Siete pronto, mastro Melas? – domandò Hans.

– Ma sí, spicciamoci, – dissi io con la rudezza dell'intolleranza.

– Ora vi porrò la domanda. L'ultima che io pongo a un mio simile. Ma badate, mastro Melas, voi rispondete come Milka risponderebbe.

– D'accordo, e avanti, – dissi io tremando dalla testa ai piedi.

– Che cosa, – disse allora Hans, – che cosa debbo io pensare di te, Milka?

Allora io risposi, pronunziando nettissime le parole:

– Pensa di me ciò che ti pare.

Cosí dicendo mi alzai di scatto e salii in punta alla prua ma non potei balzare a terra perché mi inchiodò lo spettacolo di Hans.

Si era lasciato sfuggire il remo e si era ripiegato in due, leggermente inclinato a destra. E dalla bocca gli usciva un gorgoglio, piú di sollievo e di gratitudine che di spasimo agonico, e intanto io sentivo, inequivocabilmente sentivo, gocce del suo sangue, largo denso sangue, stillare sul fondo della barca.

Aumentò la sua inclinazione a destra e con un ultimo sospiro Hans uscí fuori bordo e piombò nell'acqua nera e profondissima, subito scomparendovi.

In quell'istante sentii scalpiccio e gridio sul ponte risonante dell'Imperatrice Stefania e senza piú pensare ad altro mi diedi alla fuga sulla riva destra.

[Come lo aveva assicurato l'alfiere all'ingresso del ponte Granduca Ottone, la riva destra del Rotan non era pattugliata: Melas riesce quindi a raggiungere il Palazzo Lazarsky, dove viene riconosciuto e fatto entrare].

La sala d'onore di Palazzo Lazarsky era illuminata da settantadue doppieri multipli. I domestici si contavano a dozzine, e tutti in livree che arieggiavano piuttosto sfacciatamente le livree dell'Hofburg. Nell'atrio si sussurrava che la baronessa aveva appositamente ingaggiato per quel pranzo sei cuochi francesi i quali avevano preparato un menu al cui confronto il grande pranzo dell'Arciduca Carlo nel suo castello prediale diventava un picnic di piccoli borghesi in riva al fiume Aarzer.

Io stavo particolarmente bene nel mio abito nero a noleggio, rotto appena sul fianco sinistro dalla grossa spilla di turchesi che era l'unica eredità di mia madre. Io sono sempre stato disagiatamente incerto e pessimista sulle mie qualità fisiche, ma quella sera, in quell'abito, sentivo di stare particolarmente bene, e questo mi alleviava un po' la pena dei due chérubi d'oro.

La veridica storia della Grande Armada

Ci fu lavoro straordinario per tutti i cantieri e arsenali del Mediterraneo. Dappertutto, per mesi e mesi, si curvava legno, si cucivano vele e si martellavano chiodi. E contemporaneamente si pregava per il buon esito dell'impresa. Pregava il Papa a Roma, pregava Filippo nell'Escorial, pregavano frati e suore, pregavano le prostitute di Barcellona e di Venezia, pregavano i miei antenati e i vostri.

Quando la flotta fu pronta, si trattò di eleggere il grande ammiraglio. Non era necessario che fosse un grande navigatore o perlomeno un valoroso guerriero, bisognava che fosse pio. Il piú pio, disse re Filippo, sarà il grande ammiraglio della Grande Armada.

Tutti i designati e i raccomandati vennero sottoposti a test e alla fine risultò che il piú pio era Alonso Pérez de Guzmán, duca di Medina Sidonia. Il re non si fidò di questi esami e volle sottoporre il designato a un ultimo cimento dal re medesimo programmato e attuato. Gli fece l'esame di catechismo, gli impose due cilici, gli fece fare sette digiuni e quattrocentottanta giri a ginocchioni della reale cappella nell'Escorial e alfine si disse che aveva trovato il suo uomo. Medina Sidonia era certamente il piú pio dei pii grandi di Spagna e venne proclamato e costituito, coram tutti i popoli cattolici, Grande Almirante.

Veramente ci fu un capitano biscaglino, che serviva da venticinque anni sui galeoni oceanici, che obbiettò:

– Con tutto il rispetto per Sua Grazia, non mi risulta che il Duca abbia mai messo piede su una plancia. E, salvo sempre il rispetto per Sua Grazia, una volta che lo vidi a un autodafé in Siviglia, mi par proprio il tipo di patire il mal di mare.

Ma è ovvio che se re Filippo aveva deciso per il piú pio, un capitano biscaglino non poteva farci proprio niente, e non giurerei che non gli sia accaduto nulla di spiacevole, essendo che quella tal sua obbiezione fu per caso risentita da un famiglio dell'Inquisizione.

La Grande Armada si concentrò nel porto di Cadice, e faceva veramente un maestoso e mistico vedere. Pareva si fossero concentrate su quella baia tutte le cattedrali d'Europa. Dozzine e dozzine di vescovi vennero a bordo, a benedire non solo i cannoni e i timoni, ma anche i boccaporti e gli argani, ché tutto doveva essere sacro a bordo delle navi della Santissima e indivisibile Trinità.

C'erano centosessanta navi da battaglia e piú di quattrocento onerarie, con ottomila marinai e piú di ventimila micheletti per le operazioni a terra dopo che la flotta luterana fosse stata distrutta. Salirono a bordo anche piú di tremila fra frati e suore, incaricati della dottrina e della disciplina degli equipaggi e delle compagnie militari e, poi, a vittoria ottenuta, della rieducazione dei fanciulli inglesi, che sarebbero stati tutti orfani dopo la punizione dei padri sacrileghi e scismatici. Una nave, la piú grande di tutte, portava infatti un carico completo di corda per l'impiccagione dei vinti luterani, e un'altra nave tutta la strumentazione: c'erano infatti rosari, speciali arnesi per strappar l'unghie ai luterani, Bibbie nell'edizione autorizzata e preservativi.

Un agente inglese vide tutto questo dall'alto delle colline di Cadice e pensò in un baleno che tutto quel Marte non poteva andare che verso e contro casa sua. Inforcò il primo cavallo che trovò, in tre giorni galoppò ai Pirenei, in quattro giorni fu a Dover e l'indomani a Londra, nell'anticamera della Regina, lui, coperto della polvere di mezza Europa e con la bava alla bocca.

La regina Elisabetta stava in camera da letto col giovane Essex, ma non fece aspettare il messaggero piú di un minuto. Come ebbe saputo, disse:

– Morte della mia vita, fatemi venir subito i miei ammiragli. Essex, prima il dovere e poi il piacere, per questa volta.

Ma non dobbiamo occuparci piú oltre di ciò che accadeva dall'altra parte, la nostra essendo esclusivamente la veridica storia della Grande Armada.

La quale stava veleggiando nel Golfo del Leone, nell'immenso fruscio delle vele e delle litanie, con le miriadi di insegne di Castiglia e León, dell'Agnus Dei e della Santissima Trinità. Non si era mai vista flotta piú castigata e compunta. Il marinaio che andando al cassero ne incrociava un altro diretto al bompresso lo salutava «Pax et bonum» e l'altro lo ricambiava con un bel «Cristo e Maria». I marinai pregavano lavorando sul ponte e a riva; pregavano in spagnolo, mentre i micheletti, sotto la bacchetta dei frati, salmodiavano in buon latino.

A bordo poi dell'ammiraglia, sotto gli occhi del Grande Almirante, il piú pio degli uomini, misurava lentamente il passo, attorniato da altrettanti ufficiali che parevano tutti rettori di seminario, al ritmo di rosari e uffici lunghi.

Ma proprio all'ingresso della Manica, là, all'altezza di Capo Nez, dove l'acqua si fa nera e gelida, come se vi versassero dell'inchiostro e ghiaccio a tonnellate, scoppiò una grande tempesta e prese in pieno la Grande Armada. Forse, la Divina Provvidenza, un po' seccata da tutto quel litaniare, forse. Successe un pandemonio. Crollavano gli alberi, si laceravano come fazzoletti le immense vele coi segni della Spagna e della Croce, le navi imbarcavano, le suore strillavano, i frati bestemmiavano. Medina Sidonia, nella sua cabina addobbata a Cappella del Santissimo Sacramento, con sette rosari attorcigliati nella mano destra e un cero nella sinistra, faceva i rigadi. Aveva ragione, dunque, quel capitano biscaglino.

Un pazzo, passando per caso, adocchiò dentro dalla finestra e vide quel che faceva il Grande Almirante, e lo disse in giro, nel rombo della tempesta:

– Il Grande Almirante fa i rigadi!

Se li faceva il Grande Almirante... Tutti facevano i rigadi, anche le suore e i monaci, e tanti ne fecero che le navi rischiarono di colare a picco per il sopraccarico.

Finalmente la tempesta si placò, corse a occidente, andò a malmenare una flotta tesoriera spagnola che stava dirigendosi a vuoto verso Puerto Bello per caricare l'argento peruano. Si sarebbe proprio detto che la Provvidenza ce l'aveva con la Spagna. Ma la Spagna non era pipa e tabacco con la Santissima Trinità? Era come dire che la Divina Provvidenza ce l'aveva con se stessa e davanti a tanta assurdità non poche menti presero a vacillare.

La tempesta aveva sparpagliate le navi al punto che le piú vicine non si sentivano alla voce, anche se a gridare erano le suore. Si cercò tuttavia di riordinare un poco la flotta e si diede ordine di spazzare i ponti di tutti quei rigadi. Ma mentre malfermi sulle gambe e deboli di braccia spazzavano i ponti, arriva Drake, di punta arriva Drake, con Thorpe e Hawkins e tutta la crema della marineria inglese.

Gli diedero una legnata, ma una legnata... insomma, Medina Sidonia non seppe mai dire come e quando si ritrovasse all'Escorial, in presenza del suo signore e padrone.

Filippo era in lutto stretto, per la disfatta della Grande Armada, e chi non ha mai visto Filippo II di Spagna in lutto stretto, non può avere il concetto del nero. Con la destra sgualciva un messaggio di cordoglio del Pontefice e con la sinistra si pungeva il palmo della mano con un ago appartenuto a un santo monaco dell'Estremadura.

Filippo sguardò appena il suo Almirante, che del resto sbirciava con occhio inquieto alla balconata della sala, da dove occhieggiavano sotto i loro cappucci seicentottanta monaci.

– Non eravate abbastanza pio, – disse Filippo con voce abbastanza calma.

– Maestà... – fu tutto ciò che seppe replicare l'Almirante con la mano sul petto.

– È chiaro, Sidonia, – ribatté il re, – mi dispiace, ma è chiaro. Non eravate abbastanza pio.

– Ma, per quanto vi riguarda, ormai è fatta. E gli equipaggi, – riprese poi, con un ritorno di fiamma, – non mi direte che gli equipaggi si sono comportati santamente?

– Come in chiostro, maestà, – replicò umilmente ma fermamente il duca, – come in chiostro.

– Qualcuno ha certamente bestemmiato, – disse il re.

– Ve lo escludo, maestà, ve lo escludo. A bordo non si

sentivano che santi accenti e, nel peggiore dei casi, compunti. Lo stesso negli alloggi dei militari di truppa. Come in chiostro, maestà. Guardia e rosario. Sveglia e salmodia. Ritirata e rosario. E tre digiuni per settimana, e anche... clisteri.

– Clisteri? – ripeté vivamente il re, alzando lo sguardo alla balconata come a chieder lumi ai monaci.

– Clisteri, maestà, – spiegò umilmente Alonso Pérez de Guzmán, duca di Medina Sidonia, – per mortificare anche piú la carne, per incrementare l'effetto dei santi digiuni.

Appendice

Diario 1954

> Lo scrittore, fintantoché scrive, rappresenta un certo valore, ma al di fuori delle sue funzioni è il piú nullo degli esseri umani.
>
> Chestov, *Ai confini della vita*

Principio di pioggia.

Dapprima le gocce si schiacciarono mute sull'erta selciata di San Benedetto. Poi cominciarono a bruire le foglie. Alzando un'ultima volta il capo, egli vide galline e colombe, ognuna per la loro via, lasciare la pastura per il riparo. Egli continuò a salire, indifferente al fradicio, a testa sul petto come un penitente.

Belvedere.

Vista dall'antico mulino a vento di Murazzano, Belvedere è un'acropoli, ed è l'unico oggetto condegno delle mattinate piú gloriose dell'anno. Cosí compatta e pur svariata in alto, appare una fortezza, abitata da cavalieri e monaci (della piú alta qualità) senz'ombra di donne (con qualche rara vecchia donna per i servizi).

Renata.

Renata, segnati sul calendario il giorno di ieri. Ieri hai corso un rischio mortale. Eppure non avevi mai vissuto come ieri. Ieri hai cominciato a vivere.

Ricordati sempre, con un sorriso, di come io ho ingannato sul conto nostro gli attentissimi (perché annoiatissimi) villeggianti di Murazzano. Ad alta voce ti feci passare per una mia ricca e svogliata allieva d'inglese.

«Per la prossima volta, riepilogando: tre poesie di E. A. Poe. Con traduzione, commento e biografia del poeta».

Camposanto nuovo di Murazzano.

È una bruttissima cosa, ma io l'ammiro proprio nel dettaglio per cui chi l'ha costruito è stato fatto segno delle piú acute critiche. Giace in un punto cosí aperto ai venti che la peggior tramontana spezza a metà le lapidi. Ci sono sfortunatissimi eredi che rimettono nuove le lapidi un paio di volte l'anno.

A proposito dei cimiteri e delle lapidi, mi pare che in questo la nostra civiltà capitalistica non sia stata coerente fino in fondo: non ha mai citato sulle lapidi, oltre tutto il resto, la cifra del credito goduto in banca dal defunto.

Sempre sulle lapidi, a me basterà il mio nome, le due date che sole contano, e la qualifica di scrittore e partigiano. Mi pare d'aver fatto meglio questo che quello. E non ci sarà pericolo che il vento spezzi la mia lapide, perché giacerò nel basso e bene protetto cimitero di Alba. C'è stato un tempo in cui sognavo di diventare un grand'uomo unicamente all'effetto di poter scegliere la mia sepoltura. Ed in quel tempo m'ero quasi deciso per il piede d'un pino, nella pineta del Passo della Bossola.

Mare.

Il primo giorno sono stato male. Il mare e quella torre mi resuscitava dentro un vecchio amore (ma che stupido a chiamarlo vecchio, quand'è stato l'unico). Cercavo di immaginare lo sviluppo della costa dietro Capo Noli e figurarmi la spiaggetta di Borgio, con Mimma e la sua bambina sulla spiaggia. Come un marinaio, alzavo gli occhi al cielo e mi domandavo se quella maretta bianca lontana era giunta davanti agli occhi di Mimma, quando li alzasse dai giochi di sabbia della sua bambina. Il mare fu sempre mosso: anche al largo schiumava e quei sussulti bianchi parevano tanti gabbiani che s'involassero all'infinito.

Il giorno dopo la spina di Mimma mi doleva meno. Ne fui lieto, di questo allentamento di tensione. Si son mai visti grandi amanti durare in vita?

Floriana.

Pare che M.me Flo abbia licenziata la sua domestica, la Mariuccia, che m'aveva in tanta ammirazione perché io la salutavo sempre e per primo. Pare che la Mariuccia sia entrata senza bussare nella stanza di Flo che stava godendo sotto certo Filippo. Flo sbatté lontano l'uomo con un colpo d'anca ed alle proteste d'innocenza e di ignoranza di Mariuccia abbia risposto con due schiaffi e l'intimazione di licenziamento in tronco. Mariuccia se n'è andata, non senza aver lasciato trasparire i suoi intendimenti di vendetta: riferire al marito di Flo quale e quanto puttana sia la sua ex padrona.

Madame Flo, la vettura è vostra e voi ci fate montare chi volete. Per parte mia, io vi sono immancabilmente grato per quei passaggi dalle 11 di sera alle 4 di mattina.

Julien Green.

Letto il *Journal 1929-1934* e incominciato il *Journal 1935-1939*. Green è uomo affascinante e come tale è molto spesso noioso. Green romanziere: a leggere nei Journaux gli accenni all'opera sua, le previsioni ed i commenti ci si fa una grande aspettativa. Il brano di *Pays Lointans* in appendice al *Journal 1929-1934* la delude impietosamente.

Ego scriptor.

La Malora è uscita il 9 di questo agosto. Non ho ancora letto una recensione, ma debbo constatare da per me che sono uno scrittore di quart'ordine. Non per questo cesserò di scrivere ma dovrò considerare le mie future fatiche, non piú dell'appagamento d'un vizio. Eppure la constatazione di non esser riuscito buono scrittore è elemento cosí decisivo, cosí disperante, che dovrebbe consentirmi, da solo, di scrivere un libro per cui possa ritenermi buono scrittore.

Chissà che pensa la lettrice Mimma dello scrittore Beppe! Mimma aveva, se la famiglia non l'ha imbarbarita, un certo grado d'intelligenza critica.

Ancora mare.

Ho visto, sul molo di Celle, una bagnante di tutt'al piú 16 anni, in un perfetto lastex bianco. Ebbene, quell'ignota ragazza era la copia di Baba. A parte il medesimo corpo di romantica nuotatrice, aveva lo stesso viso e perfino lo stesso occhio, reso piú stretto dalla miopia. E, impressionante, quando si volse, le vidi sul dorso i capelli biondi costretti in un'unica trecciona. Come Baba.

Baba,
In quale alto luogo ti trovi,
Quando ti potrò mai recuperare?
Eliot. Come si vede, la vera poesia serve a tutti e per tutto. A lamentare la scomparsa d'un gran santo e quella d'una povera bella ragazza.

Non mi ricordo piú nemmeno un verso di *Evelyn Hope*. E nemmeno di *Annabel Lee*.

Tentato invano di far tornare a galla nella mia mente pochi versi di *Evelyn Hope*.

Monteberico.

Le notti di Agosto, a Monteberico le stelle ti scoppiano sulla testa.

Camposanto vecchio di Murazzano.

Conto di scriverne a fondo, non so ancora in qual forma. Certo si è che il camposanto vecchio di Murazzano mi ha fatto potentemente invidiare il grande spunto di E. L. Masters.

Camposanto di Buonvicino.

Sembra una scatola da scarpe.

Ballo.

Ieri sera ballo al Bellavista. Una ragazza di Dogliani ballava come ho solo visto ballare nel finale di *Giungla d'asfalto*. A un certo momento volevo schiaffeggiarla, ma solo per rompere cosí la sua olimpica indifferenza al desiderio che accendeva.

Foglie.

Guardò attentamente, nel profondo del vallone di Rea, come si muovessero le foglie di gaggia sotto quel filo di vento che arrivava sin laggiú: per sapere, una volta per tutte, come si muovevano nella loro notte quelle foglie romite.

The end.

Ci sarà sempre un racconto che vorrò fare ancora, ma ci sarà anche il giorno che non potrò piú vivere.

Lamento della vedova dell'uomo ricco.

Ho capito che il mio uomo, con tanto che ha lavorato, piú che un crocifisso dietro non s'è portato.

Natura viva.

La bambina aveva spetalato nel cortiletto tre o quattro cappuccine della spalliera: il vento aveva preso a trascinarle per terra; venne il cane e le rincorreva una ad una e tutte le ingoiava.

Diario?

Lotto strenuamente contro la tentazione di cominciare un diario. Non che agli altri, non servirebbe neanche a me, probabilmente. Meglio, molto meglio lasciare che ogni giorno scompaia senza memoria, come se ognuno fosse un bimbo nato morto.

Quasi pace.

Da dove sono seduto vedo un gran tratto di langa, da Sant'Antonio a Ciglié. Osservo una ad una, le cascine che ci stanno, quale sulle creste e quale emergente appena coi tetti dai rittani, e una balsamica sicurezza mi pervade alla certezza che in ognuna di esse può benissimo viverci, cosí come io le ho fatte vivere nella *Malora*, una famiglia Rabino od una Braida. Compenso all'atroce crisi di dubbio che mi ha attossicato questi ultimi giorni.

Visione.

Stanotte, non ricordo se nel primo sopore o nell'ultima veglia, ho visto nettamente una losanga di sale immersa verticalmente ed in parte in una soluzione color turchese. Stamane, ricordandomela, m'inducevo a dare una spiegazione di gabinetto d'analisi, quando categorica e repentina m'è venuta l'idea che avessi visto il mare delle Cicladi.

Vecchiaia.

Ieri ho visto tornare per la strada del Forletto il vecchio pittore. Il giorno avanti m'aveva mostrato il tremito violento delle sue mani e parlato d'arteriosclerosi, d'anemia e d'altro ancora.

Ma ieri aveva il passo allegro e la pupilla (m'è parso) sorridente dietro le lenti modeste.

– Ha lavorato? – gli domandai con appena una punta d'interrogazione, tanto ero certo che sí.

Ha scosso la testa con una tristezza indicibile. – E pensare – m'ha detto – che oggi le terre avevano dei colori, dei colori!

E pensare che tutto ciò succederà anche a me, un giorno.

Sprone.

L'incontro col vecchio pittore m'ha dato una sferzata. Per prima cosa, debbo riprendere il racconto di Alfredo Manera, esattore di Murazzano, Marsaglia e Igliano al principio del secolo.

Emigrazione.

Tanti mi dicono: – Coraggio, Beppe, pianta baracca e burattini, vattene lontano da Alba! – Chi me lo dice è gente la piú disparata, D. meccanico ricambista, C. maestro di campagna e M. produttore cinematografico con residenza stabile a Roma.

Rispondo che non ora, dopo, c'è tempo. Debbo prima scrivere il mio terzo libro, che parlerà d'Alba. Ma un libro su Alba, è meglio scriverlo in Alba o lontano da Alba?

Amore.

Di questi tempi sogno molto Mimma. Il piú preciso è il seguente, preciso sino ad insospettirmi.

Primi di settembre. Albergo Bellavista, Bossolasco. Mimma ci ha portato la bambina che a detta del medico ha bisogno di aria d'alta collina. Io ci son capitato per un mio week-end langhigiano. Sono vestito di scozzese, Mimma non so (di lei non ho mai ricordato un vestito). Eravamo in un cerchio di *gentry* locale, composti e sommessi (ambiente nordico). Si parlava di gioventú, della differenza tra la nostra e quella successiva; al mio turno presi a parlare della nostra gioventú, comune a Mimma ed a me, fatta di letteratura e di basket. Come sempre, io parlavo esclusivamente a Mimma pur rivolgendomi ad un complesso uditorio e sapevo che Mimma teneva tutte per sue le parole che dicevo alla compagnia. Mentre parlavo, delle tante foglie che ornavano il nostro giovane albero, sentii che gli occhi di Mimma si riempivano di lacrime, finché un sussulto mi avvisò che Mimma se ne fuggiva, con un primo singhiozzo secco. Là mi svegliai.

Scelta.

Parlato con Corsini e Cerrato di Occidente ed Oriente. A Corsini che non vuole scegliere e si dichiara pronto a morire liberamente per non essere degli uni né degli altri, rispondo che martirio è già il scegliere.

Autocritica.

Riletto la mia Malora. Mi pare di aver piantato i paracarri e non aver fatto la strada.

Lavoro.

Prepotente mi ritorna alla memoria il gran fatto di Gallesio di Gorzegno. Debbo rinfrescarmi i particolari. Ci vorrebbe una scappata a Gorzegno: la casa per sempre muta dei Gallesio, dove s'è fermato il fumo degli spari, il castello spettrale, l'acqua violacea della Bormida avvelenata.

Ageing.

Invecchio: lo deduco da tanti fatti, il piú importante dei quali è quello che mi piacciono forsennatamente le sedicenni.

Le cose sognate.

Con Essex e Raleigh alla presa di Cadice dal mare. *Entremos, entremos!*

I fascisti.

Ginzburg agonizzante ha detto: «Guai a noi se non sapremo far altro che odiarli!» Ma ancora oggi io in verità non so fare altro.

I Nazi.

Alle volte mi tornano alla memoria gli anticristi: non tanto Hitler quanto Goering, il *many-uniformed* and *bemedalled* Goering.

Malory.

M'ha sempre tentato la traduzione della *Morte d'Arthur*, ma non l'ho mai neppure incominciata. Ricordo che era il libro che Lawrence prendeva in mano nelle tregue della guerra del deserto.

Apostasia.

Corsini ha lasciato il seminario. Gli domando se lo strappo è stato totale, la matrice infranta. Mi risponde che qualcosa dentro il sacco rimane sempre, hai un bel rovesciarlo e scrollarlo. Aggiunge che lui e quelli come lui non saranno mai come gli altri.
– Dio vi ha segnati?
Corsini ci crede (e trema) e ci beve sopra un cognac.

Morte sul lavoro.

Ieri pomeriggio, un urlo m'ha rigato il cuore: la trebbia si è arrestata, un manovale ci ha lasciato la gamba, a quattro dita sopra il ginocchio. Trasportato all'ospedale di Ceva, ci è morto nella serata, per il tetano che il pulviscolo ha iniettato nella ferita.
L'ho visto caricare: il bavaglio che portava contro la pol-

vere e che non gli avevano tolto era un presagio del lenzuolo che a sera gli hanno tirato sul volto grigio.

18/8/'54.

Una superba volontà di fare mi gonfia tutto, ma non ho il bersaglio su cui puntare come un proiettile.

Myself.

Da una sella nelle colline di Dogliani vedo Monforte, arroccato, paese che fu patarino e dora non è piú che paese di «leggére».

Ci nacque mio padre, ed in ogni modo lo frequentarono i vecchi Fenoglio.

I vecchi Fenoglio, che stettero attorno alla culla di mio padre, tutti vestiti di lucido nero, col bicchiere in mano e sorridendo a bocca chiusa. Che sposarono le piú speciali donne delle langhe, avendone ognuno molti figli, almeno uno dei quali segnato: cosí senza mestiere e senza religione, cosí imprudenti, cosí innamorati di sé.

Io li sento tremendamente i vecchi Fenoglio, pendo per loro (chissà se un postero Fenoglio mi sentirà come io sento loro). A formare questa mia predilezione ha contribuito anche il giudizio negativo che su loro ho sempre sentito esprimere da mia madre. Lei è d'oltretanaro, d'una razza credente e mercantile, giudiziosissima e sempre insoddisfatta. Questi due sangui mi fanno dentro le vene una battaglia che non dico.

Alba.

Parlato con la marchesa Invrea. Dettole che il mio prossimo libro centrerà Alba, città ricca e «fermentosa».

Ella commenta: – Conosco Alba, non ha il minimo fermento, ma lei (io) ce lo vede e quindi scriverà un buon libro.

Ermanna.

Nella mia seconda visita a San Benedetto, Jenny m'informa che Ermanna lascerà la sua scuola ligure ed entrerà nelle suore. Che cosa ha passato, in questi vent'anni, la ragazzina bella e sobria che accompagnavo alla fonte degli Agrifogli?

Scena.

Il vecchio ricoverato Nicolino esce correndo dall'ospedale verso il paese. Da una finestra una suora lo rincorre col grido – Dove vai Nicolino? Fermati, sporcaccione!

Nicolino non se ne dà per inteso, accelera anzi la corsa e grida indietro: – No che non torno! Non posso nemmeno andarmi a comprare un toscano? Non ho già nessuna donna!

Uno spiritoso del paese gli fa: – Come non hai nessuna donna? Hai le suore.

Fa Nicolino: – Loro non sono mica donne –. E non ha piú ostacoli verso la rivendita.

Peace.

Stato un paio d'ore sdraiato nel verde di Clavinella. Recitato, nella mia versione, *Peace* di Hopkins. L'esaltante fatica che mi costò il tradurre quel poco d'Hopkins.

Fascino.

Conosciuta, a distanza, la giovane signora Prandi. Essa è l'amante d'un prete. Personaggio.

Concetto informatore nuovi «tales».

La vita ci dà in sorte una cosa sola: una donna, un campo, un coltellino... che diventa tutto noi stessi. La carichiamo d'un possesso tanto piú forte quante piú sono le cose che ci sono negate. Chi tocca o porta via la cosa che è noi, ci uccide, ma non tanto in fretta che noi non si uccida anche lui.

L'incontro

Conobbi Fulvia, seppi che era al mondo, nella primavera del 1942. Eravamo in guerra da quasi due anni, e si preparava la gran svolta di El Alamein.

Io ero allora un ragazzo di vent'anni giusti, che era un complesso di tante cose, tutte poco importanti: ero studente universitario del secondo anno di lettere moderne, candidato alle armi ei primissimi mesi del 1943 e forse anche prima, ero giocatore di pallacanestro nella squadra locale... Fu in veste di giocatore di pallacanestro che la conobbi.

Il campionato maschile era stato sospeso per la guerra, ma si era giusto iniziato il campionato femminile. Noi della disciolta squadra maschile fummo chiamati ad allenare la squadra femminile. Eravamo incompleti – uno dei nostri era in Russia, un altro nell'isola di Cefalonia, un terzo nel Trentino – ma ci saremmo reintegrati coi giocatori delle nuove leve.

Andammo insieme verso la vecchia palestra, che il regime aveva avocato a sé come opera sua propria, con una mano di rosso pompeiano e una manciata di fasci littori che l'arroncigliavano tutta. I miei compagni erano felici ed eccitati: tutto un pomeriggio o quasi, e con ragazze, studentesse per lo piú, e col fisico che la pallacanestro postula, se non prescrive. Non era come ora, i rapporti fra i due sessi erano radi e controllati. Mi par di risentire un mio amico, in proposito: – Eh sí, in gioventú ci mancò una quantità di cose. Sigarette a sufficienza, vestiti decorosi se non proprio eleganti, libertà di rapporti con le ragazze. Ma non ci mancò la guerra civile.

Io non ero né allegro né soddisfatto. Ai rapporti casuali con le ragazze non ci tenevo; tutta una letteratura mi aveva avvezzato a predispormi all'INCONTRO, e mi pareva assurdo, impossibile che l'INCONTRO dovesse verificarsi in palestra, in un allenamento di pallacanestro. A malincuore avevo smesso il mio lavoro – stavo traducendo per mio conto l'Ebreo di Malta di Marlowe – e avevo avvolto in un cartoccio le scarpe da gioco. Avremmo giocato cosí come ci trovavamo, cambiando appena le scarpe, le uniformi da gioco erano sotto chiave nei depositi della Federazione. A me andava a genio: figuravo (ora non mette piú conto di parlarne) assai meglio vestito che succinto, per non dire la verità intera, che è questa: svestito, sfiguravo. Ero alto e magro, con gambe cavalline e la schiena arcuata. Le ragazze che mi conoscevano si affrettavano a dirmi intelligente, e colto, quasi a correzione di una verità taciuta ma inoppugnabile.

A comprova di quanto ho detto, ricorderò che, non potendo minimamente lodare il complesso, elogiavano e straordinariamente, i dettagli: gli occhi, le mani, qualcuna anche la bocca.

Tutto ciò è molto stupido, ma non a vent'anni. Non riesco a dimenticare la uneasiness fisica che dovevo tormentosamente superare al fiume, d'estate, quando svestito entravo in un gruppo che includesse ragazze. Che lo sappiano o no, il loro occhio è spietato. Mi costava tanto che finii con l'eludere la prova: sceglievo posti deserti, ma non tanto remoti che non potesse giungermi il riso delle ragazze.

Ci avvicinavamo alla palestra e il rimbombo del pallone sui tabelloni o nei rimbalzi ci avvertiva che il gioco era già cominciato. Quando entrammo, una leggera polvere si alzava dal battuto di cemento e attraverso quel velo vedemmo le ragazze.

Erano in gonnellino blu-nero e nichy bianca, del tipo di ordinanza, ma senza l'M mussoliniana. La loro professoressa di ginnastica stava parlottando col nostro allenatore. Le ragazze provavano i tiri al cesto, con una concentrazione e una lentezza e una trepidazione che muoveva a tenerezza. Quando ci sentirono arrivati, guardarono verso noi, come a degli assi. Non si può dare che uno sguardo circolare in un ambiente e gruppo del genere, e fu caso che il mio finisse su Fulvia Pagani.

Non l'avevo mai vista prima. Abitavamo nello stesso quartiere, separati appena, si può dire, dalla mole della cattedrale; conoscevo il notaio suo padre, ero amico dei fratelli che mi avevano preceduto di qualche anno nel ginnasio-liceo e ora erano ufficiali nell'esercito e chissà dove, ma lei non l'avevo vista mai.

Ma come la vidi desiderai di essere quello che non ero e non potevo essere, bello ed elegante. L'avrei pagato a prezzo di intelligenza e di cultura, a qualunque prezzo.

Era la creatura piú bella che avessi mai visto o immaginato, con una sensazione di bellezza esclusiva, nel senso che ne avesse privato tutte le altre che l'avevano preceduta sulla terra e rapita a quante le sarebbero successe, per la pena di un ragazzo che mi somigliasse. Eppure non so descriverla. Non ricordo nulla della sua bellezza, se non la sua bellezza intera e unica. Chi legge la prenda per una bella ragazza degli anni 40 (?), e basta. Per me, oggi, io posso soltanto giurare sul nero corvino delle sue trecce, con riflessi blu, e sulla sua iride nocciola pagliettata d'oro.

So che tutti i versi che sapevo sulla bellezza e sull'amore mi vennero addosso, con un peso tragico, con un'ombra nera. Seppi che non avrei mai piú ripreso in mano la traduzione di Marlowe confidentemente lasciata un'ora prima, e, con Marlowe, tutto il resto, di prima. Intuii che avrei sentito la guerra infinitamente di piú di prima d'ora, che essa sarebbe stata per me quello che finora non era mai stata: tragica. So che rimasi a ondeggiare come uno scemo sulla pista sgombrata, perché si stavano componendo le squadre. Sentii vagamente il nostro allenatore che diceva di schierare la difesa maschile A con l'attacco femminile A contro la difesa femminile B e l'attacco maschile B.

– Io non gioco – dissi miserevolmente all'allenatore. – Non mi sento bene.

– Niente storie, intellettuale – mi disse senza guardarmi. – Cambiati le scarpe.

Mi ritirai in un angolo, mi accucciai su una barra d'equilibrio e mi cambiavo lentamente le scarpe. Tutto ciò senza mai ridirigere lo sguardo su Fulvia Pagani. Sentivo, a testa china, le ragazze prescelte per l'esperimento che cinguettavano di eccitazione e apprensione per la prova. Non potevo dire se c'era fra quelle la voce di Fulvia, non l'avevo ancora sentita, e me ne consolavo, perché mi aveva già caricato vederla. Poi alzai gli occhi alla galleria e vidi un ragazzo sconosciuto che guardava in basso e verso Fulvia, la guardava, mi pare, da innamorato, da innamorato istantaneo come me, e allora sentii, per la prima volta, l'impegno della competizione, del definitivo perduto, lo sentii tragicamente. E quasi per scrollarmi d'addosso quel freddo mi alzai di scatto e irruppi sulla pista.

Si stavano schierando. Io a difesa, proprio alle spalle di lei, che nell'attesa del fischio d'inizio, si tormentava una treccia. «Vuoi vedere che è la peggio di tutte?» pensai. In realtà, pensavo che ero stato scemo, o privo di ispirazione, a non mettermi l'unico bel vestito che avevo, una vigogna buona. Avevo capito, al primo sguardo, che per Fulvia la bellezza ed eleganza erano categorie imprescindibili. Ma sí, va' a metterti la vigogna per andare a giocare a pallacanestro. Avrei dovuto fare i conti con mia madre. Ma, pensavo e capivo ora, mentre la palla già danzava sulle mani protese, che con l'ingresso di Fulvia qualcosa sarebbe cambiato anche tra me e mia madre. Rammentai anche, in quel momento, che mia madre era molto conoscente della persona di servizio dei Pagani.

Avevo ragione, era veramente la peggiore di tutte. Era nata per una cosa sola, pensavo e tremavo. Anch'io giocavo, ovviamente, male. A una interruzione, con le ragazze raccolte intorno alla loro professoressa di ginnastica, il nostro allenatore me lo fece osservare.

– Non c'è nessun motivo per non giocare sul serio – mi disse.

– Per allenare queste ragazze? – dissi, caricando il menefreghismo.

– Per amore della pallacanestro – mi disse. – E mi pare ne valga la pena. La figlia dell'avvocato Malcotti si farà. Anche la figlia del dottor Abrate è buona. L'Ada Marchisio è già una bella difesa.

Gli fui grato che non menzionasse Fulvia, sebbene ardessi dal desiderio di chiedergli un parere su di lei.

In quel momento udii per la prima volta la voce di Fulvia. Non era perfettamente gradevole, un pochino strascicata e appoggiata troppo sulle labiali. Parlava alla ragazza bionda e massiccia che per l'allenatore era già una buona difesa. Poi la lasciò e venne diritta su me, ma senza vedermi. E io mi scansai all'ultimo istante, con gli occhi bassi e la testa torta, oppresso dal peso della coscienza della mia mancanza d'interesse.

Giocammo per un altro po', le ragazze avevano le trecce sfatte e i lineamenti stemperati dal sudore. Quando l'allenatore fischiò la fine, io sfrecciai verso lo spogliatoio e mi lavai accuratamente. Non so quanto tempo ci impiegai, ma so che quando rientrai la palestra era perfettamente deserta, occupata dai soli veli di polvere che danzerellavano fantomatici. Esageratamente mi turbai e corsi fuori, nel grande spiazzo chiuso in fondo alla vecchia palestra. Erano tutti là, ragazze e ragazzi che si allontanavano verso il portone che dava sulla Via Maestra. Li rincorsi, ma quando mi unii, Fulvia non c'era. Andata avanti o aveva preso per la portina posteriore che per il breve tratto di Via Accademia la portava a casa in un baleno?

Mi arresi, pigliando quell'espressione un po' aggrondata che per gli altri era emblematica di me, e senza parere contai i ragazzi a uno a uno. Nessuno era andato avanti con lei. E pensai che fin tanto che era sola non avevo nulla da temere. E mi risolsi di fare in modo che ogni qual volta fosse sola fosse praticamente con me.

Abruptly mi rivolsi a Sergio. – Hanno detto se e quando ci si ritrova?

Mi rispose venerdí.

Tre giorni, e per la prima volta un triduo mi sembrò un periodo lungo, enorme, invalicabile.

Nota ai testi

Racconti della guerra civile.

I ventitre giorni della città di Alba, *L'andata*, *Il trucco*, *Gli inizi del partigiano Raoul*, *Vecchio Blister*, *Un altro muro*. Sono i primi sei racconti del libro d'esordio di Fenoglio: *I ventitre giorni della città di Alba*, Einaudi, Torino 1952, undicesimo titolo della collana i «Gettoni» diretta da Elio Vittorini. Il volume costituiva il punto d'arrivo di una lunga e complessa vicenda editoriale iniziata tre anni prima, che aveva visto il rifiuto di due opere, lo smembramento, la riscrittura e quindi la loro parziale fusione. *Racconti della guerra civile* era il titolo del manoscritto che Fenoglio inviò senza successo all'editore De Silva di Torino nella primavera del 1949; sotto lo pseudonimo Giovanni Federico Biamonti conteneva i seguenti racconti: *I ventitre giorni della città di Alba*, *L'andata*, *Il trucco*, *Gli inizi del partigiano Raoul*, *Il vecchio Blister*, *Nella valle di San Benedetto*, *Raffica a lato* (nell'indice, però, il primo racconto compariva col titolo *I ventidue giorni della città di Alba*). Un successivo contatto con Bompiani portò alla pubblicazione del racconto *Il trucco* sulla rivista «Pesci Rossi» (n. 11, novembre 1949, pp. 11-13). Consegnati quindi a Einaudi, dopo la bocciatura da parte di questi del romanzo *La paga del sabato*, i racconti vengono lentamente riscritti e riorganizzati sotto il titolo *Racconti barbari*: *Nella valle di San Benedetto* viene depennato, i titoli *Il vecchio Blister* e *Raffica a lato* divengono rispettivamente *Vecchio Blister* e *Un altro muro*; mentre ai sei racconti di guerra rimasti si affiancano sei nuovi racconti «della cosiddetta pace» (cosí li definisce Fenoglio nella lettera del 27 ottobre 1949 all'amica Giovanna Cresci), racconti langhigiani o ambientati in Alba nell'immediato dopoguerra: *Ettore va al lavoro* e *Nove lune*, provenienti da *La paga del sabato*; *Quell'antica ragazza*, probabile episodio scartato del «nuovo romanzo» a cui l'autore stava lavorando (*La malora*); *L'acqua verde*, *L'odore della morte* e *Pioggia e la sposa*. Il titolo della nuova raccolta verrà cambiato all'ultimo momento con quello del primo racconto. Per approfondimenti sull'intera vicenda si può vedere l'epistolario di Fenoglio (*Lettere 1940-1962*, Einaudi, Torino 2002) e il capitolo *Storia di un esordio. Dai «Racconti della guerra civile» a «I ventitre giorni della città di Alba»*, in Luca Bufano, *Beppe Fenoglio e il racconto breve*, Longo, Ravenna 1999, pp. 85-117; per un confronto tra le diverse redazioni dei racconti, lo studio di Maria Corti, *La duplice storia dei «Ventitre giorni della città di Alba» di Beppe Fenoglio*, in *Un augurio a Raffaele Mattioli*, Sansoni, Firenze 1970, pp. 375-91.

Nella valle di San Benedetto. Pubblicato la prima volta, con una nota di Maria Corti, in «Strumenti critici», n. 10, ottobre 1969, pp. 361-380; poi in Beppe Fenoglio, *Opere*, edizione critica diretta da Maria Corti, Einaudi, Torino 1978, vol. II, pp. 75-93. Il racconto ha il suo nucleo originario nel quinto capitolo di *Appunti partigiani*, dedicato alla cronaca del grande rastrellamento antipartigiano del novembre 1944. Tra i *Racconti della guerra civile* del 1949 era l'unico a mantenere la prima persona narrativa: da qui, forse, e da un accentuato autobiografismo, il motivo della sua esclusione dal volume d'esordio.

Il padrone paga male. Apparso sulla rivista «Il Caffè» (nn. 7-8, luglio-agosto 1959, pp. 18-22) subito dopo la pubblicazione del romanzo *Primavera di bellezza*; poi incluso nel primo volume postumo insieme a *Una questione privata* e ad altri undici racconti di varia provenienza (*Un giorno di fuoco*, Garzanti, Milano 1963, pp. 93-103); quindi in *Opere* (II, pp. 541-47). Si tratta di un episodio del romanzo oggi noto col titolo *L'imboscata* (a cura di Dante Isella, Einaudi, Torino 1992), che Fenoglio abbandonò sul finire del 1959 per dedicarsi a «una nuova storia, individuale, un intreccio romantico, non già *sullo sfondo* della guerra civile in Italia, ma *nel fitto* di detta guerra» (cosí nella lettera a Livio Garzanti dell'8 marzo 1960), ovvero a *Una questione privata*. Il testo a stampa del racconto è stato utilizzato per colmare la lacuna presente nel capitolo x dell'*Imboscata*, essendo mancanti nel dattiloscritto del romanzo i fogli ad esso relativi, cosí come quelli relativi al successivo e all'ultimo racconto di questa sezione.

Lo scambio dei prigionieri. Altro inserto evocativo proveniente dal romanzo *L'imboscata*, di cui colma perfettamente la lacuna del capitolo xi. Pubblicato poco dopo *Il padrone paga male* sulla rivista «Palatina», n. 12, ottobre-dicembre 1959, pp. 40-45; poi in *Opere* (III, pp. 101-7), dove viene riprodotta anche una precedente redazione in terza persona attinente allo stesso macrotesto (I,3, pp. 2231-34). Numerose sono tuttavia le elaborazioni di questo tema nell'opera fenogliana, dai primi racconti a *Una questione privata*: si veda in proposito lo studio di Stefania Buccini, *Beppe Fenoglio e lo scambio partigiano: analogie e varianti*, in «Critica letteraria», n. 49, 1985, pp. 771-79.

Golia. Apparso nella prima silloge postuma (*Un giorno di fuoco* cit., pp. 113-39), poi in *Opere*, II, pp. 549-74. Di questo splendido racconto partigiano possediamo soltanto il testo a stampa: nessun manoscritto sia pur frammentario, nessun appunto di lavoro figurano nel Fondo di

Alba. Valorizzato da un italianista tedesco (Bodo Guthmüller, *Il racconto «Golia» di Beppe Fenoglio*, in «Lettere italiane», n. 2, aprile-giugno 1992, pp. 300-9), è ragionevolmente inseribile nel progetto di una seconda serie di racconti sul tema della guerra civile a cui Fenoglio lavorò dopo il 1959.

War can't be put into a book. Testo anepigrafo contenuto in quattro fogli redatti con la macchina da scrivere usata da Fenoglio negli ultimi anni (1960-62), non numerati e privi di correzioni autografe; attualmente nella cartella 10 del Fondo di Alba. Venne pubblicato parzialmente, con il titolo *Una pagina inedita* e una nota di Gian Carlo Ferretti, su «Rinascita», n. 13, 30 marzo 1973, p. 33; poi, integralmente, tra le note di *Opere*, I,3, pp. 2281-86. Pubblicandolo la prima volta a testo si è provveduto a dotarlo di un titolo; si sono corretti alcuni errori ortografici e, in uno spazio lasciato bianco dall'autore («il dialogo aveva un tono decisamente letterario e inconsistente, fatto di compiacenze da parte mia e di [ ] da parte di Jerry»), si è inserito arbitrariamente la parola [*reticenze*]. Allo stesso modo si è tolto l'appunto «(wringing)» di seguito a «Volevo sollevarlo da quella pena».

La profezia di Pablo. Si riproduce il testo apparso sulla rivista d'arte «i 4 Soli», a. XII, n. 56, maggio-agosto 1968, pp. 22-23; poi, con una nota di Luca Bufano, in *Beppe Fenoglio 1922-1997*, «Atti del convegno, Alba 15 marzo 1997» (n. 1 di «Momenti», Iniziative culturali della Fondazione Ferrero), a cura di Pino Menzio, Electa, Milano 1998, pp. 58-59. Tale redazione contiene lezioni migliorative rispetto a quella apparsa in nota a *Opere* (I,3, pp. 2189-92), che riproduceva i testi di due fogli manoscritti: uno con numerose correzioni e l'annotazione «Palazzo dei Fiori San Remo» seguita da due parole illeggibili e dal numero «103»; l'altro contenente una parziale riscrittura in bella a cui l'autore appose il titolo *La profezia di Pablo*. Evidentemente Fenoglio fissò la prima stesura e una parziale revisione su un blocco d'appunti durante un soggiorno a Sanremo, per poi riscrivere il racconto a macchina una volta rientrato ad Alba. Un amico dello scrittore, venuto in possesso del testo, ne avrebbe dato copia alla rivista che lo pubblicò nel quinto anniversario della morte.

Il nucleo originario del racconto si trova nel capitolo VII del cosiddetto *Ur Partigiano Johnny* (i capitoli sopravvissuti della prima stesura in «fenglese» del libro) dove il protagonista, in procinto di partire per il Monferrato al seguito della missione inglese, si imbatte in due prigionieri fascisti «just being sorted from North's H.Q. for immediate execution». Mentre uno di essi insiste nel voler rivedere il prete che lo ha appena confessato, l'altro si avvicina a Johnny «with the sprinting liveliness of the morituri» per chiedere del tabacco. Johnny gli offre una sigaretta inglese e tra i due si svolge un breve dialogo. Dice il fascista: «There are many a smart boy among you, and you appear to be one. Why then why have you never felt anything for the national honour?» Risponde Johnny: «We are so thinkful of our national honour we all are praying that your Mussolini will rise to have his brains exploded». Alle dure parole del partigiano il prigioniero ha uno scatto d'orgoglio e nel fanatismo sembra trovare un sostegno al coraggio:

– The Duce is a hero and I will die remembering and witnessing this.

– I have a nasty unhealty feeling Mussolini will die like a dog and a pig.

He stiffened and grimaced. – The Duce is a hero. The and the only one hero. I will die decently having him in mind. I will cry Viva il Duce while dying and you cannot do anything to that.

– Cry whatever you like.

– I cannot utter any else cry, and you are a damned if you don't understand this. And I'am glad to die and be out from that which'll be *your* world.

L'episodio è ripreso nel cap. VII dell'*Imboscata*, dove il partigiano Pablo racconta a Milton della fucilazione di un caporale fascista, ripetendo la profezia di Johnny sul modo di morire del duce. Riscritto in terza persona e, come sempre in una stesura seriore, «alquanto scarnito», diviene il racconto *La profezia di Pablo*; mentre la versione in prima persona, col partigiano Paco che racconta a Milton la fucilazione del prigioniero, verrà utilizzata nelle tre successive redazioni di *Una questione privata*.

L'ora della messa grande; *La prigionia di Sceriffo*. Riproducono il testo di due dattiloscritti anepigrafi numerati progressivamente da 1 a 8 e da 9 a 21. Poche e insignificanti le correzioni autografe nel primo («quello che avevano da dirsi / quel poco che avevano da dirsi»; «Quando lo incontravano / Quando lo incrociavano»; «disse Gilera / scattò Gilera»; «erano tremende nei conti / erano tremende nella contabilità»; «lo presero in tre / lo afferrarono in tre»; «gli diede un'occhiata / gli lanciò un'occhiata»; «per sorvergliarlo / per sorvegliarlo di continuo»); una sola nel secondo dattiloscritto («verso il punto della sua fucilazione / verso la fossa»). Sono invece molto interessanti alcuni segni extra-testuali: sul margine superiore del primo foglio l'autore ha battuto a macchina – in rosso, come la numerazione delle pagine – un punto; nella stessa posizione, sul primo foglio del secondo testo, due punti. La duplice sequenza, numerica e segnica, dimostra chiaramente la loro appartenenza a un'unica opera, e visto che tra i due microtesti non esiste alcun collegamento interno o rapporto tematico, tranne il toponimo fittizio «Mangano» (deformazione del reale «Mango»), quest'opera incompiuta, il macrotesto, non può essere altro che una raccolta di racconti, la seconda sul tema della guerra civile, a cui avrebbero dovuto appartenere, molto probabilmente, anche i cinque racconti che qui precedono. Una parziale versione del primo dattiloscritto e tutto il secondo sono stati pubblicati tra le note di *Opere* (I,3, pp. 2199-200 e 2203-20). Successivamente, con i presenti titoli editoriali e una nota di Luca Bufano, nella plaquette Beppe Fenoglio, *Due racconti della guerra civile*, Via del Vento, Pistoia 2004.

Qualcosa ci hai perso. Si tratta di un primo inizio della prima storia di Milton, poi sviluppata diversamente nell'*Imboscata*; inizio trasformato dall'autore in racconto. Spingono a questa conclusione la qualità della carta dei sette fogli numerati progressivamente e conservati nella cartella 10 del Fondo di Alba (carta giallastra utilizzata in testi degli ultimi anni cinquanta), i diversi caratteri dattilografici (quelli della macchina utilizzata in ufficio per i primi tre fogli, quelli della macchina utilizzata a casa prima del 1960 per gli altri quattro) e la scritta in calce all'ultimo foglio: «FINE DEL PRIMO CAPITOLO». Il testo, anepigrafo, è stato pubblicato in nota a *Opere*, I,3, pp. 2220-29 (due sole le correzioni autografe: «io non porto mai la borsetta / io apposta non porto mai la borsetta»; «Non sono discorsi che si fanno / Cose che non si chiedono»). Nel dotarlo di un titolo si è scelto, secondo la prassi, una frase di particolare rilevanza nel testo: in questo caso viene ripetuta due volte dal protagonista nella conclusione.

Interessanti i richiami al capitolo III di *Appunti partigiani*, dove troviamo il partigiano Beppe passeggiare per la piazza di Santo Stefano e lí incontrare Anna Maria, la ragazza dal viso «hawaiano» e dal «piú magnifico paio di gambe mai profilatosi» ai suoi «attenti occhi». Qui Milton pensa con nostalgia alla stessa ragazza, immaginando di vederla apparire sul rettifilo assolato della stazione di Santo Stefano e di riconoscerla, «con il suo occhio acutissimo», da una distanza di cinquecento metri.

Quello dell'incontro amoroso è un tema latente nella narrativa di Fenoglio, che spesso emerge e spesso viene respinto, come se l'autore esercitasse nei suoi confronti una sorta di vigilanza o di autocensura; frutto, forse, di un'osservazione ricevuta da Calvino nel lontano 1952: «in *Nove lune* io toglierei nella prima pagina la rievocazione dell'incontro in cui è successo il fattaccio, perché tanto come succede quando nasce un bambino lo sappiamo tutti».

Novembre sulla collina di Treiso. Apparso sulla «Voce» di Cuneo il 28 settembre 1952 in occasione della cerimonia di consacrazione di una cappella nel comune di Treiso dedicata alle vittime dei feroci rastrellamenti antipartigiani del novembre 1944. Come il successivo racconto, dato alle stampe da Fenoglio in circostanze simili, è dedicato alla memoria di un partigiano caduto. Il testo, elaborazione del primo capitolo di *Appunti partigiani*, è stato ripubblicato dall'«Almanacco dell'Arciere» di Cuneo nel 1983 (a cura di Mario Donadei, n. 6, pp. 19-23), poi, con uno studio di Orsetta Innocenti, dalla rivista «Il Ponte» (*Fenoglio: gli «Appunti», un racconto, una conferma cronologica*, a. LII, n. 6, giugno 1996, pp. 80-97); infine in Beppe Fenoglio, *Romanzi e racconti*, a cura di Dante Isella, Einaudi, Torino 2001, pp. 1483-87.

L'erba brilla al sole. Pubblicato in *Secondo Risorgimento* (Piemonte artistico e culturale, Torino 1961, pp. 105-17), volume miscellaneo «Edito in occasione della Mostra di Arti plastiche e figurative dedicata alla Resistenza nell'anno Centenario dell'Unità d'Italia», comprendente, oltre a quello di Fenoglio, testi di Giovanni Arpino, Giorgio Bassani, Oddone Beltrami, Vittorio Catalani, Laura Conti, Gino de Sanctis, Maria Ginzburg, Primo Levi, Paola Masino, Gino Montesanto, Guglielmo Petroni, Vasco Pratolini, Guido Seborga, Renata Usiglio e Renata Viganò. Ignorato dai curatori delle *Opere*, il racconto è stato riproposto nel 1982 dall'«Almanacco dell'Arciere» (a cura di Mario Donadei, L'Arciere, Cuneo, pp. 135-49); poi, insieme a un articolo di Lorenzo Mondo, dalla «Stampa» di Torino (*L'«incompiuta» di Fenoglio*, 11 aprile 1999, pp. 23-24); infine, con una nota di Orsetta Innocenti, da «Il Ponte», a. LV, n. 6, giugno 1999, pp. 108-21.

Al pari dei racconti *Il padrone paga male* e *Lo scambio dei prigionieri*, anche *L'erba brilla al sole* nasce dalla rinuncia al romanzo oggi noto col titolo *L'imboscata*. E al pari di quei racconti anche di questo possediamo soltanto il testo a stampa: Fenoglio, cioè, avrebbe materialmente estratto dal dattiloscritto del romanzo i fogli relativi ai capitoli XIII e XIV per comporre il racconto da destinare a *Secondo Risorgimento*. Nella prima edizione dell'*Imboscata* il curatore aveva riassunto il contenuto delle pagine mancanti, deducendolo da un appunto autografo presente nel Fondo di Alba, con la seguente didascalia: «L'imboscata si trasforma in una controimboscata e nell'azione Leo perde Sceriffo e Smith (uccisi in combattimento), Jack (tramortito da una mortaiata e fatto prigioniero) e Maté e Gilera (catturati nel tentativo di Maté di portare in salvo Gilera ferito a un piede). Maté viene fucilato sul posto». Nella nuova edizione del 2001, venuto a conoscenza del racconto, il curatore decideva di reinserirne il testo nell'*Imboscata*, modificando i toponimi originali per renderli omogenei a quelli del romanzo, i cui capitoli raggiungevano cosí il numero di 22: tanti, cioè, quanti dichiarava di averne scritti Fenoglio, nella citata lettera a Livio Garzanti (vedi la nota a *Il padrone paga male*), quando decise di «cestinarli». Ma il racconto ha una sua autonomia, un suo titolo e una sua dedica; è stato licenziato come tale dall'autore e merita quindi di essere incluso nella presente raccolta.

Racconti del parentado e del paese.

Un giorno di fuoco, *La sposa bambina*, *Ma il mio amore è Paco*, *Superino*, *Pioggia e la sposa*, *La novella dell'apprendista esattore*. Sono i sei originari *Racconti del parentado*, la seconda raccolta allestita per Einaudi sul finire del 1961. Fenoglio arrivò a vederne le bozze, che restituí corrette il 19 febbraio 1962 (anche questa volta il titolo del libro era stato cambiato in sede editoriale con quello del primo racconto), ma la pubblicazione venne bloccata da un intervento di Garzanti, il quale rivendicò il proprio diritto d'opzione quinquennale sugli inediti, in base al contratto sottoscritto dall'autore nel 1959. I sei racconti vennero quindi inclusi nel primo volume postumo (si veda la nota a *Il padrone paga male*). In redazioni piú o meno divergenti, tutti erano già apparsi a stampa vivente l'autore: *Un giorno di fuoco* in «Paragone», n. 70, ottobre 1955, pp. 55-68; *La sposa bambina* in «Nuovi Argomenti», n. 2, maggio-giugno 1953, pp. 110-14 (poi anche in un'*Antologia di scrittori piemontesi contemporanei*, Alpignano 1960, pp. 215-21); *Ma il mio amore è Paco* in «Paragone», n. 150, giugno 1962, pp. 55-74; *Superino* in «Palatina», nn. 23-24, luglio-dicembre 1962, pp. 5-19; *Pioggia e la sposa* in *I ventitre giorni della città di Alba*; *La novella dell'apprendista esattore* nel volume miscellaneo *I giorni di tutti* («Strenna Italsider per i trentamila dell'Ilva e della Cornigliano»), Edindustria Editoriale, Roma 1960, pp. 147-62. Per tutti si è accolta la lezione ormai canonica di *Opere* (II, pp. 441-529), che a sua volta riproduce i testi di *Un giorno di fuoco* (Garzanti, Milano 1963), con la sola eccezione di *Ma il mio amore è Paco*. Essendo facilmente dimostrabile la posteriorità del testo apparso su «Paragone», si è riprodotto quest'ultimo con le correzioni indicate da Dante Isella in nota a Beppe Fenoglio, *Romanzi e racconti*, Einaudi, Torino 1992 (nuova edizione accresciuta 2001).

Quell'antica ragazza, *L'acqua verde*. Rispettivamente ottavo e nono della raccolta *I ventitre giorni della città di Alba* (1952). Si sono accolte le nuove redazioni «parentali» del 1961, con le rispettive didascalie d'autore che ne giustificano la presenza in questa sezione; entrambe in *Opere*, III, pp. 109-12 e 113-16.

L'addio. Uno dei sei testi brevi di varia provenienza inclusi, accanto ai sei *Racconti del parentado*, nel primo volume postumo (*Un giorno di fuoco* cit., pp. 167-73); poi in *Opere*, II, pp. 601-7. Anche di questo, come per *Quell'antica ragazza*, è evidente il collegamento con *La malora*.

Il gorgo. Apparso su «Il Caffè» di Giambattista Vicari, n. 9, dicembre 1954, p. 17; poi in *Opere*, III, pp. 7-9. Si veda quanto detto in proposito nell'introduzione al presente volume.

L'esattore. Pubblicato postumo in «Paragone», n. 162, giugno 1963, pp. 76-88; poi in *Opere*, III, pp. 69-82. Il racconto è annunciato dalla voce «*Sprone*» del *Diario* (se ne veda il testo in *Appendice*), che stabilisce quindi un preciso riferimento cronologico.

Ferragosto. Undicesimo dei dodici racconti inclusi nel volume *Un giorno di fuoco* (cit., pp. 155-65); poi in *Opere*, II, pp. 589-99. Molto discussa la sua datazione, soprattutto in relazione al racconto *Un giorno di fuoco* e alla *Novella dell'apprendista esattore*: la stesura del *Diario* (agosto 1954) e la pubblicazione in rivista di *Un giorno di fuoco* (ottobre 1955) sembrano comunque offrire i due termini cronologici entro cui collocarlo. Si collegano al tema di questo racconto i sei episodi di sceneggiatura cinematografica a cui Fenoglio lavorò tra la fine del 1961 e l'estate del 1962, in contatto con il regista televisivo Gianfranco Bettetini (se ne veda il testo in *Opere*, III, pp. 419-53).

Il paese I, III, XI. Pubblicati la prima volta in *Un Fenoglio alla prima guerra mondiale*, a cura di Gino Rizzo, Einaudi, Torino 1973, pp. 9-80; poi, con alcune lezioni divergenti, in *Opere* (III, pp. 11-68) al cui testo ci atteniamo. Come già Dante Isella per il volume da lui curato (si veda la nota a *Un giorno di fuoco*) si è ritenuto opportuno escludere il «capitolo II», stesura parziale e anteriore del *Signor Podestà*; allo stesso modo si sono introdotti gli a-capo nelle battute del dialogo del primo racconto. Su tutti si veda quanto già detto nell'introduzione al presente volume.

Il signor Podestà. Decimo racconto di *Un giorno di fuoco* (Garzanti, Milano 1963, pp. 141-153); poi in Opere, II, 575-87. Elaborazione seriore del «capitolo II» del *Paese*.

L'affare dell'anima. Probabile nuova stesura «parentale» di un capitolo perduto del *Paese*. Il testo, contenuto in nove fogli dattiloscritti non numerati, attualmente nella cartella 13 del Fondo di Alba, venne pubblicato la prima prima volta (ma con alcune lezioni divergenti, dovute probabilmente a errori di trascrizione) in «Quaderni dell'Istituto Nuovi Incontri di Asti», 1968, pp. 10-17; poi in *Opere*, III, pp. 83-93. Numerosi i collegamenti testuali con capitoli a noi noti del *Paese*, cosí come con i racconti *Un giorno di fuoco* e *L'esattore*.

L'affare Abrigo Capra. Si tratta di un'evidente prima stesura, di un abbozzo di racconto, indicativo, forse, di quel livello intermedio di scrittura a cui si riferisce Fenoglio nella lettera del 17 ottobre 1961 a Gianfranco Bettetini quando dice: «Ho il fatto in pugno (...) ma non riesco a tradurlo». Anche per questo motivo interessante e degno di essere accolto nella presente raccolta.

Il testo è contenuto in tre fogli dattiloscritti provvisti di titolo, «L'AFFARE ABR. CAPR.», con poche correzioni autografe («ci sapevano fare nel lavoro / lavoravano bene la terra»; «li lasciava bussare e urlare all'infinito / li lasciava bussare e urlare all'infinito, chiamassero la padrona»; «in una clinica di Bra / in una casa di cura di Bra»). Rispetto alla trascrizione integrale pubblicata in nota a *Opere* (III, pp. 548-52) si è deciso di non riportare a testo i seguenti brani (probabili conclusioni alternative e annotazioni che ci conducono dentro il laboratorio segreto dello scrittore, di grande interesse per il filologo, ma che priverebbero il racconto di una conclusione efficace):

> A Capra finirono la casa, le sette cascine, le gioie, le rendite e tutto. Pensiamo che Maria Abrigo, quando tagliava le cedole, si chiudeva in casa.
>
> Fiora, la moglie di Capra, rammendava roba all'aperto, ostentatamente, e diceva alla gente che passava, forte, mostrando la biancheria: «La gente fa in fretta a dire, ecco tutta la gran eredità della signorina Abrigo. Ecco, biancheria lisa, lisa!» ma la gente tirava di lungo, scuotendo la testa e alzando le mani al cielo.
>
> Capra andava vestito da signore, con la catena d'oro e la sterlina sul panciotto, e ancora negoziava in vacche. (aneddoto della vacca restaurata con rossetto e cura dentaria, denti limati).
>
> FINE RELAZIONE CHIARLONE:
>
> Altri nomi di Luoghi: LA SCORCIATOIA, CASCINA DELLE CROCI.
>
> Altri nomi di persone: LA CHIACCHIERETTA – PUNTUTO – CARDINALE – RAVANELLO – L'INSALATINA – GIUSEPPE DELL'OLEARO – RICO –
>
> L'acqua d'odore – il grasso d'orso per i capelli –
>
> L'intercalare di Pietrino Abrigo: «Oltre a ciò...»
>
> [manoscritto:]
>
> IL PUNTUTO, perché credeva d'esser perspicace.
>
> L'INSALATINA, perché stava in mostra dalla finestra su un orticello ed era piú fresca della lattuga rugiadosa.
>
> LA CHIACCHIERETTA, perché a ciarlare la era un mulino a vento.

Il riferimento al Santuario della Moretta, costruito negli anni 1905-1908, offre una sicura indicazione del tempo storico del racconto, mentre le annotazioni qui riportate ci aiutano a collocare negli anni 1954-1955 la sua composizione. Di un mezzadro di nome Capra si parla anche in una prima stesura manoscritta del racconto *L'affare dell'anima*.

Dopo pioggia. Nel quaderno VII del Fondo di Alba, di seguito alle riflessioni diaristiche riprodotte in appendice al presente volume, troviamo questi due brani: «La serva era tutta bagnata al fondo della sottana e l'oste: – Che cos'ha la vostra sposa che è tutta bagnata dal piede al ginocchio? – È che oggi è bagnata dal piede al ginocchio e stanotte io la bagno dal ginocchio a monte»; «– Chi è? – La forza. – Se siete la forza, andate a portar quintali». Parole, battute, dialoghi ascoltati in paese, a San Benedetto, e subito registrati nel quaderno che Fenoglio aveva con sé in quel momento. Poi il colpo d'ala: un altro *principio di pioggia*. Non una voce di diario, ma un vero racconto di langa nello stile del primo Hemingway, secondo quell'asse Midwest-Piemonte vagheggiato da Cesare Pavese, che in Fenoglio diviene Horton

Bay-San Benedetto Belbo. Il tema: un giovane dilettante scultore, tornato a vivere coi genitori dopo un soggiorno di tre anni nella lontana Carrú, incapace ormai di rientrare nella squallida routine domestica, assiste con profonda angoscia alla prima pioggia che investe il paese. La pioggia e la nebbia segnano la fine dell'estate, ma anche dei sogni della giovinezza.

Il testo, già pubblicato come ultima voce del *Diario* in *Opere* (III, pp. 211-13), si è qui emendato con le varianti di trascrizione proposte da Gino Rizzo nel suo studio *Editi e inediti di Beppe Fenoglio*, in «Giornale storico della letteratura italiana», n. 505, 1982, pp. 112-27. Ci è sembrata però inaccettabile la lezione proposta per colmare la lacuna del paragrafo 7: «Sua madre si mise per la polenta, con essa [...] / con essa *i pomodori staccati dalla travata*». Si è preferito «con essa *le provoline slacciate dalla travata*».

I discorsi sulle donne. Tardo racconto del *Paese*, redatto su cinque fogli non numerati con la macchina da scrivere usata da Fenoglio negli ultimi anni. Anche il tempo storico è identificabile nei primi anni sessanta, dato il tono nostalgico con cui uno dei personaggi, Benedetto, ricorda la chiusura delle cosiddette case di tolleranza, avvenuta nell'ottobre del 1958. Come negli altri casi di racconto anepigrafo si è ricavato il titolo dalle parole rilevanti di un personaggio; mentre si sono apportate due correzioni al testo pubblicato in nota a *Opere* (III, pp. 750-758): «fra una vaccina e l'altra / fra una vaccinazione e l'altra»; «aggiustandosi gli specchi occhiali / aggiustandosi gli spessi occhiali».

Nessuno mai lo saprà. Dattiloscritto anepigrafo composto di tre fogli non numerati, redatto a inchiostro rosso con la macchina usata da Fenoglio negli ultimi anni e privo di correzioni. Si è accolto il testo pubblicato in nota a *Opere* (III, pp. 782-86), dove viene riprodotto anche il contenuto di un quarto foglio presente nella cartella 13 del Fondo di Alba: frammento narrativo in cui Palma ricorda a distanza di quattro anni l'incontro col norcino Amedeo, ormai morto «solo come un cane in quella sua cascina sotto Cherasco».

La licenza, *Il mortorio Boeri*. Manoscritti nel quaderno VIII del Fondo di Alba, il quaderno scolastico che Fenoglio aveva con sé durante il ricovero alla clinica di Bra nell'autunno del 1962. Precedono una redazione in pulito dei *Penultimi*, il progetto narrativo sui «vecchi Fenoglio» di cui lo scrittore parla il 20 novembre in una lettera al fratello: «Sto raccogliendomi per scrivere un nuovo libro e in effetti ho già buttato giú, molto grezzamente, la prima parte (una sessantina di pagine). Dovrebbe essere la storia (del tutto fantastica, o per lo meno leggendarizzata) dei Fenoglio di Monchiero (Amilcare, Virgilio, Ugo e la sorella Alda) negli anni della prima guerra mondiale, con inclusione della incredibile licenza dello zio Annibale Gavarino di Mombarcaro. Ci pensavo da un bel pezzo, ma il lavoro obbligatorio mi aveva sempre impedito di applicarmici con la necessaria continuità e concentrazione. Ora il tempo ce l'ho, a iosa, e questo libro dovrebbe uscir fuori».

Entrambi i racconti sono stati trascritti e pubblicati per la prima volta da Gino Rizzo in *Un Fenoglio alla prima guerra mondiale* (cit., pp. 139-168); poi, emendati di alcuni errori di trascrizione, in *Opere* (III, pp. 125-47), al cui testo ci siamo attenuti.

Racconti del dopoguerra.

Ettore va al lavoro, *Nove lune*. I due racconti nascono nel 1951 dalla rinuncia alla *Paga del sabato*. Dopo la bocciatura definitiva da parte di Vittorini, e l'invito a cercarsi un altro editore per il romanzo, è lo stesso Fenoglio a reagire con uno scatto d'orgoglio: «Non intendo presentare *La paga del sabato* ad alcun altro editore – scrive il 30 settembre a Calvino. – Farò un lungo e solido racconto intitolato *Ettore va al lavoro* col meglio dei primi tre capitoli de *La paga del sabato*. Quest'idea in me non è nuova e per la fine dell'entrante settimana il racconto sarà pronto. Mi pare che andrebbe bene e che darebbe corpo al volume dei *Barbari*». Soltanto dopo aver preso atto di tale decisione, e aver letto *Ettore va al lavoro*, Vittorini suggerirà a Fenoglio di ricavare un altro racconto – *Nove lune* – dal settimo capitolo della *Paga del sabato*. I due racconti diventeranno rispettivamente settimo e decimo del volume *I ventitre giorni della città di Alba*. Entrambi sono indicati da Fenoglio nel piano della raccolta complessiva descritto a Bertolucci il 29 novembre 1961, come facenti parte della sezione *Racconti del dopoguerra* (si veda il brano della lettera nell'introduzione al presente volume).

L'odore della morte. Tematicamente vicino al romanzo *La paga del sabato*, ma di origine autonoma, segue *Nove lune* nella prima raccolta.

Un matrimonio. Probabile cornice per un racconto alla Maupassant, viene lasciato nella forma non finita tipica dell'ultimo Fenoglio. Stilisticamente lontano dalla *Paga del sabato* e dai racconti da esso derivati, nonostante il nome del protagonista (Ettore) e l'indicazione temporale: «quel tetro pomeriggio festivo dell'estate 1950». Redatto su due fogli con la macchina da scrivere degli anni sessanta. Due sole le correzioni autografe: «niente che giustifichi / niente che spieghi»; «chiunque dei due avesse escogitato qualcosa, anche di balordo, per uccidere quel pomeriggio, avrebbe telefonato all'altro. / chiunque dei due avesse avuto una qualche idea, anche balorda, per uccidere quel pomeriggio, avrebbe telefonato all'altro». Quest'ultima non accolta dalla redazione in nota a *Opere* (III, pp. 639-42) perché giudicata illeggibile.

Placido Taricco, il giovane progressista. Abbozzo di racconto del periodo del *Paese*; la frase rivolta pubblicamente al parroco, «Voi insegnate da 1955 anni: il socialismo ha sí e no 30 anni di vita», ne indica il tempo narrativo e, molto probabilmente, anche quello di composizione. Nonostante l'ambientazione a San Benedetto si è pensato di inserirlo in questa sezione per i rari riferimenti a vicende politiche del dopoguerra. Testo dattiloscritto su un unico foglio, *recto* e *verso*, privo di correzioni; interrotto a metà della parola «fut<uri>» per la perdita di uno o piú fogli. Si è accolta la lezione di *Opere*, III, pp. 631-635.

Ciao, old Lion. Racconto finito e redatto in bella copia con la macchina degli ultimi anni su sei fogli numerati, ma lasciato dall'autore privo di titolo. Piú precisamente ascrivibile, per alcuni riferimenti testuali, al 1962 (la data del combattimento di Valdivilla riferita con prontezza da Nick, però, «venticinque febbraio 1943», è clamorosamente sbagliata: quella giusta è 24 febbraio 1945). Pubblicato la prima volta in *Opere* (III, pp. 117-24) sotto la sigla «IXbis»; poi, con alcune correzioni e il presente titolo, in *Romanzi e racconti*, a cura di Dante Isella (cit., pp. 1363-70). Si è riprodotto quest'ultimo testo.

Figlia, figlia mia, *La grande pioggia*. Entrambi manoscritti nel quaderno VIII del Fondo di Alba; il primo con titolo d'autore (tre pagine a tratti di non facile lettura), il secondo con la sola indicazione «I» sul margine alto (sette pagine di piú agevole lettura). Il testo del primo, già edito in nota a *Opere* (III, pp. 642-44), si riproduce qui con le varianti di trascrizione proposte da Gino Rizzo in *Editi e inediti di Beppe Fenoglio* cit. (p. 115) e con una nostra aggiunta. Per il secondo, edito anch'esso da Rizzo nell'articolo citato (pp. 124-26), si riproduce la nostra trascrizione dell'originale, dotata di un titolo nostro, apparsa su «Il Caffè illustrato», n. 7-8, luglio-ottobre 2002, pp. 39-40.

Racconti fantastici.

Una crociera agli antipodi. Di questo racconto, unico fra i testi «fantastici» ad essere stato dotato di titolo e licenziato per la stampa dall'autore, si posseggono due redazioni concluse. La prima, conservata nella cartella 19 del Fondo di Alba, consiste di tre fogli da computisteria dattiloscritti a nastro nero su *recto* e *verso* (a nastro rosso i nomi di navi e due note a piè di pagina), per un totale di sei pagine. Si tratta evidentemente di una copia di lavoro, come dimostrano la qualità della carta e le numerose correzioni autografe. Se ne indicano alcune: «accennava di desiderar di parlargli / accennava di volergli parlare»; «la nostra partenza da Plymouth / la partenza da Plymouth»;

«Io arrossii violentemente / Arrossii violentemente»; «con me che avevo cattive inclinazioni / con me che avevo bassi sentimenti»; «un conestabile / il conestabile»; «non avevo nessunissimo mezzo di soddisfare quel terribile debito / non avevo nessun mezzo di soddisfare altrimenti quel terribile debito»; «da ben undici anni era emigrato in America / da ben dodici anni era emigrato in America». A quest'ultima correzione interlineare è aggiunto, a margine, il seguente inciso: *Pensa, Harry, che noi forse abbiamo incrociato la nave che ce lo portava*. Un quarto foglio bianco funge da frontespizio con le seguenti indicazioni: in alto BEPPE FENOGLIO; al centro STORIA DI HARRY BELL E BOBBY SNYE; in basso, tra virgolette, la citazione «I must down to the seas again... ». La stessa citazione è riportata in esergo sulla prima pagina del testo. Si tratta di un verso di *Sea-Fever* del poeta inglese John Masefield (1878-1967), appartenente alla sua prima fortunata raccolta poetica, *Salt-water Ballads*, pubblicata a Londra nel 1902.

La seconda redazione, pubblicata nel 1980 dall'editore Stampatori di Torino, si differenzia dal dattiloscritto di Alba per l'assenza del verso di Masefield in esergo, la presenza di alcune lezioni migliorative e, soprattutto, per il nuovo titolo *Una crociera agli antipodi*. Il volumetto riproduceva il testo di un dattiloscritto oggi irreperibile, ma l'autenticità e attendibilità del testo a stampa è confermata da due importanti elementi: quasi tutte le correzioni autografe che figurano nel dattiloscritto di Alba sono qui accolte; in una lettera a Luciano Foà del 19 luglio 1961 Giovanni Arpino, incaricato da Giulio Einaudi di curare un'antologia di racconti per ragazzi scritti dai migliori autori italiani del momento, riferiva di aver ricevuto, fra gli altri, il racconto *Una crociera agli antipodi* di Beppe Fenoglio. Scampato al naufragio del progetto einaudiano, il dattiloscritto finale del racconto non poteva che essere quello utilizzato per la pubblicazione del 1980. Per la prima pubblicazione dei racconti fantastici – *Una crociera agli antipodi e altri racconti fantastici*, Einaudi, Torino 2003 – si decise perciò di accogliere quest'ultima redazione con un unico intervento: il reinserimento in esergo del verso di Masefield. Lo stesso testo viene qui riproposto senza modifiche.

Storia di Aloysius Butor. Si riproduce il secondo testo del volume *Una crociera agli antipodi e altri racconti fantastici* (cit., pp. 15-25), che a sua volta accoglieva il contenuto di sei fogli dattiloscritti a nastro nero, non numerati e privi di titolo, conservati nella cartella 19 del Fondo di Alba. Una precedente versione della *Storia di Aloysius Butor*, leggermente piú breve e in alcuni casi divergente, era stata pubblicata l'anno successivo alla morte di Fenoglio da Lorenzo Mondo (*Le distrazioni di Beppe Fenoglio*, in «45° Parallelo», settembre-ottobre 1964, pp. 46-48), il quale ricorda di essersi basato su di un dattiloscritto anch'esso anepigrafo, purtroppo non piú reperibile. La posteriorità del dattiloscritto di Alba è comunque provata da vari elementi: il toponimo «Lussemburgo», presente nella versione utilizzata da Mondo, diviene «Limburgo» (ed è noto come Fenoglio tenda sempre ad allontanarsi dai toponomi reali eventualmente utilizzati in una stesura preliminare); l'involontaria allitterazione della coppia «sterminati stormi» viene corretta con «infiniti stormi»; l'improbabile «un giorno di maggio – le strade odoravano di gelsomino» è cambiato in «un giorno di maggio – le strade odoravano di biancospino»; «nelle sopraddette quattro battaglie» è giustamente corretto con «nelle suddette cinque battaglie»; il cielo della Slivonia «annerito dalle colonne e *lenzuola* di fumo» diviene, piú felicemente, «annerito dalle colonne e *nuvole* di fumo che si alzavano dai nostri incendi», con un'immagine che ricorda quella di Castino messa a fuoco dai nazisti, nel *Partigiano Johnny*. Ma la differenza piú notevole tra le due versioni è l'assenza, nella prima ad essere pubblicata, del lungo inserto in cui il protagonista Aloysius Butor dialoga con lo spirito di Kaspar manifestandogli tutte le sue perplessità sul fanatismo dei monaci che accompagnano l'armata imperiale: si tratta di 44 righe del dattiloscritto di Alba, da «Ma io ero oscuramente scontento e tremebondo, seppur dal lato professionale non mi fossi mai trovato cosí bene», alla cinica risposta del vecchio mentore: «Il comando è buono? Il soldo corre? Tutto il resto è un'indegna almanaccata.» L'inserto sviluppa, incorporandolo, quello che nella prima versione era solo un breve inciso nella rievocazione dell'infelice campagna agli ordini del Duca di Stettino: «Donne, vecchi e fanciulli combattevano e morivano a fianco degli uomini validi e, personalmente, io avrei preferito trovarmi di fronte, anzi che questa disperata gente, un qualunque altro tipo di esercito, foss'anchero gli stessi micheletti spagnuoli». Risulta difficile immaginare un procedimento opposto di riduzione, tanto piú che quello trattato nell'inserto è un tema particolarmente sentito da Fenoglio: si pensi al fastidio provato da Johnny per l'indottrinamento a cui sono sottoposti i partigiani della stella rossa, al suo ideale di una sobria ed efficiente disciplina militare.

Il letterato Franz Laszlo Melas. Il testo di questo racconto, anch'esso edito la prima volta in *Una crociera agli antipodi e altri racconti fantastici* (cit., pp. 27-56), proviene da due gruppi di dattiloscritti conservati nella cartella 19 del Fondo di Alba, rispettivamente di 5 e 12 fogli, che però riflettono tre successivi livelli di redazione. Un foglio del secondo gruppo, infatti, presenta episodi che precedono e allo stesso tempo seguono la sequenza narrativa contenuta nei rimanenti 11 fogli: rappresenta, cioè, l'unico frammento rimasto di una prima stesura nella quale il protagonista Franz Laszlo Melas giunge effettivamente al Palazzo d'estate dei principi Lazarsky, in tempo per partecipare alla loro «grande festa annuale». Subito dopo questa stesura lo scrittore, secondo una sua nota prassi, avrebbe ideato la lunga digressione del viaggio di avvicinamento di Melas al Palazzo Lazarski, che diventa quasi un racconto a sé stante; avrebbe quindi cominciato una stesura in pulito, ma fermandosi alla pagina 5 e lasciando il testo privo di titolo.

Chiameremo A e B i due gruppi di dattiloscritti: 1A-5A i fogli del primo; 1B-11B e 0B quelli del secondo. I fogli del gruppo A, dattiloscritti a nastro nero, sono numerati progressivamente da 1 a 5. Due particolari interessanti: di questo dattiloscritto l'autore ha eseguito una copia carbone, anch'essa conservata nella cartella 19 del Fondo di Alba; ciascun foglio contiene soltanto 35-40 righe di testo, essendo i margini orizzontali e verticali insolitamente ampi, come si addice a una bella copia redatta per essere presentata all'editore. Non numerati (probabilmente con il proposito di riordinare in un secondo momento la sequenza dei vari episodi), dattiloscritti a nastro rosso-blu su carta di colore giallino e formato leggermente piú alto sono invece i fogli appartenenti al gruppo B. I margini verticali sono assai piú stretti, di modo che ciascun foglio contiene 54-57 righe di testo. Un'apparente soluzione di continuità esistente tra 7B e 8B – *explicit* «Mi», *incipit* «e voglio sperare» – si deve a una semplice distrazione dello scrittore: basta inserire la parola «dispiace» per confermare la successione dei fogli: «Mi [dispiace] e voglio sperare che la lettura vi abbia parzialmente fruttificato a risarcimento del danno disciplinare». In corrispondenza del dialogo fra Milka e il giovane biondo, quando questi le chiede se avesse cuore di ripetere quelle dure parole direttamente a Hans, l'autore ha annotato a margine: «Hans le ha sentite!». Nella trascrizione del testo si è provveduto a correggere qualche evidente errore meccanico e, nelle oscillazioni di alcuni nomi propri, si è accolta quella che sembrava l'ultima volontà dell'autore. Si sono cosí uniformati in «Karol», «Mundula» e «Tomesvar» i nomi, rispettivamente, di «Karel», «Gudula» e «Nomesvar»; in «Bel-Tchikonnex» il nome del quartiere «Pel-Tchikonnex». Il costo del noleggio dell'abito da cerimonia, indicato in «12 corone ceche» e «12 corone morave» nel dattiloscritto B, diviene «due chérubi d'oro» in A: anche in questo caso si è dunque uniformato secondo l'ultima lezione. Si sono accolte, inoltre, le seguenti correzioni autografe: «a lume di candela / al lume dei doppieri»; «giugno / marzo»; «dormono / russano»; «che manderebbe in mille frantumi una meteorite / sul quale andrebbe in pezzi un cannone»; «filiformi / aghiformi».

Caratteristica importante di questi dattiloscritti è che non esiste sovrapposizione di episodi nelle diverse redazioni; lo scrittore, ovvero, distruggeva i fogli della precedente stesura, evidentemente considerandola superata, mano a mano che componeva la nuova, salvando solo le parti che ancora non aveva utilizzato (cosí come fece passando dal cosiddetto *Ur Partigiano Johnny* alla prima redazione del *Partigiano Johnny*, ma non, significativamente, dalla prima alla seconda dello stesso). Per poter valorizzare l'intero materiale, garantendone al tempo stesso la continuità narrativa, si è quindi provveduto a giustapporre i due dattiloscritti inserendo i fogli 1B-11B tra le prime 40 righe e le rimanenti 17 del foglio oB. In coincidenza delle tre suture cosí ottenute (5A-oB; oB-1B; 11B-oB) si è fatto ricorso a brevi didascalie integrative, separate dal testo e stese per semplice deduzione logica dai fatti successivamente narrati. Per non disturbare la lettura dell'insieme, infine, si è pensato di "smussare" due congiunzioni imperfette eliminando gli *incipit* tronchi dei fogli oB e 1B. Essi sono: «*- del ferro studiato e scelto proprio dai due amanti per la costruzione della nave da battaglia nei cantieri di Efestiopoli, sul Nilo*. Per quanto riguardava i chiodi di giunzione *etc.*»; «*- con la mia morte o permanente rovina fisica, ma valeva la pena di pagare col sangue lo spettacolo di una simile contesa per me, uomini e donne che per me violava[no] la legge divina e naturale, che per me si sarebbero dannati*. Gli uomini ora brontolavano, solo quello di prima continuava a scrollare la testa *etc.*». Similmente non si è riprodotto l'*explicit* tronco del foglio oB: «Io sono sempre stato disagiatamente incerto e pessimista sulle mie qualità fisiche, ma quella sera, in quell'abito, sentivo di stare particolarmente bene, e questo mi alleviava un po' la pena delle dodici corone morave. *Per la verità non avevo trascurato alcun mezzo per provarlo e farmelo piombare il -*». Un'operazione di montaggio indubbiamente arbitraria, ma che permette di conferire al racconto, senza aggiungere niente alla scrittura, un'apparenza di compiutezza, una sia pur parziale conclusione, con l'improvvisa sensazione di benessere provata dal protagonista nel salone di Palazzo Lazarski.

La veridica storia della Grande Armada. Quarto e ultimo dei racconti editi nel volume del 2003 (pp. 57-62), riproduce il testo anepigrafo di tre fogli dattiloscritti con la macchina usata da Fenoglio negli ultimi anni, attualmente nella cartella 20 del Fondo di Alba. È sicuramente posteriore ai racconti fantastici propriamente detti; forse una pausa creativa, un «divertimento» ispirato dal lavoro di traduzione di classici della storiografia inglese, quali l'*Oliver Cromwell and the Rule of the Puritans in England* di Charles Firth, *England Under the Stuarts* di G. M. Trevelyan, e *The Spirit of English History* di A. L. Rowse. Affascinato dalla storia inglese non meno che dalla letteratura, Fenoglio si dedicò a quest'attività lungo tutto l'arco della sua carriera di scrittore (per una puntuale descrizione del materiale pervenutoci si veda Mark Pietralunga, *Beppe Fenoglio e la letteratura inglese*, Allemandi, Torino 1992, pp. 168-69).

Nel testo figura una sola correzione autografa: la coppia di aggettivi «maestoso e mistico» sovrapposta a «bello e grande»; mentre nel corso della battitura, di seguito a «Ma la Spagna non era Pipa e tabacco con la... », dove l'autore aveva cominciato a scrivere «Divina Provvidenza», ha corretto in «Santissima Provvidenza», quindi in «Santissima Trinità». Anche in questo caso si sono accolte le ultime lezioni identificabili e si sono corretti alcuni refusi, incluso il nome del celebre capitano inglese Hawkins, nel dattiloscritto «Hoawkins».

Appendice.

Diario. Si riproduce il testo manoscritto in 17 pagine del quaderno VII del Fondo di Alba. Rispetto al testo edito in *Opere* (vol. III, pp. 199-210) si sono emendati i numerosi errori di trascrizione (alcuni dei quali già segnalati da Gino Rizzo in *Editi e inediti di Beppe Fenoglio*, cit., p. 112) colmate lacune e inserite le tre voci mancanti: «*Mare*», «*Floriana*», «*Amore*». Per le ultime tre voci presenti nel testo di *Opere* si veda la nota al racconto *Dopo pioggia*. Si segnalano gli interessanti approfondimenti sulle singole voci nel recentissimo Beppe Fenoglio, *Diario*, a cura di Paola Gramaglia e Lanfranco Ugona, Centro culturale «Beppe Fenoglio», Murazzano 2007 (che però riproduce il testo di *Opere*).

L'incontro. Pubblicato postumo col titolo *Un capitolo di Beppe Fenoglio*, senza alcuna nota o commento, sulla rivista d'arte «i 4 Soli» (a. VIII, n. 2, maggio-agosto 1963); poi in *Opere*, I,3, pp. 2112-17. Testo privo di riscontri nel Fondo di Alba, probabilmente collegato al progetto di romanzo epistolare a cui Fenoglio lavorò dopo la pubblicazione di *Primavera di bellezza*. Il nome Fulvia, la macchina da scrivere usata per i frammenti di lettere attinenti a tale progetto, conservati nella cartella 13 del Fondo (vedi *Opere*, I,3, pp. 2085-112), suggeriscono una datazione tarda, non antecedente il 1960.

Rimangono esclusi dalla presente raccolta i frammenti *Un Fenoglio alla prima guerra mondiale* e *I penultimi*, entrambi abbozzi di opere narrative lunghe, cosí come due testi brevi pubblicati in precedenti raccolte: *Tradotta a Roma*, apparso sulla «Fiera letteraria» dell'8 marzo 1959, corrisponde al sesto capitolo di *Primavera di bellezza*; *I premilitari* pubblicato su «Palatina» (n. 9, gennaio-marzo 1959, pp. 15-22), costituisce il quarto capitolo della prima redazione a noi nota dello stesso romanzo (se ne veda il testo in *Opere*, I,3, pp. 1259-425), opera in sé pregevole e di grande interesse per i temi inediti che vi sono affrontati, come la preistoria civile di Johnny, studente universitario a Torino.

Indice

Tutti i racconti

Racconti della guerra civile

Racconti del parentado e del paese

Racconti del dopoguerra

Stampato per conto della Casa editrice Einaudi
presso ELCOGRAF S.p.A. - Stabilimento di Cles (Tn)

C.L. 23874

Edizione	Anno
5 6 7 8 9 10	2020 2021